# HISTÓRIAS DA GENTE BRASILEIRA

VOLUME 1

COLÔNIA

LeYa

2016

 Este livro foi revisado segundo o Novo Acordo Ortográfico da Língua Portuguesa.

Preparação
**Breno Barreto**

Revisão
**Luana Luz de Freitas e Pedro Staite**

Projeto gráfico de miolo e de capa e iconografia complementar
**Victor Burton**

Diagramação
**Adriana Moreno e Anderson Junqueira**

Pesquisa iconográfica
**Renato Venancio**

Pesquisa documental
**Carlos Milhon**

Imagem de capa: montagem a partir da obra de Carlos Julião, imagens cedidas pela Fundação Biblioteca Nacional.

Dados Internacionais de Catalogação na Publicação (CIP)
Angélica Ilacqua CRB-8/7057

---

Priore, Mary del
Histórias da gente brasileira : volume 1 : colônia / Mary del Priore.
–São Paulo : LeYa, 2016.
432 p.

ISBN: 978-85-441-0385-2

1. Brasil – História 2. Brasil – Período colonial, 1500-1822 - Usos e costumes I. Título

16-0180 CDD 981

---

Índices para catálogo sistemático:
1. Brasil – História


LEYA EDITORA LTDA.
Av. Angélica, 2318 – 13º andar
01228-200 – São Paulo – SP
www.leya.com.br

*Agradeço a Renato Venancio, pela seleção de imagens, e a Carlos Milhono, pela ajuda na pesquisa documental.*

*Ofereço este livro a Vasco Mariz, por uma história de amizade, e às minhas netas, Maria e Sophia, para que gostem de história como a avó.*

# SUMÁRIO

RUGENDAS, Johann Moritz.
*Vista tomada da Igreja de São Bento, Rio de Janeiro.*
CASA LITOGRÁFICA ENGELMANN, PARIS, 1835. GRAVADOR V. ADAM.

# PREFÁCIO

Você gosta de história? Então, está com o livro certo nas mãos. Porque nele você há de conhecer uma história do Brasil diferente. Não aquela dos grandes feitos, nomes e datas que marcaram o nosso passado; tampouco aquela dos fenômenos extraordinários que provocaram rupturas na nação, mas as histórias do dia a dia, ou melhor, de todos os dias da semana. Histórias feitas por personagens anônimos do passado, que raramente nos são apresentados, pois se confundem com o tecido social em construção. Uma história da gente brasileira no labor cotidiano, inventando, produzindo e ganhando o "pão de cada dia"! Sim, no gerúndio mesmo, pois a vida real se passa nesta forma de verbo.

Do que era feita essa gente, prisioneira da vida ordinária? Sob qual clima cresceu, se multiplicou e desapareceu? E, de suas crenças e tradições, o que ficou para as gerações que a sucederam? De que trama foi tecido esse povo? Para responder a essas questões vamos discorrer sobre o básico, o tradicional. Mas de forma nova e fresca. Vamos falar com simplicidade dos lugares-comuns, das coisas pequenas que podem ser muito relevantes, quando damos voz às comunidades de ontem, ouvindo-as sobre seu cotidiano; dos pequenos detalhes da existência sobre os quais se colam gestos precisos, exercidos por personagens que ritualizam suas ações. O seu "saber fazer".

Nas mãos de nossa gente, vamos encontrar objetos. Objetos, eles também atores históricos, cujos usos nos ajudam a compreender a complexidade de nossa vida material. Em cada um deles reside a narrativa de sua produção, de suas viagens, de seus usos e apropriações. Não podemos reduzi-los a sua simples significação ou uso. Marcados pela intenção de seu criador, e depois de seus detentores, eles são o signo de uma ação. Sua historicidade nos convida a inscrevê-los na sucessão da vida coletiva. Um mundo habita cada coisa: panelas, roupas, instrumentos de trabalho, móveis.

Contrariamente às grandes obras de arte, o encanto das pequenas coisas reside em não individualizar o gesto criador. Não há assinatura na parte inferior de tais peças. Arrancados de seu silêncio, de sua quietude, eles nos acenam com descobertas imprevisíveis. E é a história de nosso cotidiano que se expressa através de artefatos concretos. Da lembrança de ofícios esquecidos.

Descobrir a grande história das pequenas coisas é também uma forma de olhar. Nesse olhar está contida a arte de viver, mas também de ver. De ver de perto. Pois atrás dos objetos está contida uma história outra. Aquela da mão dos homens, atarefada em extrair da natureza objetos de metal, madeira, vidro. E essa história é também a da destruição de florestas, rios e carreiras de pedras para a confecção de instrumentos de exploração. Os vários artefatos usados nos ofícios responsáveis pela mineração do ouro e diamantes, pela criação de muares e bovinos, pela *plantation* de cana e outros produtos agrícolas estiveram associados a vários momentos de nossas transformações econômicas e de nosso empobrecimento ecológico.

E, sobretudo, é a história da exploração de um homem pelo outro. Nas mãos do escravo, a enxada; na do feitor, o chicote; na do senhor, o "pão" ou o saco de açúcar. Logo, prazer e angústia também coabitam na história das pequenas coisas. Civilização e barbárie, harmonia e conflito podem se concentrar numa mesma peça.

Não à toa, a palavra "objeto" nasce no século XIV e designa, desde então, uma coisa material que pode ser percebida pelos sentidos: tato, olfato, visão, paladar – fazendo com que aquilo que na memória era pedra vire flor. Pois contém beleza, poesia e imaginação, mas não só. Por meio dos objetos e de nossa cultura material, encontramos as relações sociais e modos de produção de nossos ancestrais. Sua transformação e a daqueles que deles fizeram uso. O que os torna possíveis é tudo o que eles têm a dizer aos seus contemporâneos, e tudo o que a gente brasileira diz por meio deles.

A histologia é o estudo dos tecidos. Gostaria de oferecer ao leitor uma "histologia histórica", uma história do tecido multicolor e complexo da nossa gente. Ou seja, um estudo dos fios miúdos e, por vezes, invisíveis que entrelaçaram as tramas de nosso passado nos momentos mais óbvios da vida: em privado ou em público, frente aos ciclos da vida, na repetição dos gestos de sobrevivência. Fios que têm cor, mas também sons.

O que parece uma cacofonia, ruído desencontrado, é música. São os sons da rua, da casa, dos instrumentos de trabalho ou de festas. Para isso é preciso olhar pelo retrovisor para ver como nossa gente era, como morava, se vestia, comia, trabalhava, ria, amava e sonhava. De que forma seus problemas foram ultrapassados de geração em geração. Mas é preciso também olhar pelo buraco da fechadura, para enxergar como se comportava em sua intimidade nos momentos de medo, dor ou prazer.

Não há limites para se conhecer ou fazer história. O importante é que ela seja boa. Descobrir os caminhos da gente brasileira e conhecer mais e melhor o nosso passado é a receita para se gostar mais dele.

# PARTE 1

# TERRA E TRABALHO

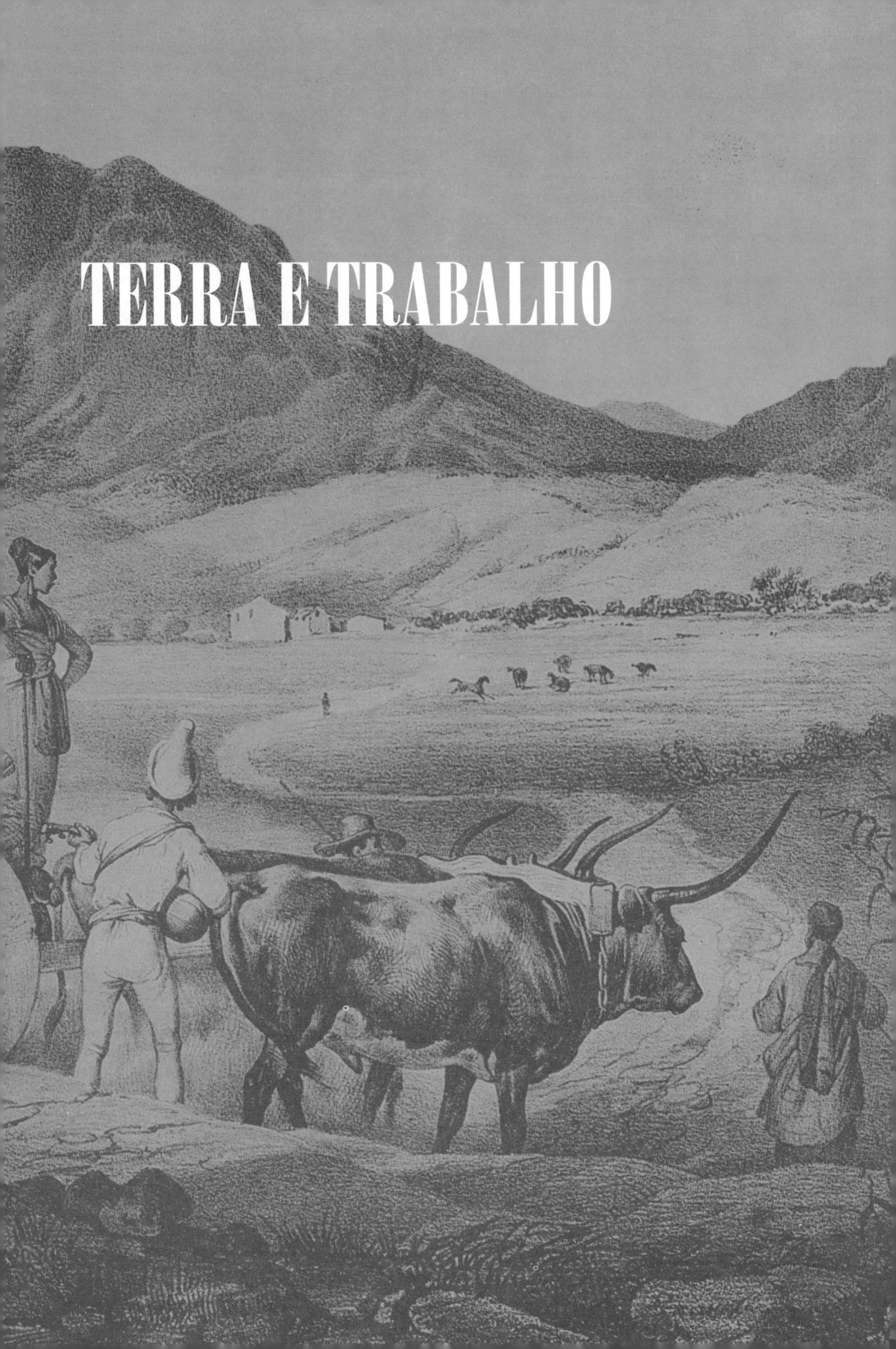

# 1. "AO CABO DO MUNDO": NO INÍCIO ERA O CÉU E A TERRA

PÁGINAS 12 E 13
RUGENDAS, Johann Moritz. *Família de fazendeiros indo à igreja.*
CASA LITOGRÁFICA ENGELMANN, PARIS, 1835.

PÁGINA 14
ISTOCK PHOTOS

"Neste mesmo dia, à hora das vésperas, avistamos terra!": era o dia 22 de abril de 1500, e um monte alto e redondo acusou solo novo no Atlântico meridional. Para os homens habituados a velejar ao norte do equador, o céu azul substituiu o esbranquiçado dos outonos e invernos. Em lugar dos campos cultivados, a capa verde da mata se espreguiçava ao longo das praias. O sol dourava a pele, em vez do astro frio que, salvo no verão, mal esquentava os corpos. Pássaros coloridos cruzavam os ares com sua música, diversa do grito estridente das aves marinhas. Do interior da massa verde de troncos e folhas se ouviam silvos, urros, sons de animais desconhecidos. A beleza da paisagem, que mais parecia uma visão do paraíso, interpelava os recém-chegados.

No aconchego do abrigo mais tarde batizado de baía Cabrália, as caravelas deixavam para trás a fronteira entre o medo e a miragem: o Atlântico. Um caminho de águas que transportava homens, armas e mercadorias a serviço da ambição da monarquia católica de encontrar uma passagem para as cobiçadas Índias. Mas seria mesmo nova a terra que se avistava? Certamente não. Os espanhóis já conheciam suas regiões ao norte, e é de se perguntar quantas vezes emissários de d. João II, filho de d. Henrique, o Navegador, depois de chegar à Madeira e aos Açores, não teriam se aproximado das costas brasileiras. À sua maneira, os portugueses dominavam a extensão, a cor e as vozes do mar, que os convidava a olhar além do horizonte. E agora, superadas as dificuldades da viagem, eram recompensados pela atração do sol, da luminosidade e... do lucro possível.

No início, para os aqui desembarcados, não era o Verbo, mas sim o nada. Apenas matas, medo e solidão. E um vasto litoral, desconhecido, que mais ameaçava do que acolhia. Um espaço aparentemente desabitado – a palavra já existia e designava o *locus desérticos* –, o lugar sem viva alma. Além das praias, o desconhecido gentio: escondido, armado e perigoso – e que, na maior parte das vezes, podia receber estranhos com uma chuva de flechas. E, no interior, terras incultas, cobertas de densas matas, difíceis de trabalhar. Frente à paisagem infinita, pairava a pergunta que lançara os portugueses à aventura ultramarina: que extraordinárias oportunidades os aguardavam?

Nada se sabia sobre os habitantes dessa terra ensolarada. Seria gente como eles ou criaturas estranhas, bizarras, desnaturadas? Como adentrar essa terra desconhecida, que ultrapassava a imaginação e provocava ao mesmo tempo angústias e exaltação? Acreditava-se, então, na existência de povos desconhecidos, descritos em relatos de outras viagens, mas também saídos de imagens que a tradição supunha existir nos confins da Terra. O Paraíso Terreal teria ali sua porta de entrada? Encontrariam, por acaso, a temida Mantícora, fera da Índia, forte como um tigre, gulosa de carne humana? Mulheres barbadas, que portavam pedras preciosas nos olhos e cauda que lhes saía do umbigo? Altas montanhas de ouro guardadas por formigas, grandes como cachorros? Vales perdidos, onde se ouvia o ruidoso barulho das hostes demoníacas? Não se podia duvidar de nada. Afinal, o próprio Santo Agostinho dissera que Deus enchera céus e terras de inúmeros milagres e raças monstruosas, guardiãs das Portas do Éden.

Ao olharem a imensidão desconhecida, os viajantes nelas projetavam informações que circulavam no Ocidente cristão. Sonhavam sonhos de riquezas, como as que sabiam existir nas Índias Orientais: pedras preciosas, sedas, madeiras raras, chá, sal e especiarias. Ideavam cidades de ouro e prata, pois nomes como Ofir e Cipango circulavam, embora as minas sul-americanas só tenham sido descobertas em 1520. Presumiam crescer a preciosa pimenta ou a noz-moscada, iguais às do Oriente, descrito por Marco Polo, mas, temiam também só encontrar doença, fome e morte. Sob temperaturas amenas, deviam se lembrar das palavras de São Boaventura, que informava Deus ter situado o paraíso junto à região equinocial, região de "temperança de ares". Ou aquelas de São Tomás, mais incisivo ainda: o jardim ameno estaria na zona tórrida para o sul. Seria ali? Afinal, o sonho e a ambição sempre tiveram parte nas viagens ultramarinas.

## A sobrevivência, os trabalhos e os dias

*Ilhas do Atlântico: locais de abastecimento das caravelas.*

LINSCHOTEN, Jan Huygen van. *Insula d. Helenae sacra coeli clementia et aequabilitate soli ubertate et aquarum salubritate nulli fecunda.* HOLANDA: IMPRENTA HAGAE COMITIS, 1589.

Rapidamente, os estrangeiros iriam entender que, de tantos sonhos, pouco ou nada existia. A realidade se impunha: a terra era "dos Papagaios" e assim ficou conhecida por algum tempo, passando depois a "terra de Santa Cruz" e, finalmente, a Brasil, por conta da madeira tintorial que crescia na costa. Para os recém-chegados, *quotidianus* era palavra datada do século XII que definia o que pertencia à vida de todos os dias. Significava o habitual, o banal, o tempo das tarefas. O habitual que preenchia manhãs e noites que se sucediam. E o tempo que passava, sem relógios nem o toque de sinos das igrejas que pouco a pouco seriam construídas, marcando o Angelus, as ave-marias ou as Almas. Enquanto os dobres não enchiam os ares com seu som alegre ou triste, o sol e as estrelas no céu marcavam horas aproximadas. Nada de quatro estações como na Europa. Muito calor e muito frio variavam de acordo com as latitudes. Contava-se o tempo com orações: "O tempo de uma ou duas ave-marias." Ou com as funções fisiológicas: "O tempo de uma mijada." Um galo trazido de Portugal fazia as

Quem capiant cœlum lympheque salubria tellus,
Queque novo semper gramine parturiat,
Quę facilè admittat gremio et producat alendo
Quod peregrè intulerit provida cura solo:
Fanum Helenę capiat teneatq; nisi arctius ingens,
Orbe procul nostro clauderet oceanus.
P.Hoogerb.
Insula D.Helenæ sacra
ubertate et aquarum
inhabitata; hic recept
tium, sita in altitudi
neæ æ
Het Eylant van Santa Hele
lucht, vruchtbaerheyt des aert
onbewoont, een goede ververs
leggende op die hoochte van
Aguada velha
A. naõ Sa. Maria
Souta Capitayna

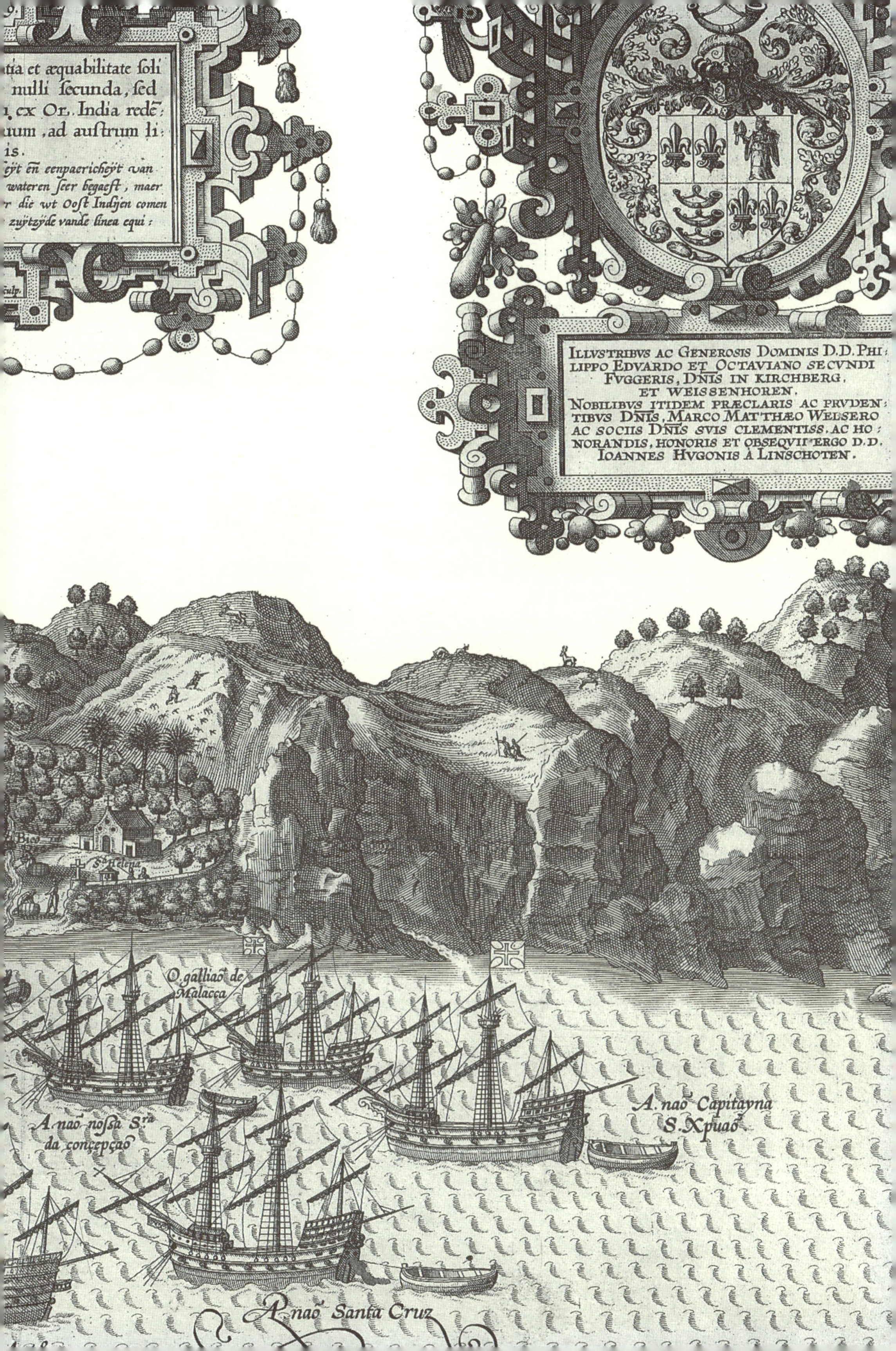
ntia et æquabilitate soli
nulli secunda, sed
, ex Or. India redē
uum, ad austrum li
is.
eyt ē eenpaericheyt van
wateren seer begaeft, maer
r die wt Oost Indyen comen
zuytzyde vande linea equi:
ILLVSTRIBVS AC GENEROSIS DOMINIS D.D. PHI
LIPPO EDVARDO ET OCTAVIANO SECVNDI
FVGGERIS, DNIS IN KIRCHBERG,
ET WEISSENHOREN.
NOBILIBVS ITIDEM PRÆCLARIS AC PRVDEN:
TIBVS DNIS, MARCO MATTHÆO WELSERO
AC SOCIIS DNIS SVIS CLEMENTISS. AC HO:
NORANDIS, HONORIS ET OBSEQVII ERGO D.D.
IOANNES HVGONIS À LINSCHOTEN.
O galliaõ de Malacca
A nao nossa S.ra da concepçaõ
A nao Capitayna S. Xpuaõ
A nao Santa Cruz

vezes de relógio: cantava a primeira vez à meia-noite, a segunda, às duas da madrugada, e a terceira, ao romper da aurora.

Do grego *dyas*, ou número dois, a palavra "dia" designava duas partes: a escuridão e a claridade. O dia era o tempo entre o sol nascido e o sol posto. À época, havia muitos tipos de dias: o servil, que segundo o dicionarista Raphael Bluteau ia "da aurora ou da luz da manhã para nos aproveitarmos do serviço até que a extremidade e fim do mesmo no-lo tolhem"; o dia Artificial, assim chamado porque era o tempo em que se exercitavam todas as artes, leiam-se ofícios: o de ferreiro, o de sapateiro, o de tanoeiro, que fazia tonéis, entre outros; os dias Santos; os de Peixe, ou seja, de comê-lo; de Finados ou do Entrudo. "Em bons dias, boas obras", insistia o dicionarista, um jesuíta. Sem relógios, falava-se em "quartos e quartos de hora". Cada hora se dividia em "partes maiores e partes menores" divididas em quatro.

Logo, viver na colônia nos primeiros dois séculos de ocupação significou para todos os que aqui aportaram uma sucessão de dias nos quais se sobrevivia, trabalhando e aprendendo gestos, aperfeiçoando-os e repetindo-os com o fim de se manter vivo. Pior, nossos antepassados eram "desassistidos", outra palavra de época para "desatendidos em quem não se cuidava ou não se fazia caso". Afinal, tudo parecia confirmar a opinião de Américo Vespúcio sobre as terras achadas por Cabral: "Pode-se dizer que nelas não encontramos nada de proveito."

De longe, e interessada no lucrativo comércio com o Oriente, a Coroa se dispunha somente a distribuir machados e enxadas para os portugueses instalados nas precárias feitorias espalhadas pela costa. Vindas de Portugal, expedições exploradoras encarregadas de detectar eventuais riquezas e de espantar piratas e contrabandistas estrangeiros passavam de tempos em tempos. Dom Manuel, dito "o Venturoso", que morreu em 1521, se preocupava prioritariamente em comercializar com a Índia e o império celeste: a China.

Pela precariedade em que viviam, os primeiros desembarcados se instalaram a beira-mar. Apenas o oceano, que isolava e ligava, garantia a mobilidade necessária a homens e capitais, às armas e à informação. Mas o que fariam ali? Frente a frente com o desconhecido, com a extraordinária precariedade, com obstáculos e incertezas, grupos de indivíduos desenraizados investiram em construir uma sociedade europeia sobre os ombros dos habitantes locais.

Mas quem eram eles? "Índios." A designação resultou do engano de Colombo, que, ao chegar à América, achou que tinha chegado às Índias. Entre nós, ela servia para caracterizar as mais diversas etnias e culturas nativas. Na faixa costeira timidamente incluída nos projetos da Coroa portuguesa, se espalhavam indígenas vivendo do cultivo da roça, complementado pela caça, a pesca e a coleta. Só em algumas regiões se encontrariam cacicados. A língua de comunicação era o tupi, que se transformou na língua franca. De "cor parda, em geral bem formados, de nariz e rosto bonitos", no relato do escrivão Caminha, os índios andavam nus, o que foi percebido como uma forma de inocência e estupidez. A ornamentação com penas coloridas e tatuagens, "espécie de tecido assaz belo", impressionou. Obviamente foi inserida no imaginário por meio de classificações europeias. Mesmo pertencendo a diferentes nações, tamoio, tupinambá, caeté ou potiguar, passaram a ser "gentios". Na Europa, as especulações sobre sua origem interrogavam os sábios. Afinal, não eram mencionados na Bíblia... Seriam uma das Dez Tribos Perdidas de Israel ou sobreviventes da Atlântida?

Para a Igreja Católica e os jesuítas que logo vieram para o Brasil, o importante era destacar sua "humanidade" e seu pendor para a cristianização. Entusiasmado com a perspectiva de convertê-los ao catolicismo, padre Nóbrega, em 1563, gravou que, como "papel branco", neles se poderia escrever à vontade. Muitos leigos ou religiosos discordavam de tal interpretação. E as dúvidas sobre sua disposição para abraçar a "verdadeira fé" veio logo depois. Para muitos, os índios não pronunciavam as letras "f", "r" e "l" porque desconheciam leis, reis e fé. Canibalismo e feitiçaria alimentavam a crença de que eram simplesmente selvagens. Se eram "creaturas de Deus", não passavam de seres inferiores que deveriam servir aos empreendimentos coloniais. Para evitar a maior degradação desses quase "animaes", melhor seria escravizá-los.

Desde 1502, a exploração do pau-brasil a ser extraído nos domínios da América fora arrendada a alguns comerciantes de Lisboa, dentre os quais o cristão-novo Fernão de Noronha. A promessa dos arrematantes era a seguinte: explorar até trezentas léguas da nova costa, construindo fortificações

adequadas e conservando-as por três anos. Feitorias litorâneas se estabeleceram no Rio de Janeiro, Cabo Frio, Pernambuco, Porto Seguro e ilha de Santo Aleixo. Foi dado, então, o início do povoamento com a ajuda mas também o apresamento de índios. A nau *Bretoa*, que aportou em Cabo Frio em 1511, não só carregou pau-brasil, mas levou consigo alguns deles, além de aves e pequenos animais.

*Índios: sobreviventes do Paraíso?*

JULIÃO, Carlos. *Índios: homem e mulher recobertos de pelos, empunhando arco e flechas e folhagens.* S.D.

O escambo era a base das relações. Um documento redigido em 1526 por Enrique Montes, náufrago que viveu entre índios e, consequentemente, um "língua" – nome que se dava aos portugueses que aprendiam o tupi –, revela a variedade das trocas: anzóis, adagas e facas de baixa qualidade, espelhos pequenos, pentes, tesouras grandes e pequenas, parafusos velhos, galinhas e patos eram trocados por "cabaças de mel em favos", cargas de milho, "porcos-monteses", provavelmente capivaras, peles de tatu para fazer armaduras para cavalos, ostras, palmitos e veados.

Ao incentivar a abertura para outros mundos, o mar permitia o leva e traz de mercadorias e de gente, pois muitos índios já seguiam como escravos para a Europa. Os portugueses não usaram uma comunicação baseada na confrontação intelectual, mas foram, sim, hábeis em resolver problemas de adaptação e subsistência por meio do hábito de trocas, bastante experimentado no Mediterrâneo e no Norte da África. Capazes de desembarcar, se instalar, se informar e negociar, graças ao aprendizado da chamada "língua geral", se movimentavam como peixes na água.

Se em maio de 1500, de Porto Seguro, o escrivão Pero Vaz de Caminha escreveu a d. Manuel dizendo que os índios "não lavravam", se enganou redondamente. Pois os recém-chegados, desde o início de sua instalação, foram favorecidos pela elaborada agricultura e o conhecimento sofisticado que os índios tinham sobre as espécies animais e vegetais. Raízes como a mandioca e a batata-doce, as abóboras, o milho, o mel de abelhas selvagens ou mesmo a larva de taquara e a bunda da formiga tanajura faziam parte do cardápio substantivo que os mantinha. Os portugueses aprenderam também a abater árvores, fazer coivara queimando troncos, limpar os terrenos e depois o plantio, a erradicação de ervas e a colheita do nutritivo tubérculo. Dele derivaram, segundo registrou mais tarde um dos primeiros cronistas do Brasil, o colono de origem nobre Gabriel Soares de Souza, "beijus muito saborosos, sadios e de boa digestão". Trigo para o pão nosso de cada dia? Nem pensar. Na nova terra, segundo ele, que chegou ao Brasil em 1569 para administrar seu engenho em Jaguaripe, Bahia, "um bichinho comia os grãos enterrados".

Até então desconhecidas dos europeus, frutas como araçá, cajá, gabiroba, ingá, jabuticaba, jatobá, pequi, pitanga e umbu – somente para citar alguns exemplos – deliciavam. Mais importantes ainda eram as palmeiras. Desde o começo da invasão colonizadora, os portugueses ficaram maravilhados com os múltiplos usos dessa planta. Existiam vinte espécies conhecidas. Delas era extraído o palmito, alimento consumido não somente nas aldeias, mas também nos momentos de caça e de guerra, quando era necessário adentrar na floresta. As palmeiras também forneciam diversos tipos de frutas destinadas à fabricação de óleos, empregados na preparação de alimentos e medicamentos. Uma vez amassadas e fervidas, elas eram transformadas em um pó de coloração castanha, que por sua vez era regularmente consumido como sal. Das folhas da palmeira produzia-se a matéria-prima para forrar o teto e as paredes das cabanas. O mesmo material permitia a fabricação de cestos. Das fibras do broto eram elaboradas cordas. Das palmeiras que possuíam casca espinhosa, fabricavam-se não só ornamentos como também raladores de mandioca.

Os índios, também chamados de *brasís*, ensinaram os portugueses a utilizar a flora variada na vida prática: folhas de capim selvagem serviam de lâminas de barbear; o fruto da bignoniácea era usado como pente; o capim-flecha se transformava em delicadas pinças para arrancar pelos. As castanhas-de-caju, como afirma um viajante de passagem na Pernambuco seiscentista, serviam de calendários: "Quanto aos algarismos, não passam de cinco. Devido a isso, utilizam-se de castanhas-de-caju – cujo fruto torna-se maduro apenas uma vez por ano – em vez de um calendário, para marcar o ano [...] Por isso, quando se deseja saber deles há quanto tempo aconteceu isso ou aquilo ou a idade desta pessoa, tem que se perguntar pelo número de castanhas." A riqueza da floresta ensejou o armazenamento e o cuidado com algumas plantas que passaram a ser semicultivadas.

Dependentes das culturas e saberes indígenas, os colonos deles se apropriaram. Ocorreu entre brancos e índios um jogo de trocas e reciprocidades.

Os nativos acabaram se inserindo na economia colonial como produtores de excedentes para trocas. Seus grupos passaram a depender de produtos manufaturados: anzóis, machados, armas. Em resposta, ofereciam suas mulheres, alimentos e produtos tropicais como formas de inserção numa sociedade nascente. Os primeiros descobriam a variedade do mundo em que estavam graças aos segundos. Mas ai destes se resistissem ao projeto de colonização. Eram massacrados. Passados cinquenta anos da chegada ao Brasil, o rei d. Sebastião escreveu ao terceiro governador-geral, Mem de Sá, elogiando-o pela "pacificação" da colônia: "Recebi as vossas cartas [...] e por elas soube como a capitania de Vasco Fernandes Coutinho ficava muito pacificada e o seu gentio tão castigado, mortos tantos e tão principais."

Por sua vez, em 1570, o próprio governador-geral relataria suas façanhas:

> Entrei nos Ilhéus e fui a pé dar em uma aldeia que estava sete léguas da vila [...] dei na aldeia e destruí todos os que quiseram resistir, e na vinda vim queimando e destruindo todas as aldeias que ficaram para trás e, por o gentio ajuntar e vir me seguindo ao longo da praia, lhe fiz algumas ciladas onde os cerquei e lhes foi forçado deitarem-se a nado ao mar [...] mandei outros índios atrás deles e gente solta que os seguiram perto de duas léguas e lá no mar pelejaram de maneira que nenhum tupiniquim ficou vivo [...] e os puseram ao longo da praia, por ordem que tomavam os corpos perto de uma légua.

Por ironia do destino, na aldeia do morubixaba Uruçu-mirim, no atual morro da Glória, Mem de Sá recebeu uma flechada no rosto, em meio à luta pela expulsão de uma colônia francesa no Rio de Janeiro. Faleceu um mês depois.

# 2. A TERRA DO LENHO DO DIABO

Para os recém-chegados, a atividade possível vinha da exploração do pau-brasil, bela árvore que tem entre 10 e 15 metros de altura que se espalhava nas matas, do Rio Grande do Norte ao Rio de Janeiro. E a extração da *Caesalpnia echinata*, com suas perfumadas flores de pétalas amarelas e vermelhas, se fazia junto com os índios. Primeiro eles ensinavam e depois ajudavam a abater, cortar e transportar até as praias e naus a preciosa madeira em troca de espelhos, quinquilharias e pequenas facas.

Do *ipirapitanga*, seu nome original, se extraía um pigmento capaz de colorir tecidos e ser usado como tinta para pintura de telas e papel, além de permitir a fabricação de móveis. O pau-brasil, assim chamado pela cor de brasa em seu miolo, foi trazido da Índia pelos árabes desde o século XI, através do mar Vermelho e do Egito, espalhando-se pelos centros manufatureiros da Europa. Notícias do século XII indicam sua presença na Itália, na França e em Flandres. No século XIII, passava, olímpico, às alfândegas de Gênova, Ferrara e Módena. A Espanha passou a importá-lo e em Portugal, desde o reinado de d. Duarte e d. Afonso V, já era empregado. Seu valor no mercado europeu justificava o interesse em arrancá-lo de nossas matas. Segundo Gaspar Correia, em seu *Lendas da Índia,* Pedro Álvares Cabral já teria levado consigo um primeiro carregamento.

Do nascer ao pôr do sol, grupos que incluíam estrangeiros – franceses ou ingleses – se atarefavam na atividade que, quando se fazia como contrabando, era realizada às escondidas, numa pequena baía ou praia abrigada. Afinal, o pau-brasil era monopólio da Coroa e sobre sua extração pesavam impostos dos quais se tentava escapar. Datam de 1505 as primeiras contas da Feitoria de Antuérpia, encarregada da distribuição oficial de pau-brasil: cerca de 20 mil quintais por ano. Carregada em Cabo Frio, a preciosa madeira seguia junto com papagaios, periquitos, macacos e, sempre, índios. O escambo era realizado nas dependências de feitorias, galpões elevados

*O trabalho indígena era fundamental no corte e no transporte do pau--brasil.*

THÉVET, André. *Les Singularitez de la France antarctique, autrement nommee Amerique.* PARIS: CHEZ LES HERITIERS DE MAURICE DE LA PORTE, AU CLOS BRUNEAU, A L'ENSEIGNE S. CLAUDE, 1557, P. 117.

e cercados de estacas para prevenir ataques inimigos. Ao norte, na longa costa, seguia, porém, o contrabando com outros parceiros: franceses e espanhóis.

Mas era preciso que a gente portuguesa compusesse com as populações indígenas, compartilhando um mesmo destino. Na tradição tribal, a única forma de se relacionar pacificamente com estranhos era integrando-os numa relação de parentesco. Isso ocorria mediante casamento com uma das mulheres da aldeia, fazendo do branco um cunhado ou genro. E, futuramente, um tio, um pai e um avô. Tal estratégia matrimonial não foi uma criação europeia. Foi, sim, um acordo fortuito. Funcionou como um modo de organizar a transição da produção coletiva para a de excedentes regulares – o pau-brasil, sendo o principal interesse do lado europeu – ou a prestação de serviços, como o reparo de naus em troca de instrumentos de ferro e quinquilharias. Os casamentos de aliança tiveram a mesma forma com todos os povos europeus que mantiveram contato na área tupi-guarani.

Nomes como os de Caramuru, João Ramalho ou Jerônimo de Albuquerque, "o Adão de Pernambuco", assim conhecido pelo número de filhos que deixou, são os mais lembrados quando se fala de mestiçagem. Padre Anchieta, ao se referir ao sistema de parentesco dos tupinambás, conta que, por toda a costa e o sertão, os portugueses recebiam moças doadas por seus pais e irmãos na esperança de ganhar do estrangeiro sua boa vontade. O que para muitos, inclusive o jesuíta, parecia "luxúria" das índias, era apenas empenho em conseguir uma aliança indispensável frente às violências que iam sendo perpetradas. É de Anchieta a explicação:

> E ainda que os portugueses as tivessem como mancebas, contudo as tinham de praça nas aldeias dos índios ou fora delas, com mulher, filhos e filhas porque para os índios isso não era pejo nem vergonha e lhes chamavam *temericô*, a mulher de N, e a eles genros, e os portugueses aos pais e mães, sogros e sogras e aos irmãos cunhados, e lhes davam resgates, ferramentas e roupas etc., como os índios a que chamam genros lhes vão roçar ou pescar algumas vezes.

A instauração de capitanias hereditárias impactou relações relativamente pacíficas. O confisco de terras indígenas e o trabalho agrícola forçado imposto às populações foram um golpe mortal aos autóctones. Pior: os homens, antes guerreiros e caçadores, agora se viam reduzidos às tarefas femininas e esmagados num ritmo de trabalho próximo à escravidão.

Lembra Jorge Caldeira que, ao ser entregue por camisa e ferramentas, o índio cruzou duas fronteiras importantes. Deixou de ser membro de uma sociedade onde o comunitarismo era regra e se tornou parte de uma sociedade dominada pela produção mercantil. Em segundo lugar deixou de ser livre para ser escravo. O padre jesuíta Jerônimo Rodrigues, em expedição a Santa Catarina, testemunhou: "A um moço, vindo aonde estávamos, perguntamos-lhe quem lhe dera a camisa que vestia e ele respondeu que dera por ela, e alguma ferramenta, um irmão seu."

Os portugueses introduziram a prática do "resgate", ou seja, a troca direta que não envolvia moeda. O resgate era praticado, por exemplo, com índios condenados à morte, depois de capturados durante conflitos intertribais, muitas vezes incentivados pelos próprios europeus. Em troca de sua vida, os infelizes tinham que os servir até a morte. O mesmo ocorria com as mulheres. Um "resgate" era oferecido em troca do pedido de casamento e de presentes à família da jovem. A seguir ela serviria ao seu companheiro para sempre, assim como seus filhos, mamelucos.

Quando, em 1531, o primeiro donatário da capitania de São Vicente – atual estado de São Paulo –, Martim Afonso de Souza, chegou ao Brasil, encontrou degredados vivendo com os índios e, como resultado dessa intimidade, muitos mamelucos. Para muitos autores, os mamelucos foram os mais enérgicos agentes de ocidentalização. Foram eles que reduziram e escravizaram quase todos os índios agricultores capacitados para o trabalho nas plantações, inclusive os já integrados às missões jesuíticas. Foram eles também que estenderam, por meio de "bandeiras", a possessão portuguesa a oeste, até encontrar os Andes; ao sul, até o rio da Prata; e ao norte, além do Amazonas. Foram eles, ainda, que fundaram a sociedade baseada no cultivo da mandioca e do milho e nas técnicas de caça e pesca, assim como no artesanato.

Para povoar as terras, juntaram-se aos mamelucos os degredados. Na nau que transportou Martim Afonso, vieram mais de quatrocentos, entre colonos e soldados, para serem deixados aqui. E eles podiam ser admitidos no serviço público, na armada ou nos ofícios da Fazenda e da Justiça, com exceção dos acusados de roubo e falsificações. De nada adiantaram as cartas do donatário Duarte Coelho ao rei que, em 1546, reclamavam: "Pelo amor de Deus, que tal peçonha para aqui não me mande." Padre Manuel da Nóbrega, encarregado pela Companhia de Jesus da conversão do "gentio", concordava, em 1549: "Mal-empregada essa terra em degredados que cá fazem muito mal!" Eram chamados "patifes" e no dizer de muitos cronistas não tinham nenhum apego à terra. Apenas viviam. "Mais hóspedes do que povoadores... Só querendo enricar para voltar para lá!"

Sim, as grandes cidades portuguesas queriam se ver livres dos elementos que pudessem abalar a paz social ou religiosa. Falava-se em "alimpar" as ruas. Os primeiros "lançados" ou "atirados" foram inicialmente deixados pelas praias a fim de aprender a língua dos nativos e atuar como intérpretes no escambo do pau-brasil em "Pindorama dos tupis". A seguir, vieram vadios que ficavam pelas ruas à noite, alcoviteiras encarregadas de facilitar encontros galantes, ladrões de galinhas ou perseguidos por furtar "uma mão de trigo", roubar bolsas na Ribeira ou frutas nas árvores, além de heréticos, feiticeiros, adúlteras e ciganos acusados de "falar geringonça", ou seja, seu dialeto. Invariavelmente faziam parte do grupo de proscritos enviados a ferros onde faltava mão de obra. Houve quem tivesse sido degredado por assoar o nariz em panos da igreja ou, em sendo padre, falar com mulheres em "tom torpe e desonesto". Valia tudo para purificar a metrópole.

Em maio de 1535, um alvará ordenava que os originalmente degredados para a ilha de São Tomé passassem a ser enviados ao Brasil. Homiziados, ou seja, aqueles que viviam fugitivos da Justiça, poderiam vir para a capitania de Pero de Góis, sem lá correr o risco de serem "presos, acusados nem demandados". Felizes? Não necessariamente. Muitos se queixavam de sofrimentos e privações vividos no Brasil e não escondiam seu desejo de regressar à pátria. Choravam as saudades de parentes e amigos. Imploravam com insistência o perdão real e muitos chegaram a pedir clemência. Clima e doenças cobravam preço elevado por suas faltas. Sem esquecer que, sobretudo para os degredados pelo Santo Ofício da Inquisição, enviados à Terra de Santa Cruz para pagar pecados, não faltava vigilância, sobretudo pelas denúncias de vizinhos. Cuidava-se para que não difundissem suas práticas "insanas" e múltiplas "culpas" nos territórios colonizados. O Brasil era mesmo o "purgatório" de Portugal.

Degredados e mamelucos acabaram também por promover um denso caldo de culturas. Veja-se, por exemplo, o caso de certa mulata Maria Barbosa, cujo degredo começou na metrópole, em Évora, bastião dos jesuítas e da Inquisição. Processada por feitiçaria, ela foi enviada a Angola. Lá, prosseguiu suas atividades aliando feitiçarias e alcovitice. Na costa africana, uma verdadeira antecâmara de mestiçagens, Maria teria convivido com os tangomaus, aventureiros de origem incerta, contrabandistas europeus, traficantes de escravos, além de ter visto passarem escravos cristãos portando amuletos e fetiches, mal disfarçados sob as contas dos rosários. De lá, veio para Pernambuco, onde, em 1610, foi acusada de feitiçaria e prostituição. Um africano lhe forneceria as ervas necessárias aos rituais aprendidos em Angola. O bispo da Bahia a remeteu de volta a Lisboa, para ser julgada pela Inquisição. Mas o barco em que viajava foi assaltado por piratas, e ela, abandonada à própria sorte em Gibraltar. Chegou a Portugal, depois de mendigar através da Andaluzia, onde se apresentou ao Santo Ofício. Teve pena leve e foi proibida de voltar à Bahia. Mundialização *avant la lettre*? Maria Barbosa é um exemplo de como pessoas, crenças e práticas circulavam e interagiam nesses tempos em que os oceanos eram estradas trilhadas com regularidade.

Do norte de Portugal, sobretudo de Viana do Castelo, vieram muitos lavradores e comerciantes para cá. E a eles se uniram indivíduos de outras nações, como franceses ou corsários ingleses, flamengos ou alemães, que deixaram, por sua vez, suas marcas na população. Náufrago na região de São Vicente, o alemão Hans Staden, por exemplo, foi bem recebido pelos portugueses, que, quando souberam que ele entendia de artilharia, pediram-lhe, segundo conta o próprio, "para ficar no forte e ajudá-los a vigiar o inimigo": os índios. Na mesma capitania, uma família flamenga mantinha um engenho: os Schetz ou Esquetes, como aparecem na documentação: "Uns senhores principais de Flandres muito católicos e devotos da Companhia de Jesus", esclarecia o padre Anchieta. Ou ainda John Withall, conhecido como João Leitão, que comerciava tecidos diversos, mantos para mulheres, tesouras, facas e fechaduras, sabão e pregos vindos da Inglaterra.

Para combater os concubinatos com índias, padre Nóbrega oferecia ao rei uma solução:

"Parece-me coisa muito conveniente mandar Sua Alteza algumas mulheres que lá têm pouco remédio de casamento a estas partes, ainda que fossem erradas, porque casarão mui bem, contanto que não sejam tais que de todo tenham perdido a vergonha."

Os africanos começam a chegar a partir de 1533. Em carta datada de 3 de março do mesmo ano, Pero de Góis informava que pretendia receber dezessete peças de escravos "forros de todos os direitos de frete que soe pagar". A partir de 1559, de Pernambuco, era a vez de Duarte Coelho mencionar o assunto reiteradas vezes. Pelo alvará de 29 de março de 1559, o rei fazia mercê àqueles que tinham construído engenhos no Brasil, permitindo-lhes "mandar resgatar ao rio do Congo e de lá trazer para cada um dos ditos engenhos até 120 peças de escravos resgatadas às suas custas, os quais virão no navio que o dito feitor (da ilha de São Tomé) lá enviar para trazer os escravos".

Desde 1486, e do primeiro encontro do navegador Rui de Sequeira com Ewuaré, rei de Edo, no Benim, a vida do reino mudou: a expansão cresceu graças ao comércio, e, encorajado pelos portugueses, ele passou a buscar cativos entre as nações inimigas. Nas costas da Guiné, ao sul do rio Senegal, os lusos trocavam latão e cavalos por pimenta-malagueta, escravos e ouro. Um animal com seus arreios valia catorze homens. Em Akan, os portugueses erigiram uma cidadela, Elmina, onde comerciavam pepitas de ouro e, devidamente abastecidos pelos pequenos reinados senegaleses e, desde o final do século XV, pelo rei do Benim, vendiam escravos aos Akan, instalados como senhores na região. O comércio interno era intenso.

A presença de portugueses no litoral ocidental da África e a circulação de mercadorias transformaram a região de Elmina num espaço de trocas para diferentes etnias: Fula, Wolof, Mandingas, Popos, Ewe, entre outras, sem contar os grupos que vinham das savanas para comercializar com os estrangeiros. Convencido de que os portugueses, portadores de cavalos e armas de fogo, o ajudariam a aumentar seu poderio, o rei do Benim os autorizou a instalar uma pequena missão. Não deu certo. O cristianismo era incompatível com a função real, pois esta emanava de uma essência divina que permitia ao soberano ser venerado e temido por seus súditos.

E esse não foi o único soberano a se interessar pelos lusos. Outro rei sagrado, o Mani Kongo, também quis tirar partido da chegada dos estrangeiros. O primeiro a acostar suas terras, na boca do Zaire e de Angola, em 1485, foi Diogo Cão. Quando os viram sair "do ventre da baleia", pois assim lhes pareceram as primeiras caravelas, os forasteiros foram tomados por *bakulús*, mortos que vivem sob a terra e de quem emprestavam as cores. Sem dúvida, tais *mundelé*, os estrangeiros, vinham lhes anunciar o retorno dos ancestrais. Depois de muito palavreado, ficou claro que, graças a eles e aos objetos que traziam, a terra do Kongo conheceria abundância e poder. Portugueses seriam o augúrio da boa fortuna.

Instalada em Mbanza Kongo, a capital foi erigida sobre uma colina, e em pouco tempo o reino se beneficiou da eficácia das armas de fogo, das novas técnicas e do comércio de escravos. Crescia o poder do rei, amparado também pelos enormes estoques de cauris, moeda usada entre nações africanas, colhidas perto da ilha de Luanda. Em 1491, uma revolta nos mercados foi sufocada com ajuda de Ruy de Souza e seus homens. Aparentemente convertido ao catolicismo, vestido com sedas europeias, acostumado às pérolas azuis, vinho branco e cachaça de uva, o Mani Kongo, tão próximo dos portugueses, ao morrer deixou seu filho, Nzinga Mbemba, no trono. O novo soberano assumiu o poder em 1512, apesar da hostilidade dos dignitários do reino, que o acusavam de voar pelos ares e secar os rios, graças a sortilégios cristãos. Batizado, e doravante chamado dom Afonso, ele mandou queimar os "feitiços" que lembravam seus ancestrais e se jogou nos braços dos estrangeiros.

Seu filho, batizado dom Henrique, foi ordenado em Lisboa. E, em 1521, tornou-se vigário apostólico, honraria que nenhum índio americano jamais recebeu. Bom cristão, o rei do Kongo enviou ao papa Leão X presentes suntuosos, levados a Roma por uma embaixada conduzida pelo português Tristão da Cunha. Entre eles, 43 animais exóticos, assim como um elefante do qual se dizia chorar como um ser humano e compreender a linguagem dos homens. O paquiderme não resistiu às temperaturas locais e teve direito a um epitáfio escrito pelo papa. Enquanto animais eram tratados como homens, homens eram tratados como animais e embarcados para o Brasil.

Começava nas primeiras décadas do século XVI o que Serge Gruzinski chamou de "o grande tráfico". Em 1519, o rei de Portugal instalou uma feitoria em São Tomé para controlar excessos. Tarde demais. A essa altura, os traficantes e negreiros locais, amparados pelos comerciantes portugueses, tinham suas redes de abastecimento organizadas. Do outro lado do Atlântico, tanto lusos quanto espanhóis careciam de mão de obra para explorar as novas terras. Não foi difícil encaminhar cativos para o Brasil. Em 1587, Gabriel Soares de Souza calculava haver entre 4 e 5 mil africanos em Pernambuco. Na Bahia, segundo Fernão Cardim, haveria entre 3 e 4 mil.

Desde o início da colonização, a presença de brancos, negros e índios resultou em mestiçagem. O termo provém do latim *mixticius* e era usado, na Idade Média, para designar o "nascido de raça misturada". A palavra se presta a confusão, porque recobre uniões biológicas e entrecruzamentos culturais. Mas também confunde por suas repercussões múltiplas: numa sociedade onde o *status* do indivíduo era codificado e os deveres e obrigações dependiam do lugar que cada qual ocupava, a posição do "mestiço" inspirava desconfiança. Tanto mais que os primeiros mestiços nasceram longe das prescrições da Igreja e das autoridades metropolitanas, como veremos mais à frente. Mas eram reconhecidos e já constavam como verbetes nos dicionários portugueses: "Filho nascido de pais de diferentes nações", gravava Raphael Bluteau.

A mestiçagem foi sujeita à violência, inerente à existência de todo projeto de conquista e presente no dia a dia. A conquista, por sua vez, impôs mudanças radicais: a instalação de instituições, de poderes, de crenças e valores, de formas de vida urbana e de uma paisagem agrária ibérica. Importou-se, então, um arsenal de práticas, de costumes e de tradições que tinha por objetivo não apenas as regras necessárias para a salvação das almas, mas também a rentabilidade e a eficácia da dominação portuguesa. Coube a esses primeiros colonos inventar o que hoje chamamos de "ocidentalização" – um programa gigantesco. Era preciso impor o direito português, aplicar os interditos das leis canônicas, ensinar a leitura e a escrita alfabética, difundir a missa em latim, o casamento, a confissão e um grande número de atividades prosaicas – o trabalho com ferro, o hábito de beber vinho ou de usar calções!

Mais: o rompimento com o contexto ancestral na Europa obrigou homens e mulheres a reconstruí-lo no cotidiano. A distância oceânica das relações familiares, o enraizamento numa terra estranha e não cristã, a passagem do tempo longe do calendário festivo e religioso conhecido, a coexistência e intimidade com indígenas e africanos e tantas outras situações incidiram diretamente sobre o comportamento dos indivíduos, à sua revelia, mas não sem transformar as vivências e a sensibilidade dos recém-chegados.

A mestiçagem vingou. E mamelucos e mulatos foram o resultado desses primeiros séculos de encontro, simbolizando suas contradições. Em 1711, o jesuíta André João Antonil, em sua obra *Cultura e opulência do Brasil por suas drogas e minas*, assim a resumia: "O Brasil é o inferno dos negros, o purgatório dos brancos e o paraíso dos mulatos." A documentação colonial traz muitos reflexos da ação destes grupos, egressos de etnias dominadas, mas já beneficiadas com a proximidade dos portugueses, contra negros, índios e até mesmo brancos. Que o digam alguns exemplos recolhidos no Ceará e Rio Grande do Norte:

"Em 1710, o mulato Bento Coelho maltratara o principal dos índios de Caocaya, Inácio Suassu, por este lhe tirar um índio para o mandar ao capitão-mor da fortaleza, Francisco Duarte de Vasconcellos, que o pedira." Em 1708, os índios da aldeota de Iapora se queixaram de que "o mulato Pedro de Mendonça", que tinha por incumbência levar presas umas índias, conseguira que Carlos Ferreira, então vice-capitão, "lhe desse ordem para ir a outra aldeia vizinha prender quantos pudesse apanhar". Em 1710, o mulato e mameluco Félix Coelho, com uns tapuias seus escravos, prendera um branco que morava no Curuguayau "querendo lhe cortar as mãos por ele lhe ter desfeito um curral que às escondidas fizera seu terreno". No mesmo ano, o mesmo mulato, com dois escravos, "moeu de pau" Luís Pereira Coutinho, moço branco e "bem-procedido", obrigando-o a ausentar-se da cidade por quinze dias.

E, enquanto os mulatos davam as cartas, o pau-brasil, que promoveu a mestiçagem, já tinha desaparecido do litoral. No século XVIII, sua escassez, causada pela exploração contínua, preocupou tanto as autoridades que elas tentaram estabelecer normas para sua extração. Ele vinha de longe e o transporte era providenciado em carros de bois, do interior para os portos. Visando à preservação de matas remanescentes, foram criados conservatórios em Ilhéus e Alagoas. O contrabando, contudo, seguia sem asperidades. Em 1808, com a abertura dos portos brasileiros ao comércio das nações amigas, a Inglaterra seguia sendo o maior mercado comprador: 10 mil quintais anuais.

Mestiçagem e trabalho cotidiano se deram as mãos para fazer a colônia funcionar nos primeiros tempos.

## Céu ou inferno?

E como os antepassados viam a então chamada Terra de Santa Cruz? A princípio, o Brasil seria um país excepcionalmente saudável. "Terra fértil", disse um dos nossos primeiros cronistas, "e tão sadia de seu natural que quase escusa medicina". Ou seja, aqui não se morria de doença, só de velhice. Pero de Magalhães Gandavo, autor de um *Tratado da terra & história do Brasil,* escrito no segundo quartel do século XVI, obra de propaganda da imigração, endossava: "Terra de bons ares, boas águas, salutífera e livre de enfermidades." E acrescentava: "Fértil e viçosa", nela permanecendo a verdura, inverno ou verão. Além disso: "Tão deleitosa e temperada que nunca nela se sente frio, nem quentura sobeja." Em tudo semelhante ao paraíso de onde foram expulsos Adão e Eva.

Não faltou quem comparasse a nossa natureza "farta e dadivosa" ao paraíso terreal. A região litorânea aparecia na imaginação de nossos primeiros cronistas como uma extensa planície regada por cursos d'água, a brilhar sob sol permanente. E essa idílica paisagem foi sendo lentamente modificada pela presença da agricultura. Expulsos ou chacinados seus habitantes nativos, as bordas das densas matas começaram a dar espaço aos campos ondulantes do primeiro produto trazido do exterior: a cana. Vindas da ilha da Madeira, chegavam, então, as primeiras mudas.

Mas, contra os otimistas, havia os pessimistas. Nosso primeiro historiador, frei Vicente de Salvador, foi um deles. Para ele, essa "porção imatura da terra" se identificava às regiões infernais. Pois, se antes era a abençoada

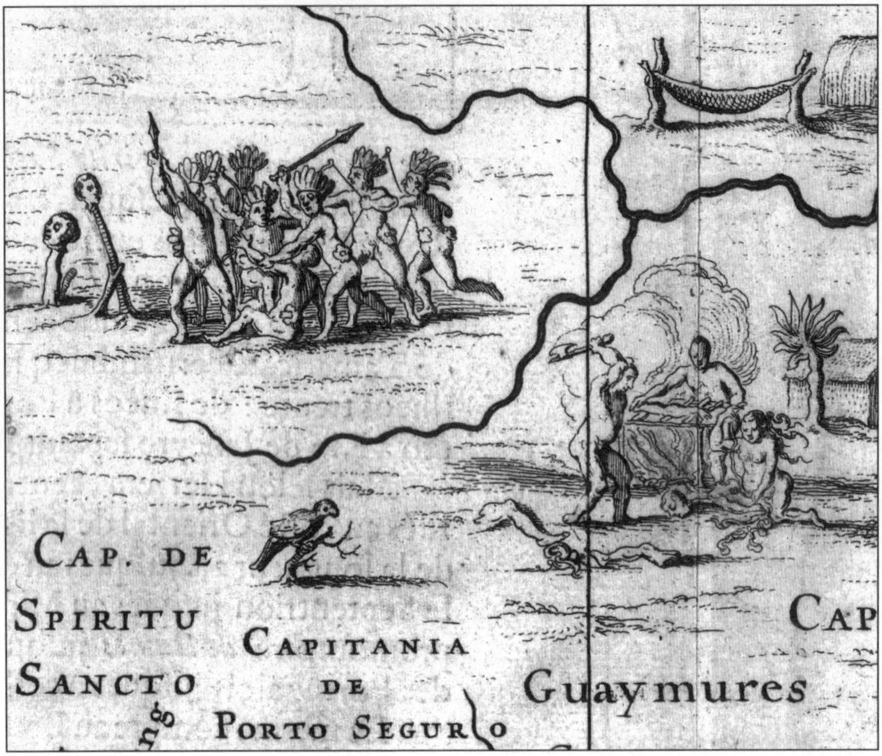


*Os portugueses temiam a antropofagia.*

HONDIUS, Hendrik. *Accuratissima Brasiliae tabula. Amstelodami.* HOLANDA, 1633.

Terra de Santa Cruz que, só graças ao nome, santificaria seus habitantes, doravante seria Brazil. E Brazil vinha de brasa, de fogo, do vermelho de Satã e do inferno. Lúcifer levara a melhor ao ver assim denominado o novo território.

Sem contar a presença dos índios, algo entre animais e demônios, vivendo bestialmente em choças enfumaçadas e fedorentas. "Muito desonestos e dados à sensualidade, entregando-se aos vícios como se neles não houvera razão de humanos [...] sem terem outros pensamentos senão de comer, beber e matar gente", queixava-se Gandavo. E o que dizer do canibalismo, em que os homens assavam pedaços de corpos no moquém e as mulheres e crianças lambiam os dedos engordurados de sangue? Para os primeiros colonos, os índios eram mesmo simpatizantes do Cão.

Contra os males da terra, o trabalho seria fundamental. Mesmo porque a terra, o sol e as chuvas ajudavam. A atividade colonizadora de plantar canas e algodões, criar gado e mantimentos tinha o amparo do "excelente clima" e "salutíferos ares". Mas tudo com o batente. Nada de preguiça, que, segundo os portugueses, era característica exclusiva dos índios.

Deixando de lado o olhar atravessado por um véu de quimeras e sonhos, nossos antepassados ocuparam a terra por meio de instrumentos que viabilizaram a colonização mercantil. Assim, a partir de 1534, com a divisão do território em quinze pedaços doados a doze donatários, se impôs um cotidiano de trabalho enraizado na vida agrícola e na importação de africanos. O modelo da grande propriedade, monocultora e escravista, implantado por Portugal acabou por consagrar o poderio dos senhores de engenho, mas nem por isso deixou de azeitar a vida de pequenos e médios proprietários. Os que não tinham recursos para arrendar terras gravitavam em torno dos engenhos que se formariam desde o início da colonização, como trabalhadores especializados do açúcar ou prestadores de serviço.

A necessidade de controlar a produção por meio do engenho complicava, em parte, a existência da pequena propriedade, desvinculada da produção e não destinada a fins comerciais. Apesar disso, e além dos tradicionais senhores e escravos, aos poucos se instituiu um número expressivo de homens livres pequenos proprietários, lutando com a qualidade da terra e diversificando a lavoura tradicional.

Deixados em contato mais íntimo e demorado com o meio físico, sujeitos às agressões e a circunstâncias inteiramente novas de vida, os lavradores não tardariam a fazer restrições às asperezas do solo, às inconstâncias do clima e a se convencer, também, de que o novo território não era aquele paraíso dos entusiastas de primeira hora. E os colonos passaram do sonho ao pesadelo. Antes de se encerrar o primeiro século de povoamento, já havia quem dissesse que "a terra não servia para colônia", porque era "quente como vulcão e doentia". E não seriam poucas, a partir de então, as alusões pessimistas dos que só viam no país "enchentes mortíferas e secas esterilizantes, viveiros de larvas, multidões de insetos e vermes nocivos ao homem". Enfim, tudo aqui deixava de ser sonho para ser desequilíbrio. A invasão da cana-de-açúcar e as consequentes guerras indígenas geradas por esse fenômeno levaram ao progressivo abandono da visão idealizada, presente nos primeiros relatos coloniais.

# 3. MEDO, SEMPRE...

BRY, Theodor de. Ilustrações de Jean de Léry. *Le Voyage au Brésil.* GALLICA, 1592.

E quando descia a noite ou escurecia, no que pensavam nossos ancestrais? Ah, a imaginação! Ela também era parte do cotidiano, assim como os seres fantásticos saídos dela. Presentes em todo o Ocidente cristão, uma série de monstros faria a rota dos navegadores em direção ao oeste, chegando junto com os primeiros colonizadores. Acompanhavam-se do olhar que os europeus tinham sobre o novo continente, enquanto que se perguntavam: o Novo Mundo seria habitado por seres que descenderiam de Moisés ou seria o endereço fixo do demônio e, por isso mesmo, uma fábrica de mostrengos em permanente produção? Por esta razão, o magistrado bordalês Pierre de Lancre, famoso por julgar processos de feitiçaria na França, dizia que nas bruxas francesas havia resquícios de diabos caçados e expulsos da América. As criaturas teriam voltado à Europa para se vingar de seus perseguidores.

Dentre os europeus capazes de detectar monstros no Brasil, encontrava-se o renomado gravador Theodor de Bry. Protestante e originário de Liège, na Bélgica, foi autor de uma enorme coleção denominada *Grandes viagens*, na qual colocou a técnica de desenho e reprodução a serviço do testemunho de viajantes e de suas navegações.

No final do terceiro livro da coleção, há uma importante gravura denominada *O inferno brasileiro*. Ela reproduz outra gravura, esta impressa por Jean de Léry para acompanhar o relato de sua passagem pelo Rio de Janeiro, onde foi prisioneiro dos tupinambás, em 1585. Nesse relato, ele detalhava: "Durante sua vida, os pobres selvagens são terrivelmente afligidos pelo espírito maligno (ao qual chamam *kaagerre*), que, como vi, várias vezes os ataca [...] eles dizem que visivelmente o veem em forma de besta ou ave, ou em outra forma estranha."

Nas gravuras de Bry, o tema sofreu o impacto dos códigos europeus sobre o caráter diabólico dos habitantes do Brasil. A cena descortina uma paisagem litorânea, na qual o mar faz a linha do horizonte com o céu. Uma suave montanha morre na costa. Duas meias palmeiras fazem a borda da imagem, espécie de janela para a esplanada infernal. Uma pirâmide humana amontoa corpos atormentados. Um deles se inclina sob os golpes desferidos por um monstruoso e sarcástico demônio. Soberbamente enfeitado com asas escamosas, chifres, garras, cauda bifurcada, coxa peluda e sexo ornado com uma cabeça satânica, ele parece cristalizar todos os vícios. Dois outros monstros rasgam o céu, de olho em suas vítimas: um, meio pássaro, meio serpente, tem a pele coberta de escamas e um bico pontudo. Outro, asas enormes abertas, escarra seu veneno. No mar pululam peixes-voadores com bicos, chifres e tamanho anormal.

No centro da gravura, outra criatura monstruosa extraída do livro de Léry: o *hay*. E a legenda: "O maior animal, que os selvagens chamam *hay*, é grande como um cão d'água com a face de um macaco, próxima daquela de um homem. O ventre pendente como o de uma porca prenhe, o pelo cinza esfumaçado como o da lã do carneiro negro, a cauda bem curta, as pernas peludas como as do urso e as garras muito longas." Ninguém adivinharia que por trás da horrenda criatura estaria o inofensivo bicho-preguiça.

Inúmeras crenças sobre criaturas extraordinárias, capazes de assustar, mas também de despertar a curiosidade, se multiplicavam. Acreditava-se existir, entre a atual Venezuela e as Guianas, uma família de homens que não tinham cabeça e com olhos no tórax. Sir Walter Raleigh, que levou, em 1585, o tabaco para a Europa, dizia tê-los visto ali, localizando-os como moradores de Caora.

Outro cronista assombrado com as criaturas fantásticas da Terra de Santa Cruz foi o capuchinho francês Yvres d'Evreux, que conviveu entre os índios do Maranhão durante a ocupação francesa e que publicou um livro em 1615. Nele, a figura mítica de Jurupari, o primeiro senhor do culto mais vasto e comum a todas as tribos, embaixador do sol, senhor de rito exigente e precauções misteriosas, surge como fonte de terror para os tupinambás com os quais conviveu. Mas também de diabolização por parte dos padres catequistas. Contou d'Evreux:

> Pensam que os diabos estão sob o domínio de Jeropary, que era criado por Deus e que por suas maldades Deus desprezou, não querendo mais vê-lo, nem aos seus. Dizem também que Jeropary e os seus acólitos têm certos animais que nunca se veem, que só andam à noite, soltando gritos horríveis que abalam todo o interior (o que ouvi infinitas vezes) com o qual convivem, e por isso o chamam *Soo Joropary*, 'animal de Joropary', e creem que tais animais servem aos diabos ora de homens, ora de mulheres, e por isso nós os chamamos súcubos e íncubos, e os selvagens, *Kugnam Jeropary*, a mulher do Diabo, e *Aua Jeropay*, o homem do Diabo. Há também certos pássaros noturnos que não cantam, mas têm um piado queixoso, enfadonho e triste, que vivem sempre escondidos, não saindo dos bosques, chamados pelos índios de *Uyra Jeropary*, 'pássaro do Diabo'. Dizem que diabos com eles convivem, que quando põem é um ovo em cada lugar, e assim por diante, que são cobertos pelo Diabo e que só comem terra.

Não só Jurupari, mas também o Curupira – que provavelmente inspirou o termo "caipira" – foi dos primeiros duendes selvagens que a mão do europeu fixou em papel e comunicou ao outro lado do Atlântico. Em carta de São Vicente, em 31 de maio de 1560, citava-o o padre José de Anchieta. Segundo ele, era dos entes mais temidos pelos indígenas. Nas longas marchas sertão adentro, os guerreiros aliados dos portugueses lhes contavam dos seus pavores. O nome do Curupira era mencionado entre sussurros de medo. Sob sua batuta se curvavam as árvores e os animais e dele se dizia chefiar todos os assombros da floresta. Padre Simão de Vasconcellos, outro jesuíta, o denominou "o espírito dos pensamentos". Índio pequeno, de cabelo vermelho ou cabeça pelada, poderoso senhor da caça e dono das matas cujos segredos conhece e defende, o Curupira tinha uma característica já descrita por viajantes medievais: os pés tornados ao avesso, dedos atrás e calcanhar para a frente, mostrengo habitante da longínqua Índia. Padre Simão de Vasconcellos registrou-o em sua *Crônica da Companhia de Jesus no Estado do Brasil*, em 1663, explicando: "Essa casta de gente nasce com os pés às avessas, de maneira que quem houver de seguir seu caminho há de andar ao revés do que vão mostrando as pisadas: chama-se Matuiús."

Já certo Anhanga, espírito malfazejo, se encontra mencionado nas cartas dos jesuítas Anchieta, Nóbrega e Fernão Cardim. O franciscano e cosmógrafo do rei de França, Francisco III, o francês André Thévet, observou, em 1558, que a criatura não tinha forma definida. Seu objetivo era apenas atormentar os vivos: "Veem muitas vezes um mau espírito ora numa forma, ora em outra, o qual nomeiam em sua língua *Agnan* e os persegue frequentemente dia e noite, não apenas a alma, mas também o corpo."

Espanto mesmo causou o aparecimento de um monstro marinho ao vivo e a cores no litoral de São Vicente. Quem o descreveu foi Gandavo em seu *História da Província de Santa Cruz*:

> Foi causa tão nova e tão desusada aos olhos humanos a semelhança daquele fero e espantoso monstro marinho que nesta província se matou no ano de 1564, que ainda que por muitas partes do mundo se tenha notícia dele, não deixarei, todavia, de a dar aqui outra vez, relatando por extenso tudo o que acerca disso se passou.

O autor acompanhava seu texto de uma imagem do monstro "tirada pelo natural": cabeça e focinho de cão, seios femininos, mãos e braços humanos e patas de ave de rapina. No meio do corpo, uma cloaca. A Ipupiara estava, pois, longe de sugerir a beleza das sereias capazes de seduzir incautos marinheiros. Escrevendo em 1590, padre Cardim dava ainda maiores detalhes. Os homens teriam boa estatura e olhos encovados. As "fêmeas", formosas de longos cabelos, pareciam mulheres. O modo que tinham em matar pescadores era este: "Abraçam com a pessoa, tão fortemente, beijando-a e apertando-a consigo, que a deixam feita em pedaços [...] e como a sentem morta são alguns gemidos como de sentimento, e largando-a fogem; e se levam alguns comem-lhe somente os olhos, narizes, pontas dos dedos dos pés e mãos, e as genitálias, assim os acham pelas praias com essas coisas menos."

Tais monstros e criaturas demoníacas constituíam a pedra de toque da autêntica experiência de viagem ou de estada no Novo Mundo. O encontro com a "coisa" inesperada era, na realidade, esperado, pois vinha precedido da tradição oral ou escrita. Não havia regras para o encontro com o demônio ou os monstros. Bastava encontrar um testemunho digno de fé que anunciasse como fato seguro a sua existência. E eles não faltaram. De padres a viajantes estrangeiros, de piratas a colonos, tantos viram e tantos contaram histórias à noite, ao pé do fogo...

# Pavor e fascínio: as sedutoras Amazonas

*Guerreiras amazonas, guardiãs das terras com ouro.*

THÉVET, André. "*La cosmographie universelle* d'André Thévet cosmographe du roy". *Illustree de diverses figures des choses plus remarquables veves par l'auteur, [et] incogneues de noz anciens [et] modernes:* Tome premier.

PARIS: CHEZ PIERRE L'HUILLIER/CHEZ GUILLAUME CHARDIERE, 1575, P. 126.

Vale lembrar que a descoberta do Novo Mundo representou o primeiro contato da Europa com um universo exótico e cheio de promessas. Durante os anos ao longo dos quais se desenvolveu a exploração das terras americanas, aventureiros e conquistadores estavam convencidos de ter achado o jardim onde Adão e Eva foram criados e de onde depois foram expulsos. "As árvores são tão belas e doces que pensamos estar no paraíso terrestre", até Colombo confirmou em seu diário. A ambição, contudo, lhes dava forças para subir as mais altas montanhas, explorar mares desconhecidos e florestas impenetráveis. Embalados por sonhos e mitos, perseguiam os caminhos que os levassem para o País da Canela, o Eldorado ou o reino misterioso das Amazonas. Eles as conheciam, pois a tradição medieval retomara muito dos mitos antigos.

Narrativas lendárias sobre os confins do mundo, representações do paraíso, mitologias indígenas, tudo, enfim, concorreu para a longevidade das guerreiras solitárias, cujas descrições não cessaram. As Amazonas revisitadas pelas histórias em torno de Alexandre, o Grande, e embelezadas pelas crônicas de cavalaria, conhecidas de todos os conquistadores e viajantes, desenvolveram não apenas um tema, mas também um sistema que, por sua vez, permitia associar vários elementos da Antiguidade. Assim elas se integravam à mitologia dos guardiões de ouro dos confins. Eis porque ao chegar à Califórnia, em 1539, Cortez acreditou ter tocado uma ilha ao lado das Índias Orientais, ilha muito próxima ao paraíso e habitada por mulheres negras que viviam longe de qualquer presença masculina. Não foi à toa que o mito do ouro na Califórnia perdurou até o final do século XIX.

Mais: o lago que cercava as terras das Amazonas remetia ao paraíso terrestre, pois Hespéria, segundo o mesmo Diodoro de Sicília, estava coberta de árvores frutíferas, e em seus campos abundavam animais que viviam em eterna primavera. Essa associação com as águas vai se repetir no momento da fundação dos mitos que acompanharam o descobrimento do maior curso fluvial do Novo Mundo. Avistado por Vicente Yañez Pinzon em 1500, aquele mesmo rio que os cronistas de antanho denominaram "o monarca das águas", "a fênix dos rios", e que ele confundiu com o Ganges, deu, precisamente, nome às Amazonas.

As mais célebres delas foram observadas e descritas no coração da América do Sul, quando da expedição de Francisco de Orellana, espanhol que saiu em busca de ouro e outras riquezas. Os conquistadores partiram, em fins de 1541, de Quito – atual Equador –, região marcada pela beleza de sua branca cordilheira de vulcões. O objetivo era encontrar o mítico País da Canela, especiaria então muito rara e valorizada e que, acreditava-se, crescia nas proximidades do Eldorado. Não se tratava da espécie *cinnamomum*, originária do Ceilão, mas de uma planta perfumada conhecida como *ishpingo,* que entrava na composição de oferendas religiosas e servia a fins terapêuticos. As crônicas sobre tantas riquezas teriam incendiado a imaginação dos espanhóis. Na confluência entre os rios Coca e Napo, Orellana abandonou Gonçalo Pizarro – líder da expedição – e prosseguiu rumo ao Maranhão. Como ele mesmo registrou em suas memórias, deixou-se levar côme les Amazones traitêt ceux qu'il prênent en guerre.

les faire mourir elles les pendêt par vne iambe à quelque haute branche d'vn arbre: pour l'auoir ainsi laissé quelque espace de temps, quand elles y retournêt, si de cas fortuit n'est trespassé, elles tireront dix mille coups de fleches: & ne le mangent comme les autres Sauuages, ains le passent par le feu, tant qu'il est reduit en cendres. D'auantage ces femmes approchans pour com-

Origine des Amazones Ameriques in certaine.

batre, iettent horribles & merueilleux cris, pour espouuenter leurs ennemis. De l'origine de ces Amazones en ce païs n'est facile d'en escrire au certain. Aucuns tiennent, qu'apres la guerre de Troïe, ou elles allerent (comme desia nous auons dit) soubs Pentesilée, elles s'ecarterêt ainsi de tous costez. Les autres, qu'elles estoyent venuës de certains lieux de la Grece en Afrique, d'ou vn Roy, assez cruel les rechassa. Nous en auons plusieurs histoires, ensemble de leurs prouësses au fait de la guerre, & de quelques autres femmes, que ie *"donde la ventura lo guiase"*, enquanto a floresta úmida, os insetos e os pântanos engoliam, lentamente, sua saúde, seus homens e seus barcos.

Coube ao dominicano Gaspar de Carjaval, depois de entrevistar um indígena, a descrição das peripécias da viagem e da aparição das *coniapuyara*, ou "grandes senhoras", que confirmavam a tradição do mito grego: "São muito brancas e altas, têm cabelos compridos e trançados ou revoltos na cabeça, e são muito membrudas e andam nuas envoltas apenas em couros tapando suas vergonhas, com seus arcos e flechas nas mãos, fazendo guerra como dez índios." Elas os afrontaram num violento combate "tão feroz", queixou-se o dominicano, que "estivemos a ponto de nos perder todos". Os viajantes estavam fascinados por esta estranha combinação: mulheres guerreiras, cruéis e... ricas. Um sonho de conquista. A mitologia antiga deformava o olhar dos europeus e se transformava em critério de verdade para a descrição da natureza, das terras e da gente americanas. Mas o dominicano também traduzia, à sua maneira, as narrativas indígenas conhecidas em toda a bacia amazônica. Segundo elas, Jurupari, herói dos povos da floresta, tinha, na sua infância, arrancado o poder da mão das mulheres para devolvê-lo aos homens. E matara sua mãe, pois ela ousara encarar as flautas sagradas. Também nas culturas indígenas se encontravam mitos que punham o mundo de cabeça para baixo.

Mais adiante, e graças a um léxico por ele confeccionado, Orellana conseguiu se comunicar com os ribeirinhos, que confirmaram a existência das Amazonas. E, sob os raios fabulosos da distância, surgiam mais e mais informações sobre tais mulheres. Moravam a sete dias de viagem do rio e viviam separadas dos homens, com quem só se juntavam para procriar. Como no mito grego, matavam os filhos homens e criavam, com presentes, as meninas. Uma grande senhora, cujo nome era Coñori, reinava entre elas, que, espalhadas em mais de setenta cidades lavradas em pedra, moravam em casas cobertas por plumas de papagaio. O piso e os móveis eram feitos de prata. Possuíam ainda muitos "carneiros do Peru" – lhamas e alpacas –, que lhes forneciam lã para o vestuário. Na capital, havia cinco oratórios dedicados ao sol, chamados *caranain*, adornados com ídolos de ouro. Vestiam-se com roupas muito finas, e seus cabelos caíam até o chão. As cabeças iam coroadas do metal amarelo, e havia tanta riqueza em ouro e prata que, para o serviço da nobreza, não se usava outro. Suas terras eram, igualmente, hidratadas por lagoas de água salgada.

A imagem da água no mito das Amazonas era recorrente, pois essas mulheres guerreiras viviam ora em uma ilha, ora em região próxima a um grande lago, ou seja, ao mar. Vizinha, se encontrava a tão procurada canela, e elas possuíam, ainda, enorme quantidade de ouro. Tudo indica que Orellana, como os demais conquistadores de seu tempo, conhecia outras lendas ligando ouro, mulheres guerreiras e rios, pois a conexão das Amazonas com um grande rio, que parecia não ter princípio nem fim, era uma constante na geografia medieval. A autoridade da Bíblia era invocada para afirmar, por exemplo, que o melhor ouro do mundo se encontrava nas terras onde corriam as águas do rio Ganges.

A lenda da cidade dourada perdida na floresta, ou Manoa, foi recolhida em fins do século XVI pelo favorito da rainha Elizabeth I, Sir Walter Raleigh. A curiosidade dos ingleses fora atiçada pelos rumores sobre as mulheres guerreiras, bem como sobre suas reuniões anuais com reis de terras vizinhas para a procriação. Os festejos e bebedeiras, segundo o cronista protestante, duravam um mês. As Amazonas possuíam placas de ouro que trocavam por pedras verdes – jades ou uma variedade de feldspato também chamada amazonita – usadas, na época, para tratar dos males da vesícula. Segundo Raleigh, elas continuavam habitando as regiões de Tobago e "suas terras mais importantes se situavam nas ilhas da parte meridional do estuário".

Mas aqui já se observavam pequenas mudanças na história: os filhos não eram mais mortos, mas enviados para a casa de seus genitores. E, definitivamente, não havia provas de que tais guerreiras cortavam um dos seios. Elas foram, também, encontradas nas matas do Paraguai, segundo a declaração do capitão Hernando de Rivera, em 1545, que insistia na existência de grandes cidades habitadas por mulheres guerreiras. Ele chegou a descrever seu encontro anual com os homens vizinhos e as riquezas que possuíam. E, quanto à localização, não tinha dúvidas: em meio a um lago chamado Eldorado. A seguir, foram vistas no estreito de Magalhães.

Não se tinham passado nem quinze anos desde o relato de Carjaval e era a vez do francês André Thévet, que passou três meses no Brasil em companhia do militar Nicolas Durand de Villegaignon, confirmar sua existência. Só que, agora, com outra inovação. Estavam mais pobres: "Elas frequentavam raramente os homens; e o faziam em segredo, à noite, ou em hora determinada. Esse povo habita pequenas casinhas ou cavernas nos rochedos, se alimenta de peixe e caça pequena e alguns frutos que crescem na terra." Se tinham, todavia, perdido as casas de plumas e prata, sua crueldade continuava a mesma. Ao guerrearem, elas faziam prisioneiros que maltratavam da seguinte maneira: penduravam-nos pelas pernas, nos galhos das árvores, e em seguida os crivavam de flechas. Em vez de comê-los, como faziam os antropófagos brasileiros, preferiam cozinhá-los até virar cinzas. Seus gritos de guerra eram terríveis e serviam para afugentar os inimigos. Não contente em descrevê-las, o cosmógrafo André Thévet ilustrou com suas imagens o seu *História de uma viagem à terra do Brasil*, um verdadeiro best-seller dos finais do século XVI. Outro francês, Jean Mocquet, retomou o mito em 1617, precisando alguns detalhes que os predecessores tinham deixado de fora. O seio faltante? Este não era queimado como rezava a lenda. Grande mentira! Elas tinham os dois. Os encontros para a reprodução tinham data certa: o mês de abril. Com tantas variações sobre um mesmo tema, de pouco adiantava o ceticismo de alguns contemporâneos, como Juan de Castellanos, que admoestava os crédulos: "No dito rio do Maranhão disseram que havia Amazonas e terra rica; não se dê crédito a isto pelas grandes mentiras que se contaram sobre os ditos índios."

Desenvolvendo-se de crônica em crônica, aumentando um ponto a cada vez que era contado, o mito das Amazonas era a prova viva de que tanta gente não podia trapacear. Afinal, perguntava-se Juan de Velasco, autor da *História Del Reino de Quito*, por que cinquenta pessoas e entre elas um religioso ter-se-iam entendido para contar a mesma mentira com a qual nada tinham a ver? Negar a sua existência na Antiguidade ou no mundo moderno era, segundo ele, "um capricho cego sem razão de desculpas". Crer que elas existiram e ainda existiam era o que havia de mais provável. Enfim, como na Antiguidade, a localização das Amazonas e de outros mitos das margens do mundo vai mudando de lugar, ao sabor das expedições sucessivas.

Quanto mais se conhecia do Novo Mundo, mais longe a lenda se escondia ou se transformava. Sua persistência, contudo, era impressionante. Já no século XVIII, as viagens não tinham mais o escopo da busca de tesouros ou especiarias. Elas serviam, entre outras razões, para o ideal da difusão do conhecimento pela experiência, a coleta de fatos e a pesquisa sobre os homens e as coisas que os cercavam. Esse ideal deveria substituir a autoridade dos autores antigos, como Diodoro, ou a própria Bíblia. O Novo Mundo atraía não mais missionários e aventureiros, mas os científicos. Foi por isso que o eficiente físico e naturalista Charles-Marie de La Condamine veio para a Amazônia numa expedição da Academia de Ciências da França. Sua maior descoberta foi que o grande rio se comunicava com o Orinoco, na Venezuela, graças ao rio Negro. Mais: ele pôs um ponto final em crenças seculares sobre o Eldorado. Este nunca existira. Não pôde, contudo, resistir às Amazonas.

As Amazonas, segundo o erudito francês, eram uma nação nômade. "O fato de não ter encontrado vestígios dessa república de mulheres não significa que ela não tenha existido", ponderava. Para explicar um tal apagamento, o francês invocava a possibilidade de as mulheres terem se esquecido da aversão de suas mães pelos homens. E tal esquecimento, de seu ponto de vista, seria o responsável pela miscigenação das guerreiras com as populações das margens dos rios. E ele não desistia: "Se houve um dia Amazonas no mundo, foi na América, onde a vida errante das mulheres que frequentemente seguem seus maridos na guerra, e que não são mais felizes em sua vida doméstica, deve ter-lhes feito nascer a ideia e lhes fornecido a ocasião frequente de fugir do jugo de seus tiranos, procurando estabelecer-se onde pudessem viver na independência, sem serem reduzidas à condição de escravas ou de bestas de carga."

E, para confirmar sua opinião, La Condamine acrescentava que sabia serem os índios da América meridional mentirosos, crédulos e obcecados pelo maravilhoso; mas nenhum deles – sublinhava – tinha jamais ouvido contar a história de Diodoro de Sicília. E as Amazonas já existiam muito antes da chegada dos espanhóis entre povos que nunca tinham avistado um europeu. A fábula era contada de Mainas, no Pará, a Caiena e à Venezuela, entre nações indígenas que não se entendiam nem tinham comunicação entre si. E a isso se somava o grande número de viajantes e autores de todas as nações da Europa que, havia mais de dois séculos, afirmavam a existência das Amazonas americanas.

# 4. ÍNDIOS NO COTIDIANO DE BRANCOS

Ao chegarem ao Brasil, os portugueses logo descobriram que grandes partes do litoral, bem como as partes do interior às quais tinham acesso, se encontravam ocupadas por sociedades que compartilhavam certas características comuns à cultura tupi-guarani. Em outras partes, o Brasil era habitado por sociedades não tupis, representando dezenas de famílias linguísticas distintas. Para enfrentar o problema, os europeus reduziram esse cenário a duas categorias genéricas: tupi e tapuia. A parte tupi agregava os grupos litorâneos em contato com europeus, não só portugueses, mas também franceses, ingleses e castelhanos.

A denominação "tapuia" se aplicava aos grupos desconhecidos. Em seu *Tratado descritivo*, Gabriel Soares de Souza confessava a dificuldade em repertoriá-los: "Como os tapuias são tantos e tão divididos em bandos, costumes e linguagem para se poder dizer deles muito, era necessário de propósito e devagar tomar grandes informações de suas divisões, vida e costumes, pois ao presente não é possível."

Inúmeros relatos de missionários e viajantes contaram sobre os costumes indígenas. Na pena de Soares de Souza, por exemplo, o leitor há de encontrar verbetes descritivos sobre "costumes e trajes", "do modo de comer e beber", "de como curam suas enfermidades", da "luxúria", de seus casamentos, antropofagia e linguagem – enfim, um catálogo dos usos e costumes de várias nações, dos caetés aos ubirajaras. Esses textos ora enfatizam a singularidade de suas culturas, ora retratam a aculturação que resultou do contato com o homem branco e o consequente processo de integração, exploração e destruição das populações indígenas. Como se vestiam ou enterravam seus mortos, o que comiam e a quem se uniam, como guerreavam ou passavam o tempo? As tribos mais comentadas são aquelas com as quais foram cruzando ao longo da ocupação: índios de aldeias, vivendo de suas lavouras, como os caiapós ou os parecis, ou índios de corso,

*A tradição indígena ofereceu várias soluções de abrigo aos colonizadores pobres.*

DEBRET, Jean Baptiste, 1768-1848. *Voyage pittoresque et historique au Brésil.* Tome premier. p. 27

ferozes e excelentes cavaleiros, como os paiguazes ou aicurus, deixaram seu retrato na pena de pato dos brancos.

E era uma pena seletiva. Afinal, os bons eram aqueles "índios de assento", sedentários, capazes de cultivar mandioca, milho, feijão, batata e ananás. E também de fazer belas "obras de pedra" como as insígnias que portavam os caciques.

Os sinais negativos eram emitidos sobre as nações itinerantes. Como deles disse padre Martinho de Nantes, capuchinho missionário, em seu *Relação de uma missão no rio São Francisco*, gente de "vida animal, grosseira até nos alimentos, quando se contentavam com as coisas que encontravam, sem que de ordinário as cultivassem e comendo sem preocupação de limpeza". "O seu uso de pelejar uns com os outros é tudo de traições e armas, arcos, flechas e porretes e comem também carne humana", completava em 1723 o capitão Antônio Pires de Campos, que os observou ao longo de uma viagem a Cuiabá.

Padre Simão de Vasconcellos os distinguia entre "índios mansos" e "índios bravos", os primeiros sendo aqueles que "com algum modo de república (ainda que tosca), são mais tratáveis e perseveráveis, entre os portugueses, deixando-se instruir e cultivar. Chamamos bravos os que, pelo contrário, vivem sem modo de república, são intratáveis e com dificuldade se deixam instruir".

"Instrução" significava a substituição de suas tradições por aquelas dos brancos: batizar os filhos, casar-se na igreja, evitar a bigamia, andar vestido, aprender a ler, escrever, contar e mesmo cantar, pois muitos deles tinham, segundo registros, excelentes vozes. Cobrir-se era considerado sinal de adesão: "Já agora o gentio que habita entre nós anda coberto, os machos com uns calções, as fêmeas com uns camisões de linho muito alvo e os cabelos enastrados com fitas de diferentes cores, costumes que introduziram entre eles com assás de trabalho os padres da Companhia [de Jesus] porque não havia quem os fizesse apartar de sua natureza, que os incitava a andarem nus", dizia Gandavo.

Tratava-se de uma adesão nem sempre bem-sucedida que inspirava ao padre Anchieta tiradas de muito humor: "De ordinário andam nus e, quando muito, vestem alguma roupa de algodão ou de pano baixo, e nisto usam de primores a seu modo, porque um dia saem com gorro, carapuça ou chapéu na cabeça e o mais nu; outras vezes trazem uma roupa curta até a cintura sem mais outra coisa. Quando casam vão às bodas vestidos, e à tarde se vão passear somente com o gorro na cabeça sem outra roupa, e lhes parece que vão assim mui galantes."

Empenhados em imprimir a marca da metrópole na colônia, os jesuítas tentavam transformar os nativos em cristãos. Essa era a missão.

A recém-fundada Companhia de Jesus, em vez de cristianizar mouros em Jerusalém, preferiu fazê-lo na América. O culto ao Menino Jesus e à Sagrada Família os fez focar nos "culumins", nos "meninos da terra". Era preciso evitar "os adultos a quem os maus costumes de seus pais têm convivido em natureza e cerram os ouvidos para não ouvir a palavra de salvação".

Não por acaso, Nóbrega fundava em São Vicente, em 1554, o primeiro colégio de catecúmenos que houve no Brasil, "ordenando que fosse confraria do Menino Jesus". Ali, juntaram-se alguns órfãos e meninos abandonados vindos de Lisboa, mestiços da terra e "indiosícos". Esses eram em geral egressos de uniões entre mães índias e pais portugueses. Ou vinham a pedido de algum "principal" ou cacique. O sentimento de valorização da criança enquanto ser cheio de graça e vulnerabilidade não estava ausente do coração dos jesuítas, que viam nas crianças "inocentes, mui elegantes e formosos". Ou, ainda, "*muchachos* que quase criamos aos nossos peitos com o leite da doutrina cristã".

Afagos? Sim, mas moldados pelos princípios morais da Igreja, baseados "no aproveitamento, nos costumes e vida cristã". O "muito mimo" era repudiado. Afinal, Deus ensinou que amar "é castigar e dar trabalhos nesta vida". O amor era feito de disciplina, castigos e ameaças. Eram comuns procissões em que meninos fantasiados de anjos e tocando instrumentos europeus atraíam outras crianças. Uma vez na escola, eram "instruídos otimamente nos rudimentos da fé, no estudo dos elementos e no escrever", cantavam hinos, entoavam o nome de Jesus e tinham aulas de canto e flauta. Recitavam ladainhas, cantavam o salve-rainha e, nas sextas-feiras, "disciplinavam-se" até se cobrir de sangue, antes de sair em procissão. Confessavam-se de oito em oito dias, e à tarde "saíam a caçar e a pescar", pois cada um precisava prover sua subsistência.

Sabia-se, porém, que a tal "instrução" não passava de um verniz. O apego aos costumes era fortíssimo. Não foram poucos os mamelucos e mestiços que, uma vez fora das escolas jesuíticas, foram viver nos sertões, pintando seus corpos com urucum e escarificando-os "à maneira gentílica". Não poucos comiam carne em dias de abstinência, tangendo atabaques e cobrindo-se de penas. Inúmeros eram aqueles que adoravam seus deuses, trocavam armas com outros índios e "desciam gentios", quando não combatiam os próprios brancos. Se davam à luz, as mulheres ficavam sem comer carne, peixe e ovos, vivendo somente de farinha de mandioca, legumes, milho e feijões até que os dentes dos filhos começassem a sair. "Muitas vezes sob o pretexto de irem à caça ou procurar mel pelos campos, saíam das aldeias para praticar às ocultas as suas cerimônias", queixava-se frei Martinho de Nantes. Entre os jovens, era comum fugir das escolas jesuíticas onde estavam sendo educados na fé cristã para participar de cerimônias religiosas, nas quais escarificavam o corpo, bebiam fumo, se embriagavam e, não raro, praticavam rituais de antropofagia. Sobre ela, aliás, o chefe tupinambá Japi-Açu, instado a abandonar o sacrifício humano, explicou a seus interlocutores franceses: "Bem sei que esse costume é ruim e contrário à natureza, e por isso muitas vezes procurei extingui-lo [...] basta alguém dizer que o costume é antigo e que não convém modificar o que apreendemos de nossos pais."

A tradição preservada por chefes, xamãs ou pajés, que muitas vezes acumulavam também autoridade política, falava mais alto. Tão alto que, mesmo diante da morte sacrificial, preferiam cumprir os ritos. Quando o jesuíta Azpicuelta Navarro se ofereceu para comprar um prisioneiro tupinambá na hora do sacrifício deste, a vítima impediu a transação: "Ele disse que não o vendessem, porque lhe cumpria à sua honra passar por tal morte como valente capitão."

"Feras selvagens, montanhesas e desumanas", além de preguiçosos, mentirosos e comilões? Para muitos, sim. Mas tais "feras" eram senhores da mata, onde distinguiam as espécies vegetais só de trincar as folhas, dizendo, pelo gosto, sua serventia. Na caça, modulavam a voz conforme a do animal perseguido, sendo capazes de dizer seu tamanho, sexo e distância a que se encontrava. Liam os rastros no chão e sabiam pelos restos de comida qual animal perseguir: a paca, que roía o milho sem deixar pó, ou a cutia, que desfiava a palha. Imitavam o pio de macucos, mutuns, jacus e inhambus para atraí-los e faziam o mesmo com o ronco de macacos ou capivaras. Quebravam galhos e marcavam árvores, percorrendo as matas pelos "piabirús", caminhos invisíveis ao olhar do branco. Pela coloração do terreno, reconheciam uma aguada quando não havia sinal de água em regiões áridas ou se desalteravam com líquido cristalino colhido em bromélias, umbuzeiros e bambuzas. Pintavam seus corpos com urucum ou jenipapo para afastar insetos e porque certas cores exercem sobre os

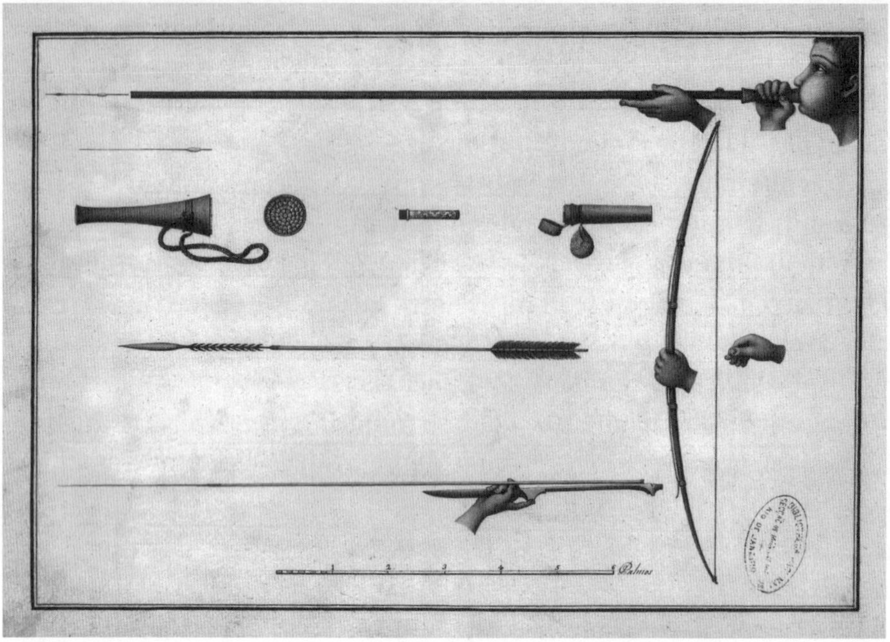

*Os povos indígenas tinham uma sofisticada tecnologia de armas de caça e guerra.*

Artefatos indígenas.
COLEÇÃO ALEXANDRE RODRIGUES FERREIRA. S/D.

animais repulsão ou atração. Pescavam adormecendo os peixes por meio de ervas e cipós jogados nos rios. Conheciam os astros e as estações, tinham excelente memória, tiravam "vinho" das mais variadas plantas e, para surpresa dos estrangeiros, eram dotados de muitos conhecimentos sobre medicamentos naturais.

"Proveu a natureza com lhes dar um azeite que se tira da árvore chamada copaíba, da qual toma o azeite o nome, e com ele curam feridas por ser de tão maravilhosa virtude, que em breve tempo saram delas", comentou Gandavo.

As incursões de apresamento ou "descimento" de índios nos sertões não só abasteceram o mercado de índios no litoral como foram responsáveis por alimentar a força de trabalho, especialmente no planalto paulista.

Graças aos chamados "negros da terra" e ao seu batente nas lavouras, a região de Serra Acima se integrou às outras partes da colônia portuguesa. Apesar das condenações do papa Paulo III ou as recomendações do Regimento de 1548, preparado pelo primeiro governador-geral, os colonos seguiam maltratando e escravizando índios. Guerras "justas" ou "injustas" acobertavam situações de extrema violência. "Índios inteiramente livres", como desejava uma lei de 1609? Impossível, respondiam governadores e colonos em busca da expansão das áreas agricultáveis. Em Pernambuco, capitania de Duarte Coelho, a luta movida contra caetés e tabajaras empurrou os índios sertão adentro. Atemorizados, os tabajaras optaram por uma aliança com os luso-brasileiros, bastante duradoura e proveitosa para o colonizador. Já sobre a situação dos caetés, assim a resumiu frei Vicente de Salvador:

> Com a fama dessas duas vitórias, ficou todo o gentio da costa até o rio São Francisco tão atemorizado que se deixavam amarrar dos brancos como se fossem seus carneiros e ovelhas. E assim, iam de barco por esses rios e os traziam carregados deles a vender por dois cruzados ou mil-réis cada um, que é o preço de um carneiro.

Conflitos entre jesuítas contrários ao cativeiro e moradores não diminuíram a preação ou a "locação de serviços", sempre violenta, obrigando os índios a se render, se aliar ou reagir com igual violência.

Nas primeiras décadas do século XVII os índios das aldeias eram usados em atividades bélicas, para compensar os magros contingentes militares nas lutas contra franceses e holandeses. Ajudavam nas fortificações e lutavam como flecheiros: "Eram a principal parte de nosso exército, o que mais horror metia a nossos inimigos, porque, quando estes saíam e andavam pelos caminhos mais armados e ordenados em suas companhias estando o sol claro e o céu sereno, viam subitamente sobre si uma nuvem chovendo flechas, que os trespassavam", gabava-se padre Antônio Vieira.

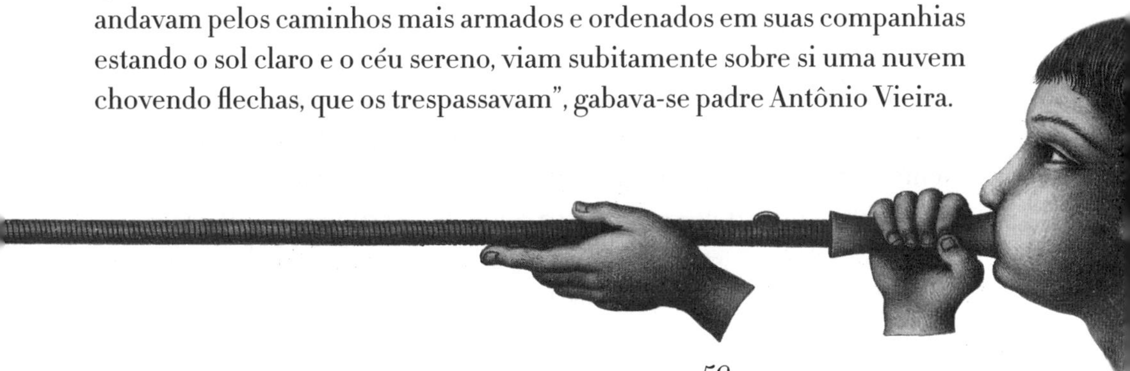

Em São Paulo, houve indivíduos que tinham a seu serviço cem ou mais flecheiros. Eram os "potentados em arcos", como Valentim de Barros, Diogo Coutinho de Melo, Sebastião Pais de Barros e Pedro Vaz de Barros, que, em 1650, tinha um plantel de mais de quinhentos índios. Eles desempenhavam qualquer tarefa que os brancos não queriam executar: portavam cargas nas costas, cuidavam das plantações, remavam no mar e nos rios, caçavam, construíam todo tipo de edificação, de igrejas a fortes ou edifícios públicos, e também embarcações, e ainda ajudavam a lutar contra outros índios. Desde a década de 1630, entregavam-se à cultura do tabaco durante sete a oito meses por ano, em troca de alimento e de duas a quatro varas de tecido de algodão, o equivalente ao que seria um salário baixo. Por volta dos anos 1640, passaram a receber duas varas de pano por mês, e esta quantidade não foi alterada durante cem anos, quando subiu para três varas mensais. Uma vara equivalia a um jornal de sete a vinte réis por dia, enquanto os assalariados brancos recebiam entre 150 e 200 réis. Os índios livres estavam em pior condição do que os escravos, segundo padre Vieira, que, em carta ao rei d. João IV, expressava sua preocupação: "Que, para que os índios tenham tempo de acudir às suas lavouras e famílias [...] nenhum índio possa trabalhar fora de sua aldeia cada ano mais do que quatro meses, os quatro meses os quais não serão juntos de uma vez, senão repartidos em dois." E quanto aos pagamentos, que fossem feitos à hora e que nenhum deles servisse de graça a qualquer morador ou às obras do serviço público.

Pretendia também o jesuíta que os índios recém-aprisionados fossem recebidos com aldeias e roças preparadas para que aí pudessem viver e que só começassem a trabalhar depois de "estarem mui descansados do trabalho do caminho". E para evitar tensões com os colonos, acrescentava: missionários não poderiam ter índios, livres ou escravos, trabalhando para si em canaviais ou outras lavouras.

Tal como os africanos, os índios também eram propriedade dos brancos e aparecem como "negros da terra" nos documentos da época. Testamentos e inventários paulistas confirmam que as chamadas "peças forras" eram dadas como dotes às filhas casadoiras e partilhadas entre viúvas e filhos ou ainda era oferecido aos credores como pagamento de dívidas, garantia de empréstimo e hipotecas. O sertanista Cristóvão de Aguiar Girão gravou em seu testamento, em 1616: "Tenho uma negra por nome Úrsula com três meninos, uma fêmea e dois machos, os quais deixo forros [...] um rapagão filho da negra por nome Francisca, esse se venderá."

Decorridos cem anos, a denominação mudou: índios livres passaram a ser chamados pelos paulistas de "peças de administração" e aparecem lado a lado com escravos benguelas, angolas e minas, a quem, aliás, se uniam em relações estáveis nos aldeamentos jesuíticos. O termo carijó para designar cativos, inicialmente referido aos guaranis, também vira senso comum. Certo Manuel Pacheco Gato cravava em 1715: "Declaro que possuo umas almas carijós as quais ficam na mesma administração de meus herdeiros, os quais lhe darão aquele mesmo trato que eu os tratava, doutrinando e tratando com amor e caridade." As uniões entre escravos e administradores eram encorajadas pelos senhores como garantia de administração mais serena.

Frente à poligamia e ao concubinato, ambos praticados por portugueses e índias, e às alianças que conferiam aos primeiros prestígio dentro das estruturas dos segundos, reagia, alarmado, o jesuíta Pedro Correia: "Há muito pouco tempo se perguntava a uma mameluca que índias e escravas são essas que traz com você. Ela respondia que eram as mulheres de seu marido, as quais elas sempre trazem consigo e olhava por elas como uma abadessa por suas monjas."

Tais laços deixavam marcas na hora de fazer os testamentos, como revela o de certo Antônio Nunes: "Declaro que tenho um moço do gentio da terra [...] que é meu tio, irmão de minha mãe, casado com uma índia da aldeia e assim por bons serviços que me tem feito o deixo forro e livre." Não poucos agiram como Antônio Moreira, que comprou uma "rapariga do gentio da terra" e a alforriou. Era sua mãe.

Havia também a modalidade da alforria condicional, que permitia passar de cativo a livre. Ela estipulava tarefas ou serviços. Caso, por exemplo, de certo Paulo, escravo de José Ortiz de Camargo. Segundo o testamento de seu senhor, Paulo gozaria de uma semana livre por mês para ver sua mulher, que morava em outra propriedade. Nas semanas seguintes, ensinaria a oito índios escravos os segredos de seu ofício. Ao termo de seis anos, ficaria livre incondicionalmente.

As atividades que exerciam os índios em São Paulo não eram muito diferentes das que efetuavam no resto da colônia: ajudar os brancos a "descer" mais índios, remar, carregar fardos. Nas tarefas domésticas as índias se entregavam junto com brancas e negras à tecelagem, à cerâmica e à fiação. Ambos os sexos cuidavam das criações de porcos, carneiros e gado.

Com o aumento do preço de africanos durante o século XVII, houve quem pagasse caro por escravos índios aos bandeirantes paulistas, que os forneceram até para os engenhos do Nordeste. Em toda parte, porém, a posse de nativos se manteve como uma prática comum. Na cidade de Paraíba, bispado de Pernambuco, um lavrador se justificava, em 1729, por possuir "uma escrava tapuia chamada Maria do Rosário, de 20 e tantos anos de idade, a qual tinha um filho Francisco, de 7 anos, e uma filha Luísa, de 8, e ficava pejada, os quais se diz são seus escravos por ser a mãe cativa em justa guerra dos que se levantaram contra o domínio d'El Rei".

Escravos ou livres, portanto assalariados, mas com rendimentos que nem lhes chegavam às mãos, os índios estiveram sujeitos ao trabalho compulsivo, sem direito de escolher o local ou o salário. Só lhes restava a fuga ou a morte como forma de resistência. A década de 1650, por exemplo, registrou um surto de revoltas violentíssimas, que colocaram em questão a viabilidade da escravidão indígena. As fugas também aumentaram. Maus-tratos – muitos eram presos com ferros –, o desejo de se reunir aos parentes ou o de liberdade eram o estopim para o abandono do senhor. "Andar fugido" passou a ser umas das formas de resistência ao cativeiro.

Mudanças? Em 1755, um *Directório que se deve observar nas povoações dos índios do Pará e Maranhão*, estendido para toda a colônia, em 1758, traria novidades: proibia-se a escravidão indígena, abolia-se a tutela religiosa nas aldeias e se proclamavam os nativos vassalos livres da Coroa. Por meio dele, Portugal desejava preservar fronteiras, incentivar a agricultura, converter os índios em mão de obra disciplinada. A língua portuguesa se tornou obrigatória, foram condenadas as crenças indígenas e incentivados os casamentos mistos. Portugueses que se casassem com índias não seriam mais considerados "infames" e seriam preferidos nas terras onde se instalassem com a família. Mais: os índios poderiam atuar na burocracia e assumir postos honoríficos, perdendo a "nódoa" que manchava sua "limpeza de sangue".

Funcionou? Pesquisas recentes revelam um novo rosto para os índios. Presença na mão de obra diversificada, eles foram também trabalhadores em engenhos de açúcar, na atividade de fiação, nas minas de salitre, na lavoura de subsistência, na criação de gado, além de auxiliares na administração de aldeias indígenas e missões. Foram, também, tradutores, carpinteiros, pedreiros, meirinhos, prefeitos, juízes, entre outros cargos. Uma vez provada a fidelidade ao branco, sobretudo nos conflitos contra outros grupos indígenas, o índio podia exercer cargos de responsabilidade e, integrado aos portugueses, inserir-se na sociedade colonial. Nem que fosse da maneira que, hoje, consideraríamos a mais bizarra: se reescravizando. Foi o caso da "cafuza Joana Batista, filha do preto Ventura, escravo do padre João de Mello e da índia Ana Maria, do serviço do mesmo padre", que no dia 19 de agosto de 1780 passou uma escritura de venda de "si própria" a certo Pedro Costa, morador na rua São Vicente, em Belém do Pará, no valor de 80 mil réis. A razão, segundo o mesmo documento:

> Ela de seu nascimento foi sempre livre e isenta de cativeiro; e como ao presente se achava sem pai e sem mãe que dela pudesse tratar e sustentar assim para a passagem da vida como em sua moléstia, nem tinha meios para poder viver em sua liberdade [...] cuja venda fazia unicamente de si por preço e quantia de 80$000 a saber: metade em dinheiro e outra metade, que são 40$000, em fazenda e trastes de ouro e o mais que precisar para seu ornato.

Se maltratada ou se não se desse bem no "seu cativeiro", seu senhor poderia "vendê-la a quem lhe parecer como sua escrava que por esta (escritura) fica sendo".

Uma exceção, sem dúvida.

Na outra ponta, uma elite proveniente dos "principais", com poder político para deliberar com os colonos e possuidores de formação escolar, pois seus filhos tinham entrada nos colégios, aumentou a clivagem no interior dos diferentes grupos. A introdução de ofícios que permitiram a acumulação de bens e valores ajudou a solapar as estruturas tradicionais. Nascia uma nova elite, apta a submeter-se aos dominadores. A dispersão ou extermínio das tribos alavancou casamentos entre indivíduos sem conexões tribais. O apoio indígena foi decisivo para o triunfo da colonização. Porém o resultado dessa colaboração foi tão evidente quanto trágico. A grande maioria de homens e mulheres se tornou súdita de segunda categoria.

# 5. A CANA NOSSA DE CADA DIA

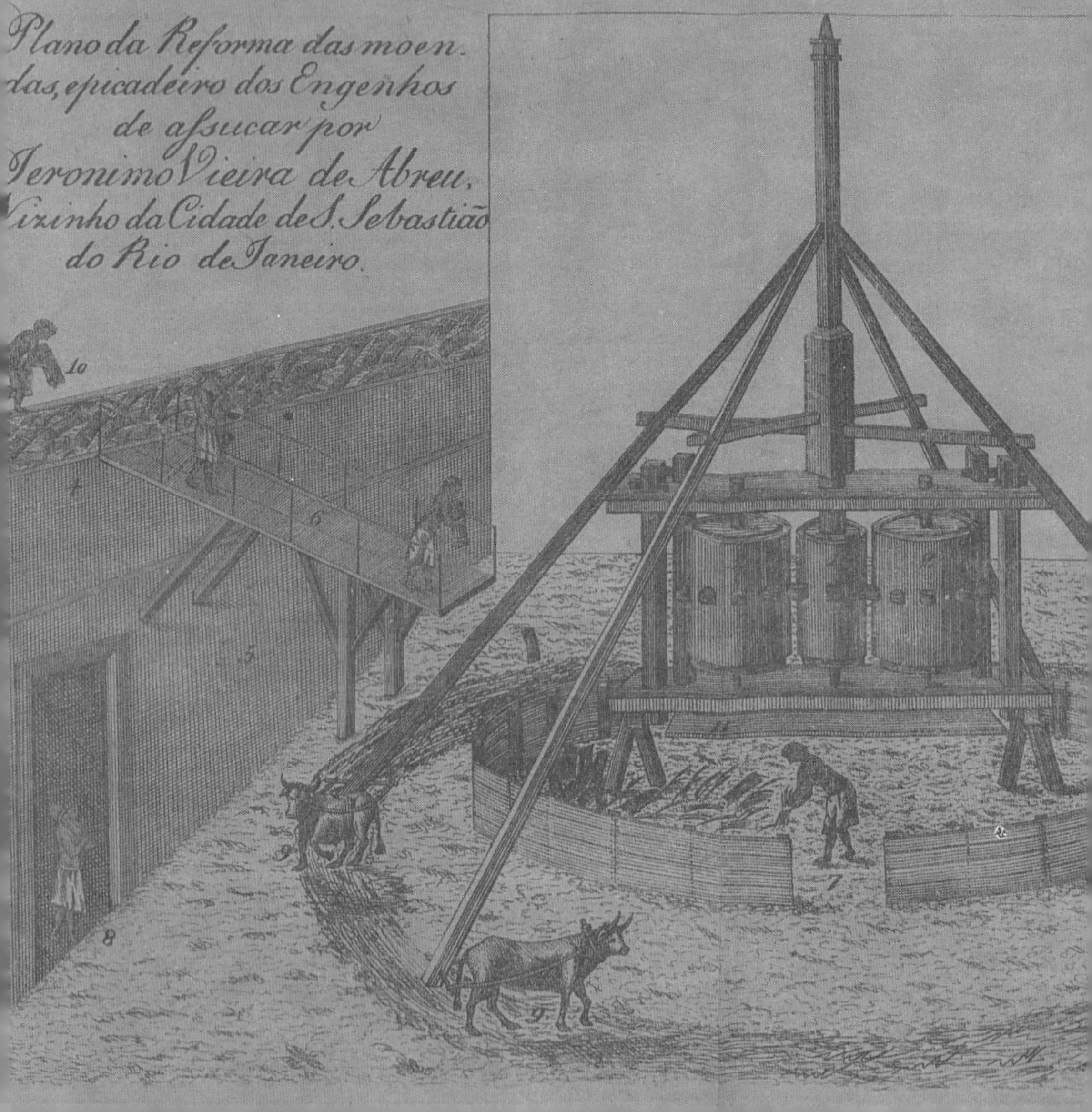

Além dos debates sobre se a terra era boa ou má e dos jesuítas perseguindo concubinatos, se impunha a vida prática. E, nela, foi em torno da cana, ou *Saccharum officinarum*, que o cotidiano se organizou. Houve degredado que chegou ao Brasil pobre e nu, mas que, graças à cana, se tornou senhor de engenho. Foi o caso de certo João Pais, que, segundo documentos, chegou a possuir dezoito engenhos com dez mil escravos. Exageros à parte, não faltou quem prosperasse.

Planta perene da família das gramíneas, originária da costa da Índia, a cana foi introduzida entre nós desde a chegada dos europeus. Era então considerada uma das "excelências do Brasil" quando, inicialmente, ela crescera nos jardins indianos. Há sinais de que chegou logo nos primeiros anos da colonização, em 1502-1503. O trabalho sistemático de homens em torno de sua exploração demorou, porém, mais uma década. Um dicionário do século XVIII descreveu seu colmo cilíndrico, nodoso e de cores variadas, suas folhas cerradas e suas flores hermafroditas, sob a designação de *arundo saccharífera*. Cana e açúcar sempre estiveram associados. Espécie de bambu que produziria mel sem a intervenção das abelhas, a cana-sacarina é originária da região que fica entre os deltas dos rios Ganges e Assam. Cultivada há milênios para a extração de água de açúcar e, depois, do próprio açúcar, era considerada um remédio.

A princípio consumida diretamente, ela passou a ser esmagada a fim de oferecer o suco para ser ingerido fresco ou fermentado. Em suas prescrições, os médicos persas a substituíram pelo mel. Levada pelos árabes ao norte da África e à Europa mediterrânea, sua primeira utilização foi medicinal. Em Bizâncio, e depois do século X, na farmacopeia da Escola de Salerno, o açúcar era remédio ordinário, e por isso era considerado uma "droga". Pães de açúcar e instrumentos para a fabricação de xaropes já aparecem nas imagens a partir do século XV. Plantada no Egito no século X, ela emigrou para a Síria e de lá veio para a Europa na bagagem de cruzados, tendo conhecido rápida fortuna na ilha de Chipre, passando a Valência e Sicília, e ganhando, alguns séculos mais tarde, Marrocos, Madeira, Açores e Canárias.

Seu uso alimentar era corrente na Índia e na China e a planta se aclimatou rápido na região acidentada de Kouang Toung, vizinha de Cantão. No século XVI, o Egito já teria uma sofisticada indústria de doces e geleias. No século XVII, a Companhia das Índias Orientais organizaria, sem dificuldade, a exportação do açúcar da China e de Taiwan para a Europa. Limitada aos climas quentes, razão pela qual não atravessou o Yang-tsé-kiang em direção ao norte da China, a cana tinha exigências: importante mão de obra, instalações custosas, além de tratamentos, preparações e precauções ao cozer o suco nas grandes cubas de cobre. Cultura e produção obrigavam a permanência de capitais e cadeias intermediárias. Onde eles não existiram, seu sucesso foi apenas local: caso do Peru, por exemplo. Sua prosperidade no Brasil se deu em função da proximidade com a Europa e da rapidez das embarcações em cruzar o Atlântico.

Desde 1516, a poderosa Casa da Índia, órgão metropolitano encarregado das alfândegas, já procurava mestres de açúcar para trabalhar em engenhos, que teriam se estabelecido em áreas próximas às feitorias litorâneas. No ano de 1518, escravos vindos da Guiné e colonos da ilha da Madeira já estavam em atividade. A partir de 1520, a Alfândega de Lisboa passou a cobrar direitos sobre o açúcar vindo da Terra de Santa Cruz.

No primeiro século de colonização, a lavoura de cana foi implantada em várias regiões, criando um espaço socioeconômico com interesses em comum e consolidando as atividades diárias de homens e mulheres. Mas onde? A partir de Olinda, a atividade se desdobrou em direção à Paraíba e ao Rio Grande do Norte. Da Bahia, caminhou para Sergipe e Alagoas. De Ilhéus, para Porto Seguro. Do Rio de Janeiro, para Campos dos Goytacazes e, posteriormente, para Minas Gerais – onde se especializou a produção de aguardente e rapadura para os escravos das lavras, enquanto São Paulo e Espírito Santo, até a segunda metade do século XVIII, conheceram um retrocesso ou fraco crescimento da lavoura da cana.

O que interferia no cotidiano dos colonos era a presença inamistosa dos habitantes originais da Terra de Santa Cruz. Por esse motivo a instalação da cana encontrou inicialmente embaraço na resistência indígena.

A luta contra os potiguares do Ceará, para ficar em apenas um exemplo, foi árdua e sangrenta. Na Bahia, foi preciso esmagar Paiaiá, Acroá e Amoipira, além de chacinar índios de Jaguaripe e Paraguaçu, para desbastar terras que acolhessem a voraz gramínea. Por volta de 1530, no Rio de Janeiro, os tamoios trataram de impedir a implantação dos primeiros engenhos e lavouras de cana-de-açúcar cariocas.

Para trabalhar a cana, nossos ancestrais procuravam um cenário definido por frei Vicente do Salvador como de "grandíssimas matas de árvores agrestes". Um arvoredo "tão basto que não podia o homem dar conta". Eram maçarandubas, jenipapos, vinháticos e angelins, entre tantas outras árvores que se erguiam, imponentes, ao longo da costa – verdadeira fronteira florestal, tragada por queimadas devastadoras. Homens livres e escravos movimentavam as fornalhas, e seus machados faziam o resto. Como se não bastasse, se esbanjou madeira de lei na construção de cercas enormes que separavam uma propriedade da outra.

À beira-mar, por sua vez, se espreguiçavam "grandes matas de mangues". Elas também não vingaram. Sob a copa das árvores, se estendia o fecundo massapé, húmus pegajosos, terra melada que, segundo Gilberto Freyre, puxava "para dentro de si as pontas de canas, os pés dos homens, as patas dos bois, as rodas vagarosas dos carros, os alicerces das casas, deixando-se penetrar como nenhuma outra terra dos trópicos pela civilização agrária dos portugueses".

Eis por que a maior parte dos engenhos se aninhava na mata. A escolha se explica pela maior fertilidade dos terrenos bem-vestidos de capa verde e pela abundância de lenha, necessária às fornalhas famintas, alimentadas num labor que, às vezes, durava dia e noite, oito ou nove meses. E tais engenhos não deviam se afastar muito do litoral, sob pena de, sendo um só o preço dos gêneros de exportação, não poder competir com os demais fazendeiros, cujo produto não sofria com as despesas de transporte. Em Pernambuco, instalavam-se ao longo dos rios que se concentram na vertente do Atlântico do planalto da Borborema, na Zona da Mata Úmida, em que predominam morros e colinas arredondadas.

Na Paraíba, as lavouras ocuparam as úmidas várzeas do Mamanguape e do Camaratuba, entre outros. O corolário da terra era a água. Se a irrigação era desnecessária graças ao rico massapé, tanto o gado quanto as pessoas

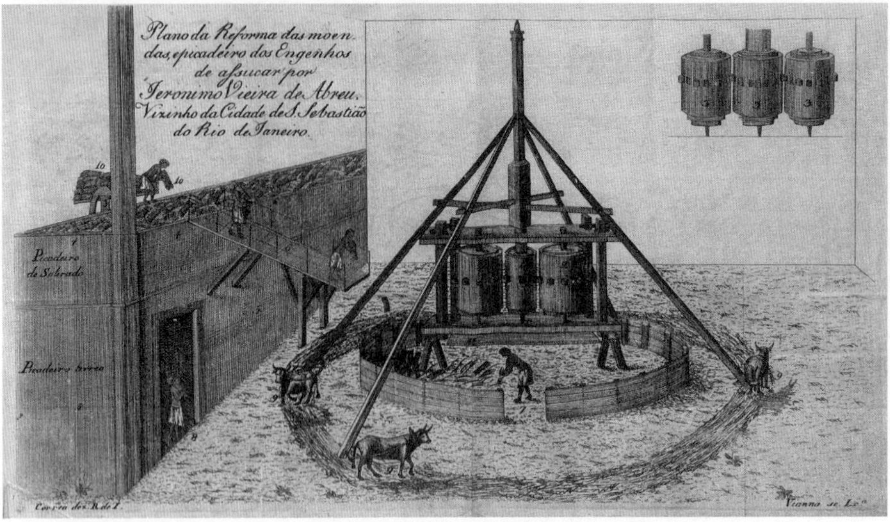


*Quando não utilizavam força hidráulica, os engenhos dependiam de animais.*

VELOSO, José Mariano da Conceição. *O fazendeiro do Brazil.*

LISBOA: OFF. SIMÃO THADDEO FERREIRA, 1800, P. 205.

precisavam de água doce no dia a dia. Usavam-na, também, nos engenhos e trapiches, nas prensas e moinhos. Não à toa, a maior parte dos engenhos se localizou à beira de rios como o Paraguaçu, o Jaguaribe e o Sergipe, na Bahia, e o Beberibe, o Jaboatão, o Una e o Serinhaém, em Pernambuco. No Rio de Janeiro, a maioria ficava nas margens do Paraíba e de seus afluentes.

Apologistas da complementaridade entre o açúcar e os rios não faltariam ao longo dos séculos. Um funcionário holandês da Companhia das Índias observaria: "O solo brasileiro é todo extremamente fértil, agradável e irrigado por muitos rios e lagos, a maioria dos quais atravessa várzeas pantanosas onde se encontram numerosas variedades de frutas, mas especialmente cana-de-açúcar." E o senhor de engenho Sebastião da Rocha Pita, de Paraguaçu, na Bahia, acrescentaria: "A cana – planta comum a toda a América portuguesa – se cultiva em sítios próprios para a sua produção que se chamam massapés, uns em terra firme, outros em ilhas" – ou melhor, ilhas fluviais.

E Barléus acrescentava: "É esponjosa, suculenta e cheia de um miolo doce e branco. Tem as folhas de dois côvados de comprimento, a flor é filamentosa e a raiz macia e pouco lenhosa. Desta saem rebentos e a esperança da nova safra [...] é depois da manteiga, um regalo na nossa alimentação e um grato estímulo da gula nos doces e sobremesas."

Foi o tal "regalo" que atraiu os flamengos ao Nordeste brasileiro entre os anos de 1624 e 1654. A Companhia Privilegiada das índias Ocidentais ambicionava os novos rendimentos trazidos pela cana. Um folheto de autoria de Jan de Vries não deixa dúvidas. Seu título é significativo: *Motivos por que a Companhia das Índias Ocidentais deve tentar tirar ao Rei da Espanha a Terra do Brasil e isso o quanto antes*, seguido de uma *Lista de tudo o que o Brasil pode produzir anualmente*.

É verdade que antes da união das monarquias ibéricas, em 1580, ao manter uma boa relação com os portugueses, os flamengos frequentavam os portos brasileiros e a cidade de Lisboa carregando açúcar em suas urcas, levando-o a refinar em Flandres e distribuindo-o por via terrestre e fluvial por toda a Europa central. De sua embarcação tão característica, ficou a lembrança na toponímia carioca, através do morro que evoca a sua forma.

Ao passar de aliados a inimigos, em consequência das medidas tomadas por Felipe II contra a continuidade de seu comércio, holandeses e ingleses atacaram Salvador. Seguiram-se um ataque aos entrepostos açucareiros em Recife e dois outros a Salvador. Em 1604, Paulus van Caarden tomou açúcar na Bahia. Passado um período de tréguas entre Espanha e os Países Baixos, a Companhia das Índias Ocidentais optou pelo saque das possessões inimigas. Teve início a Guerra do Açúcar e um período de trinta anos de ocupação das zonas produtivas.

Ainda no século XVII, enquanto a Paraíba esteve sob jurisdição dos flamengos, existiam aí cerca de vinte engenhos de cana ao longo das margens dos rios, sendo que dezoito deles exportavam anualmente perto de quatro mil caixas de açúcar. Muitas zonas tomaram os nomes dos riachos que as banhavam: Gramame, Tapoa, Mamanguape, Camaratuba, entre outros.

Por trás do cotidiano de plantio e colheita, organizava-se um embrião de vida doméstica. Em 1587, escrevendo sobre a Bahia, o senhor de engenho Gabriel Soares de Souza apontava a presença de "fazendas formosas", alguns desses engenhos pertencendo a Sua Majestade. Mas havia também "roças, canaviais e currais". Na boca do Pirajá são "formosas e alegres fazendas da vista do mar, que não cansam os olhos de olhar para elas". Ermidas e igrejas se erguiam por perto, com o objetivo de congregar os colonos, dando-lhes o apoio espiritual obrigatório. E não faltam devoções que resistiram ao tempo: Nossa Senhora da Escada, da Piedade, da Encarnação, São João ou São Braz, para ficar em alguns poucos exemplos. Junto aos engenhos também eram implantados alambiques. No século XVII, a aguardente passou a ser utilizada como moeda de troca na aquisição de escravos no continente africano.

## Para crescer e multiplicar

Observadores, nossos antepassados percebiam que as condições geográficas impunham limites à sua atividade. Para que a cultura crescesse e se multiplicasse, toda atenção era pouca. Na baixada santista, durante o século XVI, por exemplo, as plantações não medraram como no Nordeste. Assistiu-se, assim, a uma lenta desaceleração destes cultivares marcada apenas pela presença modesta de engenhocas para fabrico de aguardente. Tal torpor seria recompensado pela explosão canavieira no século XVIII, quando o açúcar se torna importante produto na pauta das exportações paulistas.

Então, o entusiasmo multiplicou engenhos e estendeu as terras de cultivo ao chamado "quadrilátero do açúcar": Sorocaba, Piracicaba, Mogi Guaçu e Jundiaí, com destaque para Itu, com suas terras pretas, e Campinas, com as roxas, como áreas privilegiadas de cultivo. Um viajante observou que tanta cana engordava o gado e enfeava os moradores da região, cujos dentes incisivos ficavam "perdidos" devido aos excessos em chupar roletes açucarados.

E qual cana plantavam nossos antepassados? No território paulista, como no resto da América portuguesa, se cultivavam dois tipos de cana: a miúda, ou crioula, e a caiana. Nunca houve cuidado de se selecionarem variedades melhores. Segundo um testemunho, a cana-caiana branca foi aí introduzida por volta de 1790, vinda de Cuiabá ou de Goiás, tendo sido plantada inicialmente numa fazenda de Jundiaí, daí se disseminando. Em geral, o canavial produzia durante dois ou três anos seguidos, dependendo da fertilidade do solo, sendo o primeiro corte chamado "planta", o segundo, "soca", e o terceiro, "ressoca". Em Itu era possível manter a mesma produção durante três anos. Em Mogi Mirim, contudo, a produção durava dois anos apenas.

Transplantada no século XVIII para Minas Gerais, região de clima temperado, a cana sofreu com invernos frios e falta de chuva, nas partes altas, onde a geada também prejudicava os canaviais. O abandono da cultura canavieira nessa região, por lavradores e proprietários, se deu porque eles entendiam não lhes convir insistir, em virtude da repetição anual de fenômenos meteorológicos negativos, em regiões altas do sul da capitania, onde eram particularmente graves os efeitos da "queima" da cana pelo frio. Todavia, em muitas regiões mineiras, em que o calor e a umidade, além do solo, favoreciam o desenvolvimento da cana, expandiu-se a lavoura e firmou-se a atividade que a utilizava como matéria-prima, em maior ou menor proporção. A cana em Minas requeria mais tempo para atingir a perfeição, enquanto nas partes mais baixas e quentes do Brasil, bastavam nove meses.

As espécies mais cultivadas eram a caiana, que chegava a crescer 30 palmos; a caninha, própria para os terrenos embrejados e frescos; e a salangó, áspera e com grande percentagem de sacarina. A esta espécie – cultivada somente em fins do século XVIII – precedeu, no entanto, a cana-roxa e a cana-fita ou cana-de-lista, sendo a primeira a mais cultivada. Segundo especialistas, o regime era o do deus-dará: nenhum cuidado havia na escolha das variedades ou mudas e trabalhava-se com total ausência dos menores preceitos de preparo e adaptação do solo. A cana medrava na pura rotina de seu aproveitamento.

Já no Norte, a cana se instalou nas cercanias do rio Tapajós, plantada por ingleses e holandeses. Ela foi, todavia, marginalizada pela concorrência das "drogas do sertão", como o urucum e a baunilha, madeiras finas e paus tintoriais, bem mais rentáveis.

Qual o modo de plantio usado por nossos antepassados em sua labuta diária? Ao embaixador e explorador holandês Nieuhof, coube explicar:

> A cana-de-açúcar propaga-se pelos seus brotinhos, que, plantados como a nossa videira, cresce até atingir a altura de 12 pés, quando lançados em solo fértil e limpo. Seis meses depois de plantada a cana, aparece-lhe no topo uma semente de cor castanha; está, então, no ponto de ser cortada, pois se ficar mais tempo na terra, o caldo seca e azeda." Para evitar crescimento excessivo, costumava-se, segundo o mesmo autor, pôr areia no solo em vez de estrume. "Em fevereiro e março, fim do verão, época das chuvas e da estação úmida,

procedem-se às semeaduras à noite, não durante o dia ou às últimas horas da noite. Tem-se o cuidado de não enterrar fundo demais as sementes, pois tudo quanto escapa ao alcance dos raios solares raramente produz frutos.

Não há muito que dizer dos processos de cultura. A derrubada, a coivara, o abrir dos regos pela enxada ou pelo arado, o "chegar a terra", as limpas e despalhas, o corte, o transporte, tão repetidamente descritos por tantos cronistas, foram técnicas que pouco variaram de um banguê a outro. Uma *Representação* de senhores de engenho baianos, em 1752, mostra em que consistia a lavoura naqueles tempos: "Alimpar a terra em que haja de plantar a cana, regar, 'enregar' a dita terra, cortar carros de cana para plantar a terra, conduzir esta cana, três limpas, carretos para o engenho para a moagem, corte da cana."

Por aquele tempo e muito depois não se empregava o arado para lavrar a terra, "mondar" e "remondar" os plantios. Essa ausência continuou a ser registrada até o último quartel do século XIX. A grande força, no amanho da terra e na proteção das culturas, era a enxada. Até muito tarde, o chamado "pai Adão", ou enxada, foi utilizado para enregar, abrir os sulcos na terra já roçada e coivarada e que havia de receber a "semente".

O lugar ideal para o plantio da cana-de-açúcar, segundo Gabriel Soares de Souza, seriam os terrenos baixos, muito mais convenientes que os morros. "O ideal é plantá-las nas regiões ribeirinhas, facilmente inundáveis por ocasião das enchentes." Daí a pouca importância das regas. Para melhorar a produção, em Pernambuco surgiram pilões, mós e eixos: os mais usados eram dois eixos, postos uns sobre os outros, movidos por uma roda-d'água ou por bois. Além dessa máquina, havia outra de duas ou três gangorras de paus compridos e mais grossos do que tonéis. Outro método – este, importado do Peru entre 1608 e 1612 – consistia em três tambores postos no alto, muito justos, dos quais o do meio se movimentava graças a uma roda d'água ou almanjarra de bois e cavalos, fazendo com que os outros se movessem também. Ao passar duas vezes entre os tambores, a cana expelia todo o seu suco.

Mas quem plantava, limpava, fazia "chegar a terra", colhia, botava a cana para moer, acondicionava e transportava o açúcar até o mar? O escravo. Os proprietários de trinta e quarenta escravos não precisavam investir em equipamentos. Certamente porque o conhecimento de solos, do plantio e dos cuidados com a planta, assim como das técnicas de extração de suco, já era bastante conhecido na África.

Desde o século XV, no sul de Portugal e, posteriormente, nas ilhas não muito distantes do litoral da África, a escravidão em associação com engenhos de açúcar era comum. Ela se intensificou ao longo dos séculos XVI e XVII, graças ao tráfico para o Brasil. A importação de africanos cobria a lacuna da falta de mão de obra, uma vez que epidemias e mortes causadas pelo trabalho forçado e o rompimento com estruturas tradicionais de vida social, associadas à fuga de tribos inteiras para o interior, acabaram por inviabilizar o trabalho dos "negros da terra". Melhor: os "negros da Guiné".

A cana matou o índio e importou o africano. Dizia o padre Anchieta que "os portugueses não têm índios amigos que os ajudem porque os destruíram todos". Se, de um lado, a escravidão indígena durou até fins do século XVII no planalto paulistano, absorvido pela produção de trigo, a percentagem de escravos índios envolvidos na produção do açúcar foi, por outro lado, baixando à medida que os senhores enriqueciam e podiam importar africanos. Isso começou a acontecer no Nordeste e no litoral do Sudeste, a partir da segunda metade do século XVI. O tráfico, por sua vez, desenvolveu-se cada vez mais sob o controle de comerciantes estabelecidos em cidades como Rio de Janeiro, Recife ou Salvador, cujos proventos eram reinvestidos em engenhos, plantação de cana e exportação de açúcar.

Nas áreas rurais, tais plantações drenavam escravos, sem cessar. Eles saíam das lojas e leilões onde ambos os sexos eram expostos nus, à venda como se fossem animais. Submetidos a senhores e administradores, os cativos tinham que se integrar a uma divisão de trabalho bastante sofisticada. Sem falar a língua, era preciso obedecer e aprender o português assim como os rudimentos da prática cristã. Era necessário ainda se adaptar à cultura dos senhores, mas também àquela das senzalas, com seus cativos de diferentes nações, dialetos e hábitos religiosos. Na Bahia, por exemplo, graças à sua superioridade numérica, os nagôs conseguiram impor o iorubá como língua franca entre os africanos.

Nos engenhos, o escravo faria parte de uma equipe de doze ou quinze homens e mulheres. Se apresentasse aptidão para algum ofício especial, se tornaria aprendiz de um escravo mais antigo. A produção de açúcar exigia diversos especialistas. Desde pedreiros, carpinteiros e marceneiros até oficiais da casa de caldeira, purgadores, trabalhadores no serviço de enxada, da casa de caldeira, do serviço de moenda ou da horta, assim como carreiros, carapinas, pedreiros, arrais de saveiros, entre outros.

Com frequência, ofícios mais particularizados eram reservados aos escravos crioulos; porém, muitas vezes o africano chegava formado por seu clã ou sua tribo, pois nas aldeias não faltavam artesãos. Todo o cuidado que lhes era dispensado devia ser entendido como zelo pelo capital que representavam. Tratá-los como "coisa" era natural, regra, aliás, seguida pela Igreja Católica, que os possuía, às centenas, em seus conventos e propriedades. O castigo físico exagerado era, contudo, condenado, pois os meios de conseguir subordinação eram mais sutis.

Ninguém nega que tenha havido senhores sádicos e que a escravidão fosse um sistema monstruoso. O jesuíta Antonil advertiu aos senhores de engenho: "Aos feitores, de nenhuma maneira se deve consentir o dar coices, principalmente nas barrigas das mulheres que andam pejadas, nem dar com paus nos escravos porque na cólera não se medem os golpes, e pode ferir na cabeça um escravo de muito préstimo, que vale muito dinheiro e perdê-lo." Mais eficiente seria dar "algumas varancadas com cipó às costas". Padre Vieira, no século XVII, em sermões inflamados, comparou o sofrimento do escravo numa fazenda de açúcar ao do Cristo na Cruz. E o jesuíta Jorge Benci, professor de teologia em Salvador, de 1684 a 1687, enfatizou a responsabilidade dos donos para com seus escravos: abrigo, alimento e roupa e educação católica.

Era preciso dar ao escravo algum espaço de liberdade, favorecer a constituição de famílias e de grupos de solidariedade por meio de práticas religiosas e um calendário de festas.

Um desses "respiradouros" era a garantia de um dia por semana livre, além do domingo. Nele, era possível o escravo plantar produtos agrícolas, cuidar de pequenas criações, fazer trabalhos artesanais e revender o excedente nos mercados locais e mesmo à beira das estradas. Alguns bem-sucedidos conseguiam comprar a liberdade com as economias resultantes desse pequeno comércio.

Não faltou senhor que obrigasse os seus cativos a usar esse dia para limpar o mato, remendar redes de pesca ou cortar lenha. Mas não era a regra, pois a exigência se tornava altamente improdutiva. De acordo com vários autores, o chicote, o tronco, a máscara de ferro ou o pelourinho só eram utilizados em caso de inadaptação, repulsa ao trabalho e tentativa de fuga.

Houve senhor que preferiu oferecer recompensas e incentivos. Graças a eles, o escravo poupava para sua alforria. Quando esta era recusada, acontecia de o cativo, sobretudo se crioulo, fugir com as economias feitas. E há histórias como a do escravo caldeireiro, tão eficiente que seu senhor se recusou a vendê-lo, acorrentando-o, para que não escapasse. Ao morrer o senhor, o escravo não só comprou à viúva a sua liberdade, como constituiu "uma firma de caldeiras que lhe rende grandes lucros anuais; e esse homem prejudicado agora vive com tranquilidade e conforto", segundo contou Henry Koster, ele mesmo, administrador de engenho em Pernambuco, em 1809.

Escravos trabalhavam muito. De todos e em qualquer serviço era exigida uma média de quinze a dezessete horas de trabalho. Mas havia limites respeitados. Chuvas intensas interrompiam o ritmo das colheitas. O trabalho noturno só se fazia durante a fase de cozimento do melaço. A jornada no campo era intercalada para comer. O calendário religioso se encarregava de reduzir os dias úteis a 250. Mortalidade alta? Sim, em razão das doenças endêmicas do Brasil: tuberculose, sífilis, verminoses, escorbuto, disenterias, tifo, frequentemente mortais e agravadas pelo péssimo estado de salubridade das senzalas.

Escravos distinguiam-se em "boçais" – como eram chamados os recém-chegados da África – e "ladinos", os africanos já aculturados e entendendo o português. Ambos os grupos de estrangeiros se opunham aos "crioulos", nascidos no Brasil. Havia distinções entre as nações africanas, e, dada a miscigenação, a cor mais clara da pele era também fator de diferenciação.

Aos crioulos e mulatos reservavam-se as tarefas domésticas, artesanais e de supervisão. Aos africanos se reservava o trabalho mais árduo, assim exigido pelos próprios crioulos, como se vê em vários documentos de época em que os antagonismos entre africanos e nascidos no Brasil são evidentes. Na guerra contra os flamengos, em 1647, por exemplo, Henrique Dias criou um Regimento de Homens Pretos dividido por nação – Minas, Ardas, Benguelas e Crioulos –, sugerindo a separação entre os negros vindos da Guiné e os "filhos da terra". Outro exemplo são os compromissos de irmandades e confrarias religiosas, no século XVIII, que aguçavam a identidade de grupos. Vejam-se os títulos: Irmandade do Senhor bom Jesus dos Martírios erigida pelos Homens pretos de nação Gege, na vila de Cachoeira, ou a Irmandade de Nossa Senhora do Rosário dos Pretos da Conceição da Praia, restrita a angolas e crioulos, entre centenas de outras manifestações do que chamamos, hoje, preconceito.

Três séculos depois, Nina Rodrigues gravaria que os africanos de Salvador preferiam "a convivência dos patrícios, pois sabem que, se os teme pela reputação de feiticeiros, não os estima a população crioula". A diferenciação e rivalidade cultural e social sempre estiveram presentes. O "trabalho sujo", segundo o historiador João José Reis, esse ficava sempre para os africanos. O mesmo autor sublinha o quanto os conflitos e encontros "abrasileiraram" o africano. "Ele se tornou ladino, e seus filhos, crioulos e mestiços de várias espécies: mulato, pardo, cabra e caboclo."

Rações de farinha de mandioca ou milho, coquinhos chamados "aquês", feijões, arroz e hortaliças compunham o cardápio alimentar dos moradores do engenho e, por extensão, em maior ou menor quantidade, o dos escravos. Carne de vaca ou galinha era excepcionalmente servida aos doentes. Certo artesanato se desenvolveu nas áreas canavieiras: o de barro, usado nos cachimbos, o dos chapéus de palha de ouricuri, o das redes de trançado, o de tamancos, o da faca de ponta. O açúcar, por sua vez, invadiu os hábitos alimentares, transformando as regiões canavieiras em produtoras de variados tipos de geleias, compotas e doçaria, além de ter introduzido dezenas de peças de cozinha ligadas ao preparo desses quitutes.

Negros livres trabalhando e ganhando, nos engenhos? Sim. Cada vez mais e, sobretudo, no século XVIII, quando começaram a substituir trabalhadores brancos. Processos técnicos garantiam a inserção desses especialistas. Um "mestre de açúcar", encarregado de manipular a caldeira até a obtenção de um xarope impecável, graças à manutenção de temperatura específica, era contratado durante, e pago de acordo com a quantidade produzida. Em 1711, recebia um salário de 120$000 réis pela safra. Em 1790, na área de Campos, receberia no mínimo entre 600 e 800 réis por dia. Seu auxiliar era o banqueiro, que por sua vez podia ganhar um salário entre 30$000 e 40$000 réis por ano. Um soto-banqueiro – em geral, escravo do engenho – recebia gratificação por seus serviços. Outros postos ocupados por libertos de cor eram o de feitor-mor, que ganhava 60$000 réis por ano, o de feitores de partido e de moenda, com 40$000 réis anuais. Os feitores de distribuição do açúcar e encarregados da limpeza do caldo tanto podiam ser livres quanto escravos. Outras ocupações secundárias pagas eram a pesca, o cuidado com o gado e o fornecimento de lenha.

A plantação de fumo também requereu funções de especialistas forros e remunerados: enroladores e pisadores combatiam o desperdício e a deterioração das folhas. Os segundos, por exemplo, eram encarregados de umedecer, deixar fermentar e adicionar ingredientes, como ervas, para dar ao fumo ou rapé consistência, cor e cheiro diferenciados.

Mas na cultura da cana só existiam senhores poderosos cercados por um mar de escravos? Não. Foram muitos os "lavradores", rendeiros e meeiros, brancos ou livres de cor, que não tinham capitais ou crédito para montar seus próprios engenhos e, em vez disso, arrendavam a terra ou moíam sua cana em grandes engenhos. Era a chamada "cana cativa", pois, do que dela se extraía, um terço era pago como arrendamento. Nesse negócio, havia de tudo: gente com títulos de nobreza ou altos postos na milícia, mercadores, padres, viúvas e joões-ninguém. Alguns com mais de 100 hectares de terra e mais de quarenta escravos, outros com poucos escravos e terras em que trabalhavam com a parentela. A relação com os senhores de engenho era de conflito e cooperação, os primeiros querendo dominar e tirar vantagens econômicas dos segundos. Estes, reagindo e se aliando com os primeiros contra os mercadores. Enfim, todos compartilhavam riscos e almejavam, além de riqueza, uma posição social honrada.

Para os escravos que trabalhavam com lavradores, o trabalho não era menor, mas o cotidiano, diferente: viviam em grupos pequenos, tinham contato direto com os lavradores, interagiam com pequenos fazendeiros e artesãos que viviam nas regiões açucareiras. Nas bordas dos engenhos, vaqueiros, lenhadores e fornecedores de alimentos ganhavam a vida. Sem contar os altos salários pagos nas grandes propriedades aos pedreiros, carpinteiros, feitores, advogados e cirurgiões-barbeiros, todos na folha de pagamento do "senhor". No início do século XVIII, lembra Stuart Schwartz, metade da população na Bahia era livre e ativa, e muitos dos seus componentes certamente estavam integrados aos ofícios da cana. Os múltiplos acordos possíveis davam enorme maleabilidade ao cotidiano dessa gente.

20 Palmos

Joze Joaq.m Frei...

PÁGINAS ANTERIORES
*Modelos de construção de engenhos de açúcar eram divulgados em livros.*

FREIRE, José Joaquim. *Moagem de canas em uma moenda de cilindros verticais movida por uma roda hidráulica.* 1784.

A terra foi vampirizada pela cana, mas também pelo fumo ou o algodão. Somou-se à monocultura a destruição das matas graças às queimadas, método que os lusos já tinham experimentado nas ilhas atlânticas quando da introdução da cana por lá e bem mais agressiva do que a singela coivara dos indígenas. Desde os primórdios da colonização, a fertilidade do solo começou a se perder e a se dissolver nos rios. Gilberto Freyre foi o primeiro a chamar a atenção sobre os prejuízos ecológicos da monocultura, percebidos desde o século XVIII. O autor pernambucano opôs o canavial civilizador ao canavial devastador, lembrando que um estado de guerra se instalou entre homem e mata. "Quem todo quer, todo perde": o provérbio já existia na época, mas ninguém lhe deu ouvidos.

Ainda nos séculos XVI e XVII, a Mata Atlântica, que abastecia os engenhos de madeira, parecia inextinguível. Como qualquer colônia de exploração, o Brasil sofreu a dilapidação brutal de seus recursos naturais. O impacto direto das atividades coloniais sobre os ecossistemas existentes causou imediatos prejuízos, sem contar a introdução de espécimes alienígenas que, dentro desses contextos perturbados, reproduziram-se de forma descontrolada. Animais, vegetais, ervas daninhas e micro-organismos patológicos se disseminaram de forma voluntária ou não, interferindo na paisagem.

O território não possuía fronteiras limitadas; nele, uma lavoura desgastada era imediatamente substituída por outra. Os conhecimentos agronômicos eram precários e não ajudavam a combater o modelo usado. Pior, a concessão fácil de terras, sobretudo à elite, estimulava a prática de explorá-las de forma pouco cuidadosa. Tal falta de cuidados com o ambiente, somada à presença do escravismo, despertou alguma crítica desde os primeiros tempos coloniais. Nos *Diálogos das grandezas do Brasil*, Ambrósio Fernandes Brandão culpa os proprietários displicentes, bem como sua falta de amor à terra.

> Eles têm por muito tempo perdido o que gastam em plantar uma árvore que lhes haja de dar fruto em dois ou três anos, por lhes parecer que é muita a demora [...] não há homem em todo este estado que procure nem se disponha

> a plantar árvores frutíferas, nem fazer as benfeitorias acerca das plantas que se fazem em Portugal [...] E daqui nasce haver carestia e falta destas cousas, e não vermos no Brasil quintas, pomares e jardins.

Um dos desdobramentos do problema foi a falta de gêneros de primeira necessidade. A Bahia, em alguns períodos do século XVIII, com todo o seu fausto, não tinha o que comer. Faltava mandioca, alimento de pobres e ricos, livres e escravos, razão pela qual mandaram os governadores das capitanias, nos textos das sesmarias, incluírem a cláusula de que ficava o proprietário obrigado "a plantar mil covas de mandioca por cada escravo que possuísse empregado na cultura da terra". Repetiam, assim, providências tomadas no século XVII, por Maurício de Nassau, com relação aos lavradores e senhores de engenho de Pernambuco.

Não foi por acaso que, em 1770, o jesuíta Guillaume Thomas François Raynal, autor de *Uma história filosófica e política dos assentamentos e do comércio dos europeus nas Índias Orientais e Ocidentais*, sublinhou que para "alimentar uma colônia na América era preciso cultivar uma província na Europa". Apesar do cotidiano laborioso no Brasil, na Europa, a presença do açúcar progrediu com lentidão e o precioso condimento nunca esteve em todas as mesas. Que o digam os camponeses franceses às vésperas da Revolução de 1789: queixavam-se da falta dele.

# 6. MULHERES DE AÇÚCAR

POST, Frans. *Vista de Olinda.*
ÓLEO SOBRE MADEIRA.
1662.

Aos finais do século XVII, um censo revelou que o Rio de Janeiro tinha mais mulheres do que homens. Considerando o total da capitania, entre 1779 e 1789 havia um predomínio feminino na população livre. De um total de 86.526 livres, 52,6% eram mulheres. No recôncavo da Guanabara e Vila de São José, havia mais homens do que mulheres, e em Angra dos Reis, mais escravas do que escravos. De 1779 a 1799, manteve-se a desproporção entre sexos no conjunto da população livre de Campos, em favor das mulheres. Em Campos, em algumas freguesias, a proporção de escravas era superior.

Assim como estiveram à frente de fazendas e outras atividades agrícolas, as mulheres também dirigiram engenhos. Quando fez sua *Descripção do Districto dos Campos Goiatacaz*, em 1785, Couto Reis recenseou 124 engenhos, dos quais dez pertenciam a mulheres. Para além destas senhoras de engenho, o cartógrafo identificou inúmeras lavradoras, como Dorothea Barreta, Raimunda Rodriguez, Rosa Maria, Úrsula Campelo e Maria Almeida, envolvidas com o cultivo de cana. Com pouquíssimas exceções, todas possuíam, no mínimo, um escravo ou escrava e produziam anualmente milho, farinha de mandioca e, sobretudo, açúcar. De 10 arrobas, como o fazia Paula da Cruz com um escravo, a 700 arrobas, como Marcela Soares, que possuía treze escravos: duas mulheres e onze homens.

Outros documentos indicam a presença de mulheres como filhas e viúvas de senhores de engenhos, lavradores ou roceiros. Muitas delas, perseguidas pelo Santo Ofício da Inquisição, respondiam pelo crime de "judaísmo". Entre outras, Ana de Paredes, Ana Gertrudes de Bragança, Bertoleza de Miranda, Catarina Marques, Elena do Vale, Guiomar de Lucena e Mariana Peres. Ao norte, eram fazendeiras em São João da Barra Josefa Pinto Brandão, Francisca Barreto Jesus Faria e Mariana Josefa da Silva. Na

*Ostentação no vestir: exigência das senhoras ricas.*

JULIÃO, Carlos. *Cadeira, século XVIII* [Iconográfico].

freguesia de Nossa Senhora do Amparo do Taí, reinava d. Carolina Faísca, e na freguesia de São João Batista, Mariana de Miranda Meneses.

Nas primeiras décadas do século XIX, quando da extinção dos frades capuchinhos, suas terras, antes pertencentes aos índios coroados, foram reclamadas por d. Maria Marinha da Cunha Godolfina. Já Maria Josefa de Jesus Fernandes, beleza local dotada de testa alta e lábios finos, era a senhora da fazenda Pedra Branca, em São Fidélis. Viúva, Ana Luiza Pinto Pereira de Sampaio assumiu, por sua vez, o morgado de Capivari, com sua milagrosa ermida dedicada a Nossa Senhora do Desterro.

Muitos engenhos tinham licença do bispo para ter cemitério e capelas próprias e muitas delas foram fundadas por mulheres: a de Nossa Senhora das Neves, por Maria da Cunha e seu marido, Domingos Sardinha, próxima ao Pilar. Isabel Esteves e o marido Francisco Dias Machado fizeram o mesmo. Na baixada se rezava a Nossa Senhora da Guia, da Conceição, do Pilar, do Rosário, devoções encarnadas em lindas imagens de madeira e barro que o tempo não esqueceu.

Algumas mulheres saíram do anonimato a que lhes condenou a história. Veja-se, por exemplo, o caso de Benta Teixeira. Filha de padre e nascida em Campos em 1675, proprietária de terras e de um pequeno engenho, ela liderou a luta de pequenos produtores contra os descendentes do filho de Salvador Correia de Sá, o quarto visconde de Asseca. As reuniões dos insurgentes se davam constantemente em sua casa. Na época do conflito armado, Benta era viúva e mãe de filhos adultos. Ela investiu a cavalo e armada contra os representantes do visconde quando estes vieram tomar posse da donataria. Consta que sua filha, Mariana Barreto, foi de fato quem liderou o ataque, algemando pessoalmente os oficiais, havendo notícias de que várias outras mulheres participaram do conflito. O levante durou dias, até ser sufocado pelas autoridades, e a vila, ocupada. Muitos dos participantes foram punidos com degredo em Angola, entre eles Mariana Barreto.

Outra Mariana que se destacou à frente de engenhos foi a filha mais velha da baronesa de Campos, Dona Maria Eugênia Carneiro da Costa. Segundo a viajante inglesa Maria Graham, foi em sua casa, na Mata da Paciência, que, durante uma excursão a cavalo, a inglesa teve "uma das recepções das mais polidas por parte de uma bela mulher, de tom senhoril". Vamos ouvi-la:

> D. Mariana conduziu-nos ao engenho onde nos deram bancos colocados perto da máquina de espremer, que são movidos por um motor a vapor, da força de oito cavalos, uma das primeiras, senão a primeira instalada no Brasil. Há aqui duzentos escravos e outros tantos bois em pleno emprego. A máquina a vapor, além dos rolos compressores no engenho, move diferentes serras de modo que ela tem a vantagem de ter a sua madeira aparelhada quase sem despesa. Enquanto estávamos sentados junto à máquina, d. Mariana quis que as mulheres que estavam fornecendo cana cantassem, e elas começaram primeiro com uma de suas selvagens canções africanas com palavras adotadas no momento, adequadas à ocasião. Ela lhes disse então que cantassem os hinos à Virgem. Cantaram então com tom e ritmo regular com algumas vozes doces a saudação Angélica e outras canções. Acompanhamos d. Mariana dentro de casa, onde verificamos que enquanto nos ocupávamos em observar a maquinaria, caldeiras e a destilaria, preparava-se o jantar para nós, apesar de já estar passada, há muito, a hora da família.

## Com a mão na massa – ou melhor, no pilão e na moenda

Sob o comando de senhoras como as Marianas e Benta Pereira, ou lavradoras de cana e roceiras, estavam as escravas. Elas também interagiam no funcionamento do engenho. O cronista Antonil foi pioneiro em observar a participação feminina em meio às perigosas engrenagens que moíam as canas. A calcanha, segundo ele, era a escrava que tinha várias funções. Vigiava o recipiente em que se coava o "mel"; varria a casa das caldeiras ou dos cobres; areava-os com limão e cinzas; acendia as famintas candeias.

A um chamado do feitor, diz o cronista, as escravas recebiam a cana para "vir a meter entre os eixos e tirar o bagaço". O cuidado era para que as cativas não dormissem, "pelo perigo que há de ficarem presas e moídas". Cabia-lhes moer as canas, metendo-as, "limpas da palha e da lama [...] e depois delas passadas, torna-se de outra parte a passar o bagaço para que se esprema mais e, de todo o sumo, ou licor que conserva. E este caldo cai da moenda em uma cocha de pau que está deitada debaixo dos aguilhões, e daí corre para uma bica" e desta, de um recipiente a outro, até a "guinda, aonde se há de alimpar".

E ele especifica: "As escravas de que necessita a moenda ao menos são sete ou oito, a saber: três para trazer cana, uma para a meter, outra para passar o bagaço, outra para consertar e acender as candeias, que na moenda são cinco, e para alimpar o cocho do caldo, a quem chamam cocheira ou calumbá, e os aguilhões da moenda e refrescá-los com água para que não ardam [...] como também para lavar a cana enlodada, para botar fora o bagaço ou no rio ou na bagaceira, para se queimar a seu tempo."

Segundo Antonil, as mulheres usavam de foice e enxada na roça, como os homens. De junho a setembro labutavam dia e noite, revezando-se de quatro em quatro horas para fabricação do açúcar. Anos mais tarde, Maria Graham viu voltarem tais escravas de seus terrenos de cultivo, localizadas na fazenda, "com sua cestinha carregada de alguma coisa própria em que o senhor via que não tinha parte". Grávidas não faziam serviço no eito e não se aplicavam, segundo Charles Ribeirolles, jornalista francês, a outro mister que o das atividades da casa. Enquanto amamentassem, eram dispensadas do serviço pesado e seus filhos, confiados, logo que aprendessem a andar, a velhas negras. Escravas lavavam, passavam, cozinhavam, arrumavam, mas documentos as revelam igualmente como exímias parteiras, tintureiras, hortelãs, aprendizes de "cozer" e até como carrapateiras, entre proprietários de cavalos e mulas ou "amas de cegos e crianças", cuidando de velhos e miúdos. Não faltavam as oleiras, conhecedoras de velhas tradições africanas, bem desenvolvidas aqui, graças ao barro que a mesma Maria Graham observara como matriz de tanta cerâmica de louça vermelha.

Já as roceiras plantavam cana com a ajuda ou não dos escravos do senhor ou da senhora de engenho. Tinham que zelar pelo canavial, limpando-o de duas a quatro vezes por ano, evitando que fosse abafado por ervas daninhas. Na época da colheita, mandavam cortar a cana por sua gente e conduziam-na em carros de boi para a moenda. Algumas moradoras destas engenhocas cobertas de palha tinham suas próprias moendas, que botavam para funcionar com bom tempo. Usavam filhos e parentes no trabalho de plantio não só da cana, mas também do feijão e do milho que cresciam entremeados ao canavial.

Longe de uma vida em cor-de-rosa, problemas não faltavam. Senhoras de engenho tiveram que enfrentar tensões entre escravos e seus desafetos ou entre escravos e elas próprias. A elas cabia proteger agricultores, agregados e feitores que trabalhassem em suas terras ou com suas canas, como se viu fazer a viúva de Manoel Ferreira dos Santos, que teve o seu feitor morto com facadas no peito e no pescoço.

Elas tinham que acalmar alaridos e bebedeiras de escravos e manobrar, habilmente, contra a sua recusa de aceitá-las quando se tratava de escravo novo. Tinham também que contornar inaptidões que só eram descobertas depois da compra. Maria Teresa da Rocha, por exemplo, ao mandar certo José, de nação Angola ou Benguela, rachar lenha, este "se desculpou, dizendo não poder". Confessou-lhe sofrer de "moléstia no peito, falta de força e Gota Coral". Outras senhoras anunciavam nos jornais seus escravos fugidos: "Fugiu da fazenda de d. Anna Moreira da Costa Belas, há dois meses, o seu escravo Manoel, crioulo."

Não faltaram as que soubessem usar a violência de seus escravos em benefício de seus assuntos internos ou negócios. A esposa de Manuel Leite, por exemplo, soube armar, com seus cativos, uma emboscada para um escravo de Custódio José Nunes, um certo Manoel, a fim de evitar que este viesse ver sua escrava Maria. Outras perderam ações movidas por ex-escravos, como foi o caso de certa Maria Teresa, processada por não pagar rendimento de um canavial que mandara moer, bem como o valor dos feijões e de sua soca. O desfecho da história é que a senhora se viu obrigada a pagar com açúcar a quantia referente à moagem do canavial. Outras mais tiveram que defender seus escravos envolvidos em assassinatos. Um dos homens de certa Custódia, por exemplo, matara um feitor por este ter comido um porco de sua propriedade.

Se não faltavam tensões e conflitos que as mulheres de engenhos ou plantações tiveram que administrar, suas escravas, por sua vez, podiam ser pivôs e testemunhas de crimes e violências. Processos as mostram assassinadas, como certa Angélica que apareceu morta, com a orelha amputada e "ferimentos pelo rosto e os braços amarrados com cepos". A razão, não se sabe. Como ela, muitas outras sofreram maus-tratos ou foram estupradas e seviciadas. Outras cativas, por alguma razão, deram o troco: a fazendeira Ana Joaquina Carneiro Pimenta foi sufocada por suas escravas Letícia, Querubina, Cecília e Virgínia, e outras tantas cativas participaram ativamente de levantes, como o que ocorreu em Vassouras em 1838. Mas a zanga e a braveza de muita Nhanã ou Nhãngana sobre os escravos no mais das vezes não fazia medo aos moleques nem temor aos trabalhadores. Segundo registros literários, eram "mulheres respeitadas e mesmo amadas pela sua gente". Por isso não faltam exemplos de senhoras que recomendavam, em testamento, a liberdade de suas mucamas queridas. Foi o caso, por exemplo, de d. Francisca Barreto de Jesus Faria, que, em 1676, estabelecia: "Por minha morte ficará liberta a escrava Ambrosina, parda a quem deixo para a servir a escrava Gabriela. Além deste legado, terá mais a quantia de um conto de réis que lhe será entregue por meu testamenteiro."

O mesmo fez d. Francisca com a parda Idália, a quem legou como escrava Clemência, explicando: "Ambrosina e Idália merecem de mim este favor."

Como se não bastassem tantos problemas, as lutas por terras opunham mulheres agricultoras a seus vizinhos, e elas não mediam esforços em juntar a parentela para defender seus interesses. Para ilustrar a ferocidade destas senhoras contrafeitas, vale lembrar o caso de certa Joana da Cruz, no sertão de Calhambola, planície de Campos, que "com três filhos, de nomes Leandro, Manoel e Antônio, e mais três agregados, de nome João dos Reis e seu irmão Fulano dos Reis e Fulano do Amaral, e dois genros, Manoel da Silva e Antônio Rodrigues, e mais dezesseis escravos machos e fêmeas [...] destruíram e arrasaram todas as lavouras de plantações que nas roças de Salvador Nunes Viana e seus foreiros se achavam, pondo tudo por terra", conta-nos um documento.

A mesma d. Mariana, tão admirada por Maria Graham, se serviu de todos os expedientes possíveis para adiar a partilha dos bens de seu finado marido entre os genros. Seu inventário revela registros bizarros sobre o assunto. Neles, os juízes de órfãos, provavelmente cooptados pela poderosa sinhá, alegavam, sucessivamente, incômodos de fígado, ventre, hemorroidas e até uma "inflamação nos testículos" para não realizar as viagens que os obrigariam a atender as determinações do falecido.

Se umas se impunham pela força, outras eram vítimas de coações e constrangimentos. D. Ana Maria da Mota, por exemplo, pagava arrendamento de terras a Joaquim Silvério dos Reis, acoitado em Campos, depois da "Inconfidência". Ele, por sua vez, impunha a seus foreiros a compra de seus escravos por "exorbitante preço". A vingativa Donana não hesitou em assinar libelo acusatório contra o inconfidente e seu sogro, Luís Alves de Freitas Belo, comparsa de espoliações. Não foi a única a reagir. Uma representação ao rei menciona certa d. Ana Francisca Pinheiro, possuidora de "um engenho de fazer açúcar em terras do dito visconde [de Asseca] e dos frades beneditinos", igualmente alvo das manipulações de Silvério e do sinistro coronel Belo. Ambos pretendiam "o arrendamento das ditas terras e lançar fora do seu engenho a viúva, reduzindo-a ao estado mais miserável". Outras proprietárias de pequenos engenhos, Rosa Maria de Jesus e d. Maria de Jesus da Encarnação, também sofreram ameaças – se "não dessem meação e lenhas". Todas se vingaram indo à Justiça contra a dupla.

# 7. COMPRAS E VENDAS DA RUA AO SOBRADO

SMYTH, William. *Vista do mercado no Largo do Paço* [Aquarela]. 1832.

Enquanto a vida agrícola e os engenhos, motores da economia colonial, moldavam o cotidiano de muitos, as pequenas vilas e cidades faziam o mesmo. O comércio foi a razão de ser da colonização e, em maior ou menor escala, o modo de vida de grande parte dos emigrantes vindos da metrópole. A comunidade mercantil floresceu em Recife, Rio de Janeiro, São Vicente, Bahia, Vitória e Ilhéus, cujos portos tinham grande atividade no embarque do precioso ouro branco, o açúcar. À medida que cresciam as exportações, as cabanas de barro e canas com telhados de palha, rodeadas por simples paliçada para conter os índios, foram dando lugar a edifícios de pedra e cal, onde a compra e a venda de toda sorte de produtos azeitava o comércio externo e interno da colônia.

Segundo o navegador François Pyrard de Laval, ao sopé da cidade de São Salvador, então capital do Brasil, "por mais de um quarto de légua de extensão de um lado e de outro de uma bela rua, há uma série de prédios bem construídos, ocupados por todo gênero de mercadores, oficiais e artífices. Aí estão localizados todos os depósitos e armazéns de carga e descarga de mercadorias, tanto de mercadorias do rei quanto de particulares". A mercadoria subia para a cidade não por ladeiras em lombo de mulas, mas por pesado maquinário. O cirurgião francês Gabriel Dellon mencionou igualmente "o número considerável de mercadores ricos de todas as nações, o que tem garantido a prosperidade do comércio local e do resto do país". Vindos de Angola e Guiné, escravos eram multidão, segundo o mesmo.

Vinte anos mais tarde, o navegador William Dampier observava que "os comerciantes que vivem nesta praça são reputados ricos e têm muitos escravos em suas casas". Ele cruzou com comerciantes holandeses, franceses e um inglês que carregavam mercadorias em navios portugueses. As roupas de linho, finas e grosseiras, biscoitos, trigo, vinho do Porto, azeite de oliva, manteiga e queijos, além de ferramentas de ferro e utensílios de estanho, eram os objetos de seu comércio, ali trocados por tabaco em rolo ou rapé e açúcar.

O batavo Diederick Ruiters escreveu que na cidade de Pernambuco "faz-se grande comércio de açúcar, que aí é muito abundante". "As lojas do Rio". Registrou o refinado Lord Staunton, "estão repletas de tecidos de Manchester e outras mercadorias inglesas, entre as quais se encontram até mesmo gravuras e caricaturas importadas de Londres".

Em dois séculos, nas cidades coloniais se cortaram infinitas ruas. Para elas, abriam suas portas tendas de pequenos comerciantes chamados, à época, de mercadores "de retalho". As ocupações comerciais implicavam uma grande quantidade de indivíduos, como regateiros, pequenos vendedores ambulantes, lojistas, taverneiros, caixeiros, mascates de miudezas, lavradores que comerciavam seus gêneros, camboeiros de escravos, entre outros. Pelos logradouros, oferecendo serviços, circulavam as negras de tabuleiro e os escravos de ganho. Efervescência e ebulição, negociação e conflitos permitiam a livres, libertos e escravos circular, ganhar, perder e viver.

Do Nordeste ao Sudeste, nos sobrados dominavam os "homens de grosso trato", responsáveis pelo comércio internacional de importação e exportação em larga escala e o tráfico de africanos. Também eram designados como feitores, tratantes, traficantes, caixeiros e mercadores de loja, quando não faltavam arrematantes de cargas para fazer especulação. É o que se lê no trecho de uma "Instrução para o governo da Capitania de Minas Gerais", da pena de J. J. Teixeira Coelho: "No ano de 1779, estando eu naquela cidade do Rio de Janeiro, chegaram ao porto dela dois navios carregados de negros e logo uma sociedade de negociantes comprou as carregações inteiras. Esses negociantes, como ficam sendo senhores de todos os negros, são árbitros do preço deles."

O jesuíta Antonil é quem dá os preços dos escravos que seguiam para as Minas Gerais:

"Por um negro bem-feito, valente e ladino ............ 300 oitavas de ouro
Por um molecão ............ 250 oitavas de ouro
Por um crioulo bom oficial ............ 500 oitavas de ouro

Por um bom trombeteiro............................................500 oitavas de ouro
Uma mulata de partes....................................................600 oitavas de ouro
Por uma negra ladina cozinheira..............................350 oitavas de ouro."

A produção das Minas, grande consumidora de mão de obra africana, atuava diretamente sob a demanda de escravos e mercadorias nas cidades portuárias. Os tropeiros, camboeiros e comissários volantes realizavam a ligação do Rio de Janeiro com as minas, oferecendo às populações mineradoras além de trabalhadores, louças e porcelanas, damascos e tapeçarias da China e da Índia, brocados, vinhos, azeites e uma infinidade de outros artigos. Do mesmo modo, o ouro transportado, legalmente ou não, pelos mesmos agentes era conduzido ao porto do Rio e de lá para o exterior.

A intensidade de negócios, o número de embarcações ancoradas nos portos, o formigueiro de artesãos e pequenos comerciantes engajados na atividade mercantil impressionava. Um oficial do navio *L'Arc em Ciel*, de passagem por aqui em 1748, observou:

> Quase todo o comércio do Brasil depende dos produtos vindos da Europa. Em matéria de gêneros alimentícios, o país recebe de Portugal medíocres quantidades de farinha, de vinho do Porto e de especiarias, o suficiente para satisfazer a frugalidade portuguesa. O comércio de produtos de luxo é infinitamente mais significativo. Importa-se de tudo: estofos bordados a ouro e prata, galões, peças de seda, belos tecidos, telas finas e uma infinidade de outras mercadorias da moda, produzidas, na sua maioria, pelas manufaturas francesas. Uma vez por ano, entre os meses de setembro e outubro, Lisboa envia para a sua colônia, sob escolta de três ou quatro navios de guerra, uma frota carregada com os produtos referidos. Essa frota, depois de distribuir a sua carga pela Bahia de Todos os Santos, Pernambuco e Rio de Janeiro, é carregada com ouro e alguns diamantes – provenientes dos direitos do rei ou pertencentes a alguns particulares interessados em remeter suas riquezas para Portugal – e volta a reunir-se na Bahia em dezembro ou janeiro, retornando daí para a Europa. Do país, os navios mercantes portugueses levam, além do ouro e da pedraria, somente tabaco, açúcar e algodão – esse último ao que parece produzido contra a vontade da metrópole.

E pouco mais de vinte anos depois, foi a vez de Louis Antoine de Bouganville, primeiro francês a realizar uma viagem de circum-navegação, anotar: "Logo que as frotas entram no porto, todas as mercadorias que trazem são conduzidas à alfândega, onde é pago um imposto de 10%."

O movimento de naus entre o Rio de Janeiro e as praças africanas era grande. Em 1783, o viajante Juan Francisco Aguirre identificou de catorze a dezesseis navios trazendo cada qual cerca de trezentos ou quatrocentos negros, fundeados na Guanabara. Perifericamente havia aqueles que se dedicavam ao comércio ilegal, contrabandistas marginais ou empregados públicos que evitavam as restrições aos seus negócios. Liberar uma embarcação em direção ao rio da Prata? Quarenta moedas de ouro oferecidas ao secretário do governador costumavam resolver o problema no Rio de Janeiro, contou um agente da Companhia da Guiné encarregado de trazer negros para a colônia: "As moedas de ouro foram entregues e, melhor de tudo, aceitas", regozijava-se. A Bouganville também não passou despercebido o contrabando de mercadorias feito por brasileiros, através de Buenos Aires, para o Chile e o Peru.

Algumas cidades funcionaram como entrepostos de mercadorias vindas de outras capitanias e mesmo da metrópole, caso do Rio de Janeiro e de Ouro Preto. Essa última recebia vinho, manufaturas, ferramentas, escravos e remédios, revendendo-os a outros núcleos. Dentro das capitanias, circulavam os produtos da terra: toucinho, aguardente, açúcar, couro, gado e algodão, além de milho e feijão.

Era preciso comprar, vender, distribuir, lucrar ou perder com tantos produtos. Milhares de vidas envolvidas com negócios deram um perfil diferenciado à sociedade colonial. Até o século XVIII, "negociante" era palavra que abarcava diferentes ocupações. Até cem anos antes, "mercador", "homem de negócios" e "cristão-novo" eram sinônimos revestidos de impopularidade. Na hierarquia medieval cristã, o comerciante ficava abaixo das artes mecânicas. Ao comercializar o fruto de artes e ofícios, ele era considerado um parasita. Apenas no século XVIII o estigma começou a se esvair, pois a administração do marquês de Pombal, em Portugal, decretou, em 1770, que o "comércio era profissão nobre, necessária e proveitosa".

A presença israelita no comércio da colônia foi incontornável. Inseridos na vida social, política e administrativa baiana, muitos como Mateus Lopes Franco ou Diogo Lopes Ulhoa eram, além de "homens de negócios

*Em tonéis chegavam os produtos portugueses, como bacalhau e vinho.*

CALLCOTT, Maria. *Ganhadores* [Iconográfico]. BAHIA. S.D.

e de maior conceito e experiência", amigos das autoridades. Ulhoa era conhecido como "mimoso do governador", pois era conselheiro de Diogo de Luís Oliveira em 1646. Quando da Primeira Visitação do Santo Ofício, em 1591, à Bahia, o número de cristãos-novos na atividade impressiona. Era a "gente de Nação", "composta por indivíduos comumente ricos e muito afeiçoados ao comércio", dizia o viajante Coréal. François Froger, jovem engenheiro que acompanhava o senhor De Gennes a uma viagem ao estreito de Magalhães, observou que a maior parte da população da capital seria constituída por "judeus ricos que adoram o comércio. Tanto é assim que, quando um cidadão quer que um dos filhos siga a carreira eclesiástica, ele é obrigado a provar que seus antepassados eram cristãos". Já o Rio de Janeiro foi definido pelo mesmo observador como "um antro de judeus". A eles, aos cristãos-novos, assim como aos mercadores, os cargos municipais eram vedados. Em Olinda, era proibido, por exemplo, aos "mercadores que assistissem de loja aberta". No Maranhão, em 1700, se anulou a eleição de um almotacé – inspetor da aplicação correta de pesos e medidas – porque o indivíduo vendia sardinhas e berimbaus.

Na Bahia e em Pernambuco, a passagem da taberna de vinhos ou do balcão de fazendas para o solar rural, ao pé da fábrica de açúcar, era expressão de enobrecimento. Na propriedade da terra, e não na consanguinidade, residia a qualidade do indivíduo. No início do século XIX, de passagem por Minas Gerais, o viajante Saint-Hilaire escutaria o adágio "Pai taberneiro, filho cavaleiro, neto mendicante", sobre fortunas construídas no comércio e perdidas na lavoura.

Em São Paulo, desde o século XVII, empreendedores como Guilherme Pompeu de Almeida começaram a vida arrendando forjas de ferreiros. Ele fabricava facas, cunhas e anzóis, produtos básicos nas trocas com nativos, mas em algumas décadas, depois de ter treinado escravos, já tinha cinco oficinas de metalurgia e uma serralheria, cada uma comandada por escravos pagos e com direito a ter, eles mesmos, escravos. Prestamista, Almeida financiou vizinhos e parentes em missões de "resgate". Numa delas, recebeu em paga cinco mil índios guaranis, muitos deles, artesãos especializados, todos extirpados à cidade espanhola de Vila Rica do Espírito Santo. Financiou parte da montagem da colônia de Sacramento, além de ter abastecido a tropa.

Exceção? Não. De acordo com o exame de testamentos e inventários efetuado por John French no século XVII, as maiores fortunas vinham do setor mercantil, e não de terras cultivadas ou das bandeiras. Entre elas se encontram os nomes do mameluco Gonçalo Lopes, cuja fortuna em 1693 montava a 6,6 contos, ou Leonor de Siqueira, viúva e alfabetizada que juntou uma das maiores riquezas da cidade empregando o dinheiro em negócios.

Os testamentos e inventários revelam uma cidade ativa onde não faltavam tendas de ferreiro ou carpinteiro com suas ferramentas: verrumas, goivas, formões, martelos de orelha, plainas, junteiras, garlopa, cepilhos, tornos, serras de mão, ferro de molduras, compassos. E bigornas, tenazes de tirar verga, tornos, tresmalhos, foles com suas biqueiras, mós e malhos. Certo autor referiu-se à cidade de São Paulo como uma "colmeia ruidosa" onde se labutava para fazer jus à frase do governador-geral: "Pelo bem comum e para que essa vila não pereça". Instrumentos diversos contam a história desse trabalho barulhento e repetitivo.

Os "comerciantes de grosso", poderosos e importantes para os interesses do Estado, eram grandes financistas e usurários, diferenciando-se dos comerciantes que vendiam "a retalho", ou seja, que tinham lojas. Eles podiam exercer qualquer atividade, e essa era sua força. Especulavam, financiavam, asseguravam, armavam navios, arrematavam comendas, além de contratos públicos e privados etc. A Coroa tinha interesse em tê-los como sócios menores nas companhias monopolistas, como a que foi fundada no Grão-Pará e no Maranhão, por exemplo.

Na segunda metade do século XVIII, esses comerciantes consolidaram sua posição por meio do comércio de longa distância. Motivo, aliás, de queixumes para Martinho de Melo e Castro, ministro de Estado em Lisboa, que escreveu em 1770: "Não se pode, sem tristeza, ver como os coloniais brasileiros tomaram o comércio e a navegação com a costa da África, com a total exclusão de Portugal." Comércio, sobretudo, de escravos. Com fortunas superiores aos senhores de engenho ou grandes agricultores, eles almejavam, porém, a terra e o poder que essa simbolizava. A terra, e apenas ela, nobilitava, enobrecia, enquanto a atividade comercial urbana continuava malvista pela sociedade. Arcaicos: em vez de se inserirem na mentalidade da burguesia mercantil que prosperava no norte da Europa e nos Estados Unidos da América, tais comerciantes de grosso sonhavam com títulos honoríficos e grandes plantações, como seus ancestrais alfacinhas.

E quanto poder. Muitos negociantes de grosso trato estendiam seu raio de influência por uma vasta região, fornecendo dinheiro a juros a vários pequenos comerciantes. O negociante Brás Carneiro Leão, o mais rico de todos, por exemplo, era um deles. Administrava diversos negócios ligados à importação e exportação, possuía engenhos, navios e numerosos imóveis urbanos de grande valor. Natural do Porto, mantinha ligações comerciais no reino, com as cidades de Lisboa e sua cidade natal, além de Angola e Benguela, na África. No Brasil atuava em Rio de Janeiro, Salvador, Recife, Vila Rica, Sabará e Serro do Frio, entre outras localidades. Ao morrer, deixou no comando de seus negócios o filho, Fernando Carneiro Leão, que tinha uma firma própria e outra em sociedade com a mãe viúva, Gertrudes Pedra Leão. Fernando tinha experiência: enviado à Europa pelo pai para aprender sobre comércio internacional, assunto vedado a brasileiros, antes de voltar ao Rio já era cavaleiro da Ordem de Cristo, tenente-coronel no regimento paterno e tesoureiro da Irmandade dos Passos. Até aí, não fugia ao figurino colonial, diz Jorge Caldeira. A chegada da Corte abriu-lhe novos horizontes sociais, possibilitando, por exemplo, que sua filha, Guilhermina, casasse com Maurício de Sousa Coutinho, filho de Rodrigo de Sousa Coutinho, o homem preocupado com os laços naturais entre reino e metrópole, que então ocupava o ministério da Guerra e Negócios Estrangeiros. Em resumo, o homem de grosso trato soube se aproveitar das transformações econômicas e sociais decorrentes da instalação da Corte para ampliar ainda mais seus negócios.

Num segundo escalão, encontramos, por exemplo, os marchantes, ou vendedores de talhos de açougue, de extrema importância para o comércio das cidades. Estudos sobre essa atividade revelam os mecanismos que envolviam seus negócios: combinar tabelamento de preços nos lances dados para arrematar talhos; organizar-se nas disputas por pontos de venda; negociar diretamente com os pecuaristas, fugindo às regras da arrematação. Os mais poderosos financiavam os menos importantes. Hierarquia? Sim. Talhos de açougues públicos tinham importância superior aos "talhos dispersos". Na cidade valiam mais do que no campo. E, em tudo, o que valia mesmo era a relação pessoal e as amizades. As câmaras fechavam acordo de distribuição com alguns marchantes em detrimento de outros, em função de interesses comuns. Mas quem matava o boi? O escravo. O viajante John Byron, em 1764, fez o impressionante instantâneo:

> O modo como se faz o abate é assaz curioso. Prendem-se alguns novilhos em algum lugar cercado e amarra-se uma maroma nos chifres do animal que está destinado ao abate para separá-lo dos demais; feito isso, um cortador negro vai por detrás do novilho e corta-lhe o jarrete; quando o animal cai no chão, o negro mete-lhe um cutelo entre os chifres. Os touros do país são tão ferozes que somente os cortadores negros se atrevem a meter-se com eles. Apesar disso, esses animais são muito pequenos e após serem esfolados e limpos não pesam mais que dez arrobas.

Um exemplo de comerciante que enriqueceu vendendo carnes foi Joaquim José de Siqueira. Ele era proprietário de uma das principais casas comerciais do setor de abastecimento alimentício, que, aliás, levava seu nome: *Joaquim José de Siqueira e Cia.* Seu inventário revelou um vasto e diversificado patrimônio, incluindo imóveis na cidade do Rio de Janeiro, cerca de setenta escravos, um bergantim – o *Nossa Senhora dos Remédios* –, uma lancha e um bote. Seus negócios se estendiam do Rio de Janeiro a Santos. Não por acaso, seu irmão Joaquim fez fortuna com uma fábrica de atanados, ou seja, de curtição de couros.

Desde os primeiros séculos da colonização vemos mulheres à frente de pequenos negócios. Elas não só sustentavam suas casas, mas, ao contrário do que se acreditou por muito tempo, eram visíveis nas cidades. Estalajadeiras que "davam de comer em suas casas", costureiras, tecedeiras, as que "tinham casa de vender coisas de comer e outras mercadorias", "mestras de ensinar

*O pequeno comércio era dominado por mulheres livres e pobres.*

*A slave going to market with poultry* [Iconográfico]. S.D.

moças a lavrar e cozer", além de taverneiras, aparecem na documentação da Inquisição em suas visitas a Salvador e Recife.

Padeiras? Muitas. Na Salvador do século XVII, certa Domingas Simões Pinheiro era "juíza das padeiras", por ser a mais antiga da cidade. Ali, uma relação de contribuintes do ano de 1648 traz o nome de nove mulheres donas de tavernas, padarias e vendas. Em São Paulo, onde se plantava trigo, a Câmara Municipal ameaçava aquelas que adulteravam o pão, misturando-lhe à massa farinha de mandioca e de milho branco. Na mesma cidade, padeiras mantinham constante litígio com as câmaras que controlavam o peso e o preço do pão. E elas recorriam a greves, petições, protestos e embustes para manter seus negócios e controlar, à sua maneira... o peso e o preço do pão!

O comércio local de comestíveis, tanto os produtos da terra quanto os vindos do reino, era sobrecarregado de taxas e impostos e, por isso, manipulado por toda uma hierarquia de pequenos e grandes funcionários, além dos mercadores com disponibilidade para atravessar e estocar produtos como sal, farinha e aguardente, podendo, assim, especular em momento de crise. A disputa entre facções locais deixava ampla margem às desordens e ao contrabando, não só em São Paulo, mas em outras capitanias também.

Estudos revelam que foi no correr do século XVII que começou a aumentar o número das chamadas "escravas de ganho". Eram negras e mulatas que inundavam as cidades com comércio ambulante de doces, pães e bolos ou rendas e bordados, "por uma tutameia", como se dizia então, além de tecidos baratos e miudezas de todo o tipo, entregando aos seus donos – muitos deles, mulheres também – o ganho do dia e recebendo em troca um percentual. Pelo desembaraço com que se movimentavam pelas ruas, essa atividade ameaçava as donas de tendas e pequenos negócios em pontos fixos, de resto sujeitas às posturas municipais.

Mas ao longo do século XVIII a oferta de produtos se diversificou. Em 1769, as autoridades se preocupavam com as negras que antes vendiam "frutos, legumes e doces", mas que a partir de 1751 foram autorizadas a oferecer também "panos brancos e quinquilharias" e que incorporaram "algumas fitas de seda, fazendas de algodão da índia de cores [tecido indiano], Bretanha e aniagem". A nobreza ou riqueza de muitos donos protegia os escravos de fiscalização ou de perseguição das autoridades, desejosas, elas também, de sua parte no lucro.

A legislação metropolitana assegurava, aliás, exclusividade da mão de obra feminina no comércio ambulante de "toda sorte de comestíveis pelo miúdo, como também vinhos e aguardentes", além de "alféolas, obreias, jarfelim, melaço e azeitonas". A esses produtos se somaram outros: hortaliças, queijo, leite, hóstias, agulhas e alfinetes, roupas velhas e usadas. A esse comércio que intermediava produtos se dava o nome de "carambola". O objetivo? Destinar às mulheres pobres um "exercício honesto e precisa sustentação" para que pudessem viver desses "pequenos tráficos".

Sim, pois havia muitas, livres e escravas, que vendiam seu corpo também. A prostituição podia ser ensejada por senhores ou praticada secretamente como uma forma de ganho. A concorrência entre comerciantes e escravos que ofereciam gêneros era vasta, gerando reclamações dos pequenos comerciantes, obrigados a pagar impostos. A tensão era grande, sobretudo com as escravas libertas que, juntamente com as brancas pobres, rapidamente dominaram o comércio de vendas e tavernas pelo interior.

O toque de recolher ou regulamentos que as obrigavam a ficar atrás do balcão raramente as incomodava. Comércio, aliás, feito até nas beiras de estrada, onde o balcão era uma simples janelinha estreita separando comestíveis e cachaça do comprador. "Viver de suas quitandas" ou de vender em "casinhas" onde um quartinho discreto se prestava a encontros era forma de identificar seu ganha-pão.

## Mobilidade e fortuna de negros e mulatos

Graças ao pequeno comércio, a mobilidade econômica de negros e mulatos, homens e mulheres, teria começado já no século XVIII? Sim. No Rio, houve casos como o do escravo João, que adotou o nome completo de seu senhor, João Antonio do Amaral. Depois de economizar e comprar sua alforria, passou a viver de seu ofício de barbeiro e músico timbaleiro. Casado com a preta forra Catarina do Espírito Santo, original de Benguela, ao morrer declarou possuir seis escravos e "algum ouro lavrado". Além de libertar seus cativos e legar seus "instrumentos das músicas", ambos, ele e ela, deixaram esmolas para as irmandades de São Domingos e Santo Antônio da Mouraria da Sé.

Houve ainda o caso do dentista e barbeiro José dos Santos Martins, cujo patrimônio, na abertura do testamento, surpreendeu até sua concubina, a preta mina e forra Gertrudes Corrêa: joias, peças de ouro e de prata, onze escravos dos quais cinco para "serviços da casa", além dos preciosos aparelhos de sua dupla profissão. No rol dos ferros de tirar dentes foram listados: "Asaprema, boticão com descarnados, uma quilha, uma pinça e uma sogra."

Em Minas Gerais, as "pérolas negras" – como foram chamadas pela historiadora Júnia Furtado – tinham desde bens imóveis, como casas, fazendas e rocinhas, até joias de ouro e diamantes, trastes de casas e de uso, imagens e oratórios. Tão logo alcançavam a liberdade, se tornavam proprietárias de escravos. Numa sociedade que desprezava o trabalho manual, nada seria mais esperado.

Sob o manto de concubinatos com seus senhores ou outros homens livres, mas também por sua "agência e trabalho", ou seja, esforço próprio, as forras fizeram seu espaço na sociedade adotando inclusive hábitos que as distanciavam da senzala onde tinham nascido. Na casa de certa Jacinta da Siqueira, forra analfabeta, em Vila do Príncipe, em 1751, o licor e os sucos eram servidos em garrafas e copos de cristal. O fino chocolate derretido em chocolateira era acompanhado de pão de ló, feito em bacia própria para esse fim. Jacinta dormia num catre de jacarandá torneado, coberta com colcha de seda e envolta em lençóis e fronhas de linho. Possuía 27 escravos, plantel significativo para a época, além de outros dez com que presenteara uma filha. Inúmeros casos como esse são relatados por inventários e testamentos já estudados.

Também no Serro Frio, o negro livre Bernardo de Almeida, especialista no retalho de tecidos e roupas, ao morrer possuía diamantes pesando cinco oitavas e avaliados em 8 mil cruzados, além de dois cavalos.

Em qualquer vila ou cidade não faltavam ofícios – do latim *officium*, significando "o que faz a obra". Definindo-se pela natureza manual do trabalho, a organização dos ofícios era hierárquica. No topo, mestres, seguidos de oficiais e aprendizes. Um exame de habilitação, realizado por juízes de ofício, bem como o controle sobre os preços praticados, feito por um almotacé, garantiam a autorização para o trabalho. O exercício de atividades manuais implicou, desde cedo, a degradação dos ofícios. Consideravam-se seus praticantes providos de um "defeito mecânico", noção que os desabilitava para certos cargos. Eles dificilmente seriam considerados "homens bons". Entre nós esse quadro se agravou, pois a maioria dos ofícios mecânicos era exercida por mulatos que, por sua vez, tinham seus próprios escravos como auxiliares.

A exploração do ouro e a decorrente expansão urbana no Sudeste aumentaram em muito as atividades artesanais. Passava-se até por cima dos "exames de habilitação", e alguns ofícios ganharam enorme projeção e autonomia. Os homens de cor, chefes de domicílios, exerciam ofícios variados, muitas vezes resultado das "artes mecânicas" ou do trabalho exercido como escravo ou ex-escravo: eram alfaiates, sapateiros, ferreiros, músicos, mestres comerciantes, carapinas, pintores, escultores, barbeiros, capitães do mato, entre outros. Os provenientes de Luanda, afirmava o jesuíta Antonil, eram pupilos argutos e desejosos de ter profissão. Escravos com tais talentos valiam mais no momento da compra, mas era investimento garantido. Muitos deles conseguiam se alforriar e se inserir na vida econômica da colônia. James Semple Lisle, britânico que usufruiu da hospitalidade carioca em 1789, associou o "comércio intenso" que trouxe "fortuna para alguns habitantes locais" e o "ar de abundância da cidade" ao fato de que "muitos deles, depois de alguns anos de trabalho, conseguem comprar sua alforria". O inglês John Luccock, comerciante de Yorkshire que desembarcou no Brasil em 1808, veria no grupo "uma nova classe social". Não se enganou: ao falecer, em 1812, o forro Antônio Alves Guimarães deixou um monte mor avaliado em 412 mil réis. Seus bens mais valiosos eram três escravos que somavam 320 mil réis e uma casa avaliada em 70 mil. O restante eram roupas de uso cotidiano: um par de calças, um jaleco e uma capa, além de seis tamboretes, uma mesa, um tacho de cobre e uma trempe de ferro.

Histórias exemplares sobre o pequeno comércio? Sim. Quem conta é um documento do 4º Ofício de Notas do Rio de Janeiro, datado de 16 de setembro de 1785. Certa Maria Antônia do Rosário, como tantas outras mulheres na colônia, vivia de comprar mercadoria a preço baixo e revendê-la com lucro, ou emprestar dinheiro a juros. Há tempos, conhecia a escrava Lucrécia, de nação bambuíla, pertencente a Caetano Pereira Cardoso, e sabia o quanto esta desejava comprar sua liberdade.

Lucrécia lhe fez uma proposta e o negócio foi fechado: Maria do Rosário comprou a escrava ao seu senhor Caetano, na condição de que esta trabalhasse durante um ano para lhe pagar o valor da compra, acrescido de mais 6.400 réis a título de lucro pela aplicação feita. Se emprestasse 34 mil réis a juros, Maria do Rosário receberia por um ano de aplicação 1.700 réis, já que o juro oficial era de 5% ao ano. A proposta de Lucrécia lhe renderia mais do que o triplo. O risco? A escrava não conseguir o dinheiro necessário. Mas a 16 de setembro de 1785 as duas foram ao cartório do tabelião José C. R. Wan Deck, e diante dele foram contadas as moedas trazidas pela escrava. O montante somou 40.400 réis. A escritura de liberdade foi passada a Lucrécia.

Ao enriquecer, o dono ou dona de uma loja "de porta aberta" procuraria se distanciar das atividades manuais, associando-se a uma casa comercial "de grosso trato" e ao empréstimo de dinheiro. Porém, a marca do trabalho manual o diferenciava na sociedade. Um "peão", ou seja, um artesão ligado aos ofícios mecânicos, um operário, um degredado ou um judeu não seriam jamais considerados "homens bons", aqueles que reuniam as condições para pertencer a certo estrato social, distintos o bastante para terem autorização de manifestar sua opinião e exercer determinados cargos. As marcas do "defeito de sangue" ou do "sangue infecto" permaneciam.

Se o comércio agitava e modificava a sociedade colonial, ele também assegurava privilégios como a linhagem, o sangue e a ocupação, mantendo barreiras e graduações sutis entre os indivíduos, inclusive quando endinheirados – até mesmo quando, no século XVIII, com o surgimento de uma burguesia urbana, se assistiu a uma modificação nas mentalidades e à valorização da classe mercantil. Artífices conseguiram juntar fortunas muito acima da linha da pobreza e viveram como negociantes e rentistas. Ao manterem relações com vários setores da sociedade, tinham informações e se movimentavam na hierarquia social, sem chegar, porém, perto de posições predominantes.

O comércio ocupava também a massa de escravos que dominava boa parcela dos ofícios urbanos. Atarefados, oferecendo seus serviços ou os produtos feitos na casa do senhor, cumprindo obrigações, levando recados, carregando água, os cativos estavam em toda parte, ganhando para si ou seus proprietários. Sua presença associada ao transporte privado, por exemplo, é constante nas gravuras sobre o período. Eram eles que carregavam o banguê, velha liteira, particular ou de aluguel, cujo telhado de couro em forma de baú protegia do sol quem ia dentro. Portavam nos ombros as cadeirinhas, mais refinadas, feitas de couro de vaca e forradas de damasco carmesim, cujas cortinas se fechavam a cada vez que nelas se transportava uma dama. Levavam, também, a serpentina, espécie de palanquim indiano com cortinas, tendo um leito de rede. O madeiramento em que se pendurava o traste e que era valentemente erguido pelos cativos possuía esculturas: pombas, querubins, flores, frutos, obras de talha, enfim. Fardas de melhor qualidade e perucas francesas vestiam os "andas", escravos encarregados de transportar senhores abastados.

As cidades ofereciam a pardos e mulatos oportunidades inúmeras de mobilidade social. Mas não só – mobilidade espacial, também, pois alguns cruzaram o oceano, não de volta à terra de seus pais, mas à Europa, onde foram estudar como qualquer branco. Histórias impressionantes contam de sua escalada, redefinindo a imagem que temos do Brasil Colônia, engessado e sem oportunidades para os descendentes de africanos. Manuel da Cunha, filho de escravo e escravo ele próprio, dono de invejável atividade e saber, foi protagonista de uma delas.

Nascido no Rio de Janeiro em 1737, protegido e alforriado pelo negociante José Dias da Cruz, foi para Portugal estudar pintura. Ao regressar de

Lisboa, dedicou-se à pintura religiosa e ao retratismo e mantinha em sua casa, na rua de São Pedro, uma classe de pintura que chegou a contar com doze alunos. Seu óbito, a 27 de abril de 1809, está assinalado nos livros da Ordem Terceira da Irmandade da Boa Morte, em cuja igreja, a Candelária, foi enterrado com o hábito de santo Antônio e cercado de todo prestígio.

Outra figura impressionante foi Manuel Dias de Oliveira. Originário de Santana do Macacu, Rio de Janeiro, em 1763, fixou-se muito jovem na capital, onde praticava como ourives. Impressionado com tanto talento, seu senhor o enviou para estudar no Porto. Morrendo seu benfeitor, ele se transferiu para Lisboa e se matriculou na Real Casa Pia, que funcionava no Castelo de São Jorge. Seu sucesso foi tão grande que foi escolhido para, juntamente com o já célebre Domingos Antônio de Sequeira, ir cursar a Academia de São Lucas de Roma. Lá, se tornou assistente de Pompeo Battoni, retratista da nobreza e precursor do neoclassicismo na pintura. Quando Napoleão invadiu os estados pontifícios, Manuel refugiou-se em Gênova, de onde retornou a Portugal depois de uma ausência de dez anos. Em 1800, foi nomeado professor régio de uma aula de desenho e figura, criada no Rio de Janeiro, época em que retornou ao Brasil. Em Portugal, Manuel era conhecido como "o Brasiliense". Aqui, se tornou "o Romano".

Outro mestiço a cruzar o oceano foi o baiano José Teófilo de Jesus, pardo e forro, nascido em Salvador e falecido na mesma cidade, com 90 anos, em 1847. Artesão de molduras para o conhecido pintor José Joaquim da Rocha, foi por ele premiado com uma viagem a Portugal para aperfeiçoar suas habilidades artísticas. Um empréstimo de 150 mil réis contraído junto à Santa Casa bancou sua estadia. Ele permaneceu em Lisboa, onde cursou a Escola de Belas Artes. De volta em 1801, passou a trabalhar para as Ordens Terceiras, além de ter se dedicado a douramentos de talhas e altares. Fez inúmeros tetos ilusionísticos, além de quadros de cavalete. Casou-se, em 1808, com Vicência Rosa de Jesus, preta forra natural da Costa da Mina. É considerado o maior pintor a operar na Bahia na primeira metade do século XIX.

Também com histórias de sucesso vamos encontrar em Minas Gerais o pintor Silvestre de Almeida Lopes e, em São Paulo, José Patrício da Silva Manso e seu aluno Jesuíno do Monte Carmelo, além de tantos desconhecidos que a história está por contar.

# 8. ARTES E OFÍCIOS DO OURO

O sonho de um Eldorado encravado no coração da colônia povoava a imaginação dos portugueses desde a chegada ao litoral. Narrativas fantásticas davam conta da existência de uma resplandecente serra de ouro, que os índios chamavam Sabarabuçu, localizada na mesma latitude de Potosí, no Peru. Aliás, sonhos e ambição sempre tiveram sua parte na história.

Em 1554, o padre Anchieta escrevia que na capitânia de São Vicente havia grande abundância de ouro, prata e ferro, afirmando que até os moradores tinham suas casas abarrotadas de metais preciosos. Notícias deste quilate incentivaram Portugal a organizar inúmeras expedições em busca do metal amarelo. Ouro em São Vicente? Um malogro. Ele era ralo, escasso e de lavagem. Nada de veios em minas inesgotáveis e riquíssimas. Não se sabe exatamente quando o ouro foi descoberto, e as narrativas divergem. Antônio Rodrigues Arzão e Bartolomeu Bueno de Siqueira são os nomes mais citados, mas o fato é que, a partir de 1694, as descobertas feitas em Itaverava abriram caminho para o povoamento e a exploração de polos como os de Ribeirão do Carmo, Sabará e Ouro Preto. Afinal, um "outro Peru"!

Teve início então uma corrida que provocou a maior migração de homens brancos e livres dentro da colônia. Em dez anos, a população das futuras Minas – pois a região integrava a capitania de São Vicente, que antecedeu o estado de São Paulo – atingiu a cifra de 50 mil indivíduos. Eles eram brancos europeus ou americanos, índios e negros: "gente tumultuária", como se dizia à época. Com eles, veio a rápida urbanização, caminhos que se abriam, desregramentos e precariedade. Relatos de época estão cheios de imagens do caos de ajuntamentos que se movimentavam de um lado para o outro, acompanhando a descoberta de novos veios ou a extinção de velhas lavras. As autoridades reagiam com temor frente ao que descreviam como "uma terra que evaporava tumultos", mas que confirmava as expectativas do reino.

A corrida do ouro desencadeou efeitos perversos. Primeiro, a transferência de escravos negros das lavouras de açúcar e tabaco para a mineração provocou o temor da "ruína total" da economia colonial. Lavouras perdidas e engenhos de fogo morto foram o saldo deste êxodo em muitas regiões. A seguir, temeu-se que nações estrangeiras viessem lutar por seu quinhão de ouro. E Portugal, conseguiria resistir a tais assaltos? E, por fim, como lidar com a reunião de facinorosos, gente rebelde que poderia reunir-se aos estrangeiros? Uma série de medidas restritivas foi baixada para evitar o trânsito de pessoas e mercadorias até as Minas. Para controlar a entrada de escravos se estabeleceu uma cota de duzentos cativos a serem adquiridos, anualmente, por proprietário, notadamente, os paulistas.

Quando, em 1707, ocorreu a descoberta do ouro de beta – extraído das rochas mediante escavação profunda –, a certeza se consolidou: haveria riqueza por muito tempo. O resultado imediato foi a decisão da Coroa de estabelecer o governo político e militar nas Minas. E, em resposta, veio a "Guerra dos Emboabas". Em meados do século XVIII, Minas já reunia o que havia de melhor na colônia. A região que outrora sediou batalhas, a do Rio das Mortes, se converteu num eixo comercial e de serviços. As vilas de São João Del Rei, antigo Arraial Novo de Nossa Senhora do Pilar, e Tiradentes, ex-Ponta do Morro, contavam com mais de três centenas de estabelecimentos mercantis e de ofícios. O metal amarelo operou uma revolução. A antiga Sabarabuçu se transformou em centro urbano cortado por ruas caprichadas. A minúscula capela de Nossa Senhora do Ó, na vila de Nossa Senhora da Conceição, ganhou pinturas com motivos orientais. A antiga vila de Nossa Senhora do Carmo foi elevada à posição de nona cidade da colônia e sede de bispado em 1745. Passou a se chamar Mariana em homenagem à rainha d. Maria Ana da Áustria. Ali se instalou o seminário de Nossa Senhora da Boa Morte, uma escola de excelência para padres onde se ensinava latim. Na catedral da Sé, as missas de domingo eram animadas pelos sons de um órgão alemão.

Nada, porém, se comparava à Vila Rica, um "Potosí de ouro, a mais soberba e opulenta" de todas as vilas, segundo Francisco Tavares de Brito, em 1732. A urbe mais desenvolvida da colônia era um canteiro de obras. Construíram pontes cruzando córregos, mais de cinquenta chafarizes decorados e o palácio do governador, que mais parecia uma fortificação.

Ao lado, foi erguido um casario barroco à volta de uma praça retangular. Pelas ruas circulavam baianos, paulistas, fluminenses, pernambucanos e africanos com uma característica: formavam uma sociedade de grande mobilidade social. Com sorte na bateia, o pobretão de hoje poderia ser o rico de amanhã.

Os ofícios de carpinteiro, ferreiro, ourives, boticário e estalajadeiro permitiam ganhos expressivos, e o setor de serviços era igualmente dinâmico. Ser "vigia de canoas", ou seja, controlar diretamente o trabalho de quem minerava, impedindo roubos, era outra atividade prestigiada. Até corretor imobiliário existia nas cidades do ouro, assim como a inventiva agiotagem. Nas lavras de Vila Rica, por exemplo, padre Faria "enriqueceu com o ouro que lá Deus lhe deu, pondo-o a razão de juros na cidade do Rio de Janeiro". A fé também era excelente negócio: pagavam-se quatro gramas de ouro para comungar e dois gramas para não comungar. O batismo valia quatro gramas e o casamento, onze. O mais caro era o serviço fúnebre: catorze gramas de ouro. Não por acaso, a partir da década de 1720, multiplicaram-se os templos religiosos, recobertos de douramentos, esculturas e móveis finos. Na decoração das igrejas sobressaíam-se entalhadores e pintores mulatos, entre os quais Antônio Francisco Lisboa, dito o Aleijadinho, filho de uma escrava com um construtor português.

O espaço dos templos se enchia com música. No espaço de três décadas, o arraial do Tijuco teve sete regentes e cerca de cem músicos. Em Vila Rica atuaram cerca de 250 instrumentistas, como tocadores de violino, contrabaixo, flauta, fagote, oboé, órgão, cravo, entre outros instrumentos. Joaquim José Emérico Lobo de Mesquita foi um deles. Mulato, alfabetizado, senhor de caligrafia fluida e elegante, era profundo conhecedor de música sacra e erudita. Ele atendia às demandas de igrejas matrizes, irmandades religiosas e leigas, assim como as vindas de Câmaras. Músicos como ele participavam de representações cênico-musicais em casas de ópera particulares, tecendo laços com a elite econômica e as autoridades. Não faltava dinheiro para festas, e a ascensão social desse grupo foi inequívoca, não apenas na capitânia de Minas, mas também em Pernambuco e Rio de Janeiro. Muitos se tornaram mestres-régios, tendo ensinado música, ou foram agraciados com cargos nas tropas e regimentos ou nas irmandades. Seus méritos e competências os mantiveram afastados de muitos obstáculos impostos a outros mulatos ou negros. Frente à boa música, como comprovam as pesquisas recentes, a mácula da cor ficava em segundo ou terceiro plano.

Por trás desse bem-sucedido momento, estava o trabalho duro: o da mineração. Os mineradores passavam o dia com o corpo imerso na água fria das montanhas, bateando e transportando o cascalho dos rios até as margens, para ser lavado. O grosso do serviço era feito por escravos. A flagrante superioridade numérica da "gente de cor", como eram chamados, seria característica da região. Mestiços e negros somavam 77,9% da população, e a única exceção foi a Comarca de Rio das Mortes, onde apareciam brancos em maior número.

Os cativos tinham um regime de trabalho diferente do que realizavam nos engenhos de açúcar, pois além de esse regime exigir mão de obra especializada, eles tinham relativa liberdade de ação e maiores oportunidades para comprar sua liberdade. Eles não só escondiam oitavas de ouro que catavam nos ribeiros, como tinham licença de seus senhores para batear em dias santos e ao cair da tarde. Estímulo depois da obtenção de uma quantidade mínima de ouro, dizem uns, resistência à escravidão, dizem outros. Os dois, certamente. Outra profissão exercida por forros e escravos era a de enfermeiro. Encaminhados a hospitais e às Santas Casas mediante remuneração, eles recebiam melhor tratamento e comida do que trabalhando na lavoura ou nas lavras.

Apesar do elevado preço dos escravos na região das Minas, a alforria parece ter sido prática comum, a ponto de preocupar as autoridades. Por gratidão do dono ou "por dinheiro que ajuntavam", os negros se viam em liberdade. E a população livre de cor cresceu tanto que se tornou duas vezes superior à de outras áreas escravistas na América, como a Jamaica ou o sul dos Estados Unidos. A região apresentava também um índice altíssimo de escravos coortados: aqueles que compraram sua liberdade ou detinham "carta de corte", ou seja, um documento atestando que estavam saldando prestações referentes à compra de sua carta de alforria. Eles podiam vender sua força de trabalho numa atividade suplementar realizada fora do tempo dedicado ao seu senhor ou trabalhando "de ganho" ou "de aluguel". Em época de dinamismo econômico, as coortações aumentavam. Alguns recebiam de seus senhores instrumentos de trabalho, a fim de poder se dedicar a uma função remunerada e, consequentemente, juntar a quantia estipulada. Outros se viam prejudicados pelos senhores que os impediam de trabalhar. Muitos senhores impunham condições: trabalhar por mais um número específico de meses, ou só aceitar dar carta de corte se houvesse um fiador. Pagamentos podiam ser escalonados: de seis em seis meses, por exemplo. Havia senhores tolerantes com o atraso de pagamentos e outros que ameaçavam vender o cativo "por justo preço", caso não cumprisse as condições combinadas.

Conflitos? Muitos – e também pactos rompidos. Alguns cativos se queixavam de terem pagado tudo, o que não era reconhecido pelos senhores. Senhores, do seu lado, se queixavam de terem sido roubados ou da ingratidão de seus escravos. Havia discordância de datas da coortação ou separação entre pais e filhos, ou marido e mulher, quando um deles não conseguia pagar o valor arbitrado. E não poucas vezes se recorreu ao juízo de governadores, que decidiam, depois de exame, se devia ou não ser dada a liberdade a tal e qual pessoa. Alforrias e coortações colaboraram para pacificar a latente insubordinação dos cativos. Mas aumentou em muito o número de negros e mulatos livres, fato que preocupava as autoridades, como fica claro numa carta de d. João V ao conde de Galvêas, então governador da capitania: "No que respeita aos mulatos forros, que estes são mais insolentes porque a mistura que têm de brancos os enche de tanta soberba e vaidade que fogem do trabalho servil com que poderiam viver, e assim vive a maior parte deles como gente ociosa." E pergunta o rei: "Não seria melhor tomar providências contra o excesso de forros vivendo em grande liberdade?"

Uma vez liberto, o ex-escravo comprava escravos. Um número expressivo de ligações e casamentos entre senhores e escravas foi outra forma de acelerar alforrias. De 1,2% do total da escravaria em 1739, os alforriados passaram a corresponder a 41% em 1808. Eram "os pretos forros filhos do país, chamados crioulos", segundo Basílio Teixeira de Saavedra em seu *Informação da Capitania de Minas Gerais*, de 1805.

Na segunda metade do século XVIII, quando foi mais efetiva a exploração do ouro e se desenvolveu a exploração de diamantes, os assuntos mais mencionados pelas autoridades eram: a eficiência do trabalho, a temida criminalidade e a desordem, além da presença de quilombos. Se antes preocupava o grande número de africanos na população, doravante sua organização é que seria alvo de medidas coercitivas, tanto mais quanto aumentavam roubos, ataques a vilas e arraias e crescia o contrabando de ouro. Quando o metal começou a rarear e as minas a se esgotar, relatos pessimistas se acumularam. Do ponto de vista dos escravos, esse foi o momento em que, com atraso, teve início a preocupação com seu melhor tratamento e doenças, mencionando-se também a necessidade de importação de escravos de outras regiões, como Bahia e Pernambuco.

## Da arte de encontrar fortuna

*A extração de diamantes era fiscalizada.*

JULIÃO, Carlos. *Serro Frio: trabalho de lavagem do cascalho, feito por escravos* [Iconográfico]. SÉCULO XVIII.

E como se dava o trabalho de mineração? Andréa L. Gonçalves explica que, se no período inicial da exploração era possível, como dizem documentos, "apanhar grãos de ouro com as mãos", cinquenta anos depois, mineiros solicitavam licenças para instalar máquinas para "retirar água" das datas – o equivalente a uma área de três mil metros quadrados. A princípio, foram usados utensílios de uso pessoal ou empregados na lavoura: "pratos de pau ou estanho" como, por exemplo, os utilizados pelo pioneiro Rodrigues Arzão. As explorações eram feitas nas margens ou no leito dos ribeirões, quando a ausência de chuvas permitia. Misturado ao cascalho, esse era o ouro de aluvião, de extração mais fácil. Uma vez esgotado o metal amarelo, o principal problema era o do volume das águas que tinha que ser contido com sistemas de represamento, diques e canais, chamados "serviços de rio", a fim de que os mineiros prospectassem o leito dos ribeirões, chamado "tabuleiro".

Até a chegada de técnicas mais apuradas, o instrumento mais usado era a bateia, medindo cerca de 0,5 metro de diâmetro e feita de pau-cedro. Atribuiu-se aos africanos sua introdução, uma vez que estavam familiarizados com seu uso na Costa da Mina, na Etiópia e no Zambeze. Não à toa, declarou ao rei, em 1752, Francisco Xavier Hares: "A estimação dos mineiros aos negros da Costa da Mina, porque se acham mais aptos para o trabalho." Além de excelentes mineradores e metalurgistas, eles também conheciam o fabrico de enxadas, alavancas e cavadores. Baseando-se em

testamentos e inventários *post-mortem*, Eduardo França Paiva considera que entre os proprietários de dez ou mais escravos, na Comarca do Rio das Velhas, área essencialmente mineradora, 40% dos cativos eram Mina. As outras etnias mais importantes dividiam-se entre os Angola (26%), os Benguela (8%) e os Congo (4%).

Além de ter que enfrentar as águas geladas nas quais entravam pelas dez da manhã e saíam por volta das três, "pelo frio insuportável", escravos eram obrigados a mergulhar para buscar o cascalho em águas profundas. Eles submergiam, levando uma haste com um anel de ferro e um saco na ponta no qual recolhiam areia. O conteúdo era colocado em canoas e em seguida levado para as margens para ser beneficiado. Mais tarde, o mergulho foi substituído pela permanência nas canoas. Quem mergulhava não eram mais homens, mas colheres de ferro com as quais se recolhia do fundo dos rios o cascalho depositado em sacos de couro.

Em 1717, registraram-se iniciativas como as de João Barbosa Moreira, mineiro de Serro Frio, ou de certo frei Bonina Suave, que implantaram as "rodas do rosário": duas rodas cujo diâmetro variava de quatro a sete metros, unidas por tábuas formando recipientes. A passagem da água movimentava a roda, que por sua vez acionava uma corrente composta por caixões de madeira abertos e inclinados. À medida que a roda girava, os caixões mergulhavam no rio e subiam cheios, despejando por inclinação o seu conteúdo.

"Romper penhascos, arrasar montes e mudar rios" foi a tarefa incansável de escravos e mineiros brancos, mulatos e negros. A instalação exigida para o desmonte de terras com água era bastante dispendiosa, pois implicava conduzir a água por jiraus de madeira, através de penhascos e montes, até o tubo que faria a canalização no local onde possivelmente houvesse ouro. Ainda que a mineração a céu aberto fosse predominante, não faltaram iniciativas de se cavarem buracos, os socavões, sustentados por estacas para evitar desabamentos. O poeta Inácio José de Alvarenga Peixoto, poucos meses antes de ser acusado de envolvimento na Conjuração Mineira, atravessava uma situação difícil resultante do "fracasso das caras instalações hidráulicas" que havia realizado em suas lavras auríferas.

Nas margens da produção, estavam os "desclassificados do ouro", como os chamou Laura de Mello e Souza: homens livres que foram em

*A extração do ouro dependia do trabalho escravo.*

JULIÃO, Carlos. *Serro Frio: trabalho de lavagem do cascalho, feito por escravos* [Iconográfico].
SÉCULO XVIII.

busca de fortuna e que nada encontraram. Marginais? Não. Gente vista como "inútil", "peso inútil da terra", "delinquentes" que poderiam ser de algum uso nas minas, vadios das cidades litorâneas que ali achariam uma função. Eram de famílias pobres, nascidas na miséria, criadas na indigência, sem a menor subsistência, segundo o bispo de Mariana, em 1799. Andavam seminus e sem sapatos, esmolando pelas ruas. Prostituíam suas filhas para sobreviver. Dos milhares que chegaram numa onda em busca de riqueza, a maioria foi esmagada pelo fiscalismo, presa das febres dos sertões, vítima da fome e da indiferença. Para eles, a liberdade almejada pelos escravos de pouco valia.

# 9. OS HOMENS DO CAMINHO

LONGMAN, Hurst Rees.
*Crossing a river.*
Londres.
1816.

Enquanto a agricultura concluía a ocupação da costa de Pernambuco a São Paulo e a mineração fazia o mesmo com o interior da colônia, a expansão se desdobrou em dois movimentos pastoris: o que ocupou os sertões do Nordeste, área de índios e mamelucos, e o da expansão para o sul, nas áreas originalmente devassadas pelos jesuítas. Gado e povo se multiplicavam. Pastos naturais e regiões ermas bem irrigadas convidavam à imagem de abundância que desenhou Gabriel Soares de Souza: "Acontece muitas vezes mamar o bezerro na novilha e a novilha na vaca juntamente." Nascia outra forma de ocupação – aquela que criou o sertanejo, o vaqueiro, o tropeiro, denominados, então, "homens do caminho". O aproveitamento do couro, da carne-seca e sobretudo do transporte de mercadoria para o interior foi fundamental para a diversificação da economia e do cotidiano de colonos.

Para o sucesso do comércio interno na colônia colaboraram os tropeiros. A partir do povoamento do interior e da descoberta do ouro em Minas Gerais, o transporte de cargas e produtos vindos dos portos marítimos se dava em lombo de mula. Só elas se mostravam capazes de avançar pelo relevo acidentado feito de serras e montanhas dos "sertões". "Tropeiro" era designação de muitos: desde aqueles que negociavam animais em feiras como a de Sorocaba, em São Paulo, até os que transportavam mercadorias ou os simples condutores de tropa. Fortunas imensas se constituíram na pecuária. Porém, o mais importante é que o pequeno comércio de gado também mantinha uma grande população de camaradas, vaqueiros, agregados, livres e forros, acumulando bens.

E o que negociavam os homens que, aos gritos de "Boa estrada" se cruzavam pelos sertões do Sudeste e Nordeste? Tropeiros, ou quem vivia de tropear, compravam e vendiam, sobretudo muares. A mula é um

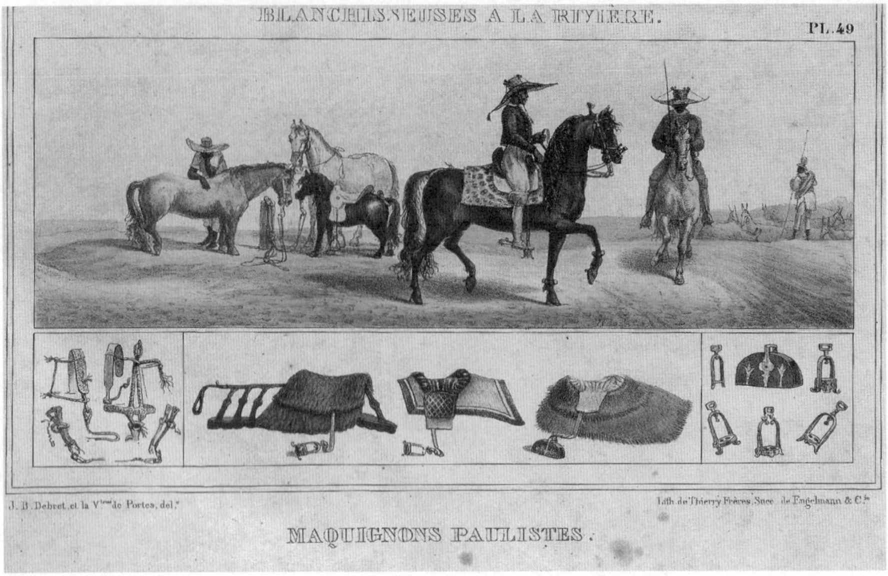


*Os paulistas destacaram-se como homens do caminho.*

DEBRET, Jean Baptiste, 1768-1848. *Voyage pittoresque et historique au Brésil.* Tome deuxième. p. 69

híbrido, resultado do acasalamento do jumento com a égua. Tal acasalamento não é fácil, tendo chamado a atenção do viajante Avé-Lallemant, que, em 1858, assim o descreveu: "As éguas têm que ser quase enterradas para suportarem o estranho garanhão."

Uma das características do animal nascido desse cruzamento é a enorme capacidade de carregar pesos. Os machos eram castrados ao completar 2 anos, a fim de serem vendidos como animais de carga. Não eram chamados de mulos, e sim de machos. Estáveis nas trilhas pedregosas, resistentes às variações climáticas e às alturas, com pouca exigência quanto às pastagens, eram animais de casco forte, bom porte e pernas vigorosas. Em tarefas contínuas, suplantavam, de longe, os cavalos. Não à toa, John Mawe, viajante inglês, registrou quando de sua viagem ao interior do Brasil: "Enquanto caminhávamos, observávamos que as mulas eram tão ligeiras na subida quanto em terreno plano; excediam em muito os cavalos em estradas íngremes e mais ainda nas más estradas."

Os muares tinham pelagem variada, que, segundo um documento paulista de 1762, podia ser: escura (preta), castanha, rosilha (avermelhada e branca), pangaré (amarelo-clara), ruona (pelo branco com malhas escuras e arredondadas), alazã (cor de canela), cor de rato (cinzenta), baia (amarelo-torrada), ruça (castanho muito claro), camurça (pardo-avermelhada) ou gateada (amarelo-avermelhada).

Eles se reproduziam nos campos do extremo sul, onde a abundância de equinos se somava à presença de excelente flora campestre, que resultava em forragem com altos níveis de sais minerais. O clima frio também era favorável à criação de muares. As invernadas se faziam nos campos saleiros que se encontravam na região missioneira e nos campos de Cima da Serra. Uma ração de sal marinho em todos os quartos minguantes bastava para transformá-los em lugar de pastagem e criação. Ocasionalmente, substituía-se o sal marinho pela queima de pastos. Logo que a terra resfriava, o gado ia lamber a cinza, na qual se concentravam substâncias alcalinas. A cinza servia ainda de purgativo e prevenia, segundo o mesmo Avé-Lallemant, doenças pútridas no gado.

Eficiente e lucrativo, o muar adaptou-se tão bem às necessidades de trabalho que, em pouco tempo, se tornou febre. Os criadores de cavalo, contrariados, esbravejavam. Alarmado com o prejuízo fiscal e comercial – as mulas não eram importadas de Portugal –, o rei d. José I resolveu liquidar não só a tradição do uso, mas a existência dos animais em território brasileiro. Uma carta régia, datada de 19 de junho de 1761, ordenava a extinção dos que "aparecessem depois da publicação da real ordem" e interditava o negócio das tropas.

É obvio que a obediência a tal ordem não apenas significaria o colapso da economia, como ensejaria o contrabando de animais. A reação foi brutal, pois, passados três anos, o rei expedia nova carta régia, reconhecendo a importância dos muares e de sua criação para a economia da colônia. Vale lembrar que, no negócio das tropas, dominavam os habitantes da capitania de São Paulo, mas também portugueses e espanhóis que aí viviam.

"Os paulistas", dizia um cronista colonial, "depois que lhes tiraram os terrenos auríferos, se voltaram em grande parte para o negócio e a criação de gados, aproveitando assim os muitos campos naturais da capitania e os feitais – campos feitos em detrimento da agricultura –, e também a comprarem gados na capitania de São Pedro, ou em Curitiba, e conduzindo-os por terra a esta capitania, vão vendê-las às outras." Tinham razão: os gados baianos que desciam o São Francisco não davam mais conta de alimentar as necessidades das populações nas áreas mineradoras. Além disso, o prodigioso desenvolvimento das correntes de circulação humana, durante o século XVIII, ensejava meios rápidos e abundantes de comunicação.

Esses meios seriam cavalos e mulas. O problema de transporte dos grossos rebanhos foi assim resolvido: traziam as reses até Laguna e, para galgar o paredão da serra do Mar, de maneira a oferecer-lhes o pasto que ia de Lages a Curitiba, abriram a estrada de Araranguá.

O itinerário da cidade de São Paulo para o Continente do Viamão dá a medida da tremenda viagem das tropas: partiam de Sorocaba, seguiam na direção de Itapetininga, atravessavam o Paranapanema, o Taguari, o Jaguariaiva, tocavam em Ponta Grossa e Curitiba e seus campos povoados de currais, cortavam o vale do rio Negro, penetravam as florestas da serra do Espigão, entravam na vasta região de Campinas de Curitibanos e Lages. De lá, prosseguiam pelos rios das Canoas e das Caveiras até o estreito desfiladeiro do caudaloso Pelotas. Depois da garganta do Pelotas abriam-se os campos de Vacaria, na serra rio-grandense. Desciam cortando os rios das Antas e das Camisas até a verdejante planície do Guaíba. Por toda parte, de Sorocaba a Viamão, avistavam-se fazendas e currais de gado.

A mudança do eixo econômico da colônia, privilegiando os produtores do Centro-Sul no abastecimento das Minas alterou a geografia dos muares. Os animais provenientes do Rio Grande do Sul desestabilizaram o fornecimento vindo das barrancas do São Francisco. Ao longo do século XVIII, a região sulina fornecia gado, principalmente para o Rio de Janeiro, assim como o burrão ou burro espanhol, que era do tamanho de um cavalo. Maior e mais estruturado que o burro proveniente do Sul colonial, passou a ser o preferido pelos tropeiros, dominando o comércio das Minas.

Os tropeiros eram proprietários de escravos? Aparentemente a resposta é positiva. Há muito, Alípio Goulart registrou a seguinte observação: "Convém assinalar, porém, que mesmo depois de intensificado o tráfego de muares, a escravaria continuou a fazer transporte, pois havia artigos, como cadinhos de barro, louças, vidros, espelhos etc. [...] cuja fragilidade exigia a cabeça de negro [...] para não se fragmentar." De fato, mesmo nos ditados populares do século XVIII, é possível encontrar paralelismo entre as duas formas de transporte: "Caminho longo, ou mula, ou mulato."

Os viajantes também anotaram a presença de cativos nas tropas, pois as mulheres eram carregadas em liteiras por escravos, "ou sentam-se, vestidas de longa montaria azul com chapéu redondo, em uma cadeirinha presa à mula".

## O grito de partida: "Boa estrada!"

E o dia a dia dessas tropas? Ao longo da estrada, havia os ranchos: pequenos núcleos de civilização e comércio garantiam segurança e repouso. O milho, ali vendido e básico ao gado, era fonte de lucro. Aos domingos, um vigário rezava missa para os locais e os forasteiros. Nos ranchos, longas varandas cobertas com telheiros, os tropeiros descarregavam, faziam fogueira e, num tripé à moda cigana, preparavam de-comer: feijão com carne-seca, angu de milho e – a partir de fins do século XVIII – café fumegante. A cachaça era usada em confraternizações ou como remédio. Canastras ou bancos de madeira serviam de cama.

Descarregados de seus fardos, os animais eram raspados com facão para tirar o pó e o suor. Prevalecia a regra da solidariedade: quem chegasse primeiro deixava lugar para as mulas de outras tropas, ajudando a descarregá-las quando necessário. Cargas eram arrumadas dentro do rancho, com cuidado para não se misturarem. As cangalhas secavam ao sol e eram depois empilhadas. Nas vendas encontrava-se um pouco de tudo para enfrentar a estrada: aguardente, doces, velas, livros de missa. Pelo chão, mantas de toucinho, barriletes de açúcar grosso e sal, espingardas e munição.

A permanente circulação dos animais permitia acesso contínuo a novas pastagens, libertando os grandes tropeiros de constituírem fazendas. No início do século XIX, Saint-Hilaire impressionou-se com os vastíssimos campos de capim-gordura em Minas Gerais. A espécie, considerada exótica, surgia após sucessivas queimadas nas matas. A descrição do naturalista não é das mais simpáticas, definindo-a como uma "gramínea viscosa, pardacenta e fétida" que engordava os animais, mas lhes tirava a força. Suas sementes tinham a capacidade de "aderir às vestimentas dos homens e ao pelo dos animais". Assim, à medida que novos caminhos eram abertos e as tropas começavam a circular, registrava-se a disseminação da gramínea.

Atribui-se uma origem africana à espécie, sendo proveniente de uma ampla região compreendida entre Congo e Angola, territórios que forneceram regularmente escravos para a América portuguesa. Teriam os africanos, no Novo Mundo, difundido as primeiras sementes da forragem?

A constante movimentação das tropas também exigia que os animais fossem marcados a ferro em brasa, para que não se confundissem com os demais arranchados. Uma prodigiosa legião de ferreiros surgiu, assim, ao longo dos caminhos pelos quais passavam os tropeiros. O ofício, baseado em técnicas metalúrgicas portuguesas e africanas, garantiu emprego e sustento de muitos homens livres não proprietários de escravos.

As mulas vindas do Sul eram comercializadas, grosso modo, na feira de Sorocaba. A 18 léguas da capital de São Paulo, a cidade, desde o século XVIII, foi também cenário das mais importantes feiras de muares. Os animais partiam do Sul entre setembro e outubro, meses de chuva, em que as pastagens começam a verdejar. Uns preferiam vir direto, chegando entre janeiro e março, outros estacionavam nos campos de Lages, ao sul de Santa Catarina, para que os animais se refizessem.

As tropas não eram trazidas para dentro da cidade, e sim estacionavam nas imediações, nas invernadas dos campos d'El Rei. Tinha lugar a engorda preparatória para a festa, além da domesticação dos burros, na qual os sorocabanos eram mestres. Uma escola de peões evoluiu junto com as feiras. Aprendia-se a domar muares para a sela ou para a cangalha. No primeiro caso, exigia-se elegância no andar; no segundo, resistência e força. Junto aos animais, os peões e capatazes erguiam suas barracas.

De dia, eram feitos os exercícios de doma, a alimentação de milho e sal, o preparo de rédeas e loros. À noite, acendia-se o fogo, preparava-se o quentão, gemia a viola. Aí se juntavam caboclos, peões e camaradas, nomes genéricos dos que não eram patrões. Estes, os tropeiros, iam para a cidade. Muito provavelmente detinham-se a examinar arreios e apetrechos que se vendiam nestas ocasiões: as sacadas, ou selas de madeira chapeadas a prata, facões, redes, ponchos, caronas de pele de onça e mantas sorocabanas. Pois é com essa aparatosa indumentária que Charles Landseer os pintou, orgulhosos e elegantes num rancho, em 1825. Seus lucros se perdiam em grossas apostas nas patas dos cavalos, pois não faltavam corridas nas raias de areia. Algumas ruas na saída da cidade concentravam as "perdidas" nas "casas de alcouce" – ou seja, de prostituição. Nelas, sexo, jogo e bebida se misturavam.

Uma vez vendidas, as mulas serviam para tudo. Carregavam gente, ouro ou produtos de subsistência, como cereais, carne, sal e açúcar. Portavam os instrumentos de trabalho utilizados na mineração ou nos engenhos. Levavam os produtos que, dos portos litorâneos, partiam para mercados no exterior: açúcar, café, anil, fumo, aguardente, algodão. Transportavam pólvora, armamento e artigos de necessidade do cotidiano, como vestimentas, móveis, arreios e utensílios de casa. Levavam também artigos de luxo, como pianos ou livros franceses proibidos – como os de Rousseau.

Aliás, a preocupação em racionalizar o trato dos animais, como desejavam iluministas tais como Rousseau, se materializou em manuais como o publicado em Portugal em 1761: *O Alveitar de Algibeira que ensina a tratar e curar os cavalos em jornada e que traz quais são os remédios para qualquer acidente que lhes aconteça no caminho*. Com experiência de trinta anos, o autor antecipava que o cavaleiro haveria de agradecer-lhe por tantos avisos: "se o cavalo tropeçar", "para conhecer o animal pelos dentes", "os próprios para carruagens ou selas", "castigos a evitar", "moléstias de lombo", "borbulhas de calor", entre outras recomendações.

A importância econômica e social desse século sertanejo não deixa dúvidas. Sertanejos, guascas e tropeiros estiveram por trás do funcionamento de engenhos de açúcar, do desenvolvimento das atividades mineiras e do abastecimento do interior do Brasil, principalmente nas regiões em que faltavam rios navegáveis. A circulação interna da colônia, assim como o transporte de produtos e bens, só podia ser feita em lombo de mula. Ao funcionar como uma verdadeira correia transmissora de mercadorias, cartas, recados e informações, tropas e tropeiros durante mais de um século ligaram pessoas nos pontos mais diversos da colônia. Inventores da vestimenta de couro, sobretudo do gibão que o protegia da vegetação espinhosa, das camas, mesas e baús de couro para acondicionar comida e bebida, da carne charqueada e acondicionada no sal, tais homens tinham ética própria que repousava num olhar, num gesto, no fio de um bigode. A predominância desses comerciantes estendeu-se até a chegada do trem de ferro, na segunda metade do século XIX.

# 10. ENTRE AS CIDADES E OS SERTÕES: ROÇAS

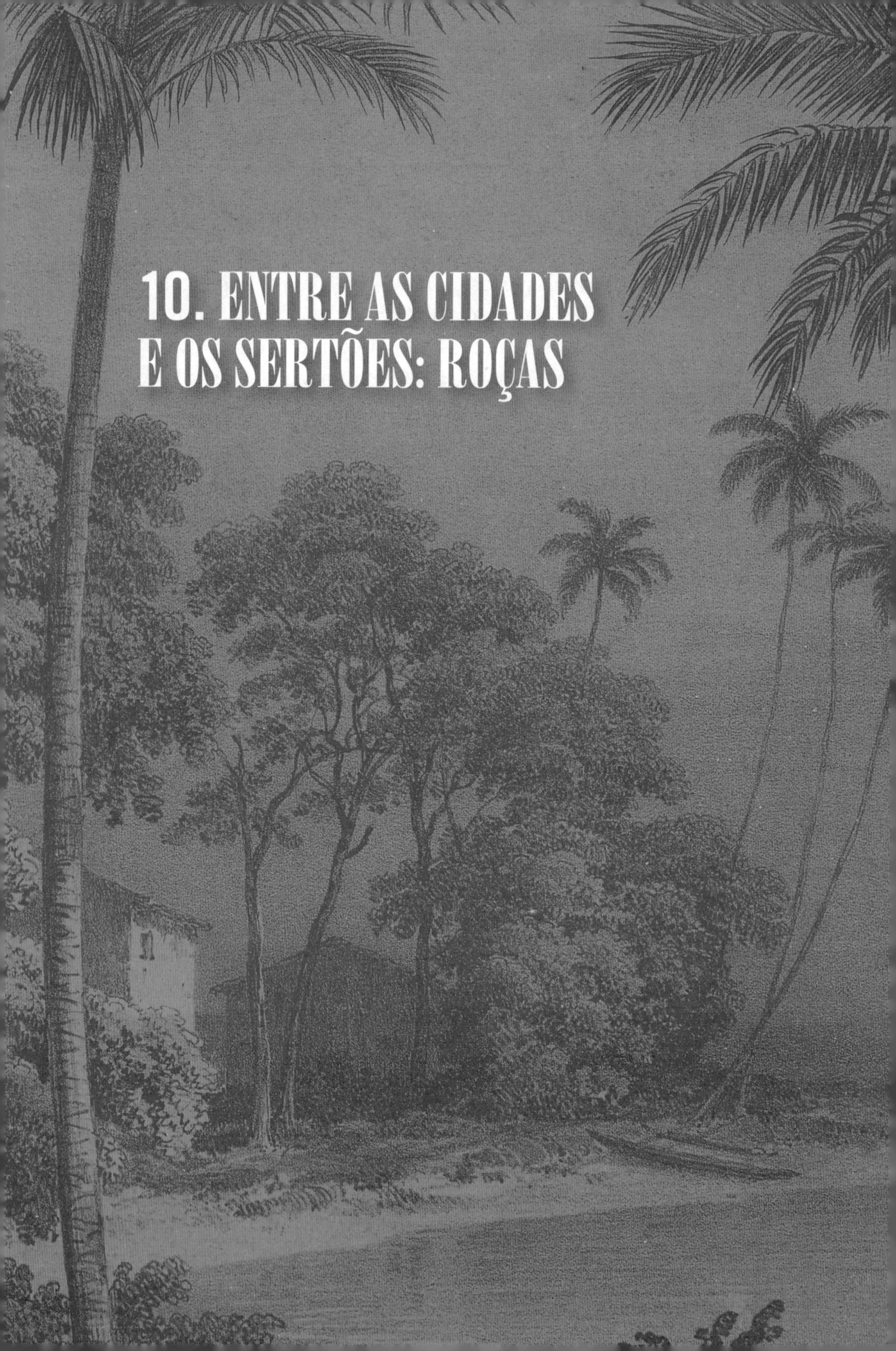

Entre os séculos XV e XVIII, o mundo era um imenso campo. Entre 80% e 90% da população vivia da terra, e só dela. O ritmo, a qualidade, a insuficiência ou abundância das colheitas comandavam a vida cotidiana. Nas imediações de cidades e vilas, nas margens das estradas que levavam para o interior da colônia, prosseguia a atividade agrícola. A mata, aparentemente inimiga e tão castigada pela invasão da cana, levava o colono a combater com vigor qualquer indício de seu avanço sobre as roças. Por outro lado, a mata protegia. Ela é até hoje – e ele não o ignorava, então – indispensável para o sistema de queimada, de recuperação do solo e, portanto, de cultivo. Apesar da desordem das culturas e da anarquia da paisagem agrária, misturada à floresta, cada posseiro conhecia bem os limites de sua roça. Não existia cercamento das explorações agrícolas, salvo quando havia gado por perto. Por vezes, aparecia algum marco – uma velha árvore, um regato, um olho-d'água, um cupinzeiro, uma pedra. Os campos de cultura eram, assim, perfeitamente conhecidos e assinalados na vida cotidiana por meio de sinais exteriores. Raramente um roceiro invadia as terras cultivadas de outro, e, quando isso ocorria, nasciam conflitos por vezes sangrentos.

A partir de fins do século XVII, a colônia sofreu um novo impulso. A descoberta do ouro animou uma poderosa corrente migratória, tanto portuguesa quanto africana. Estimativas recentes indicam que, entre 1650 e 1750, o número de portugueses vindos para o Brasil aumentou em 500%, enquanto entre os africanos esse crescimento foi de aproximadamente 220%. Tal expansão viabilizou a concessão de novas cartas de liberdade aos escravos, ao mesmo tempo que multiplicou a camada branca empobrecida. Muitos desses indivíduos tiveram, na produção e comercialização dos gêneros alimentícios, assim como na pequena pecuária, uma forma de sobrevivência.

*As casas dos roceiros eram semelhantes às moradas dos escravos.*

AUBERT. *Habitation de negres = Negerwohnung* [Iconográfico].
PARIS: FIRMIN DIDOT FRÈRES ET CIE, 1846.

Não demorou muito para que tais agricultores humildes, saídos das roças familiares, começassem a abastecer de maneira contínua ou irregular as vilas mais importantes. O investimento em escravos tornou-se, então, uma característica comum de pequenos ou grandes donos de terra. Não se tratava propriamente de uma prática inédita. No século XVII, tanto em São Paulo quanto na Amazônia, existiram numerosos pequenos proprietários escravizando "negros da terra", ou seja, índios. A novidade inaugurada pela época mineradora foi a multiplicação, em escala jamais vista, de pequenos senhores de escravos.

Em Minas Gerais, onde predominava o espaço urbano, evoluiu uma agricultura não exportadora, suporte fortíssimo da economia do ouro. Nessas regiões, raros eram os roceiros que, em algum momento da vida, não usavam mão de obra cativa. Em Congonhas do Sabará, por volta de 1790, 91% dos senhores detinham, no máximo, dez escravos, muitos deles trabalhando nas roças ou em pequenos alambiques produtores de cachaça. Até mesmo as áreas não diretamente produtoras de ouro foram afetadas. Para ficar num exemplo, em Santana do Parnaíba, São Paulo, no ano de 1775, pequenos sitiantes – donos de um a nove escravos – respondiam por 81% dos domicílios senhoriais locais.

Esses roceiros labutavam a terra para se alimentar, mas também produziam para o mercado. Além de fornecer alimento a arraiais, vilas e fazendas, seu trabalho consistia em manter o grupo doméstico, que podia se compor dos membros da família, agregados, escravos e auxiliares. É bom lembrar que nesse sistema existia uma relação estreita entre o que se cultivava e o que se consumia. Os produtos agrícolas correspondiam às necessidades do grupo doméstico e aos seus hábitos alimentares. Quase todas

as roças produziam mandioca, para a farinha. Ao lado dela medravam o feijão, a cana, o arroz ou o milho.

Os cronistas coloniais permitem que se amplie ainda mais esse inventário. No século XVIII, Sebastião da Rocha Pita enumera como produtos da horta "os quiabos, os jilós e os maxixes, as largas taiobas, a peitoral maniçoba, que se guisa das folhas de mandioca, as cheirosas pimentas de muitas espécies e cores que servem ao gosto, ao olfato e à vista. Das hortaliças trazidas da Europa já tinham se aclimatado as alfaces, couves de várias castas, repolhos, nabos, rábãos, cenouras, pepinos, espinafres, abóboras-d'água, cebolas, alhos, cardos, bredos, mostarda, salsa, manjerona, endro, manjericão, alecrim, arruda e losna; das medicinais, canafístula, tamarindo, jalapa, salsaparrilha, filipódio, pau-da-china, malvas, tanchagem e sene, a que os naturais chamam tacumburi". Muitos produtos agrícolas vieram da África, junto com os cativos: caso do inhame, do chamado "coco da Bahia", do amendoim, da arruda usada, em proteção contra insetos, do boldo, que não veio do Chile. Veio com eles também o conhecimento que os africanos já tinham do cultivo do algodão, do café e do arroz.

Dentre as frutas, as mais comuns eram a banana e os cítricos. Laranjas, limas e cidreiras, vindas de Portugal, por exemplo, aqui pegavam de caroço; florindo em agosto, eram "grandes e saborosas", segundo Gabriel Soares de Souza. Muitas dessas árvores aparecem regularmente nos inventários *post-mortem* do século XVIII, como "quintais de espinhos". Em Pernambuco, o flamengo Nieuhof, por volta de 1650, impressionou-se com a variedade de culturas, regadas pelas férteis cheias do rio Paraíba, crescendo ao lado de engenhos: trigo-turco, abacaxis, melões, bananas, pepinos e "demais gêneros necessários ao sustento do homem e dos animais".

Junto aos cultivares mais comuns, notava-se, também, a presença de animais domésticos: "Criam-se no Brasil todos os animais domésticos e domáveis de Espanha, cavalos, vacas, porcos, ovelhas e cabras, e parem a dois e a três crias de cada ventre", explicava frei Vicente de Salvador, considerado o primeiro historiador do Brasil. Também era notada a presença de suínos, "negros e pequenos"; estes se multiplicavam facilmente, com no mínimo três ninhadas por ano, vivendo, segundo documentos, em "chiqueiros cobertos de capim". Nieuhof indica ainda a presença de lebres e coelhos, que em nada ficavam a dever a seus similares europeus.

Ovelhas e cabras, vindas de Portugal e Cabo Verde, pariam anualmente, segundo o mesmo cronista, "duas crias e muitas vezes três". Sua carne é considerada "muito gorda, mui sadia e saborosa; e, quanto mais velha, melhor, e umas dão muito bom leite de que se fazem queijos e manteigas". Os cordeiros e cabritos, de acordo com o mesmo testemunho, são também estimados, "muito gordos e saborosos; a carne dos bodes é gorda e muito dura; a dos carneiros é magra enquanto são novos e depois de velhos não tem preço; e criam sobre o cacho uma carne como ubre de vacas de três dedos de grosso".

Desde cedo, aves domésticas trazidas do Velho Mundo tiveram rápida difusão, encontrando-se mesmo em aldeias indígenas. Eram objetos de intercâmbio com os europeus. Em 1519, não trocou Pigafetta, o piloto de Fernão de Magalhães em sua viagem de circum-navegação, galinhas por anzóis e facas? Soares de Souza, propagandeando as vantagens da colônia, acrescentava que "as galinhas da Bahia são maiores e mais gordas do que as de Portugal, e as grandes poedeiras, muito saborosas; mas é de espantar que, como são de três meses, esperam o galo, e os frangões da mesma idade tomam as fêmeas os quais são feitos galos e tão tenros e tão saborosos e gordos como não se viu em outras partes".

A pequena pecuária teve adeptos entre a elite. Em 1789, na lista de bens confiscados a um dos "inconfidentes" mineiros, Alvarenga Peixoto, foram arroladas quarenta "cabeças de porcos de terreiros, entre grandes e pequenos, machos e fêmeas".

Nas roças medravam ainda as plantas medicinais: a samambaia, que solda quebraduras, a capeba, que desfaz apostemas, a erva-de-leite, que alimpa névoas nos olhos, o mata-pasto, que tira febres, a caroba, que tira boubas, o ananás, que expulsa pedras, o coroatá, que arroja lombrigas, o mil-homens, para mil enfermidades, e outras para várias queixas. A variedade de cultivares encontrados na colônia indica uma precoce preocupação com a busca de equilíbrio e complementaridade entre produtos, que, como veremos adiante, se somavam à mandioca, ao milho, ao algodão e a outras variedades que podiam ou não ser plantadas em maior escala.

Ontem, como hoje, a paisagem era também produto da técnica disponível. Ora, nos primeiros tempos coloniais, a cultura extensiva de nossos ancestrais agricultores utilizava poucas ferramentas. Elas quase sempre se resumiam ao machado, para derrubada de árvores e preparo da lenha para o fogão, à enxada, à foice e ao bastão rudimentar, também conhecido como cavadeira de pau ou chuço, para a semeadura. Eventualmente, registravam-se outros utensílios agrícolas, especializados de acordo com as lavouras: descaroçadores para o algodão, peneiras para o arroz, esteiras para o cacau.

A escassez de técnicas e ferramentas vindas da metrópole era compensada pelos saberes indígenas. Assim, não só o manejo das terras, como também as técnicas agrícolas, acabou por reproduzir conhecimentos pré-coloniais. Esses, por sua vez, eram tributários de culturas milenares do Novo Mundo. Como, porém, se deu a "transferência de tecnologia" indígena para os portugueses?

Ora, uma das explicações existentes atribui essa passagem ao próprio modo de vida dos camponeses coloniais. Ao contrário das grandes fazendas açucareiras, as famílias dos roceiros e caipiras abriam pequenas clareiras nas matas. Eles, quando protegidos das doenças europeias, como a gripe e o sarampo, não representavam uma ameaça à sociedade indígena. Justamente por ocuparem pequenos trechos da mata, tais segmentos puderam desenvolver relações amistosas com vários grupos de tupis e tapuias coloniais, relações que implicavam não só a circulação de técnicas e tradições, como também a ocorrência de casamentos mistos.

Desse modo, a cultura indígena foi assimilada pelos demais habitantes dos sertões, que, uma vez se tornando moradores em fazendas, a transmitiam aos escravos que também detinham conhecimentos e aos portugueses. Citemos um exemplo. Não sabemos quando se deu o início da apicultura mais organizada entre nós, mas é sabido que os índios conheciam bem a arte da criação de abelhas sociais produtoras de méis. Os camponeses coloniais não só assimilaram essas técnicas, como também mantiveram muitos nomes indígenas nos insetos, conforme observou Nieuhof: "Além dos seres que já descrevemos, há no Brasil diversas qualidades de abelhas chamadas eiruca, que se instalam nas árvores das mais surpreendentes maneiras. Conquanto um pouco menores, não diferem muito das nossas, costumam enxamear principalmente entre as árvores." Classificadas em doze espécies diferentes, chamaram a atenção do holandês "as eirucas, de todas as maiores e produtoras de excelente mel".

Outras abelhas, conhecidas por *eichu* e *copy*, eram menores e de cor escura. Perfuravam a casca das árvores e, no interior, fabricavam favos de cera inteiramente branca. Seu mel também era tido como um dos melhores, embora não fosse encontrado em tão grande quantidade como os outros; além disso, as abelhas que o produziam picavam furiosamente. O mesmo testemunho assinala ainda a existência das mombucas, pequenas e de cor amarelada, que faziam seus favos no topo das árvores e produziam excelente mel, que era exportado para a Europa.

A cultura indígena possuía um arsenal de informações a respeito das abelhas que também se desdobrava em técnicas de extração de mel. No século XVIII, era comum entre caipiras de São Paulo, Mato Grosso e Goiás, além de outras regiões da América portuguesa, extraí-lo com canudinhos ou trazer, das excursões à floresta, pedaços de tronco contendo abelheiras de mandaçaia ou jataí, a fim de guardá-los próximo à casa ou choça, junto com a coleta do mel sem destruição da abelheira. Outra herança indígena é o uso de cabaças nas quais se guardavam os enxames. Essa circulação de saberes, contudo, não era uma via de mão única. Dos costumes indígenas, por exemplo, a cultura caipira evitou assimilar a prática da ingestão de abelhas como alimento.

Por outro lado, os brancos e libertos, transformados em roceiros, também propagaram tradições europeias e africanas junto aos povos locais. Novamente, a melhor forma de entender isso é citando um exemplo. Por volta de 1640, o oficial inglês Cuthbert Pudsey observou que os índios do litoral de Pernambuco haviam sido subjugados e expulsos para "vários rincões da terra", onde se dedicavam ao cultivo de diversas plantas, algumas delas conhecidas por meio do contato com portugueses e africanos, como nos respectivos casos do arroz e do melão.

Assim, enquanto o litoral açucareiro involuntariamente se africanizava e os aldeamentos jesuíticos lutavam pela europeização dos nativos, nas clareiras das florestas, roceiros e caipiras promoviam uma singular fusão de costumes. Viam-se africanos recorrerem, como os antigos tapuias, à raiz de umbuzeiro ou ao mandacaru para matar a sede. Viam-se portugueses, como tupis, dormindo em redes e fabricando canoas de madeira inteiriça. Viam-se índios importarem da metrópole as orações *Ad Petendam Pluvium*, bem como a tradição de molhar os pés dos cruzeiros ou de fazer

as misericórdias rogativas, com os santos de devoção enfiados na água.

Nesse cadinho cultural, brancos, africanos e índios tratavam de ensinar aos filhos os preceitos ligados à botânica: bananeiras, para produzir, deviam ser abraçadas por homens, e mamoeiros, por mulheres; plantações de amendoim dispensavam presença masculina; o chá de mulungu acalmava doidos e a colheita de frutas nas árvores devia deixar sempre um número ímpar para não desagradar a árvore. Aos índios e africanos os roceiros de origem portuguesa ensinavam que a chuva podia ser de "borrasca, d'águas novas" – a primeira depois do estio – "criadeira, salseiro, aruega" – chuva fina e breve – "mofina, cambueira" – a grossa – "açoitadeira" – com vento – entre outras.

*No litoral, multiplicaram-se comunidades de pescadores.*

RUGENDAS, Johann Moritz, 1802-1858. *Viagem pitoresca através do Brasil.* [gravura 29]

Seria um erro, porém, imaginar que o mundo dos roceiros fosse homogêneo. Tanto o maior ou menor grau de mercantilização, propiciado pela proximidade com vilas e fazendas de exportação, quanto o maior ou menor apego à escravidão eram poderosos fatores de diferenciação social, observados, sobretudo, em sua forma de morar. A diferenciação no mundo rural também é sentida quando se contrasta o interior ao litoral.

Durante o período colonial, ao longo dos milhares de quilômetros de praias, vicejou um ainda pouco conhecido mundo de camponeses-pescadores. Em São Paulo, essas comunidades receberam o nome de caiçaras. Em sua dieta alimentar, os produtos da roça eram, por vezes, suplantados pelos frutos do mar. Outra singularidade desse grupo era acolher, em seu meio, náufragos ou mesmo piratas, como ocorreu na ilha Grande, no litoral do Rio de Janeiro.

A exaustiva rotina da roça construía um certo tipo de cotidiano: acordar cedo, ainda escuro; ao aparecer à barra do dia, já tinha início a peleja dentro e em torno dos currais, apartando bezerros, tirando leite das vacas; o jejum se quebrava, perto da porteira do curral, com punhados de farinha de mandioca ensopada no leite, a fim de poder, antes de raiar o sol, seguir para a lavoura ou para os pastos. Essa jornada era longa, independentemente do uso da terra, que variava de acordo com o clima e o tipo de solo.

O modo de vida rústico colonial, roceiro ou caiçara, também foi severamente condenado pelas autoridades. Provocativo e distante do

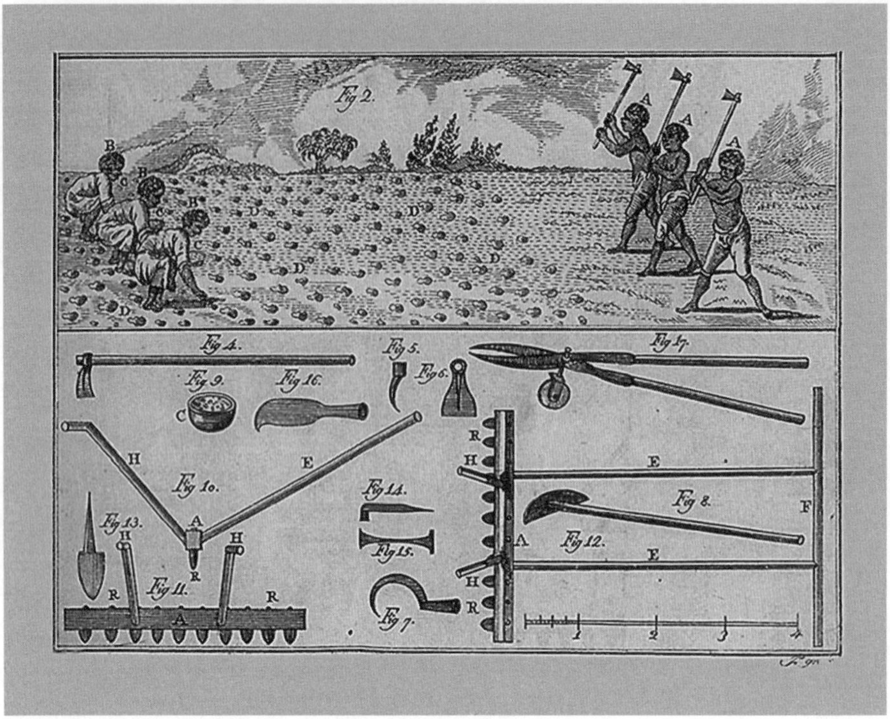

*Instrumentos de trabalho na roça.*

VELOSO, José Mariano da Conceição. *O fazendeiro do Brazil.*

LISBOA: OFF. SIMÃO THADDEO FERREIRA, 1800, P. 246.

rei de Portugal, João Ramalho não se declarava "fronteiro" por morar nas margens das matas? No século XVIII, via-se tal isolamento como uma ameaça à ordem e à organização da sociedade colonial. Sua forma de vida e produção era considerada, pelos enviados da metrópole, causa de "atraso e pobreza". Da perspectiva portuguesa, a função da colônia era a de produzir para exportar ou para abastecer as fazendas exportadoras. Quem não estivesse integrado a esse sistema era malvisto.

Em 1765, Luís Antônio de Souza, o Morgado de Mateus, governador da capitania de São Paulo, assim registrava suas impressões sobre roceiros paulistas: "Observei as povoações e achei que todas são pequenas, ainda as de maior nome, faltas de gente e sem nenhum modo de ganhar a vida: os campos incultos, tudo coberto de mata brava, a lavoura por mau método, só se planta em mato virgem, pelo pouco que custa e pela repugnância que se tem de se sujeitar ao trabalho como neste reino [...] por cuja causa se acha o povo reduzido à mais lastimosa pobreza."

Não percebia a autoridade que o quadro calamitoso da agricultura paulista, em grande parte, tinha origem nas medidas oficiais. Temerosos de serem recrutados para as guerras fronteiriças do Sul colonial, que se arrastaram do século XVII ao XIX, milhares de caipiras e caiçaras se embrenhavam no mato. Os que permaneciam próximos às vilas caíam nas malhas dos militares, desfalcando os lares dos maridos e filhos em idade produtiva e "desamparando as roças". Tratava-se de um movimento difícil de ser contido, pois "a técnica de recrutamento era a da surpresa e do sigilo. Geralmente se apresentava num dia de festa religiosa, quando a população rústica dispersa nos sítios e roças vinha ao povoado".

Outras tensões marcaram a vida na roça, em razão fundamentalmente dos avanços da lavoura de exportação. O que fazer quando a cana precisava ocupar o espaço da cultura de subsistência? Uma primeira reação era se deslocar para áreas não ocupadas, o que fazia dos roceiros autênticos pioneiros, conquistadores do território colonial. Uma segunda alternativa era se integrar à fazenda, como peão, tropeiro ou condutor de carros de boi. Havia ainda uma reação violenta por parte dos roceiros: lutar para defender as próprias terras. Um observador na Bahia de fins do século XVIII descrevia a justiça dos "grandes" como "tirânica", senhora de "castigos lentos" e capaz de arrancar, aos pequenos, tudo o que tinham. A violência, engendrada na luta contra a expansão das fazendas exportadoras, também se misturava às relações de solidariedade, como duas faces da mesma moeda. Parceiros? Sim, no combate às dificuldades naturais, no fogo, na derrubada, na matança de animais, na colheita. Violência? Também. Na violência física nos contatos de vizinhança, nas atividades de trabalho, nos momentos de lazer e até nos desacertos entre parentes. Tudo isso incluía também a pobreza das massas rurais. Os impostos, o recrutamento obrigatório, as pragas, a falta d'água ou excesso de chuvas, a incompetência do Estado em preservar a prosperidade camponesa e a sua própria, enfim, tudo colaborou para que no campo medrassem, também, tensões.

# 11. COMPANHEIROS DO DIA A DIA

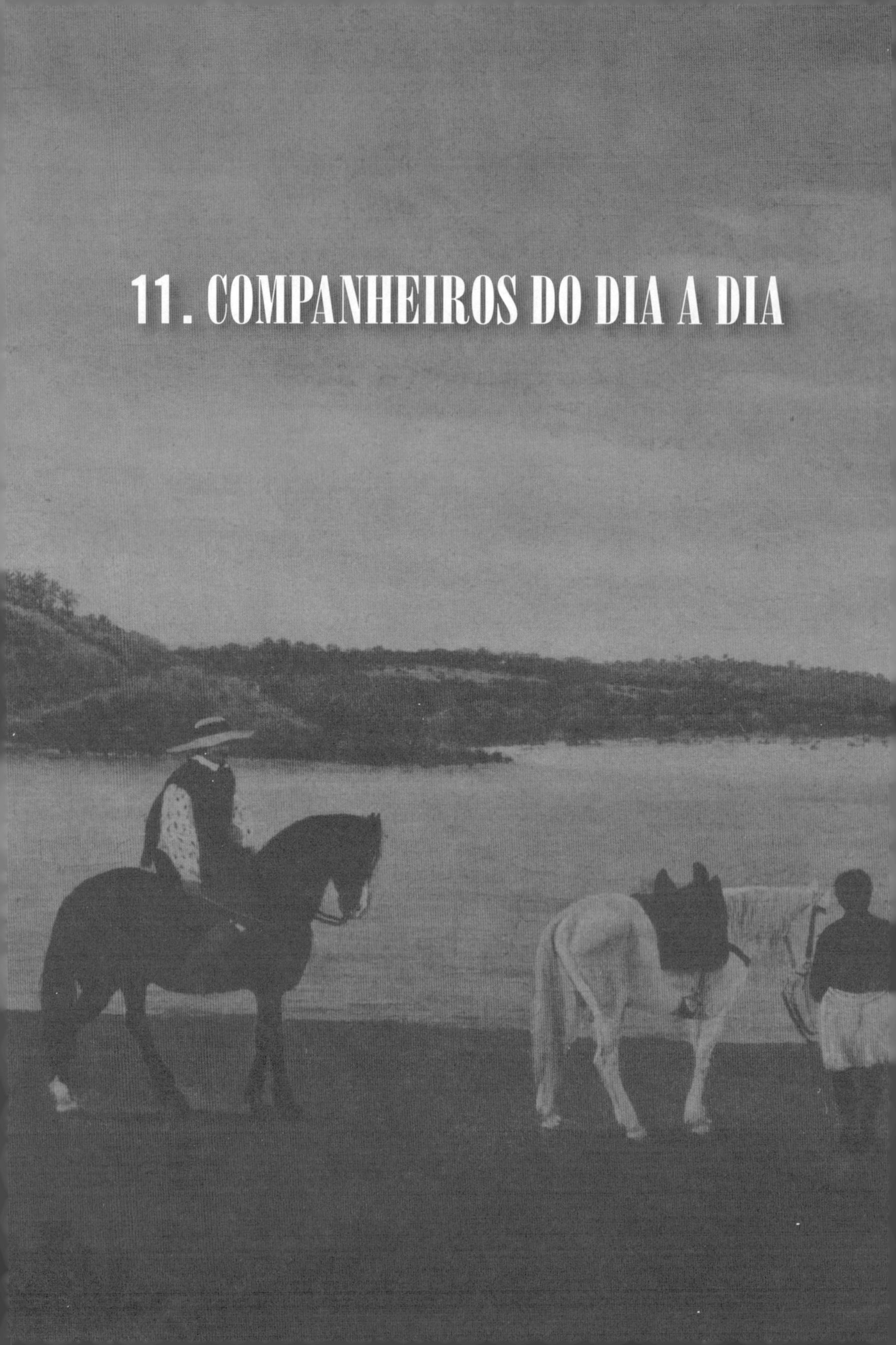

POST, Frans.
*Vista de* Itamaraca.
[ÓLEO SOBRE TELA].
MAURITSHUIS, HAIA. 1637.

"Quadrúpedes": a palavra já existia no século XVIII e designava as bestas de quatro patas, ainda que o dicionarista acreditasse existir no reino de Fez, ao pé dos montes Atlas, uma casta de aves do tamanho do peru, com penas douradas e feitio de coruja que teriam... quatro patas também!

Mas desde quando podemos falar em cavalos no Brasil? As primeiras raças cavalares formadas no continente americano são direta ou indiretamente descendentes dos cavalos ibéricos, vindos para a América do Sul em 1535, ao que tudo indica pelas rédeas de Pedro Mendoza, conquistador e fundador de Buenos Aires. Outro espanhol, Álvaro Cabeza de Vaca, em 1541, levou-os para o Paraguai, pela costa brasileira, provavelmente por Santa Catarina. Já o cronista Gabriel Soares de Souza os sinalizava na Bahia de fins do século XVI: "Criam-se no Brasil todos os animais domésticos e domáveis da Espanha, cavalos, vacas."

Os cavalos abandonados, quando da destruição de Buenos Aires pelos índios, constituíram a base de numerosas manadas dos cimarrones ou baguales, que, por sua vez, deram origem às tropas de cavalo crioulo. Salvo modificações do meio ambiente, trata-se do mesmo animal do norte ao sul do subcontinente: pequenos, compactos, com altura média de 1,45m. O nome "crioulo" era empregado pelos primeiros criadores para designar o cavalo que vivia solto nos campos. Este era preferido nas fazendas porque executava qualquer atividade, puxando carroças ou fazendo trabalhos de campo, crescendo e procriando em condições naturais, com grande rusticidade e longevidade.

Seu criatório natural era o Sul. Os pastos, que constituíam a chamada Campanha Gaúcha, cresciam em região ligeiramente ondulada, cujas partes baixas eram ocupadas por banhados, cursos d'água e açudes, poços de águas salobras, leves, turvadas a limo ou a barro. Aí o ar era tocado pelo aroma de flores do açoita-cavalo, impregnando-se também do cheiro das guabirobas rasteiras e do capim-limão. Nos campos corriam soltos, "rachando de gordos e aguaxados", nas palavras de Simões Lopes Neto, milhares de éguas e potros, "cavalhada largada, que toda virou haragana". Essa cavalhada era montada por guascas ou vaqueanos, responsáveis por uma cultura específica em torno do pingo ou do cavalo bom.

Mestiços, tangedores de gados, vestiam chiripa e bombacha, chapéu de aba larga, passado pelo nariz, tiradores de couro e facão de cabo floreado na cintura, botas de couro com vistosas chilenas de prata. Senhores de vários segredos da equitação e dos campos arreavam a montaria com ornatos prateados: rosas, estrelas e corações, aperos para cabeçadas, testeiras e peitorais. Valorizavam o campeador gaúcho, o autêntico guasca e seu amor ao pago e à querência, o hábito de carnear – esfolar a rês – do churrasco, o mugango com leite. Suas habilidades não escaparam ao brigadeiro Silva Paes, que, ao chegar ao porto e presídio de Rio Grande, a 12 de abril de 1737, assim se dirigiu a seu superior, o governador Gomes Freyre de Andrade:

> A ocupação do Rio Grande é muito mais útil ao Brasil que a de Montevidéu. O ponto", sublinhava ele, "é criar gente de a cavalo e que saiba fazer o serviço como cá se costuma [...] Já se acham marcadas para S. Majestade mais de mil cabeças de gado vacum que faço conta passá-los para um rincão de pastos admiráveis, donde andam as cavalhadas; quero ver se pode juntar alguma eguada para que, pela produção destes gados, se sustente a guarnição e sobeje e haja cavalaria, para todo o serviço. Eu procuro que todos saibam andar a cavalo, que é muito preciso.

"Tudo era aberto; as estâncias pegavam umas nas outras sem cerca nem tapumes; as divisas de cada uma estavam escritas nos papéis das sesmarias; e lá um que outro estancieiro é que metia marcos de pedras nas linhas, e isso mesmo quando aparecia algum piloto que fosse entendido do ofício e viesse bem apadrinhado. Vancê vê que desse jeito ninguém sabia o que era seu, de animalada. Marcava-se, assinalava-se o que se podia, de gado, mas mesmo assim, pouco; agora, o que tocava à abagualada, isso era quase reiuno... pertencia ao campo onde estava pastando", contou o cronista gaúcho Simões Lopes Neto.

*Cavalhadas: o uso dos cavalos em festas.*

DEBRET, Jean Baptiste, 1768-1848. *Voyage pittoresque et historique au Brésil.* Tome troisième. p. 53

Junto com o cavalo, havia o boi. Tal como no Nordeste, o gado foi introduzido no Sul desde os séculos XVI e XVII. O gado bovino apresentava semelhança com a raça Garaneza, provavelmente introduzida no Nordeste pelos franceses, e com a Caracu, descendente direta dos animais dos troncos dos *Bos tauros* e dos *Bos tauros aquitanicus*, trazidos pelos colonizadores portugueses.

Aparentemente, a primeira entrada desses animais ocorreu, em 1534, em São Vicente, São Paulo: Ana Pimentel, esposa de Martim Afonso de Souza, importou o primeiro plantel. Depois, Soares de Souza os sinalizava em suas crônicas: "Na planície de Santo Antônio de Piratininga criam-se bois capados, vacas fuscas, alvasãs, broquilhas, pintadas, vacas parideiras, vacas com suas crianças." O fato é que o gado se apresentava com uma grande fecundidade, criando-se, durante vários séculos, contra todas as dificuldades, como alimentação escassa, doenças, clima tórrido e parasitas. Essa pressão de seleção natural moldou os animais chamados, inicialmente, crioulos ou nativos, e destes foram separados os de pelo amarelo, daí sendo formado o Caracu.

Foram os jesuítas que disseminaram reses no Rio Grande do Sul. E o fizeram para alimentar as aldeias de catequese. No auge do funcionamento das missões, abatiam-se, com esse propósito, milhares de reses por ano.

Havia tanto gado pastando nas coxilhas que qualquer estrangeiro tratava de registrar o fato em suas anotações: "rebanhos incontáveis de gado, inverno e verão", como dizia o padre Antônio Sepp, em 1691. Nas épocas em que os bandeirantes vindos de São Paulo abatiam-se sobre as aldeias, caçando indígenas, os jesuítas retaliavam abandonando o gado à vida selvagem. Tal vacaria, que se estendia pelo litoral atlântico Sul até o rio Uruguai, se formou, segundo um historiador, pela dispersão do primeiro gado – cerca de quatrocentas vacas leiteiras –, abandonado pelos jesuítas em 1637. As vacarias multiplicaram-se e não poucas vezes foram atacadas pelos espanhóis, em guerra com os portugueses.

O primeiro quartel do século XVIII encontrou rebanhos quase dizimados. Previdentes, os jesuítas deslocaram seu criatório para Pinhais, deixando seu gado intocado, em reprodução. Em 1759, logo após a expulsão da Companhia de Jesus da América portuguesa, em 1758, só na estância de Jajepu os inacianos possuíam milhares de cabeças. Ao chegarem, quinze ou vinte anos mais tarde, luso-brasileiros ainda encontraram os campos repletos de gado. Iniciou-se, então, um processo de mão dupla: o Estado resolveu estabelecer uma Fazenda Real de Criação, a fim de alimentar tropas e famílias de soldados, que vinham concorrendo para povoar o Sul. Organizaram-se as de Bojuru e Capão Comprido, ao norte do Rio Grande. Mas a má administração logo pôs tudo a perder. A valorização do preço do couro promoveu uma verdadeira carniçaria; matavam-se milhares de animais, inclusive vacas prenhes e vitelinhas, para arrancar-lhes o precioso revestimento. Inúmeros vice-reis protestaram. Tudo em vão. O Estado gastava fortunas para alimentar, com carne e farinha, soldados e moradores de Sacramento, enquanto seus próprios criatórios se arruinavam, vítimas de roubos e descaso.

Em algumas áreas, contudo, contrariando o processo de decadência, o rebanho se multiplicava. Nas estâncias, sobretudo as instaladas nas cercanias do rio Pardo, abrigavam-se moradores ricos e senhores de milhares de cabeças de gado. Currais constituídos por cercados de moirões e faxinas, isolados no pampa, funcionavam não como centro de estabulação, mas de gravitação dos rebanhos. Impunha-se a lei da querência: as reses, passando pelo rodeio, se sujeitavam à ação centrípeta do mesmo e não mais se dispersavam. A lança, o laço e a boleadeira, instrumentos de adestramento e captura dos animais, eram magnificamente manejados pelos grupos de solitários campeadores, conhecidos como bombeiros. O estancieiro, diferentemente do preador ou do traficante, era homem plantado em terra própria. Terra com casas grandes, pomares e campos de trigo.

Invernadeiro e abrigado temporariamente sob tendas de couro, ele adquiria gado ao preador para vendê-lo ao comprador – com seus tropeiros e tropas – ou ao traficante. Esses dois grupos, pilhadores de cavalos e matadores de boi, por suas arriadas – roubo de gado –, eram o tormento das autoridades. Eram pejorativamente chamados de intrusos. Por outro lado, foi graças a eles que a planície platina se viu varrida de espanhóis e índios. Em multidão surda e difusa, se espalhavam pelas fronteiras, empurrando-as. Estabelecidos em falsas querências com o fim único de revendê-las aos colonizadores, chegavam a apossar-se de pedaços das estâncias reais.

Os muares não ficavam atrás. Iniciado o século XVIII, o contínuo movimento de comércio com os paulistas seguia crescendo. Entre 1720 e 1750, a importação anual foi de mil animais, dobrando nos últimos anos do período. Só para ficar num exemplo, em 1751, d. Antônio Rolim de Moura Tavares, em viagem para assumir o governo da capitania de Mato Grosso, foi se encontrar com Gomes Freire, em Paraty, e anotou: "A villa de Guaratinguetá, em que fiquei naquele dia, por ser necessário adiante mandar avisar os sítios por onde havia passar, é já mais rica do que as outras, por ser passagem para as Minas d'aqueles que vêm buscar a estrada de Paraty, pela qual me seguraram andavam 1.300 cavaleiros conduzindo cargas." Daí até 1780 passou a cinco mil e, de 1780 a 1800, dobrou. De 1826 a 1845, superou 30 mil animais. O setor cresceu, como se vê, em ritmo bastante intenso, formando uma intrincada rede de comércio interno, em grande parte fora do controle de Portugal.

## A civilização do couro no Nordeste

E no Nordeste? Desde a década de 1530, com a instalação das capitanias hereditárias, começara a lenta expansão da pecuária. Devagarzinho, manadas baianas, imensas e silenciosas, percorreram léguas e léguas do território brasileiro, espalhando-se pela região do São Francisco e daí para o Piauí, Goiás e Mato Grosso. Dos engenhos de Pernambuco passaram ao Ceará. O sertão, significando na época as terras apartadas do litoral, era o palco dessa nova ocupação.

A vida aí não era fácil. O cotidiano desenrolava-se sob sol causticante e solo árido. De agosto a dezembro, a falta d'água era tanta que, frequentemente, muitos não tinham o que beber. Junto com a seca vinham as crises de abastecimento. Quase nada florescia nem crescia. A regularidade das estiagens era apavorante.

Anos como os de 1660, 1671, 1673 ou 1735 deixavam marcas. Preocupado, o conde de Sabugosa, uma autoridade, anotou em sua correspondência: "Há dois anos que se experimenta nesta capitania e em todo o Estado uma total falta de água, por cuja causa se destruíram as plantas e não produziram as safras, além do que há grande falta de carne e de farinha." As dificuldades alimentares aparecem em outros registros, como o do padre Couto, que, em 1697, anotava sobre os sertanejos:

> Comem estes homens só carne de vaca com laticínios e algum mel que tiram pelos paus; a carne ordinariamente se come assada, porque não há panelas em que se coza. Bebem água de poços e lagoas, sempre turva e muito assalitrada. Os ares são muito grossos e pouco sadios. Desta sorte vivem esses miseráveis homens, vestindo couros e parecendo tapuias.

Escapava ao padre europeu a luta dos homens para adaptar-se ao meio ambiente. Para ficar em poucos exemplos, que se pense no uso de fibras vegetais substituindo tecidos de vestir, nas redes de fibra de caroá, no cardápio agreste de carne de tatu, ou peba, e da paçoca de carne de sol pilada com farinha e rapadura.

A expansão do gado no Nordeste enfrentou a resistência indígena. Desde o século XVI, o movimento de ocupação do sertão norte do Brasil confrontou o colonizador com os povos indígenas que habitavam essas regiões destinadas à criação do gado. Após a expulsão dos holandeses (1654) e a acentuação do movimento de expansão da pecuária, conflitos antes limitados tornaram-se cada vez mais frequentes, de modo que em breve uma situação de conflagração geral surgiria às vistas das autoridades coloniais, sendo denominada à época "Guerra dos Bárbaros".

A imensidão das fazendas de gado do Nordeste já tinha chamado a atenção do jesuíta Antonil, ocupando vastidões da Bahia até o "certão do Piaghuy" – atual Piauí. Alguns arraiais e vilas nasciam no centro dessas fazendas, dando origem a muitas das atuais cidades nordestinas. Casas de barro cobertas de palha, currais de pedra ou madeira, pequenas roças de mandioca, feijão e milho funcionavam como âncora para o gado que se criava solto. Pastagens sem limite funcionavam como campos de engorda nos quais o vaqueiro só pisava para buscar bezerros novos e fazer nova choupana. Fazendas grandes agregavam tenda de ferreiro e carpinteiro, cercados para separação de reses, reservas de pasto e lavouras de subsistência. Muitas delas ainda possuíam engenhos movidos a boi ou água para a produção de açúcar mascavo, "casas de farinhada" e alpendres ou tendas com rodas de fiar algodão. Na época das chuvas – anunciadas pelo desabrochar da flor do mandacaru –, aprontavam-se arreios, ferraduras e couros.

Nos meses de abril e maio, conhecidos como "fins d'água", floresciam juremas e magnólias a perfumar os caminhos. As campinas verdejantes eram chamadas pela gente de "campos mimosos". Nas noites escuras, o som agudo dos berrantes sinalizava a direção para os viajantes perdidos. As técnicas e os equipamentos, tão importantes nos engenhos, eram aqui substituídos pela habilidade específica do vaqueiro. Habilidade em tratar vaca parida, cuidar de umbigo de bezerro, evitar bicheiras, serrar chifres pontiagudos, marcar as ancas dos animais com ferro quente.

O curral era o cenário para toda essa atividade: "Em cada fazenda", explicava o ouvidor Durão, no século XVIII, "deve haver pelo menos três currais que tomam diversos nomes conforme o serviço que prestam. Chama curral de vaquejada àquele em que se recebe o gado que tem de ser vendido, onde se tira o leite e onde se faz o rol de porteiras; curral de apartar o em que se recebe todo o gado indistintamente para ao depois ser distribuído pelas diferentes acomodações; curral de benefício, onde se recolhem os garrotes para serem ferrados e para se fazer as partilhas dos vaqueiros."

Tais fazendas se formavam com facilidade. Uma casa rústica coberta de folhas de carnaúba abrigava homens, mulheres e crianças. Num curral tosco se introduziam, em geral, oito vacas e um touro. As reses passavam por um período de adaptação aos pastos. Era a "formação dos cascos". Nessa fase eram necessários de dez a doze homens para o manejo: vaqueiros gabaritados e outros, os cabras, menos hábeis.

Um quarto dos bezerros pertencia ao vaqueiro. O tamanho dos currais variava de acordo com o rebanho e o número anual de bezerros, chegando até a centenas de metros. Uma fazenda de baixa produção amansava, anualmente, cem bezerros; uma grande, mil. Cercas eram feitas em aroeira, cedro, candeia, louro, jatobá, jacarandá, enfim, madeiras nobres que antes eram abundantes.

Junto aos vaqueiros livres, trabalhavam escravos, homens e mulheres. Os de serviço trabalhavam nas diferentes atividades da fazenda: roçar, abrir picadas, destocar, semear, serviços domésticos etc. Havia, contudo, escravos vaqueiros divididos, junto com os livres, por sua utilidade: "Vaqueiro cabeça de campo de gado ou vaqueiro cabeça de campo d'éguas." Havia os curtidores e os serventes. Segundo os mesmos viajantes Spix e Martius, de passagem pelo Piauí, em 1820, para cada mil cabeças, bastavam dez escravos. Esses últimos podiam criar e comercializar pequenos animais e cavalos, dominando, no século XVIII, essa última atividade no sertão baiano. Os forros rapidamente se tornaram curraleiros de partido ou passadores de boiada. Eles tinham seus próprios grupos de vaqueiros, cavalos e escravos. Eram contratados para levar rebanhos do interior das capitanias de Pernambuco, Ceará, Bahia e Piauí ao mercado de Capoame, a 8 léguas de Salvador. Ou seguiam por trilhas difíceis ao longo do rio São Francisco, para vender gado em Minas Gerais, a preços mais altos.

Casamentos ou uniões consensuais entre homens e mulheres escravos também garantiam relativa estabilidade familiar nas fazendas de gado. Das crianças nascidas, a grande maioria era empurrada para o trabalho no campo desde cedo, e muitos meninos aos 7 anos aparecem nos documentos como pequenos vaqueiros. No Piauí, como em outras áreas sertanejas, o número de libertos era alto, confundindo-se os ex-escravos com o restante da população.

Quem tinha menos de oitenta reses era considerado "pobre". Os animais eram utilizados até a exaustão. A carne verde alimentava cidades em Pernambuco e Bahia, mas também, via rio São Francisco, as populações que se instalaram, desde fins do século XVII, em Minas Gerais. O gado tinha ainda outras funções: seu couro servia para ensacamento da produção de fumo, matalotagem de alimentos nas viagens ultramarinas, fabricação de bruacas, surrões, laços e chinchas. Nas fazendas açucareiras, cordas de couro eram comumente usadas, quer para a lavragem das canas, quer para virar as pesadas rodas dos engenhos.

Na tradição popular, o gado servia ainda para captar as doenças. Quando das pestes na Bahia, soltavam-se, pelas ruas, bois e vacas na esperança de vê-los dissipar a epidemia que atacava as pessoas.

# 12. A LUTA DA GENTE CONTRA OS MALES DE SEMPRE

"Seria difícil exprimir por palavras as diversas espécies de formigas que são de várias naturezas e nomes, porque na língua brasílica é muito usado dar nomes diversos a espécies diversas, e raras vezes se nomeiam os gêneros por nome próprio [...] quanto às formigas, só parecem dignas de menção as que destroem as árvores, de nome içá, arruivadas que, esmagadas, cheiram a limão e cavam para si grandes casas debaixo da terra. Na primavera, isto é, em setembro e daí por diante, fazem sair o enxame de filhos quase sempre num dia seguinte ao da chuva dos trovões, se fizer bom sol."

A queixa foi registrada em carta pelo padre Anchieta em 1560, quando não faltavam inimigos naturais no caminho dos colonos. Das terras, pouco arrancadas havia pouco havia pouco à Mata Atlântica, emergiam problemas de difícil solução. Insetos se multiplicavam e a variedade das condições climáticas ensejava a adaptação de muitas ervas daninhas e fungos. Mas a maior praga era mesmo a das formigas, que existiam em "prodigiosa quantidade". Já no século XVI, os portugueses apelidaram o inseto de "rei do Brasil". Em carreiras cerradas e ondulantes, dia e noite, elas devastavam tudo dentro ou fora das habitações. A espécie alada alojava-se "na terra, como toupeira e devasta as sementeiras".

A ussaúba, como a chamavam os índios, cortadeira ou saúva, relata-nos Gabriel Soares de Souza, "é a praga do Brasil... Vêm de muito longe à noite e se as roças e árvores estão cheias de mato de redor não lhe fazem mal, mas tanto que as veem limpas, saltam nelas de noite e dão-lhe com as folhas ao chão que é para levar para o formigueiro; e não há dúvida que trazem espias pelos campos". E conclui: "No Brasil se dá tudo o que se pode desejar, o que esta maldição impede, de maneira que tira o gosto aos homens de plantarem senão aquilo que não podem viver na terra." Embora as plantas crescessem com facilidade, as formigas "em uma noite lhe cortam a folha e o fruto e o lançam por terra", queixava-se o cronista, repetindo o lamento de muitos agricultores.

Não se tratava de um depoimento isolado. A luta diária de nossos antepassados era mais contra elas do que contra seus semelhantes. Padre Anchieta não poupava palavras para caracterizar o inseto minúsculo e numeroso. Num relato coalhado por pessimismo frente ao terrível inimigo, o missionário revela que este inseto nefasto comprometeria a própria expansão demográfica por destruir a lavoura. Para muitos lavradores, as formigas eram um dos principais fatores limitativos à transferência de regimes agrícolas estrangeiros. Nos *Diálogos da grandeza do Brasil*, de 1618, pela voz do protagonista Brandônio, Ambrósio Fernandes Brandão atribui a elas a não prosperidade da produção de vinho no Brasil.

Guilherme Piso, médico holandês, também no século XVII, lamentou a presença das formigas no Novo Mundo: "Produz infelizmente o Brasil imenso exército de formigas, e estas de vária espécie; pois, como algumas igualam em tamanho as europeias, a maioria delas são três vezes maiores e onívoras. Alimentam-se de peixes, carne, hortaliças e frutos (só se abstêm dos ácidos), e até de insetos venenosos, escorpiões, escolopendras, ratos silvestres e quejandos, sem risco. Sou testemunha ocular de que voam rapidissimamente, ou cavam a terra como as toupeiras, e não poupam os terrenos semeados."

Na floresta primária, tais formigas são uma entre outras tantas espécies em competição e, por isso, seu crescimento é limitado. Mas em terrenos cultivados, e à medida que as queimadas vão afugentando seus predadores, formam-se colônias conexas que podem ocupar parte considerável dos campos agricultáveis. Como bem dizia Toledo Rondon, um funcionário colonial do século XVIII, as formigas comiam mais capim do que o gado! O fato de que em novos trechos de floresta tais formigas eram menos visíveis fez com que, para se combaterem as cortadeiras, mais e mais faixas de mata fossem queimadas.

Não faltou nem um "pleito entre os religiosos menores da província da Piedade, no Maranhão" e as formigas. Segundo os frades, os insetos dia e noite furtavam a farinha de pão guardada nos celeiros. Mas como não podiam fazer mal aos animais, mesmo os insetos, considerados irmãos por são Francisco, resolveram processá-los. O procurador dos frades apresentou um libelo dizendo que em vez de trabalhar ou viver de esmolas, as formigas roubavam, procedendo como ladrões. Já em favor das acusadas, o procurador alegou que, de acordo com os meios que lhe acordara o Criador, elas davam aos homens o exemplo das virtudes: da diligência, ao guardar para o tempo de necessidade; de caridade, ajudando umas às outras, e da piedade, pois davam sepultura aos mortos de sua espécie. Depois das competentes réplicas e tréplicas, saiu a sentença final: que fossem os frades obrigados a dar sítio competente para a vivenda das formigas. Ao final do século XVII, segundo o padre Manoel Bernardes, presbítero da Congregação do Oratório de S. Filipe de Nery, os "animalejos", formando "longas e grossas fileiras", deixaram suas antigas moradas seguindo para novo endereço e "livres de sua molestíssima repressão, aqueles santos religiosos renderam graças a Deus".

O desmatamento atingia os animais capazes de ajudar no controle dos formigueiros, como pássaros, morcegos, cobras e tamanduás. Ao contrário das três primeiras espécies, também vistas como pragas, a última gozou de boa reputação, sendo descrita desde os primeiros tempos coloniais. Um cronista, por exemplo, descreveu o tamanduá com o nome de "Irara [...] animal do tamanho de um gato, de cor negra, focinho comprido, a boca de feição de coelho, cujo verdadeiro mantimento são formigas e delas se sustenta [...] Usa para o efeito de uma estranha invenção, a qual é que vai buscar os formigueiros e outros lugares por onde costumam a andar formigas, e ali, lançado em terra, bota fora da boca a língua, a qual, por ser muito comprida, e ter muita viscosidade, se cobre *incontinenti* de formigas que, uma atrás outras, concorrem a buscar o cevo, e, como o bicho sente que se ajuntaram já muitas, recolhe a língua para dentro, com levar nela um arrazoado bocado, e, ele comido, torna a largá-la outra vez, e muitas até se fartar do seu mantimento, que por outra maneira não lhe é dificultoso."

As frequentes queimadas só multiplicaram a praga que se fazia acompanhar de ervas daninhas. As térmitas, chamadas de *kupia* pelos indígenas e consideradas "tão prejudiciais quanto as formigas", com elas eram confundidas. "Proliferam no Brasil várias espécies de insetos, alguns dos quais atingem quatro dedos de comprimento e uma polegada de espessura", lamentavam os primeiros colonos. Os jesuítas também tinham queixa de gafanhotos, bicho, segundo eles, que "estraga tudo quanto existe, de maneira que, se há aqui pecados, também não faltam castigos". De fato, não faltava quem acreditasse no poder do clima em influenciar de maneira negativa a fauna, pela procriação de espécies que comprometeriam a colonização. Anchieta, por exemplo, pensava que a existência de serpentes, ratos, morcegos e aranhas decorria do excesso de calor nos trópicos.

A cana-de-açúcar, por sua vez, alvo dos maiores investimentos durante séculos de colonização, conhecia um inimigo mortal: certo "verme negro", chamado pelos portugueses de "pão-de-galinha", que infestava os canaviais, segundo relato do holandês Nieuhof. Em terrenos úmidos, ele destruía e atacava as raízes da gramínea. Pela descrição pode-se tratar do cascudo-preto ou bicho-bolo, mas convém lembrar que o maior inimigo da espécie é a broca-de-cana, inseto de hábito subterrâneo, morador de solos profundos, e capaz de devastar o sistema radicular da cana, perfurando-a em todos os sentidos.

O tabaco utilizado na compra de escravos africanos também era devastado pelas pragas. No início do século XVIII, Antonil recolheu informações a respeito desse problema:

> Plantam-se em covas de um palmo, quando cava a enxada metida; e estas se enchem de terra bem estercada e com vigilância e cuidado se corre a dita planta todos os dias para ver se tem lagarta, e essa logo se mata, para a não comer, sendo tenra. Os inimigos da planta são, ordinariamente, além da lagarta, a formiga, o pulgão e o grilo. A lagarta, em pequena, corta-lhe o pé ou raiz debaixo da terra, e, em crescendo, corta-lhe as folhas. O mesmo faz também a formiga, e por isso se põem nos regos, onde essa aparece, outras folhas de mandioca ou aroeira, para que delas comam as formigas e não cheguem a cortar e comer as do tabaco que, sendo cortadas desta sorte, não servem. O pulgão, que é um mosquito preto, pouco maior que uma pulga, faz buracos nas folhas, e estas, assim furadas, não prestam para se fazer delas torcida. O grilo, enquanto a planta é pequena, a corta rente da terra, e, sendo já crescida, também se atreve a cortar-lhe as folhas.

A cada nova espécie vegetal introduzida pelos europeus, observava-se o surgimento de nova praga. Nem a modesta produção de trigo colonial ficou imune. A ferrugem fez sua aparição no Rio Grande do Sul, em áreas nas quais colonos açorianos tinham desenvolvido cultivares de trigo nos finais do século XVIII. Tempos mais tarde, Saint-Hilaire a registra, explicando que o trigo-crioulo, variedade então utilizada, tinha sido substituído pelo trigo-branco ou trigo-mouro para escapar da praga. O ácaro, com corpo em forma de vírgula, coloração amarela e parda, tem sua maior incidência no verão e é disseminado pelo vento. Nem folhas nem sementes resistem a seu ataque.

Os cultivares de arroz, por sua vez, sofriam inúmeros danos causados por outros tantos insetos daninhos, como a lagarta e o pulgão. Aliás, este último, também chamado de percevejo-de-colmo, mas mais conhecido como cangapara, explica um especialista, ainda é muito comum nos arrozais maranhenses, tendo a aparência de uma pequena tartaruga de igual nome e comum na baixada maranhense. Tudo indica que os grãos eram o campo ideal para a proliferação desses inimigos do agricultor, atraindo também pássaros. O naturalista Alexandre Rodrigues Ferreira menciona o ataque de "graúnas, certos pássaros como os melros do reino". Senhora de voz melodiosa e muito confundida com o pássaro-preto, a graúna é habitante de campos de cultura, o que explica o comentário do naturalista.

De fato, os cultivares de arroz gozavam de péssima fama. Os terrenos alagados onde se cultivava o cereal eram tidos por insalubres e se achava que o arroz contribuía para as então chamadas infecções palustres. Não faltaram autoridades coloniais proibindo os arrozais, por considerá-los um problema de saúde pública, só mudando tal quadro a partir do século XIX. Um caso ilustra bem o temor que se tinha: dentre os açorianos enviados pela metrópole para colonizar Santa Catarina e o Espírito Santo, entre 1748 e 1754, muitos deles chegaram infectados com o germe da malária. Os estabelecidos na Vila de Viana, Espírito Santo, apresentaram os primeiros sinais da doença, quando plantavam arrozais. Depois das primeiras mortes, não demorou muito para os colonos sobreviventes fugirem. O governo se viu obrigado a impor seu retorno à força.

Nas regiões interioranas, onde o milho substituía a mandioca como alimento básico de homens livres e escravos, as aves passavam da condição de amigas para a de inimigas, tornando-se uma temerosa praga. Em Serro Frio, Minas Gerais, os vereadores, em 1755, alarmaram-se com o "grande dano que lhes fazem os pássaros-pretos e outros mais [...] aos milhos e mais alguns que plantam". Determinou-se, a partir de então, que todos os lavradores levariam anualmente às autoridades "'duas dúzias de cabeças desses pássaros' e, caso não cumprissem a determinação, deveriam pagar a multa de 6 mil réis".

*Répteis do Brasil: uma ameaça.*

JONSTON, John. *Historiae naturalis de quadrupetibus libri.*

NEW YORK PUBLIC LIBRARY: FRANCOFURTI AD MOENUM, 1655.

Outro grande perigo eram os ratos. Eles não só disseminavam doenças, como também atacavam a colheita estocada em paióis e galpões. Para ficar num exemplo, a ilha de Fernando de Noronha, habitada por holandeses por volta de 1630, foi arrasada pelos roedores, que devoravam tanto as colheitas como seus resíduos.

Em carta à Holanda, datada de 1634, Willem Joosten Glimer refere-se a "uma terrível praga de ratos" que teria tudo aniquilado. Também havia queixas de que no continente os ratos eram numerosíssimos. Eles se multiplicavam prodigiosamente quando o bambu frutificava e, uma vez exaurido, voltavam-se para o milho armazenado.

Havia ainda aquelas pragas que não prejudicavam as plantas, e sim os trabalhadores. Um temor de escravos e trabalhadores livres era o número de répteis desconhecidos, sobretudo de serpentes, nos canaviais. O desconhecimento de ofiologia incentivou cronistas do início da colonização a fazer listas extensas nas quais constavam cobras "espantosas e medonhas!". Desde cascavel, jiboia, surucucu, caninana e jararaca, até a boicupeganga, descrita pelo padre Cardim como "tendo espinhos pelas costas, muito grande e grossa", a crença na existência de serpentes de duas cabeças e voadoras aumentava muito o medo dos colubrídeos.

Em meados do século XVII, Guilherme Piso mostrou que a destruição das matas, e consequentemente dos inimigos naturais das cobras, só fez crescer o problema. Em lista escrita em delicioso tupi, ou "língua geral", o autor identifica as seguintes espécies: "Boiçinininga, boiçuciba, surucucu, çurucutinga, ibiracoá, boiguaçu, ibibobóca, boiábi, cacaboia, caninana, bitiapó, jararaca, iararaepéba, abiiaram, amorepinima, manúma, tareiboia, çucuriiu..." Dentre elas, a mais medonha era a "boiçinininga: a esta tão perniciosa cobra parece ter a benévola natureza, como por precaução, ajuntado um chocalho para que, advertindo por este som, seja o homem, seja o gado ou jumento, livre-se a tempo do inimigo próximo." Trata-se da cascavel, cuja lendária forma de ataque alimentou o imaginário colonial: "Metida a extremidade da cauda no ânus do homem, causa-lhe imediatamente a morte; o veneno, porém, que deita da boca ou dos dentes, tira a vida muito mais devagar..."

Tab. LXXVII.
Teiunbana Basiliensibus.
Americima Brasiliensib9
Lacertus Tarantula quibusdam
Teiuguacu et Temapara Tupinambis
Senembi Brasiliensibus
Lacertus Viridis. Grüne Eÿdex.
Lacertus Aquaticus. wasser Eÿdex
Salmandra Aquatica Wasser:
molch.
Salmandra. Molch Moll.
Salmand: Terrestris veranig: Maculis Luteis distincta
Salmandra alia aquatilis Minor prone
Salmandra aquatica prona
Salmandra Aquatica.

Contra as cobras, a medicina colonial possuía um vasto, mas precário, arsenal de medicamentos. Conta Nieuhof que "o melhor remédio que os brasileiros conhecem contra o veneno desta como de outras víboras é a cabeça do próprio réptil, reduzida a uma espécie de pasta, num almofariz, e aplicada sobre a mordedura".

As partes feridas podiam também ser lavadas com saliva e queimadas com ferro em brasa. Porém, o convívio diário com variada legião de víboras acabou por gerar uma imagem ambígua a respeito delas. Não à toa o folclore da cana incorporou a imagem da cobra, no mito da "serpente dos canaviais": gigantesca, dona de inúmeros olhos capazes de enxergar no escuro e dona imperial da plantação. Ela era a guardiã dos campos até a lavoura transformar-se em açúcar. Nas noites de vento, a chorosa voz de queixa que se ouvia, assim como o urro medonho, era dela.

O canavial era padroeiro de outros seres peçonhentos. Os trabalhadores livres e escravos sofriam com eles. Havia lacraias, aranhas, escorpiões, baratas, pulgas, carrapatos, percevejos e diversos tipos de ácaros. As condições de trabalho precárias tornavam ainda mais danosa a ação desses bichos. A ausência de calçados, por exemplo, facilitava a proliferação do "ainhum" – também denominado de "bicho-de-pé, bicho-de-porco, bicho-do-porco, espinho-de-bananeira, jatecuba, nígua, pulga-de-areia, sico, taçura, tunga, xiquexique, zungue, zunga, zunja" –, parasita hematófago que roía vorazmente os dedos dos pés, mutilando homens, mulheres e crianças. Os mosquitos e pernilongos, por sua vez, causavam outros estragos cotidianos: "Estes molestíssimos insetos", informa Guilherme Piso, "são temidos com razão por todos os habitantes, tanto atormentam e picam os agricultores que infestam com sua mordedura dolorosa não só os membros nus, mas também os vestidos, lembrando as pontas das agulhas." O suplício era tão grande que alguns senhores usavam a exposição ao inseto como uma forma de castigo: "Lembro-me de que uns etíopes [ou seja, escravos], amarrados a um pau, de ordem do seu senhor, e assim deixados por uma noite inteira (gênero espantoso de suplício), no dia subsequente estavam tomados de delírio só pelas dores e tormentos das picadas."

Dos pântanos e manguezais supunha-se emanar pequenos seres não visíveis a olho nu, os quais, aspirados pela boca ou nariz, acreditava-se causarem as febres palustres. Somava-se a essa crença uma outra: a de que répteis e batráquios podiam envenenar as águas e que este veneno, transmitido por inalação, causava febres. Certos sintomas da malária ou da febre amarela, constante em nossas terras litorâneas, tinham, aos olhos dos antigos, semelhança com os sintomas de envenenamento por picada de serpentes. O designativo "serpentária", que eles emprestavam a tais formas graves da doença, como à febre amarela, é revelador desse tipo de mentalidade.

As picadas mortais também podiam advir de marimbondos, na época denominados "vespas" ou "vespões: os infestadíssimos enxames de vespas, que fazem ninhos nas árvores, gostam de perseguir os gados e os *viajores*, que as evitam; irritadas, não poupam as manadas de cavalos. Por causa do tamanho diverso e da discrepância da cor, são-lhes dados diversos nomes pelos indígenas [...] As maiores de todas são as copueruçu, que nidificam nas cavidades das árvores; a estas sucedem as uruperâna, depois as aiçâva, negras e pequenas, como também as tupeiçava, negras igualmente e as menores de todas. A ferroada das duas últimas é mais horrenda que a das outras. Todas são denominadas por um só nome, mariposas ou maribundas, pelos espanhóis".

## Quando o inexplicável acontecia: calamidades

Calamidades de ordem meteorológica constituíam ameaças no cotidiano dos colonos. Se, de um lado, a chuva tinha um papel positivo – dela dizia Freyre ser "tão amiga das terras gordas e úmidas", fazendo crescer, felizes, as canas dentro de uma atmosfera cheia de vapor de água –, as cheias, de outro lado, ou as secas de rios, eram cuidadosamente vigiadas. As primeiras, quando ocorriam, cobriam canaviais, matavam gado e até gente. Quando eram "brabas", devastavam a lavoura e a pecuária, tanto no Nordeste quanto no Sudeste. Em 1641, por exemplo, "caíram chuvas tão continuadas e fortes, sem intervalos, que se encheram os rios, inundando por toda a parte as terras e arrebentando as plantações nas suas águas e voragens".

Rompendo e superando os marachões, a cheia cobriu os campos que eram transitados por navios e os lavradores faziam ofício de marinheiros. Foram lamentáveis as mortes de homens e de animais, principalmente às margens do Capibaribe.

"As canas-de-açúcar, novas e ainda em erva, ficaram afogadas e as mais crescidas, prejudicadas com a frialdade da água, enganaram as esperanças dos senhores de engenho, pois uns vermezinhos nascidos na água lhes roíam todo o miolo", conta-nos o holandês Barléus, referindo-se, provavelmente, a pragas como a broca, o gorgulho ou a lagarta-militar, que também atacavam as canas.

No Maranhão, em 1769, a maior cheia conhecida do rio Itapicuru arrasou terras e plantações de abril a maio, e provocou uma epidemia de febres que dizimou cerca de 20% da população ribeirinha. Na bacia de Campos – outro exemplo –, o Paraíba costumava fugir do leito, unindo-se a lagoas, banhados e alagadiços, depois das pesadas chuvas que se abatiam sobre a região, de novembro a março, formando um único e poderoso caudal. Quase nada sobrava dessas enchentes. Roças ficavam devastadas e fazendeiros ilhados, quando as águas arrastavam pontes que ligavam a zona rural ao litoral urbano.

Eis por que o mau tempo tinha que ser vigiado, espreitado, controlado. E ele se anunciava, segundo a tradição popular, pelo pio dos pássaros: o papo-d'água, o carão e o soco-boi. Ter o ouvido atento ao aviso da passarada e outros signos da natureza ajudava o colono a se prevenir. Um cão rola no chão? Anúncio de tempestade violenta. Um disco avermelhado envolve o sol ao amanhecer? Chuva.

O mesmo pavor se tinha das secas. Quando ocorriam, multiplicavam imagens desoladoras: açudes vazios, lavouras perdidas, animais mortos de sede. Quando faltava água na chamada "quadra chuvosa dos nordestinos" – fevereiro, março, abril e maio –, os canaviais amarelavam, sob o peso das canas dobradas.

Em outras culturas, como o milho, se faltava chuva na fase do espigamento, as perdas eram totais. Nessas épocas, os colonos faziam romarias e invocavam orações: "Oh Deus, em ti vivemos, nos movemos e estamos; concede-nos a chuva necessária, para que, recebendo a ajuda precisa na necessidade, com maior confiança esperemos os bens eternos. Pelo Nosso Senhor Jesus Cristo." E depois das comunhões: "Te rogamos, Senhor, nos envie uma saudável chuva e tem a bondade de irrigar a face da terra com torrentes celestiais." Não faltavam oferendas aos santos de devoção, rezas e oferendas.

O desmatamento e as chuvas poderosas acabaram por erodir as matas ciliares. Uma das primeiras consequências foi o empobrecimento dos solos, levados pelas águas dos rios. Tentou-se o plantio de árvores para conter a devastação. Outro problema, no caso do Nordeste, foi o fogo dos incêndios. Os índios, como vimos, utilizavam o fogo na coivara. Tal prática foi copiada pelos roceiros e também implementada pelos fazendeiros de cana-de-açúcar. Não era raro, porém, a prática fugir ao controle. Durante a Guerra da Restauração, quilombolas, em resposta a perseguições que lhes moviam seus senhores, também atacavam e queimavam as plantações. O incêndio propositado era uma estratégia de luta com terríveis desdobramentos ecológicos.

> As inclemências do céu são o principal inimigo que tem as canas [...]. Os canaviais nos outeiros resistem mais às chuvas quando são demasiadas, porém, são os primeiros a queixar-se da seca. Pelo contrário, as várzeas não sentem tão depressa a força do excessivo calor, mas na abundância das águas choram primeiro suas perdas. A cana da Bahia quer água nos meses de outubro, novembro e dezembro e para a planta nova em fevereiro, e quer também sucessivamente sol, o qual comumente não falta, assim não faltassem nos sobreditos meses as chuvas. [...] Porém, o inimigo mais molesto e mais contínuo e doméstico da cana é o capim, pois, mais ou menos até ao fim a persegue. E por isso, tendo o plantar e o cortar seus tempos certos, o limpar obriga os escravos dos lavradores a irem sempre com a enxada na mão e, acabada qualquer outra ocupação fora do canavial, nunca se mandam debalde a limpar.

"E, ainda que só este inimigo baste por muitos, não faltam outros de não menor enfado e moléstia", arrematava Antonil, em seu *Cultura e opulência do Brasil*, em 1711.

Para nossos antepassados, "medo" queria dizer o seguinte: "Perturbação da alma por causa de apreensão de um mal *eminente*." E medos não faltavam, pois não era só no campo das coisas práticas que moravam os temores. No das representações mentais, habitavam crenças que, por serem temidas, eram também respeitadas.

O aparecimento de cometas, tal como o que cruzou o céu do Brasil em 1666, era considerado aziago para os cultivares. Acreditava-se, então, que tais sinais celestiais anunciavam maus presságios. Segundo um cronista, eles eram sinônimo de "ruína das repúblicas e dos viventes", um anunciador de estragos. Rocha Pita o entendeu, ao atribuir a peste de bexigas ou varíola à passagem de um "horroroso cometa que, por muitas noites tenebrosas ateado em vapores densos, ardeu com infausta luz sobre a nossa América e lhe anunciou o dano que ia sentir". Em 1685, assistiu-se a um "tremendo eclipse da lua, que naquela província da Bahia se viu com horror [...] uma capa de chamas cobriu a maior parte de seu vastíssimo corpo".

O fenômeno foi interpretado como precursor de pestes, que teria dizimado escravos e lavradores, além de sido responsável por desastres agrícolas. Tantas preocupações com a meteorologia faziam com que os senhores de engenho letrados redigissem diários, ou borradores, como eram chamados, em que anotavam os ciclos de chuvas e de secas. Um deles, Antônio Gomes Ferrão Castelo Branco, dono de canaviais decadentes no Recôncavo, registrou, por exemplo, suas observações num caderno intitulado *Modo de saber se fará chuva ou sol nos doze meses do ano*. E nele perdia-se em cálculos baseados nas condições meteorológicas dos doze primeiros dias de agosto de 1755, projetando-as para 1756. O cuidado com que calculava e descrevia possíveis chuvas, secas, ventos e trovoadas revela sua necessidade de ordenar preceitos de ação, resignação ou esperança em relação aos seus canaviais, permitindo-lhe se armar contra os possíveis infortúnios a surgirem em seu caminho.

Para cálculos meteorológicos "eficientes", usavam-se como base os *Lunários perpétuos* ou *Prognósticos*. Verdadeiras aliadas do tempo e das estações, tais publicações serviam como guia nas etapas de trato agrícola: tempo de semear, tempo de edificar, de colher ou destruir. Foram os livros mais lidos nos sertões. Não havia autoridade maior para fazendeiros, e os prognósticos meteorológicos europeus, mesmo sem maiores exames pela diferença dos hemisférios, eram acatados como sentenças. Na forma de folhas volantes ou de obras impressas, eram comumente comercializados na colônia.

O *Lunário*, de Jerônimo Cortês, publicado no século XVIII, informava, por exemplo, que, segundo Plínio, janeiro era mês bom para cavar e misturar estrumes dos diferentes animais e também para lavrar terras fortes e argilosas das grandes culturas, no caso, a cana-de-açúcar. Nos lunários se encontravam "avisos importantes para os lavradores", do tipo: "Dizem alguns autores que para as colheitas serem boas" é preciso que "a lua nova esteja em Touro, Câncer, Virgem, Libra ou Capricórnio". Há ainda "segredos mui curiosos e úteis para os lavradores" e tratados de astronomia rústica e pastoril, em que se indicavam sinais de terremotos ("quando passar cometa de cor negra, vermelha ou verde"), de peste ("quando o vento sul sopra e não chove"), de carestia ("quando chover muito no inverno"), de ventos ("quando as estrelas parecem maiores do que costumado"), entre outros.

O viajante francês Auguste de Saint-Hilaire ainda registrou a permanência de tais tradições entre os agricultores do Espírito Santo no início do século XIX. Batata e mandioca eram plantadas durante a fase de quarto minguante. Arroz, milho, feijão e cana-de-açúcar, só na lua nova. O naturalista acreditava que essa convicção atravessara o Atlântico com os europeus, sendo igualmente corrente nas Antilhas. Segundo ele, a crença generalizada na influência da lua era combatida, nessa mesma época, por naturalistas e agrônomos, mas não havia unanimidade nas suas opiniões; daí terem recomendado a continuação de experiências sobre o assunto.

Também Richard Burton, cônsul inglês em Santos, observou que em Minas Gerais, na época de seca, os agricultores levavam pedras na cabeça, de determinado lugar para o cemitério. Quando a seca se prolongava e o milho começava a embonecar, molhavam-se os cruzeiros ao meio-dia. Recurso eficaz para chamar chuva era contrariar os santos, trocando-os de seus oratórios ou capelas. Enquanto não caía água, não voltavam aos seus lugares. Chuvas fortes se anunciavam pelo grito do macaco-guariba, o canto do bem-te-vi, a gritaria mais alta dos sapos ou a revoada de borboletas em lugares úmidos. Para nossos antepassados, a natureza era um livro que tinha que ser decifrado e lido.

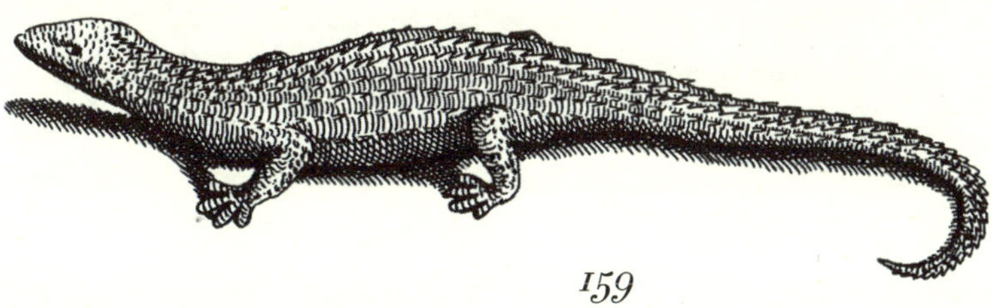

# 13. CIDADES MESTIÇAS

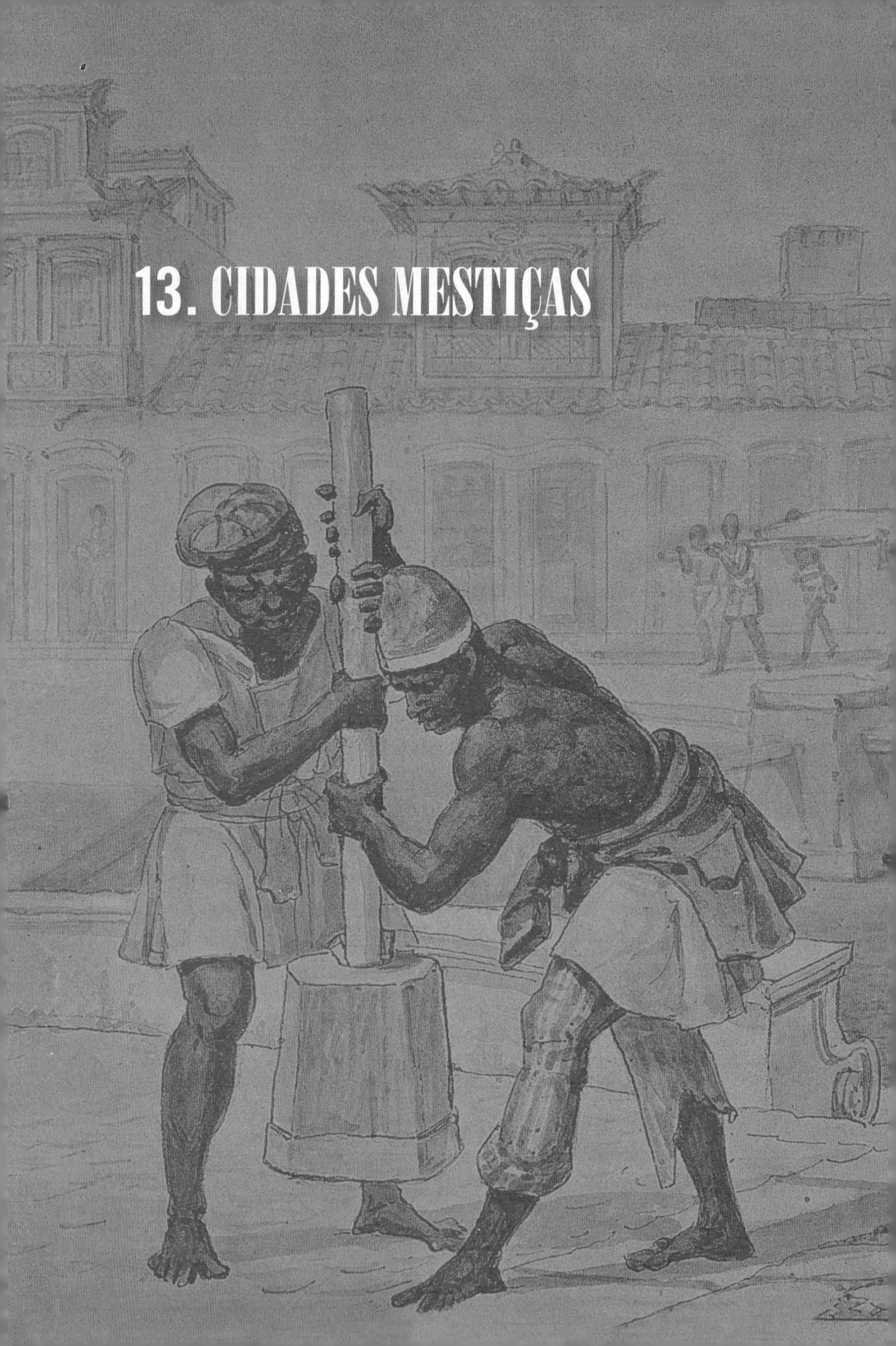

DEBRET, Jean-Baptiste. *Calateiros* [Aquarela sobre papel}.
1824. MUSEU CASTRO MAYA.

O Brasil tinha portos coloniais dos mais bem localizados do mundo. As facilidades de intercâmbio com Europa, América, África, Índias Orientais e as ilhas dos mares do Sul indicavam um grande elo entre o comércio das variadas regiões do globo. Enquadrada por autoridades e mercados, a vida ali captada esquentava, nutria e iluminava o gigantesco corpo social que se movimentava em suas ruas.

Mas o mais importante era o do Rio de Janeiro. Ali, havia ruas cheias de edifícios, "no geral, de dois pavimentos... As paredes são bem construídas de granito; as soleiras, umbrais, vergas e esquadrias são de quartzo maciço, trazido da Bahia. Os tetos são cobertos por telhas tubulares. O pavimento inferior é, em geral, ocupado pela loja ou armazém; o segundo e o terceiro, quando existe, pelos aposentos da família para cujo acesso existem corredores estreitos e compridos", conta-nos o comerciante inglês John Luccock, que desembarcara no Rio em 1808, com a intenção de mercadejar.

Sempre focados no cenário arquitetônico, os prussianos Von Leithold e Von Rago queixavam-se de que o único passeio para os habitantes era uma praça junto ao mar que, pelo traçado dos canteiros, mais parecia uma horta. Mas, dizia Schlichthorst, ex-tenente de granadeiros alemães do exército imperial, depois da vinda de d. João VI as casas já ganharam mais um ou dois andares. E Ernest Ebel, viajante austríaco, acrescentava que algumas possuíam gradis dourados à imagem de balcões franceses. Apenas sete anos depois do desembarque, a cidade já tinha se transformado, graças a melhoramentos em toda a capital. "Ela muito perdeu de sua originalidade", informava o príncipe Maximiliano de Wied-Neuwied, referindo-se aos tais "bisonhos costumes" do padre Perereca, "tornando-se, hoje, mais parecida com as cidades europeias".

*Vestimentas: marcas da identidade africana.*

*Tipos africanos* [Iconográfico]. S.L./S.D.

Mudanças? Sim. Antes da presença da família real, chamava atenção a proeminência das janelas superiores feitas de treliça, o muxarabiê de influência oriental, cujos interstícios serviam para a passagem de ar. Contudo, tais janelas tornavam as ruas sombrias, tendo, pois d. João, então regente, mandado reduzi-las a balcões modernos, abrindo mercado direto para os vidros vindos de Manchester. À noite, as ruas passaram a ser relativamente bem iluminadas por inúmeros lampiões e viam circular patrulhas de três a quatro soldados, refletindo a presença da recém-criada Intendência Geral de Polícia da Corte. Palavras como "civilidade" e "urbanidade" foram incorporadas ao cotidiano graças a essa força que cuidava, também, do abastecimento, de obras públicas e da segurança individual e coletiva.

Mas registradas as impressões sobre os monumentos de pedra e cal, o que dizer das atividades e da gente que aqui morava? A repetição que marcava a construção do cotidiano da maior parte dos moradores da Corte tinha seu ritmo. Interesses, exigências e necessidades moldavam a passagem do tempo: "Bem cedo, às cinco horas, começa o espetáculo. Primeiro um retumbante tiro de canhão da ilha das Cobras estremece as janelas e obriga-me a despertar conquanto a escuridão ainda seja total. Às cinco e meia, um corneta da guarda policial, vizinha, soa a alvorada de maneira dissonante! Logo a seguir badalam os sinos por toda a cidade, especialmente os da Candelária, tão ruidosa e demoradamente como se quisessem acordar os mortos. Nos dias santos, soltam rojões às dúzias para que os fiéis não durmam à primeira missa. Às seis em ponto passam os presos a buscar água, rangendo as correntes. Os papagaios, de que as redondezas estão cheias, soltam seus gritos estridentes e antes mesmo das sete a ralé dos cangueiros e vendilhões já está de pé a tagarelar e berrar", conta-nos Ernest Ebel.

O mesmo horário rígido marcava, também, o dia a dia dos ambulantes. As vendedoras de café saíam às ruas às seis da manhã e permaneciam até as dez. Os vendedores de capim paravam de circular também às dez e daí para frente só exerciam suas vendas na Praça do Capim. As vendedoras de pão de ló tinham que fazê-lo antes da ceia, ou seja, do almoço.

Impressionava o número de negros escravos e livres circulando pelas ruas, dando aos forasteiros a impressão de ter desembarcado na África.

Mas não era só de lá que eles chegavam, vindos da Costa da Mina, Congo e, mais tarde, Moçambique e Angola. Também negros, escravos ou libertos, vindos, por exemplo, da América espanhola e confundidos aos trabalhadores livres misturavam-se no labirinto da cidade. Entre eles, ranchos de audaciosos capoeiras cruzavam a Candelária armados de paus e facas, exibindo-se num jogo atlético apesar das penalidades impostas – muitas chibatadas aos escravos que "capoeirassem". Carregadores e mulheres ambulantes, ligeiramente vestidas, transportavam toda sorte de mercadoria na cabeça: frutas, animais vivos, pacotes, feixes de fumo, água potável, roupas sujas e limpas, tigres [como eram chamados os barris] com excrementos.

Não era uma massa uniforme esta que era vista oferecendo serviços, como parecem enxergar os estrangeiros. Nela, os indivíduos se identificavam pelos sinais de nação, talhos e escarificações no corpo ou na face, os cuidadosos penteados que denotavam estado civil e pertença a determinado grupo, os panos da Costa, o porte de amuletos, joias ou chinelas. O abadá, espécie de túnica branca, por exemplo, identificava um malê. O uso do *camate,* gorro circular, sinalizava o adepto de rituais bantos para ancestrais, realizados na mata, a *cabula*. O *fez* apontava os islâmicos. Contas enfiadas em palhas da costa, as *ilequês*, os fios de buriti com miçangas e búzios, os *mocãs*, conjuntos de sete, catorze ou 21 fios de miçanga unidos pela mesma cor, os *diloguns*, tinham função social e religiosa e eram "lidos" à distância.

As negras de ganho, com seus xales azuis, traziam sobre si objetos de cunho propiciatório, buscando proteção, lucro e outras benesses. Esses objetos, dispostos na cintura por argolas individuais ou tiras de couro, eram bolas de louça, figas, saquinhos de couro, dentes de animais e também medalhinhas, crucifixos e outros símbolos cristãos relidos pela funcionalidade mágica de suas formas. Seus tabuleiros também iam protegidos por figas de madeira, imagens de Santo Antônio e pequenas moedas. Os vendedores de cestas se identificavam pelo calção de algodão apertado na cintura, por uma cinta de sarja de lã e uma camisa enrolada em volta do corpo. As vendedoras de angu, prato da culinária afro-brasileira, tinham que ter as vestes impecáveis. As diferentes "nações" de africanos e seus descendentes formavam fronteiras não visíveis aos olhos de europeus, organizando-se por meio de irmandades religiosas, pontos de encontro

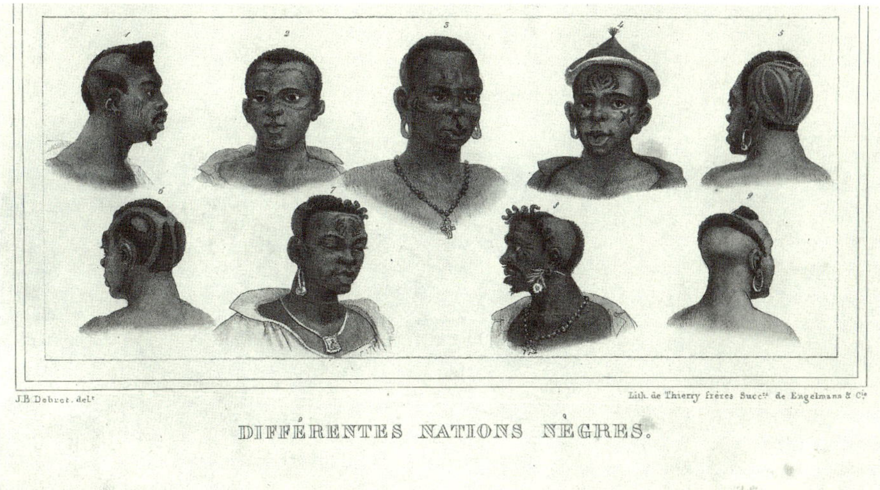


*Cortes de cabelo: marcas da identidade africana.*

DEBRET, Jean Baptiste, 1768-1848. *Voyage pittoresque et historique au Brésil.* Tome deuxième. p. 44.

e sociabilidade como os *cantos* e, mais tarde, os *zungus*, onde não faltavam tensões e violência entre membros de diferentes diásporas.

Toda uma sonoridade, hoje desaparecida, identificava as formas invisíveis de trabalho que enchiam as ruas. Ainda é Ebel quem conta: "O barulho é incessante. Aqui uma chusma de pretos seminus, cada qual levando seu saco de café e conduzidos à frente por um que dança e canta ao ritmo de um chocalho ou batendo dois ferros um contra o outro, na cadência de monótonas estrofes que todos fazem eco; dois mais carregam ao ombro pesado tonel de vinho, suspenso de longo varal, entoando a cada passo melancólica cantilena; além de um segundo grupo transporta fardos de sal, sem mais roupa que uma tanga e, indiferentes ao peso como ao calor, apostam corrida gritando a pleno pulmão. Acorrentados uns aos outros, aparecem acolá seis outros com baldes d'água à cabeça. São criminosos empregados em trabalhos públicos; também vão cantando em cadência. Mais adiante, passam dois aguadeiros, aos berros desafinados, mais uma negra vendedora de bananas e outras de confeitos – os chamados doces – apregoando ambas suas mercadorias também aos gritos [...]. Tudo é transportado à cabeça, no que os negros demonstram tal habilidade que nenhuma gota derrama dos líquidos, isto sem ajuda das mãos e sempre a cantar ou a berrar. O barulho é aumentado por uma tropa de muares, carregada

2 e. Partie.

J.B. Debret del.t

ESCLAVES NÈG

Pl: 22.

Lith. de Thierry Frères, Succ.rs de Engelmann & C.ie

E DIFFÉRENTES NATIONS.

PÁGINAS ANTERIORES
*As joias das escravas*
DEBRET, Jean-Baptiste. Esclaves nègres, de différentes nations. 1822.

de café, a qual para em frente à casa, atravancando a rua; pior ainda: eis que surge enorme carroça de duas rodas, levando material de construção, puxada por quatro bois que faz um ruído ensurdecedor – o das rodas maciças a girarem com o eixo – como se serrassem pedras ou ferros."

De fato, uma música que não se sabia se celestial ou infernal, marcava o ritmo da cidade. Por cima de tudo, o som contínuo dos sinos lembrava que cabia à Igreja, tanto quanto ao trabalho, mediar a passagem do tempo. As horas litúrgicas, distinguidas por badaladas específicas, obrigavam os moradores à vivência de certo simbolismo católico. Às seis horas, era o Angelus. Às doze anunciava-se que o demônio andava à solta. Melhor rezar... Às dezoito eram as ave-marias nas esquinas, frente aos oratórios, caso se estivesse na rua. Tantos toques para um enterro, outros tantos para um nascimento, X para meninos, Y para meninas etc. Ao peditório em altos brados dos mendigos, se juntava aquele dos irmãos de confrarias, com bandejas de esmolas e imagens de santos à mão, numa cacofonia sem fim.

Com relação ao domínio de uma profissão, valia mais aquele escravo ou escrava habilitado do que o trabalhador braçal sem qualificação. E dentre os profissionais de maior valor havia os capazes de ganhar mais com o seu trabalho, como o alfaiate, o pedreiro, a rendeira e o marceneiro, e outros que geravam boa renda para seu senhor. O homem valia mais do que a mulher. Na sessão "Avisos" de jornais como a *Gazeta do Rio* ou *A Idade d'Ouro no Brasil,* anunciava-se a venda de escravos "que tinham alguma cousa de sapateiro" ou de cozinheiro, entre outras habilidades. O importante era não ter "vícios".

Já a categoria das pessoas livres dividia-se em três grupos: os plebeus comuns – a maioria –, os plebeus dotados de algum privilégio ou título de nobreza que formavam a pequena elite colonial e o grupo emergente de ex-escravos ou de seus filhos marcados pela origem. Nos documentos cartoriais, eclesiásticos ou de Estado, o nome vinha acrescido da cor e do status jurídico da pessoa. Assim, um ex-escravo era sempre um ex-escravo, como, por exemplo, certo "João, pardo forro".

Mobilidade social já havia e fora amplificada pelo aumento de atividades e serviços exigidos pela instalação da Corte. Por exemplo, as barbearias, ponto de encontro e de conversa masculina, atendiam seus clientes com profissionais que acumulavam três funções: dentista, cirurgião e barbeiro. Trabalho havia em todos os escaninhos da cidade. Da rua d. Manuel até as encostas do outeiro dos frades bentos, onde estava sendo erguido por eles o seu mosteiro, era a praia do Peixe, lugar de atracação das canoas de pescadores e da comercialização do fruto de seu trabalho fresco, ou ali mesmo por eles salgado. Alguns pescadores eram tão bem-sucedidos que emprestavam dinheiro a juros, como foi o caso do português José Francisco, dono de três lanchas de pescaria em alto-mar, senhor de trinta escravos.

Aí também era grande o movimento dos trabalhadores em torno da calafetagem de barcos, obstruindo juntas e frestas com piche e alcatrão. Misturados a esses especialistas da limpeza e reparação de cascos, negros e negras caminhavam ligeiros, cestos na cabeça, e, conta Schlichthorst, todos iam cantando, assobiando ou falando entre eles. Muitos eram repentistas, buscando os motivos de seus versos no que os cercava: "Vou carregando pros meus pecados / mala de branco pra viajar / Quem dera ao Tonho, pobre do negro / pra sua terra poder voltar."

Na segunda metade do século XVIII, a praia do Peixe tomara o nome de "praia dos Mineiros" em razão do aumento do comércio com as Minas provocado pela abertura do Caminho Novo. Daí partiam mascates e cometas levando, serra acima, azeite de peixe, sal e quinquilharias de porta em porta. Vestidos como uns frajolas, em sapatos de fivelas, e meias até o joelho, mala de madeira às costas e nelas fazendas e meias dependuradas, traziam na mão, servindo também de bengala, um metro de madeira dividido em duas partes. Antes da abertura dos portos, quase todos eram portugueses ou brasileiros, daí o povo chamá-los de caixeiros, por causa das caixas que carregavam. Depois foram chamados de matracas graças ao ruído que faziam com o metro para atrair a clientela. Entre eles, alguns estrangeiros aproveitavam as oportunidades para pequenos negócios. Leithold refere-se a um médico prussiano, o dr. Ritter, que fez fortuna no Rio vendendo porcelana importada de porta em porta. Enfatiotado, com um chapéu à claque decorado com o cocar prussiano, todo de preto e usando sapatos de verniz, era seguido por um escravo que levava à cabeça um tabuleiro com sua louça.

Mais além do Valongo chegava-se ao Morro da Conceição, onde se instalara o trapiche de São Francisco. Era um dos muitos galpões ou armazéns onde eram depositados, sob controle do Estado, as caixas de açúcar vindas de campos ou de Santos. A recepção do produto se traduzia em gestos repetitivos. Ao chegar, as tais caixas de açúcar eram perfuradas para que se fizesse uma prova cabal da qualidade e do tipo de produto: redondo, meio redondo, batido ou mascavado. As denominações, em seguida, eram marcadas nas caixas. Seu peso era inscrito em tinta preta. Havia outros trapiches, como o da Sola, por exemplo, para mercadorias especiais como peles, farinha, trigo etc. Em todos, uma colmeia de homens transportava fardos, pesava, auferia, marcava, anotava, assegurando as rendas mais importantes para a Coroa: aquelas derivadas das alfândegas.

Também ali perto, num terreno cedido pelos beneditinos, a Coroa tentava melhorar as condições de sua Marinha. O cenário era o arsenal. Na parte de baixo, uma chusma de gente arrumava e organizava a munição. Na parte superior, funcionários graduados, inclusive oficiais em uniforme – Lord Cochrane, aristocrata e destacado oficial da Marinha inglesa, entre eles – trabalhavam intensamente. Uma parte dos operários era constituída por criminosos, brancos, mulatos e negros, algemados por pesados ferros. Outra, por meninos de rua ou enjeitados que, entregues ao serviço do Estado, trabalhavam desde cedo no aprendizado da arte de marinharia.

Junto ao Arsenal – é sempre E. Ebel quem conta – estava o principal logradouro para a locação de transportes por água, que eram de dois tipos: botes a dois e quatro remadores, providos de toldos de lona, e canoas, do formato de cochos, tripuladas por dois negros. Baratas, elas iam a toda parte, inclusive oferecendo produtos alimentícios e água às grandes embarcações que aportavam na baía. Dentro delas, tais trabalhadores identificavam marinheiros, grumetes, contramestres e pilotos, europeus e africanos, livres ou escravos, com quem trocavam informações, recados e, sobretudo, mercadorias. As relações comerciais diretas entre o Rio de Janeiro e Angola facilitavam o contrabando, aproximavam pessoas e produtos e, como já se sabe, abriam brechas no monopólio metropolitano, que, hoje sabemos, nunca foi tão rígido.

No velho mercado ou nas suas *quitandas* – outra palavra banto – acotovelavam-se ervanários, onde pontificavam curandeiros que comerciavam ervas medicinais, com "ferros velhos", onde se comprava e vendia toda espécie de objetos usados, fossem camas ou roupas, panelas ou gargalheiras para escravos fujões. Em trajes típicos, as pretas-minas vendiam patuás, bonecas de pano e misteriosos filtros.

Os prussianos mencionam também as lojas onde se ofereciam gravuras emolduradas, artigos reunidos em série, quinquilharias francesas e brinquedos. Também meias brancas de seda, meias pretas, lenços para rapé, lenços rendados, chalés, fitas, peças de crepe de todas as cores, panos de seda, levantinas e linhos.

No Campo de Santana, após a Aclamação, reinavam as lavadeiras. No centro, um vistoso chafariz de pedra reunia as mulheres, algumas delas alugadas à casa de famílias, que esfregavam e batiam roupa em meio ao falatório e a cantoria. Algumas levavam amarrados às costas, por meio de panos coloridos, as crias pequeninas. Crianças miúdas aguardavam o trabalho de suas mães, quando não as ajudavam a quarar a roupa. Muito perto, se instalaram os ciganos, que comerciavam com cobre, ofereciam trabalhos de caldeirarias, vendiam e compravam cavalos velhos e roubados, enquanto suas mulheres liam a boa sorte ou benziam doentes. Não muito longe, também, no Largo do Rossio, por trás de venezianas cerradas, pois a polícia assim o exigia, mulheres sussurravam convites lascivos aos homens que passavam pela calçada. À noite, o movimento aumentava. Afinal, o Rio era um porto.

O transporte era feito em seges e fiacres de aluguel, outra forma de trabalho cotidiano. Alugados por encomenda de meio dia ou dia inteiro, as seges eram carros de duas rodas, pequenos, semicobertos e forrados de couro verde ou vermelho, onde mal cabiam duas pessoas. Cortinas de couro protegiam a frente do veículo em caso de chuva, e de cada lado havia uma pequena janela de correr para deixar passar o vento. Mulas magras puxavam o carrinho que Leithold, sempre menosprezando, compara aos que se atrelavam aos macacos ou cães nas feiras europeias para diversão da criançada. Havia seges maiores, para seis pessoas, cobertos e puxados por seis mulas. Era comum encontrar cocheiros negros que, nos seus momentos de lazer, sentados nos bancos das carruagens que conduziam, aproveitassem para tocar viola. Não era incomum, tampouco, que tais seges servissem para encontros de amantes, atuando o cocheiro como alcoviteiro ou moleque de recados de relações proibidas.

Outra forma de transporte que implicava trabalho era a que congregava carregadores de serpentinas, de palanquins indianos com cortinas ou as cadeiras sobre estrados: os chamados serpentineiros, cadeireiros ou liteireiros, então conhecidos como "anda". Definidos pelo aparato de sua indumentária, mostravam a grandeza ou a decadência da casa a que serviam: fardas da melhor qualidade, perucas vindas da França, luvas brancas. Gemidos compassados indicavam que alguém tinha pressa. Outro tipo de serviço era prestado pelos carregadores de doentes: dois homens transportavam o achacado numa rede presa a um pau roliço, fechada em cima para preservar sua privacidade. Em geral, conta Leithold, o doente era acompanhado por curiosos e desconhecidos que o incentivavam a resistir à doença, com rogatórios e exclamações de saúde.

Aos muares vindos de São Paulo e Rio Grande do Sul, e que eram responsáveis por um ativo mercado de negócios, cabia a circulação de gente e de mercadoria na cidade. Cavalos eram alugados por meio dia ou dia inteiro. Eram caros, bons e vinham do interior de Minas Gerais. Apesar do custo de manutenção, todos tinham o seu cavalo, conta-nos Leithold. Os alfaiates, por exemplo, vinham visitar os seus fregueses a trote, trazendo na garupa um ajudante de cerca de dez ou doze anos, com o material de trabalho à cabeça. A abertura dos portos incrementou os artigos de selaria. Foi o início do fim dos palanquins orientais substituídos pela importação de selas "regala-bunda", conta-nos Gilberto Freyre, vendidas em lojas francesas como a de Affonse Saint-Martin, bem como da multiplicação das vendas de *tilburys* e *victórias* ingleses, forma democrática de transporte. Carrinhos ingleses, ferradores ingleses e arreios ingleses enchiam as páginas de anúncios de jornais.

Também nos jornais, professores de todo tipo ofereciam seus serviços: de professores régios que ensinavam "as primeiras letras, a contar e o catecismo" em suas próprias residências a estrangeiros, em sua maior parte recém-chegados, até os que ensinavam a dançar, a tocar piano, a falar inglês ou francês, a recitar poesia. Entre eles, muitas mulheres. Estrangeiros também se ofereciam no jornal *Gazeta do Rio de Janeiro*, como pintores de paredes, forradores de parede com tecidos ou papel estrangeiro, ladrilhadores, cabeleireiros com seus pós mágicos para tingir ou fazer crescer cabelos, perfumistas, comprovando, assim, a diversidade do consumo e do mercado de trabalho.

Segundo Luccock, o afluxo de estrangeiros e a multiplicação de necessidades elevaram o valor do trabalho de forma extravagante. "Deu isto motivo para que surgisse uma nova classe social, composta de pessoas", livres ou forros, "que compravam escravos a fim de instruí-los nalguma arte útil ou ofício, vendendo-os, em seguida, por um preço elevado, ou alugando seus talentos e seu trabalho." Nas festas religiosas como Corpus Christie nas procissões da Semana Santa ou nos natalícios e casamentos monárquicos, ferreiros, padeiros, tanoeiros, alfaiates, pescadores e arrais, taverneiros e mercadores, sirgueiros, ponteiros, luveiros, latoeiros, fundidores, carpinteiros, tintureiros, esteireiros, picheleiros, entalhadores, entre outros eram convidados a participar com suas insígnias, com suas bandeiras de São Jorge, São Miguel, São José e outras devoções. As doações que faziam para a arte efêmera de arcos e colunas que enfeitavam a cidade eram um termômetro preciso para avaliar o crescimento e, mais do que isso, o fortalecimento dos ofícios mecânicos.

A vinda da Corte acelerou os batimentos cardíacos da cidade. A oferta de produtos, a circulação de pessoas, a multiplicação das artes e ofícios fizeram explodir as fronteiras entre espaços geográficos, mas também entre as fronteiras linguísticas e legais que a princípio separavam as comunidades. Longe da Corte amorfa que, segundo os livros de história, só a partir de 1850 e 1860 apresentaria mudanças significativas, o que se depreende das fontes é o cotidiano de uma cidade portuária viva, habitada por atores que fariam jus à opinião do marquês de Alorna: eram eles os moradores de um ponto de encontro entre as quatro partes do mundo – aqui se encontravam europeus, africanos, asiáticos e brasileiros –, habitantes de um espaço onde a mobilidade era mais importante do que a origem geográfica; eram, enfim, atores de uma precoce globalização – conceito utilizado por Serge Gruzinski.

Ares cosmopolitas misturavam viajantes, expatriados, imigrantes e migrantes. Havia os franceses fugidos dos desastres de Napoleão, denominado pela imprensa de "usurpador do continente". A queda de Napoleão e a entrada dos exércitos de Talleyrand na capital apavoraram vários bonapartistas, razão da rápida organização da Missão Francesa, por exemplo. Nicolas Antoine Taunay, pintor de paisagens, encaminhou, então, um pedido formal de emprego ao príncipe regente de Portugal. Quando a pequena colônia se pôs em movimento, reunia vários nomes: Le Breton, Taunay, com sua família e o irmão Auguste, o pintor histórico Jean-Baptiste Debret, o gravador Charles Pradier, além de Grandjean de Montigny, sua família e os ajudantes Levavasseur e Meunié. Posteriormente, juntaram-se ao grupo os irmãos Marc, escultor, e Zeferin Ferrez, gravador. Editores como Pierre René François Plancher de la Noé, também fugido do fim das guerras napoleônicas, fundou uma pequena tipografia na rua dos Ourives e publicava folhinhas e o *Almanaque Plancher*, além de "guias de conversação em francês". A ele seguiram-se outros conterrâneos envolvidos com o mundo do livro, quais fossem, Firmin Didot, Hippolyte Garnier e Villeneuve, que posteriormente consolidou o *Jornal do Commercio*, fundado por Plancher.

Somavam-se a estes recém-chegados os comerciantes ingleses beneficiados pelo tratado de 1810, que privilegiava os produtos ingleses com tarifas menores e consolidou a preeminência inglesa no Brasil. O jovem empregado da casa de comércio Philipe, Wood and Co. John Armitage foi um deles, além de autor de um livro pioneiro: *The History of Brazil from the period of the arrival of the Braganza family to the abdication of D. Pedro the First in 1831,* bem como Robert Walsh, pastor anglicano e autor de *Notícias do Brasil*, publicado em 1830. Havia cientistas, naturalistas e botânicos, como o alemão, Georg von Langsdorff, cônsul-general da Rússia, a partir de 1812; e ainda Johann Moritz Rugendas, desenhista que acompanhou Langsdorff em uma expedição que correu Minas Gerais entre 1821 e 1823, ou o barão de Eschwege, renomado mineralogista. Todos eles comprovam o interesse que o futuro império despertava. Dentre outros europeus de renome que por aqui se instalaram durante alguns anos, houve os botânicos Karl Martius – o "Von" de nobreza só chega mais tarde – e Johann Baptist Von Spix, este responsável pela primeira interpretação de um Brasil como matriz da mestiçagem entre raças. O dinamarquês Peter Wilhelm Lund, desembarcado em 1825 em busca de bons ares para seus pulmões, acabou por fundar a paleontologia no Brasil.

Aproveitando que o tratado de 1810 estabelecia que súditos de sua Majestade britânica não seriam molestados por sua religião e, mais tarde, que a Constituição de 1824 estabelecia a liberdade religiosa no país – os não católicos podendo praticar seus rituais em cultos domésticos –, judeus ingleses e franceses se estabeleceram na Corte. Foi, por exemplo, o caso de Bernard Wallenstein, comerciante de artigos femininos conhecido como o "Carlos Magno da rua do Ouvidor", assim como de sefarditas descendentes das comunidades ibero-judaicas expulsas da península.

Do Oriente, ou melhor, do Império do Meio, chegaram os *chins* para o cultivo do chá e da seda. Dois ou três milheiros se juntaram na Corte aos trezentos importados de Macau, pessoalmente, pelo conde de Linhares. Só não vieram as crianças, escravos mirins, que eram vendidas aos portugueses para servirem como criadinhos: as *atai* e *amui*. O Beco dos Ferreiros era o bairro chinês da cidade, onde se fazia a importação regular de louça e porcelana chinesa. A Casa da China, fundada em 1809, oferecia os serviços com desenhos extraídos do repertório: galos, pavões, pastores, corças e rosas, além de leões e cães coloridos em dimensões naturais, próprios para guardar portões. Nos vetustos sobrados se comprimia a densa colônia. A 10 de setembro de 1814, por exemplo, o Registro de estrangeiros indicava a chegada de Liang Chou, Ming Huang, Chian Chou e Tsai Huang em missão recepcionada pelo conde da Barca. Anúncios de jornais atestam a riqueza do comércio formal ou informal – graças aos navios que faziam aguada ou reparos na baía – com esta região: cera amarela, pentes para piolho de tartaruga e marfim, cangas de cantão, mão de coçar as costas, leques, charão, chás. O vocabulário ganhava com a incorporação de palavras como *kaki* e *kiosque*.

No privado ou no público, o cotidiano mudou depois da chegada da família real ao Brasil. A cidade ficou mais cosmopolita, o número de seus habitantes cresceu, as formas de trabalho se sofisticaram, os encontros culturais se multiplicaram, os grupos de estrangeiros mesclaram-se aos naturais, a língua falada e escrita ganhou palavras novas, enfim, o dia a dia se modificou. Tornou-se o ponto de encontro entre arcaísmo e tradição, regularidade e ruptura, aburguesamento e modernidade. Há muito que estudar sobre o dia a dia de camadas médias, feitas de homens e mulheres anônimos, cujas vidas eram ritmadas pelo trabalho e a repetição. É preciso, contudo, – o que não houve tempo aqui – decifrar as linguagens, visuais ou gestuais, pelas quais se exprimiam; é preciso analisar as desigualdades de classe, de idade, de sexo, de condição; é preciso unir o vivido individual com as manifestações de existência que vigiam em determinada época. A lente de aproximação deixa aparecer à densidade das situações de vida e os contextos de ação de anônimos da história. Mas, também, as rupturas, os meios-tons, as intenções escondidas que seus percursos revelam. Cidades coloniais: delas já se disse que ajudam a iluminar não só o contraste entre a vida urbana e a rural, sua inércia ou movimento, mas, sobretudo o cotidiano de homens e mulheres livres e escravos, libertos e vadios. Seu tempo não era marcado pelo canto dos galos, mas o som dos sinos e canhões. Suas vozes apregoavam toda a sorte de produtos, orações e conversas. Nelas, a agilidade e a adaptação permitiam que as oscilações rápidas, breves e nervosas da economia ficassem mais visíveis. Mistura de gente, de tradições e gestos, ela registrava igualmente a mestiçagem de culturas e a mobilidade econômica de seus moradores.

## O beija-mão do vice-rei

A cidade colonial era um aparelho administrativo a meio caminho entre os engenhos e os centros europeus de comercialização do açúcar. Nela moravam funcionários da administração e representantes da Coroa cada vez mais preocupados com a situação política. A administração da Coroa estava assente na pessoa do rei e implantada através de determinados órgãos. Três setores reuniam provedores, ouvidores e governadores: o geral, o militar e o jurídico. As Ordenações Filipinas e toda uma quantidade de leis extravagantes aliadas aos regimentos serviram de base jurídica à atuação de instituições e funcionários coloniais. A autoridade máxima era o governador-geral, cuja figura fora substituída pela do vice-rei do Brasil, título adotado a partir de 1720, mas generalizado quando da transferência da capital de Salvador para o Rio de Janeiro, em 1763.

As obrigações do mandatário consistiam em garantir desde a defesa do território até a supervisão da justiça, fazenda e comércio, passando pelo controle dos abusos de autoridade. Na segunda metade do século XVIII, transcorriam, porém, anos difíceis. Cada vez mais acirrada, a guerra com os espanhóis, ao sul, depois da queda da colônia de Sacramento, levara a metrópole, pela carta régia de 1763, a elevar o Brasil à categoria de vice-reino. A indefinição entre os limites territoriais das coroas espanhola e portuguesa acirrava tensões desde 1750. Transferira-se, ao mesmo tempo, a capital de Salvador da Bahia para São Sebastião do Rio de Janeiro.

A medida não apenas centralizava as iniciativas para melhor preservação dos interesses no extremo sul, como queria o marquês de Pombal, secretário de Estado do reino de d. José I, mas também consolidava a capital como passagem obrigatória para o ouro e os diamantes vindos das Minas. A urgência de reformas para desvincular a metrópole da área de influência inglesa se acelerava. Preocupações bélicas e administrativas enchiam os dias e as noites dos governantes.

Mas como se desenrolaria o cotidiano de tais autoridades? Pois certa manhã, instalado no segundo pavimento do palácio situado no Largo do Carmo, próximo à praia do Peixe, Dom Luís de Almeida Portugal, marquês do Lavradio e terceiro vice-rei do Brasil, examinava taciturno o que considerava "serras inacessíveis de rocha viva, fazendo uma vista sumamente desagradável". Discordava, portanto, de um seu contemporâneo, Louis de Bouganville, que preferia achar que "a vista da baía será sempre um espetáculo memorável para qualquer viajante [...] onde para qualquer lado que se olhe a natureza oferece um deslumbrante espetáculo". Os sinos tocando as matinas o arrancaram da sonolência, distraindo-o das lembranças de uma noite quente e sem viração: um baile seguido de peça de Molière encenada na Ópera Nova, teatro de Manoel Luís, um seu protegido, ao qual chegava por uma passagem coberta ligada ao palácio. Realizado com planta do brigadeiro do rei, José Fernandes Alpoim, este havia sido inaugurado em 1743. Era uma casa sóbria, encravada aos pés do embarcadouro e, portanto, do coração da cidade. Três portadas com curta escada em mármore se abriam para o mar, tentando ventilar alcovas e pequenas salas. Nelas, alguma decoração interna se devia aos hábeis pincéis de José de Oliveira. O conjunto arquitetônico não devia ser de todo desprezível, pois o mesmo Bouganville destacou-o como um dos belos edifícios da cidade.

E o que mais avistaria? Ao pé da janela, sem a sombra nem o frescor de árvores, os chãos batidos da praça, fervendo de gente que ele desprezava. Cruzando de um lado a outro, funcionários do governo nas suas capas de saragoça, soldados da milícia da terra, nas suas fardas amarelas debruadas de azul, padres e frades em seus hábitos escuros. Atrás deles, para dar-lhes esmola ou receber uma bênção, as beatas. À esquerda da praça, o vice-rei adivinharia as casas dos Telles, achatadas sob íngremes telhados. Aí, sobre um arco, se instalara o Senado da Câmara. À sua entrada, num pequeno oratório, Nossa Senhora dos Prazeres acolhia as demonstrações de devoção da gente que passava. Nos baixos, amontoavam-se as lojas de mercadores: belchiores e adeleiros, ou seja, negociantes de alfarrábios e roupas usadas. Ao cair da tarde, o arco se transformava em ponto de encontro de vadios e prostitutas. À noite abrigava mendigos e pedintes. Ao lado, erguia-se a bodega do francês Philippe, agente de câmbio e outros frutuosos negócios com que acolhia os viajantes vindos de Minas ou São Paulo em busca de cama e comida. No centro da praça, um chafariz rente à linha do mar era alvo de bulha. Cobertos com uma simples tanga, carregados de barris e potes, escravos benguelas, cabindas e monjolos, chapinhando nas poças, gritavam e gesticulavam. Uma vez cheios os recipientes, os carregadores de água espalhavam-se na direção do caminho de São Bento ou tomavam à direita o caminho da cadeia, gritando "Hi! Hi!". O precioso líquido também seguia em barriletes transportados por aguadeiros, não raro portugueses, que tocavam carroças, puxadas por burros.

Os repetitivos ritos do cotidiano do vice-rei principiavam com a chegada da água ao palácio. Cedinho, tinha início um pequeno ritual, endossado por vários livros de medicina. O marquês do Lavradio lavava, então, "as mãos, os olhos e a cara com água fria" em benefício do cérebro e dos sentidos, estirando a seguir os membros a fim de estimular a digestão, a evacuação e a urina. Alisava os cabelos e empoava a peruca "em bolsa", habilmente terminada num arremate de tafetá, que alternava com a trancinha "a chicote", usada em passeios a cavalo. Limpava depois os dentes e para dar "bom cheiro" à boca, gargarejava com uma poção à base de vinho com raiz de orégano. Tinha três razões para preocupar-se com a higiene bucal: não deixar "enegrecer os dentes nem corromper o bafo", evitar que seu hálito infeccionasse o estômago e evitar, pelo acúmulo de sujeira da boca, qualquer dano ou perturbação à cabeça. As demais abluções serviriam, na lógica do tempo, para dilatar os poros, deixando sair os "vapores do cérebro". Os banhos tinham que ser raros, assim como a atividade sexual. A razão era simples: seus excessos "danavam a vista". O conselho não deve ter sido seguido à risca, pois o vice-rei cá deixou dois filhos bastardos, mais tarde reconhecidos em testamento.

Na América portuguesa, onde as ruas eram verdadeiros esgotos a céu aberto, onde animais domésticos aliviavam-se às portas das casas, os tonéis com dejetos eram despejados pelos escravos onde fosse mais fácil e a varíola grassava, as preocupações com a higiene e o corpo refletiam as mutações nas normas de comportamento, a modelagem e o afinamento dos cuidados de si, até no vestir. Eis porque Lavradio, por alcunha *O gravata*, usava um colete trabalhado em sede frouxa, gravatinha mole sob o queixo e colorido redingote cujas abas morriam acima da curva da perna. Os calções justos lhe modelavam as coxas, fechando-se à frente pela "portinhola à bávara", abertura considerada pela Igreja "criação do lascivo Diabo". Apesar de austero, havia de usar um sinal de tafetá em feitio de meia-lua ou lua inteira na fronde ("o majestoso") ou perto da orelha ("o discreto"). Em contraste com a gente que via passar na rua e que se defendia do sol causticante com chapéu desabado de palha ou de feltro, levava ao braço seu "anastácio" ou "tribico", nome dado ao tricórnio em seda que não passava de ornamento chique. E tudo molhado de muito calor e umidade. Pronto para um dia de trabalho, ele adentrava o salão saudando: "Entrem Vossa Mercê e seu anjo da guarda, sr. sargento-mor". E ouvia a seguir "Deus abençoe a Vossa Excelência, sr. vice-rei"!

A troca de palavras não era banal. O ritual cotidiano facilitava a relação entre pessoas, permitindo, contudo, que cada qual demarcasse seu território. Depois da obrigatória pitada de rapé, vício considerado elegante, atendia os colonos a quem, na intimidade, tratava por "pataratas" e "ladrões", tentando desvendar e punir as tremendas redes de corrupção e contrabando entranhadas na burocracia da colônia. A defesa da capital era sua prioridade, além dos cuidados com a área urbana. Não à toa mandara realizar uma planta encomendada ao sargento-mor dos engenheiros, Francisco João Roscio, com todos os detalhes topográficos que começavam no rio Cattette, às margens do qual se espreguiçava uma dúzia de casas com suas "pequenas hortas" – nas quais, conta o viajante James Cook, "se cultivava a maior parte dos legumes que conhecemos na Europa, sobretudo a couve, a ervilha, a fava, o feijão e o nabo", até o Bica do Marinheiro, no Saco de São Diogo, onde desaguavam mansamente vários afluentes do Catumbi. Não o preocupava apenas o aparelhamento bélico da cidade, mas também o comércio e a agricultura. Lavradio interessara-se, por exemplo, em aprimorar o intercâmbio com Minas Gerais, promovendo uma feira anual que durante os meses de estiagem reunia tropeiros no Largo da Glória. Eles aí chegavam, suas mulas carregadas de fardos, ajuntando-se em grupos para ouvir gemer a viola, provar o quentão e o angu de milho e examinar arreios e apetrechos que se vendiam nestas ocasiões.

Lavradio tivera outra iniciativa importante: transferiu o mercado de escravos, antes exposto na rua Direita, para o Valongo. Ali, junto ao telheiro dos trapiches, viu se concentrar o comércio em grosso. Vendia-se por atacado todo grão, fumo, sal e o mais que fosse necessário ao diário. No "trapiche da sola", os couros que chegavam do Sul e esperavam embarque para a Europa. Nos armazéns de carne humana, se amontoavam escravos vindos da costa da África. Ciganos com anel na orelha exibiam aos fregueses musculatura rija e belas formas. O vice-rei havia de preferir a cena ali, discreta e próxima à chamada Prainha, a descortiná-la na rua Direita, centro da cidade.

Embora tenha fundado a Academia Científica para estimular o estudo das ciências naturais, como qualquer homem de seu tempo, Lavradio devia viver cercado por livros que a maioria dos leitores – poucos, nestes tempos – tinha em casa: catecismos, vidas de santos e um manuseado *Diário crítico das falas philosophias, seguido de um mata-horas aborrecido.* Seu interesse científico, notadamente por botânica e mineralogia, o fizera aproximar-se de farmacêuticos, médicos e naturalistas, inaugurando, em 1772, um silogeu sob a proteção de Pombal. Suas atividades eram, contudo, irrisórias. Os sábios brasileiros preferiam orbitar em torno da concorrente Academia Real de Ciências de Lisboa.

Findos os trabalhos administrativos, era hora do almoço. Depois de frugal refeição com carne de porco nadando em molho com angu, regada ao vinho do reino e adoçada com geleia de frutas ou doçaria vinda do convento da Ajuda, Lavradio se preparava para o momento em que a vida pública invadia sua privacidade: as festas encenadas com brilho e pompa em certas datas do calendário religioso. Neste dia, era a do Império do Divino.

Na tarde de sol partia na sege puxada por seis mulas. Evitava a rua do Ouvidor, até bem pouco tempo percorrida por carros de boi carregados de capim. Deixando para trás a barulheira da "quitanda dos mariscos" ou da rua da Quitanda, rumava em direção à rua dos Pescadores, acompanhando o braço de mar que adentrava a terra, onde pombeiros – nome que se dava aos atravessadores – encostados às canoas ofereciam peixe fresco. Cruzava no caminho cadeirinhas, serpentinas e liteiras, muitas delas pintadas, esculpidas e com suas cortinas de seda bordadas a ouro hermeticamente cerradas. De pés descalços, os escravos, vestidos com casacos leves de seda e saiotes sobre calças curtas, suportavam nos ombros o peso do "sinhô e da sinhá".

Seguia para o campo da Cidade, e depois para o campo de São Domingos, onde mais animadamente se comemoravam as festas públicas, com danças, fogos de artifício, leilão e mastro de prendas, cavalhadas e comilanças. Tais folguedos, iniciados no sábado de Aleluia, se prolongavam por muitos e muitos dias e terminavam sempre pela coroação do imperador do Divino, de preferência um meninote de uns 12 anos, ricamente vestido: casaca e calção de veludo vermelho, meias de seda branca e espada à ilharga. Isso para não falar no cetro e na coroa, às vezes de inestimável valor, de bom metal e cravejados de pedras preciosas. Tudo se passava numa nesga da chácara de d. Emerenciana Dantas de Castro, que fizera construir um império, "pavilhão de pedra e cal", com capelinha ao fundo, em cujo terraço o pequeno imperador recebia as homenagens de seus súditos ao som da "música dos barbeiros", orquestra de mestres e oficiais da corporação dos barbeiros da cidade. Num anfiteatro próximo, Lavradio era aguardado por notáveis: comerciantes de grosso trato, os homens do Senado, da Câmara e da Provedoria, além dos representantes da Mitra. À sua chegada espocavam girândolas de rojões, multiplicando-se as cortesias oficiais. Ao som de trombetas e charamelas, o vice-rei se abrigava sob os panos de um toldo improvisado. O movimento de casacas e mantilhas do público era interrompido pelas negras de tabuleiro que vendiam o refrescante aluá, canjica e pamonha. Salvas de palmas e gritos anunciavam: "Vai começar! Vai começar!"

Em trajes exuberantemente coloridos, sobre cavalos guarnecidos com espelhos, pérolas falsas e vidrilhos, a mascarada abria o desfile. Seguia-se a apresentação de dançarinos "mouriscos" e "gigantes". As corporações de ofício apresentavam suas bandeiras de São João, Santo Antônio e São Pedro, empunhadas por indivíduos fantasiados "à trágica".

Rabecas embalavam as danças dos "sapateiros" enquanto que, ao som de adufes e pandeiros, passavam galegos. "Os pretos", conta um documento de época, "divididos em nações e com instrumentos próprios, dançam e fazem como arlequins com diversos movimentos de corpo que ainda que não sejam os mais indecentes são como os fandangos de Castela". Crianças escravas e forras, "vestindo saiotes de seda agaloados com ouro e capacetes com tremulante plumagem, executaram a dança dos 'índios carijós' seguidos de um préstito de escravos cantando e dançando a modo etiópico". O ponto alto da festa? A dança das "calheiras", na qual homens vestidos de mulher, com saias rodadas e finas camisas de renda, bailavam. Nas tabernas à volta da praça, outros complementos da festa: a cachaça, o jogo de cartas e dados, as mulheres. Fontes com licores coloridos jorravam enquanto brancos, negros e mulatos comiam e brincavam, "esguichando, deitando pulhas e laranjadas".

Teria Lavradio jamais compreendido que as festas constituíam um grito desafiador contra as dificuldades da árdua vida na colônia, representando um exutório das tensões acumuladas contra as autoridades, fossem elas o senhor de escravos, a Igreja Católica ou o próprio governo português, que ele mesmo representava? Seriam tais festas tão mais capazes de extravasar tensões quanto à centralização administrativa proposta por Lavradio que colocava a população de cócoras sob rígido controle? Festas eram o contraste aos ritos do cotidiano. Eram o oposto do fundo permanente e quase imutável de pequenos fatos diários. Alheio, contudo, à cultura mestiça que aqui se desenvolvia, o vice-rei concluía, enfadado: "Aqui tudo me fede, tudo me come, tudo me aborrece."

A despeito de desabafos como este, tão frequentes em sua correspondência com a metrópole, o vice-rei mantinha extraordinária atividade. E caminhos bem podem tê-lo levado do Campo da Cidade para um endereço bem pertinho: a horta dos capuchinhos italianos, no caminho dos arcos da Carioca. Ali veria florir, quase que num único dia, os pés de café, cujas sementes ou mudas vindas do Maranhão ele teria ajudado a disseminar. Daí teriam saído as rubiáceas que medraram, a seguir, na quinta do holandês João Hopman, em Mata-Porcos, na fazenda do bispo d. José Joaquim de Mascarenhas, em Inhaúma ou, ainda, na fazenda da Mendanha, em Campo Grande, pertencente ao padre Antônio Lopes da Fonseca. "Vista de longe", diria o botânico Georg Gardner, anos depois, "a plantação parece coberta de neve e as flores têm um perfume delicioso". Considerado um santo remédio no século XVIII, o café era então recomendado pelo médico de d. João V, pois, entre outras virtudes, "conforta a memória, alegra o ânimo e é remédio na gota nos males de ouvido, nas palpitações do coração, nas quedas e supressões de urina". Quando de sua passagem pelo Rio, Debret registraria o resultado dos esforços de Lavradio: escravos carregando sacas de café vindas das chácaras nos arrabaldes, famílias tirando seu sustento e o de seus cativos graças à venda da rubiácea, quitandeiras oferecendo a domicílio café já torrado e moído, cuidadosamente acondicionado em latas. Enfim, anotava o francês, "o mais insignificante proprietário brasileiro possui ao menos uma modesta plantação de café".

Ao final do dia, este que foi um dos melhores funcionários da Coroa portuguesa entre nós se dedicaria a traçar as linhas do mais completo *Relatório* até então feito por um administrador ao seu sucessor. Um retrato dos anos passados no Paço do Largo do Carmo, entre 1769 e 1779. Novas linhas de atividade econômica como, por exemplo, a cultura do índigo, problemas diplomáticos, como o preenchimento de provisões do Tratado de Santo Ildefonso, bem como os preparativos para receber o próximo vice-rei, d. Luís de Vasconcellos e Souza, ocupariam suas últimas horas.

# 14. E ALÉM DO TRABALHO?

JULIÃO, Carlos. *Trajes femininos.* Séc. XVIII.

Em 1789, no seu *Pequeno elucidário de palavras e frases*, o padre Joaquim de Santa Rosa de Viterbo ignorou olimpicamente o termo "lazer". Outros filólogos, contudo, o repertoriaram desde o século XII. A significação? Do latim *licere*, "lazer" significava "ser permitido". A palavra expressava o estado no qual era permitido a qualquer um fazer qualquer coisa. O senso comum consagrava um uso: o do período de tempo fora do trabalho, tempo esse passado, na maior parte das vezes, em atividades domésticas. Ao longo da Idade Moderna, a ideia de lazer se consolidaria ao mesmo tempo que de privacidade.

Nos primeiros séculos de colonização, o lazer era algo em construção: um conceito exíguo, desfalcado mais do que conquistado, além de negociado nas brechas de uma existência provisória. Afinal, o Brasil foi por muito tempo uma colônia de exploração. O tipo de atividade econômica predatória que se desenvolvia no Novo Mundo impunha uma compulsão do trabalho. O envolvimento de quase todos os atores sociais – homens e mulheres, livres e escravos – com a terrível luta pela sobrevivência se somava à mobilidade das populações, à precariedade de suas vidas e ao convívio com uma massa de escravos, deixando pouco tempo "para qualquer um fazer qualquer coisa".

Além do pouco tempo livre, o cristianismo zelava pela observância dos seus preceitos, dentre eles, o combate ao ócio. Comer o pão da preguiça era cometer um dos sete pecados capitais. "Cabeça vazia, oficina do Diabo", dizia o ditado popular. Representada pelo demônio Belphegor, a preguiça era a recusa de realizar tarefas necessárias. Cruzinhas de madeira pregadas à porta, imagens de santos em oratórios ou reproduções em tela ou papel, nas paredes, se encarregavam de vigiar o cotidiano de nossos antepassados, evitando a moleza. Mergulhados em certo pieguismo barroco, se nossos avós não eram consumados ortodoxos – como demonstrou o antropólogo historiador Luis Mott –, eram permeáveis à doutrinação que a Igreja Católica colocara em funcionamento.

Vale lembrar, ainda, que, apesar da terrível exploração em que vivia grande parte dos habitantes, livres e escravos, eles não escaparam a acusações que faziam do Brasil o "berço da preguiça" – nas palavras do professor de latim Luís dos Santos Vilhena, no início do século XIX. Afinal, nossos antepassados seriam ociosos, com tempo de sobra para o lazer, ou oprimidos por um faminto sistema mercantil? Ambos. Por isso mesmo, percebê-lo na documentação do período colonial não é fácil. Mas isso não impede que aqui e ali se descubram fragmentos da vida humana, que, entrando na historiografia, imiscuem-se entre as informações que temos sobre a vida social e cultural no passado. E que, por meio dessa modesta coleta, percebamos que, nos primeiros séculos, nosso lazer começou a se construir modelado por muitos constrangimentos.

No mundo disperso, precário e rural em que viviam nossos antepassados, visitas eram sempre esperadas ao longo do dia. As dos mascates, então, aguardadas ansiosamente. Com seus armarinhos às costas, repletos de produtos comprados às embarcações atracadas no porto do Rio de Janeiro, eles batiam em todas as portas. Organizados em pequenas tropas para se proteger de perigos, seguiam em burros cargueiros, esmagados sob o peso da mercadoria. No avarandado da casa desenrolavam tecidos diversos, exibiam fitas e rendas ou artigos de perfumaria, como sabonetes de violeta, encantando sinhás e sinhazinhas com notícias da Corte. Quando no interior ou nos arredores da cidade, levavam novas de outras fazendas.

Além de mascates, recebiam-se, também, as visitas de moradores da vizinhança. As mulheres, com vestido novo e xale de ramagens dos grandes dias, sentavam-se pelo chão em esteiras e conversavam sobre remédios caseiros, conselhos matrimoniais ou receitas. Algumas trocavam presentes: galinhas gordas, rendas, um mimo de ovos.

Em toda parte, durante a estação da colheita, vizinhos acorriam aos engenhos e fazendas, para ajudar a catar as frutas em tabuleiros. Acompanhadas de mucamas que levavam o farnel do almoço em cestas, a colheita começava cedo. As moças e crianças colhiam as mais baixas, e os rapazes as mais altas. Quando o calor começava a ficar insuportável, estendiam-se esteiras

*Igreja: fé religiosa e espaço de socialização das mulheres.*

DEBRET, Jean Baptiste, 1768-1848. *Voyage pittoresque et historique au Brésil.* Tome troisième. p. 53

no chão e os convivas se sentavam à volta da mesa improvisada. Danças depois das refeições permitiam alguma familiaridade entre rapazes e moças, que viviam trancadas a sete chaves.

No campo ou na cidade, durante a faina diária, não faltavam interrupções ou momentos em que lazer e gestos repetitivos se misturavam: nas fontes ou rios, onde se reuniam as lavadeiras, "enterravam-se vivos e desenterravam-se mortos". Nos mercados da cidade ou nas atividades agrícolas que juntavam homens e mulheres, noticiavam-se, esmerilhavam-se e comentavam-se os acontecimentos locais, notadamente, os escandalosos ou ridículos. Entre homens, "praticar a boa conversação" – expressão que aparece recorrentemente nas denúncias ao Santo Ofício da Inquisição – durante ou depois do trabalho, ou, entre mulheres, enquanto coziam, lavravam ou faziam trancinha em suas almofadas de bordar, era forma comum de entretenimento.

Um exemplo: certa Maria de Azevedo "desceu abaixo a falar com o pedreiro João Nunes em presença de Gaspar da Silveira, purgador do engenho, e assim falando todos os três". Maria acusou um vizinho de defecar num penico sobre um crucifixo. De uma conversação maldosa qualquer, podia nascer um judaizante, um herético, um somítico. Então, mexericar era, sim, uma forma de distração. E tão comum que havia mesmo uma lei, nas Ordenações Filipinas, código legal que perdurou até 1830, que proibia as intrigas. No livro V, pode-se ler: "Dos mexeriqueiros: Por se evitarem os inconvenientes que dos mexericos nascem, mandamos que se alguma pessoa disser a outra que outrem disse mal dele, haja a mesma pena, assim cível como crime que mereceria, se ele mesmo lhe dissesse aquelas palavras que diz que o outro terceiro dele disse, posto que queira provar que o outro o disse."

O hábito nunca se perdeu e quem o presenciou foi o viajante James Hardy Vaux, de passagem pelo Rio de Janeiro, em 1807: "Na rua em que estávamos estabelecidos, residia, na companhia de três jovens, uma velha senhora. Frequentemente, eu a via na porta de sua simpática casa, entretida com uns carretéis dispostos sobre uma almofada – esta atividade, além de proporcionar algum divertimento, oferece uma fonte de rendimentos para os membros mais jovens das famílias. Essa senhora e suas acompanhantes ficavam sentadas no chão da sala de visitas, de pernas cruzadas, em frente a uma porta de treliça, que permanecia sempre aberta para receber o ar fresco. Todas as tardes, eu as encontrava nessa posição, entretidas numa animada conversa."

Outra prática que reunia alegremente as pessoas, mas que era considerada "repugnante" pelos estrangeiros de passagem pelo Brasil, era a do cafuné: "Catar ou fingir catação de piolhos e lêndeas é uso utilitário e processo prolongador de êxtase e preguiça, em quase todo o mundo", interpretou o etnólogo Luís da Câmara Cascudo. Distração e prazer que tinha inúmeros entusiastas, a vagarosa fricção, acompanhada ou não por estalos, era executada à sombra, depois das refeições, sobre as esteiras de piripiri ou nos alpendres. E de noite, também no quintal, quando a família buscava um entretenimento, quer de cavaqueira, quer de passatempo, mãos exclusivamente femininas pousavam as cabeças das crianças e companheiros no colo, para "revolver os dedinhos e ouvir os estalinhos", como cantou o poeta. Ao desembarcar no porto de Maceió, o pastor americano Daniel Kidder estranhou a cena, que assim descreveu:

"Um ou dois rapazes estavam deitados sobre a areia [...] as mulheres estavam sentadas ao pé deles, executando algum carinhoso mister em suas cabeças. Se essas mulheres se ocupavam em tatear acidentes frenológicos ou se entregavam ao trabalho de natureza menos científica, não cuidamos de indagar." E, com ironia: "Felicitamo-las, mentalmente, por terem elas diante de si um lindo dia para o desempenho de sua penosa tarefa."

Estudando a vida doméstica na América portuguesa, Leila Mezan Algranti lembrou o papel dos jardins como um espaço de sociabilidade e intimidade – e, portanto, de lazer. Varandas que se abriam para o quintal monopolizavam o burburinho das atividades, e este último se transformava em espaço de confinamento e fiscalização de mulheres da elite, cujos momentos de lazer ao ar livre eram às vezes controlados por seus familiares. O viajante Saint-Hilaire, em 1822, acrescentou: "Os jardins, sempre situados por trás das casas, são para as mulheres uma fraca compensação de seu cativeiro, e, como as cozinhas, interditadas aos estrangeiros."

A mesma autora destacou a presença de baralhos e tabuleiros de xadrez e gamão nos inventários e testamentos entre os séculos XVI e XVIII, expressão da vontade de reunir e se divertir com familiares ou amigos: "banquinha com jogo de damas e cartas de madeira de cores embutida", informava um desses. Muitos indivíduos foram denunciados ao Santo Ofício, no século XVI, por blasfemarem enquanto jogavam cartas ou gamão, como sucedeu com André Távoras, que enquanto jogava "ao trunfo as cartas" em sua casa, com alguns amigos, perturbado, disse que "descria ou renegava de Deus", tendo sido censurado pelos presentes. Dois séculos mais tarde, nos arredores de São João Del Rei, entre os bens apreendidos ao inconfidente José Ayres Gomes, estão relacionados: "Tabuleiro de jogar gamão com suas tabelas respectivas e um jogo de dados e suas tabelas de marfim", dando a entender ser essa uma prática bastante difundida na colônia, e que perdurou no tempo.

Os jogos estavam na moda: o bilhar, desde o século XVI. Os dados – que tiveram início com gregos e romanos –, a partir de então, se disseminaram. Os baralhos, com vivas pinturas, se tornaram uma febre. Produzidos na Europa, eles eram exportados para as Américas. Presentes nas casas de família ou em espaços públicos, não poucas vezes suscitavam brigas, "indignações, execrações, perjúrios e escândalo do povo". Por isso mesmo as chamadas "tabolagens" eram proibidas a eclesiásticos ou seculares, sob pena de pagamento de mil réis. Em domingos e dias de festa, só eram facultadas depois da missa ou dos demais ofícios para evitar tensões no dia santo. Cabia às justiças seculares perseguir as "casas de jogo públicas", informam-nos as *Constituições do Arcebispado da Bahia*, leis aplicadas na colônia desde 1707.

O baralho ou baralha, sinônimo de confusão e tumulto, foi introduzido no Ocidente pelos sarracenos, no século XIV. Gil Vicente, no *Auto da feira*, indica o caminho das cartas, então chamadas naipe. Quem arma a sua tenda é o próprio Diabo, que diz:

E trago de Andaluzia
Naipes, com que os sacerdotes
Arrenegam cada dia
E joguem té os pelotes

As cartas maiores ou nobres eram reis, damas e valetes. Os quatro reis eram representados por David, Alexandre, César e Carlos Magno; as rainhas, por Minerva, Argina, Raquel e Judite; os valetes, Heitor, um dos oficiais de Carlos II, Ogier, o cavaleiro andante, Lancelote do Lago e Lahire, nome de guerra de um gentil-homem, Etiénne de Vignolles. Jogava-se o bacará, a bisca, a espadilha, o lasquenê, a manilha, a primeira. A partir do século XVI, disseminou-se a adivinhação pelas cartas: copas e paus anunciavam felicidade; espadas e ouros, os infelizes ou maus etc. Nas cortes europeias, cartomantes eram recebidas por reis e rainhas de verdade, e a leitura do tarô se tornou outra mania.

À volta das mesas – poucas – ou no chão, sobre esteiras, comum também era o jogo das pedrinhas, o "bato" vindo de Portugal, mas de origem grega. Usando seixos ou ossos, jogados sucessivamente ao ar até serem todos reunidos num montinho, era o passatempo de adultos e crianças. A finca, ou jogo do pião, que consistia em aproximar o brinquedo de uma "casquinha" de louça ou madeira, pousada no solo, atraía os mesmos aficionados.

Ao final de um dia de trabalho e depois de rezar as ave-marias que soavam, ao longe, nos sinos das pequenas cidades, mulheres reuniam-se para pentear os cabelos e catar piolhos às crianças e adultos. Ou para "fiar ao serão", velha tradição portuguesa que se valia do trabalho doméstico feminino em torno das rocas, criando momentos de distração. Às vezes, ajuntavam-se vizinhas e comadres para fiar juntas, cada qual fornecendo um pouco de azeite para a candeia. À volta do fogo de lenha, caçarola na trempe, a família se reunia, conversando e rindo. Os fatos do dia, lendas, contos e adivinhas eram aí desfiados. Cantar "cantigas honestas", evitando as difamatórias e desonestas, também era permitido. Aos homens, o emprego da viola era constante: "fazer hua dança e folgar" são verbos que aparecem nos documentos do século XVI e XVII. Não à toa, o viajante alemão Johann Moritz Rugendas reproduziu um desses momentos num dos desenhos que deixou, quando de sua passagem pelo Brasil, entre 1822 e 1825.

Nos sobrados urbanos ou nas áreas rurais, o entardecer era o momento em que mucamas e rapariguinhas que viviam na casa-grande ouviam à volta da mesa de costura ou nas lides da cozinha a senhora lhes contar histórias extraídas da Bíblia Sagrada, como registrou em suas memórias uma filha de baianos, plantadores de cana, d. Anna Ribeiro de Góes Bittencourt.

No oratório, com suas abas pintadas com santos, as mulheres, com as crianças entre as pernas, se reuniam para rezar. Faziam preces para pedir chuva nos tempos de seca, quando os crepúsculos pareciam fornalhas e os vigários exortavam os fiéis a repetir ladainhas à Virgem. Com as portas abertas para o terreiro, às suas vozes vinha se unir o coro de escravos, de joelhos ao ar livre.

Descia a noite sob a melodia simples e monótona de versinhos, ou do canto da gente da casa. Ouviam-se, também, repetitivos acalantos. Na sala, se jogavam prendas, o queijo do reino sobre a mesa. Uma escrava idosa vinha então colocar sobre a canastra a lamparina, repetindo as palavras usuais: "Louvado seja Nosso Senhor Jesus Cristo!" Todos se sentavam em volta da mesa, e começava a conversa animada. Nela, os assuntos prediletos eram a lavoura, as chuvas e a estiagem. A política era assunto para os jornais que começaram a ser publicados a partir de 1808: entre eles, a *Gazeta do Rio de Janeiro*.

À luz de candeeiros, vozes murmuradas distribuíam predições de chuva, colhidas na experiência dos astros: "Choveu na primeira e oitava de

*A cultura africana incorporou a dança às festas religiosas.*

*Cortejo da Rainha Negra na festa de Reis* [Iconográfico]. SÉCULO XVIII.

Santa Luzia. Fevereiro e março vão ter chuvas. Os porcos estão carregando mato: sinal de chuva." Outro assunto de predileção, mas este na cozinha, eram as visagens, assombrações e histórias de gente que se "envultava" nas encruzilhadas dos caminhos ou perto dos cemitérios. No silêncio do sono, ouviam-se vozes de crianças que tinham morrido sem batismo a pedir o sacramento. Além do temor dos mortos, os vivos também faziam medo: quilombolas fugidos rios acima, aninhados pelos matos, tiravam definitivamente o sono dos senhores. Crianças iam dormir com o susto de bichos infernais: o caipora, os homens amarelos que chupavam fígado de menino, o zumbi, o lobisomem.

Além de pequenas formas de lazer introduzidas no ritmo da vida privada ou nos pequenos gestos repetitivos do cotidiano, havia momentos, associados a festividades que ocorriam em casa. Eram as comemorações familiares em torno de batizados, noivados, casamentos e aniversários que, até fins do século XIX, chamavam-se "funções". Em *Memórias de um sargento de milícias*, evocando uma festa de batizado, realizado na cidade do Rio de Janeiro, Manuel Antônio de Almeida assinala: "Já se sabe que houve nesse dia função..." A palavra "baile" era, então, desconhecida, e, em 1842, padre Lopes Gama, moralista e jornalista de *O Carapuceiro*, registrou escandalizado as consequências de tais festas:

> Viola, minha viola
> Viola do coração
> Cantava uma cabra pachola
> Tocando numa unção.
> Não há função, nem brincadeira
> Que não acabe
> Por bebedeira

Durante as mesmas festas caseiras, os convidados ficavam nas tulhas, ou seja, nos celeiros suspensos. Acendiam-se grandes fogueiras, trovas ao som da viola eram improvisadas em desafio, realizavam-se banquetes e pagodes sob um barracão de pano ou em salões ornamentados onde as sinhás rodopiavam ao som da clássica quadrilha francesa, da valsa, da mazurca, do xote. Nessas ocasiões, cantar versos de autoria de poeta conhecido na região era obrigatório.

Além das funções, outra festa era regularmente celebrada em áreas rurais, onde se plantava muita cana: a da Botada. O título designava o ato de botar o engenho a moer, nas fazendas de cana-de-açúcar, precedido da bênção do capelão e seguido de um jantar dado pelo senhor de engenho aos seus lavradores, escravos, vizinhos e amigos. Henry Koster, inglês que se tornou senhor de engenho, em 1813, assim traduziu o evento: "Tudo ficou pronto pelo fim do mês de agosto e mandei buscar um padre para benzer o engenho. Sem que essa cerimônia seja realizada, nenhuma das pessoas empregadas no engenho, seja homem livre ou escravo, quer começar sua tarefa, e, se algum acidente sobrevém, é explicado como justo castigo de céu pela falta de observância religiosa. O padre veio e disse a missa, depois da qual almoçamos e fomos para o engenho. O feitor e muitos homens livres e negros estavam ao pé da máquina... Duas velas acesas foram colocadas perto dos cilindros sobre a plataforma que sustenta as canas, e foi disposta entre elas uma imagem de Nosso Senhor na cruz. O padre tomou seu breviário e leu várias orações e, em certos momentos, com um ramo de arbusto preparado para esse gesto mergulhado na água benta, aspergia o engenho e os presentes." Em muitas fazendas, era a dona da casa, com suas mucamas enfeitadas, quem trazia os primeiros feixes de cana, envoltos em fitas coloridas, para serem benzidos e passados na moenda.

A casa de vivenda, a do engenho, os paióis e as extensas senzalas eram caiadas e limpas. A escravatura recebia timões de baeta azul e roupa de algodão para o gasto do ano. E de oito a quinze dias antes da moagem procedia-se ao corte das canas, que chegavam em carros de bois e ficavam sob alpendres ou em depósitos especiais. De véspera, a casa do engenho e mais construções eram enfeitadas. No terreiro, as bandeiras flutuavam nas extremidades de bambus verdes. Matava-se um boi para o banquete dos senhores e carneiros e galinhas para a refeição dos escravos. Os compadres e amigos que tinham vindo de longe com suas famílias chegavam um dia antes. Foreiros ajudavam escravos nos preparativos da música e dos fogos.

No dia da Botada, visitantes acorriam sobre carros de bois, sob toldos de esteiras ou de chitão lavrado. Muitos vinham a pé, descalços, trazendo os sapatos ao ombro. E o engenho moía com prazer. Nesse dia, com exceção da gente envolvida com a festa, ninguém mais trabalhava. Os escravos batucavam depois do jantar, os foreiros cantavam e dançavam, os senhores presenteavam as crioulas e mulatas de estimação com cortes de chita ou de cassa, fios de corais e brincos de ouro. Em outras ocasiões festivas, o ritmo era dado pela roda de figuras dançando e batendo palmas ao toque de tambores e ganzás. As letras cantadas faziam referência ao corte da cana, à moagem e ao preparo do açúcar. Era o coco. Fora das festas, escravas se divertiam com a dança do jongo, ao som de tambores e canto de pontos.

Quando as mulheres livres se reuniam para festas de colheita ou outras, passeios sobre bestas luzidas de passo trotado eram apreciadíssimos. Eles tanto se podiam realizar dentro da própria fazenda quanto nos arredores, em fazendas de vizinhos. Selas femininas, com seus arreios apropriados, assim como roupas de montar, atestam que algumas senhoras de engenho eram também exímias amazonas. Luísa Borges de Barros, futura condessa de Barral, que começara cavalgando no cabeçote da sela do pai, seria, mais para frente, uma delas.

Os escravos não ficavam alheios aos momentos de lazer. Numa época em que esse conceito não estava totalmente desenhado, não faltavam oportunidades para misturar diversão e trabalho, apesar da exploração e da pobreza material em que viviam. A historiadora Mary C. Karash revela muitos desses instantâneos de diversão. Depois do almoço, era a hora de apanhar o instrumento africano, fabricado com os materiais encontrados na cidade, extraindo-lhe sonoridades. Um casal sentado junto, ao som extraído da marimba, revivia "lembranças de casa nas canções de sua terra natal", anotou o viajante americano Thomas Ewbank em seu *A vida no Brasil*. Embora proibida pelo código jurídico português, dançava-se pelas ruas ao ritmo de tambores e muito se conversava em idiomas africanos, como testemunhou o professor de grego Luís dos Santos Vilhena, em Salvador, em 1787.

Os tambores que muitos carregavam consigo serviam como linguagem de comunicação. No trabalho, os escravos usavam instrumentos da profissão para fazer música: o chocalho como acompanhamento de peças pesadas era comum.

Em Minas Gerais, os ares das fazendas onde ainda havia mineração associada à lavoura eram embalados por cantigas de trabalho dos escravos. Esses cantos eram chamados de "vissungos" – alguns adaptados às fases de trabalho nas minas, outros parecendo cantos religiosos ajustados à ocasião. Conta-nos Aires da Mata Machado Filho que os negros no serviço cantavam o dia inteiro. Antes mesmo do nascer do sol, dirigiam-se à lua, em cantigas de evidente teor religioso. Pela manhã, entoavam um *Pade Nosso*, pedindo a Deus e Nossa Senhora que abençoassem seu trabalho e comida: *"Otê! Pade Nosso cum Ave-Maria, securo câmera qui t'Anganamzambê*, iô...". A seguir, o cantador mestre acordava os companheiros: "Galo cantou, *rê rê*/ Cacariacou/ Cristo nasceu/ Galo já cantou". À lua era pedido que "furasse o buraquinho do dia": "Ai! *Senhê*!/ Ô... ô *imbanda, combera ti, senhê*". Ao meio-dia, o cantador avisava à mulher de serviço que o sol ia alto: era hora do almoço: "*Andambi, ucumbi u atundá...? Sequerende...*"

Para ajuntar terras nos montes, apressar a marcha do cavalo, avisar sobre o encontro de um diamante, falar "língua de branco", enterrar os mortos, ironizar o mau alimento que lhes era servido, alertar sobre fogo nos campos, perseguir a caça no mato, fugir para os quilombos, lembrar os pais, pedir uma roupa nova, contra os feitiços – enfim, para tudo –, cantavam os cativos. Os "vissungos" eram parte importante do cotidiano das fazendas, e sua música marcava o ritmo dos trabalhos e dos dias, informando sobre o que se passava. Durante o trabalho das fiandeiras e capinadores da roça, e no mutirão de construções, outros cantos enchiam as serras mineiras. Cantava-se até para reclamar do frio: "*Auê*/Duro já foi *senguê*". Ou pedir chuva: *"Ongombe coi i pique."*

Os escravos cantavam em todas as ocasiões possíveis. Embora tais coleções de música não tenham sobrevivido, há informações sobre a capacidade que tinham os cativos de improvisar com palmas e vozes. A dança vinha junto: "Assim que dois ou mais começavam a dançar, outros se juntavam ao grupo", com "todas as variedades concebíveis de contorções e gesticulações", segundo observou o viajante inglês Robertson. Nas senzalas ou nos zungus, pontos de reunião espalhados pela cidade, não faltavam os batuques, que muitos estudiosos percebem como o berço do samba. Duelos de trabalho, notadamente entre as raspadeiras de mandioca, que se desafiavam sentadas nas tulhas e casas de farinha, eram outra maneira de se divertir trabalhando.

Nas horas vagas, nas fazendas e engenhos ou na cidade, cativos se dedicavam à feitura de belos objetos funcionais, religiosos e decorativos. Os urdidos com fibras naturais eram os mais comuns: esteiras, cestos, chapéus de palha e capas. Na tecelagem decorativa, os angolanos se revelavam artistas excepcionais.

Os cuidados com a cabeça, o corpo e os dentes também os ocupava. As cuidadosas escarificações no rosto e nos braços, assim como os engenhosos penteados, revelavam a pertença de cada indivíduo a um grupo étnico e religioso ou estado civil. A confecção de colares com contas, búzios e amuletos mágico-religiosos vindos da África ocupava-os longamente. E a variedade de estilos de dentes limados e cortados revelava, igualmente, a importância dada à aparência como forma de identificação.

Atento, Câmara Cascudo detectou um jogo muito praticado entre os cativos. Trata-se do Ai-I-Ú, um jogo africano de tabuleiro com frutos escuros. As doze partes côncavas de um tabuleiro recebiam pequenos frutos, daí retirados ou aí alocados segundo uma tradição conhecida em quase todo o continente africano.

As camadas menos abastadas da população encontravam-se, depois das ave-marias, nas tabernas, nas vendas, nas "casas de alcouce" ou de prostituição: eram espaços de sociabilidade onde se bebia cachaça barata, cantava-se ao som da viola, em São Paulo, ou da marimba, no Rio de Janeiro, e jogavam-se dados e cartas. O chão de terra batida, sobre o qual se cuspinhava o fumo mascado, recebia não poucas vezes o corpo de um ferido de briga ou de uma prostituta cujos serviços eram prestados ali perto. Em muitos desses locais misturavam-se os dialetos africanos com a fala reinol. Soavam atabaques, rabecas, berimbaus.

Durante o dia, as ruas das cidades se animavam com outros sons. O peditório dos irmãos das confrarias era um deles. Bandeja à mão, eles esmolavam de pés descalços para suas festas: a do Divino, a do rei Congo, a do Santíssimo. A voz insistente também pedia: "Para a cera de Nossa Senhora! Para as obras da capela! Para as alminhas de Deus!" Campainhas informavam sua presença, que era respondida pela criançada gritando: "Pai Nosso! Pai Nosso!" O santo viático, quando passava, também causava comoção. Irmãos de opa anunciavam pelo triste badalo da campainha que estavam levando os últimos sacramentos a um moribundo. Uma multidão consternada seguia atrás, em oração. Conversas, orações e cantos em voz alta, quando não palmas e o som de instrumentos musicais, sobretudo no enterro de escravos, animavam o préstito: a morte – como bem disse João José Reis – também podia ser uma festa.

# PARTE 2

# O SUPÉRFLUO E O ORDINÁRIO:
## *casa, comida e roupa lavada*

# 1. DO TETO À CASA DE MORADA

PÁGINAS 200 E 201
DEBRET, Jean-Baptiste. *Uma senhora brasileira em seu lar* [Litografia].
VOYAGE PITTONESQUE, 1835.

Casa: a palavra existia? Sim, e designava, segundo o dicionário setecentista, um "edifício onde vive uma família com seus móveis e alfaias, amparada das injúrias do tempo". Mas a definição certamente não servia a todos, nem em todos os tempos, pois alfaias e móveis foram coisa rara entre nós até o século XVIII.

De início, foi preciso construir para se proteger. A morada, a habitação ordinária, foi uma das primeiras expressões da ocupação e do trabalho numa colônia cujos limites não eram conhecidos. Nas primeiras décadas de ocupação valia a sabedoria indígena. Debaixo de um teto de sapê ou de palha de coqueiro, dormia-se em redes fabricadas com algodão, o mesmo material que servia para redes de pescar. No lugar de "pregaduras", cipós ou timbós serviam para amarrar os paus. Ao comentar a importância do habitat, Fernand Braudel sublinha que, para sua construção, hábitos e tradições se impunham. Mais ainda em se tratando de culturas agrícolas. Uma casa de caboclo, de pau a pique, com suas paredes em trançado de carnaúba ou aroeira, revestida de barro socado e coberta com folhas de babaçu ou pindoba, é um documento sem idade, capaz de atravessar os tempos. Ela é encontrada do século XVI ao XX no Brasil.

Expressão da lentidão nas mudanças, a casa convidava à repetição tanto na forma quanto nos materiais de construção: barro, pedra, madeira, tijolo. O estilo tendia a repetir técnicas ancestrais. Na Goa portuguesa, como nos arredores do Rio de Janeiro, as casas cobertas de palha tinham portas estreitas e as esteiras serviam para dormir, sentar ou comer. A bosta de vaca misturada ao barro das paredes ajudava a combater insetos. Um único cômodo servia como cozinha, quarto e sala, embora o fogão de lenha se situasse, na maior parte das vezes, do lado externo da moradia, sob o que, em São Paulo, se chamava uma "tacaniça": um puxado, lição dos indígenas. Já o óleo de baleia para ligar a argamassa das construções foi contribuição dos africanos, assim como o manuseio do adobe tão presente em Minas Novas ou Paracatu, Minas Gerais. Bancos de coral ou conchas permitiam a fabricação da cal, matéria, "alva e boa para guarnecer e caiar", indicava Fernão Cardim.

Destinadas a ter curta duração, logo que as circunstâncias permitiam, tais casas eram substituídas por construções mais duráveis. O aventureiro Anthony Knivet, prisioneiro dos portugueses, em 1591, carregou muita pedra e barro para construção. O padre jesuíta Antônio de Sá, também. Lamentava: "Somos cavouqueiros com a gente que tira pedra." Madeira? Só quando havia matas por perto. Em carta de São Vicente, em 1550, o jesuíta Leonardo Nunes menciona "emadeirar uma igreja que aqui temos feita". Coisa rara.

Nos primeiros séculos da colonização a marca era a simplicidade e a penúria. Padre Anchieta, ao se referir às acomodações que os jesuítas viriam encontrar, descreve a "paupérrima e estreita casinha" em que moravam. À medida que crescia o chamado "trato dos açúcares", os engenhos iam ganhando espaço. E, segundo Anchieta, nas "terras cheias de matos", do "capitão-mor ao mais pequeno" dos colonos, todos se ocupavam em "cortar madeira, acarretá-la sobre os ombros, terra, pedra e outras cousas necessárias" para a construção de cercas e moradas. A seguir, buscava-se e achava-se um "poço d'água boa". Nasciam as povoações.

Do pau a pique se passou à taipa de pilão. Trazida do sul da península ibérica, que a herdou do norte da África, a técnica permitia a construção de paredes de terra socada de 60 a 80 centímetros de espessura, protegidas da chuva por longos beirais e fendidas por pequenas aberturas. Em regiões onde a pedra era rara, se adotou esse modelo. Um depoimento de frei Vicente do Salvador registra nosso primeiro século de arquitetura: "São também as madeiras do Brasil mui acomodadas para os edifícios das casas por sua fortaleza; e com elas se acha juntamente a pregadura, porque ao pé das mesmas árvores nascem uns vimes mui rijos, ripas e todas as madeiras das casas que houverem de ser pregadas."

As construções militares e religiosas foram pioneiras na utilização de material mais consistente. Em 1583, Pedro Cardim, ao se referir ao colégio jesuítico da Bahia, afirmou: "O edifício é todo de pedra e cal de ostra, que é tão boa como a de pedra de Portugal. Os cubículos são grandes,

*A elite branca morava em sobrados*

DEBRET, Jean-Baptiste. *Casario* [Aquarela sobre papel]. MUSEU CASTRO MAYA, RIO DE JANEIRO, C. 1816-1818.

os portais de pedra." Antes dele, Pedro Gandavo também observou os esforços dos moradores locais de assim construírem suas moradas: "Quanto às casas em que vivem, cada vez se vão fazendo mais custosas e de melhores edifícios: porque em princípio não havia outras na terra senão de taipa e térreas, cobertas somente com palma. E agora há já muitas assobradadas e de pedra e cal, telhadas e forradas como as deste reino, das quais há mui compridas e formosas."

No período holandês, o uso da pedra parece ter chegado até as vilas pobres, mas continuou restrito às edificações oficiais. Gaspar Barléu percebeu isso na Paraíba: "Moram em povoados, cujas casas não são pegadas umas às outras... mas esparsas... Empregam pedras e telhas, mas não ferro. Quando vão construir uma casa, levantam primeiro os esteios e escoras, estendem sobre eles um ripado sobre o qual armam um telhado, coberto de telhas ou de folhas de coqueiro [...] O andar térreo serve-lhes de armazém e despensa. As paredes laterais são formadas de varas rebocadas, sem capricho nem elegância. A cidade propriamente contém alguns edifícios bonitos, feitos de pedra, cujos cantos e janelas são de mármore branco, sendo o resto das paredes de alvenaria."

ACCURATISSIMA
BRASILIÆ
TABULA.
Amstelodami
Henricus Hondius excudit.
Baya de todos os Sanctos
Pories
CAPITANIA DE S. VINCENT
CAPITANIA DE RIO DE IANEIRO
CAP. DE SPIRITU SANCTO
CAPITANIA DE PORTO SEGURO
Miramumins
Tououpiti nambau
Molopaques
Margaias
Tapuias
Apiapetang
Aymures
Philippa Villa
S. Paulo
Biesate
Schebetveba
Reinovilla
S.Vincente
Sanctos
Ubatuba
Angra dos Reyes
S.Sebastian
Rio de Ianeyro
C. Frio
C.de S.Thome
I.de S. Catharina
Os Abrolhos
Acemsam
MAR
Meridies

*Durante o primeiro século de colonização, surgiram várias povoações litorâneas.*

HONDIUS, Hendrik. *Accuratissima Brasiliae tabula* [Cartográfico]. AMSTERDÃ: HENRICUS HONDIUS EXCUDIT, 1633.

O inglês John Mawe, quando passou por São Paulo, toda branca e em taipa, em 1808, chamou-a de "cidade de barro". O "barro", no caso, era a forte tabatinga, responsável por várias moradas e até pela construção de torres. Os inventários dos paulistanos reforçam a descrição. O de Francisco de Almeida, em 1616, registrava: "Casa da vila, dois lanços de taipa de mão, cobertas de telha com quintal." O de Francisco de Seixas dizia: "Sítio com casas de taipa cobertas de palha." Anexos, simples telheiros funcionavam como casa de farinha, abrigando monjolos e moendas.

A planta variava pouco: as casas tinham ampla sala rodeada de quartos. À frente, um corredor ou alpendre com dois cômodos de cada lado: uma capela particular e um quarto para hóspedes de passagem. O alpendre, além de afastar o calor em regiões quentes, filtrava o mundo exterior. O que interessava à família estava dentro de casa. Na varanda, ficavam os visitantes, escravos e desconhecidos. Era lugar de lazer, observação e troca.

Com fisionomia semelhante, as casas de engenho se multiplicaram na direção de Angra dos Reis e Paraty. Ao Norte, as dunas arenosas as empurraram para dentro do litoral em Maricá, Araruama e Campos dos Goitacazes. O exemplar em Mato de Pipa, Quiçamã, fala bem da simplicidade dessas moradas de um só piso, avarandadas, de velhas portas arqueadas e possuidoras de oratório interno. Para escoar as grandes chuvas, a lição veio do Oriente: telhados e beirais alongados com desenhos graciosos ou figuras fantásticas. De Portugal veio a tradição das paredes caiadas e dos portais coloridos, tão comuns nas paisagens do Minho, do Alentejo e do Algarves. No terreiro de terra socada, em frente do casarão, batia o coração do engenho: escravos recebiam as ordens do feitor, eram contados ou castigados. Os moleques alimentavam as criações, as galinhas ciscavam, as mucamas socavam o feijão ou descascavam mandioca. E, em dias festivos, era ali que se acendia a fogueira e se tocavam os tambores para o jongo ou o lundu.

Enquanto no Rio de Janeiro terras eram doadas "a quem pudesse construir um engenho em três anos", no Nordeste, torres de granito vigiavam o litoral, misturando prevenção e lavoura de cana. As ordens para sua construção vieram do *Regimento de Tomé de Souza*. Mem de Sá montou o próprio engenho às margens do rio Sergipe. O rei também quis ter o seu, no Rio de Janeiro: às margens de uma lagoa, foi o mais antigo da capitania. Vendido várias vezes, ganhou o nome do quarto proprietário, Rodrigo de Freitas.

Em Tatuapara, na Bahia, embelezada por trabalhos de cantaria, paredes ciclópicas e capela hexagonal, ficava a torre de Garcia d'Ávila – um verdadeiro castelo cujas janelas em arco se abriam para o rio Pojuca. Era uma das quarenta torres que se encontravam na Bahia ou as sessenta situadas em Pernambuco, repertoriou padre Fernão Cardim. E na capitania se encontravam desde engenhos com a simplicidade do Pimentel, em São Sebastião do Passé, com curral, senzala e hospedaria para viajantes, até o São Francisco do Conde, em Paramirim, com sua igreja recoberta de azulejos, pia batismal em mármore de Carrara, ossuário e sacristia com lavabo de lioz.

A ocupação holandesa, que vigorou de 1630 a 1654, pouco interferiu na arquitetura pernambucana. Casas com frontão e empenas em degraus, além do uso do tijolo, material que os flamengos traziam como lastro nos navios, valorizou as ruas das cidades. Nos arredores, Franz Post de Haarlem, pintor trazido por Maurício de Nassau, retratou vários engenhos de taipa. Na parte inferior ficava o depósito, e, na superior, a residência. Uma palhoça colada aos muros podia tanto servir de teto para os escravos quanto para abrigar criações. O tijolo, fabricado a partir de 1643, assoalhou varandas e cômodos de grandes fazendas, como se podem ver ainda nos municípios de Abelheiras, Garrote, Campo Maior e São Domingos do Livramento.

O hábito de destinar uma parte para depósito e outra para moradia provém, segundo estudiosos, do norte de Portugal. Assim como a tradição de casas grandes associadas às capelas, com fachada única, o que as tornava mais imponentes. Algumas eram tão grandes quanto igrejas, como ainda se vê no Nordeste, por exemplo, no Engenho Bonito, em Nazaré da Mata. Ali, impressionava o belíssimo teto em madeira policromada, em cujos medalhões se mostra São Francisco Xavier convertendo os hindus, a mesa de comunhão torneada e a porta esculpida. O senhor de engenho e sua família tinham assim acesso privativo aos ofícios religiosos. A família enchia as tribunas da nave ou a capela-mor sem se acotovelar com escravos ou gente de fora.

Livre dos flamengos, a Bahia respirou e ganhou força. Seus engenhos enriqueceram. O de certo Heitor Antunes, "o qual tinha grandes edifícios assim de engenho como de casa de purgar, de vivenda e de outras oficinas [...] a qual fazenda mostra tanto aparato da vista do mar, que parece uma vila", impressionou Gabriel Soares de Souza. Passados 150 anos, numa avaliação de 1811, o engenho Matoim, da família Rocha Pita, aparece assim:

> Uma morada de casa de vivenda nobre de sobrado, com primeiro e segundo andares com eirado, em fundo da dita propriedade outro quarteirão de casa que serve para arranjo da família, tudo feito de pedra e cal com caixa de paredes mestras, contigua à dita casa de vivenda uma capela com dois consistórios, sacristia, átrio, campanário e forro de volta na capela-mor e na frente da dita casa uma escadaria que faz entrada da capela e da casa, tudo de pedra e cal, avaliada a casa e a capela [...] em doze contos de réis.

Nessa época, as casas-grandes de São Paulo à Bahia passaram a se associar com as fábricas de açúcar. O argumento era o de que "só o olho do dono engordava o boi". Ou seja, proprietários tinham que vigiar pessoalmente a produção. Muitos tinham até um quarto no edifício, onde dormiam.

Muitos senhores voltavam às cidades para realizar negócios ou tinham aí um sobrado. Como eram as casas em tais povoações? Ao chegar ao Rio de Janeiro em 1649 com o governador Sebastião de Brito Pereira, o aluno dos jesuítas Richard Flecknoe descreveu-as como "edifícios pouco elevados" em ruas voltadas para o mar.

Um agente francês da Companhia do Senegal, dedicada ao tráfico negreiro, de passagem pelo Rio em 1703, comentou as mudanças provocadas pelo ouro de Minas: "No meio da rua principal, do lado do mar, situa-se a casa do governador, que não é grande coisa. Há muitas outras ruas menores, mas que não deixam de ser bonitas, bem traçadas e repletas de casas bem construídas [...] a cidade seria muito diferente caso as minas não tivessem sido descobertas."

Enquanto isso, em São Paulo, o governador Antônio José de Franca e Horta escrevia ao visconde de Anadia pedindo-lhe que, de Portugal, enviasse oficiais engenheiros "de que há tanta *perciszão* nessa capitania, assim para a construção de obras públicas como para levantar cartas", ou seja, desenhar mapas dos terrenos para novas edificações.

A preocupação com a beleza das casas estava nos detalhes. Embora na China a arquitetura não fosse a arte maior, conforme analisou José Roberto Teixeira Leite, a circulação de mercadorias promovida pela metrópole entre a Ásia e o Brasil promoveu também aquela de gostos e ideias decorativas. Os telhados acachapados, por exemplo, foi o resultado desta importação: "Largos beirais arrebitados nas pontas em cornos de lua [...] casas de telhado acachapado no estilo dos pagodes da China." Os velhos telhados, também estudados por Gilberto Freyre, foram por muitos anos uma marca tradicional de nossa arquitetura colonial na cidade ou no campo. As telhas zoomórficas ou adornos de aparência bizarra e exótica evocavam as quinas das habitações encontradas em Macau e Goa.

O engenheiro francês Louis Vauthier, que residiu no Brasil em 1840, se impressionou com os ângulos dos telhados à maneira chinesa e o vermelho vivo com que se pintavam os beirais, contrastando com a brancura das cornijas. "Os ângulos das cumeeiras têm ornamentos bizarros, constituídos mais frequentemente por vãos de louça chumbados pela base na argamassa e pintados de vermelho vivo." Outros estudiosos identificaram "uma ponta ou pomba, feita de telha", "pombas com asas muito abertas" ou "saltitantes beirais arrebitados".

As telhas esmaltadas também são uma lembrança da China no Brasil e tinham a função de "gratificar quem olhasse o beiral de baixo para cima". Telhas semicilíndricas em azul e branco, exibindo delicados desenhos com motivos florais ou vegetais, davam acabamento elegante aos edifícios. Os cachorros

– nome que se dava às extremidades da viga que se projeta de uma pilastra para ornar ou sustentar –, quando decorados com animais, são também uma lembrança chinesa, além de nos contarem sobre as habilidades decorativas da marcenaria colonial. Em São Paulo, podemos vê-los na arquitetura rural das casas bandeiristas. As casas-grandes dos sítios do Mandú, em Cotia, e de Santo Antonio, em São Roque, possuem elementos ornamentais de tradição chinesa, como golfinhos estilizados na sustentação dos beirais. Na China, identificado com o dragão *chi-wen,* o golfinho é um dos sete animais a quem se atribui a proteção das coberturas, contra o perigo de incêndios.

Com todos os defeitos, Salvador foi, até 1763, a capital da possessão portuguesa, e nela se concentrava a alta fidalguia lusitana, o alto clero e os magistrados que administravam a colônia. "Quanto às casas em que vivem, cada vez se vão fazendo mais custosas e de melhores edifícios", surpreendia-se Gandavo. Se antes eram de taipa e palha, agora eram "muito sobradadas". Os lucros com o açúcar incentivaram a construção de edifícios oficiais e religiosos, assim como de algumas luxuosas residências. Essas, na forma de sobrados geminados de três ou quatro pavimentos, começaram a ser erigidas no século XVII.

O solar dos Sete Candeeiros é um exemplar desse tipo de obra. Outro exemplo de arquitetura residencial suntuosa se encontra no Solar do Unhão, com suas quatro fachadas livres, originalmente morada do desembargador Pedro de Unhão Castelo Branco. Pequenas capelas foram erigidas desde os primeiros anos: a da Conceição, junto ao porto, na faixa litorânea, origem da atual igreja de Nossa Senhora da Conceição da Praia; a da Ajuda, na Cidade Alta, que funcionou como matriz e como igreja dos jesuítas, antes da construção da Sé e da igreja do colégio dos padres da Companhia. A Sé, edificada depois da chegada do bispo Fernandes Sardinha, foi iniciada por Tomé de Souza e assim descrita por Mem de Sá, em 1570: "Fiz a Sé dessa cidade de pedra e cal, com três naves e de boa grandura."

Gabriel Soares de Souza complementava, sobre o Colégio dos Jesuítas: "Tem esse colégio grandes dormitórios e muito bem-acabados, parte dos quais ficou sobre o mar com grande vista; cuja obra é de pedra e cal [...] com uma formosa e alegre igreja, onde se serve ao culto divino, com mui ricos ornamentos, a qual os padres têm sempre mui limpa e cheirosa."

A existência de casario com arquitetura mais rebuscada levava ao surgimento de opiniões favoráveis ao meio urbano colonial. Segundo o já

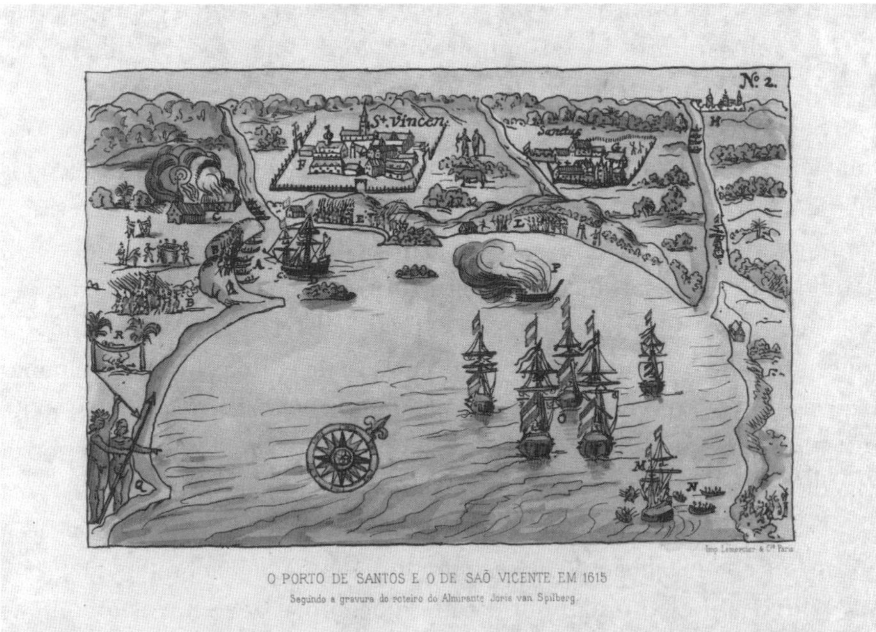


*Santos e São Vicente, localidades com muradas de estacas de madeira, 1615.*

O porto de Santos e o de São Vicente em 1615. Segundo a gravura do roteiro do almirante Joris van Spilberg [Iconográfico].

PARIS: IMP. LEMERCIER. SÉCULO XIX.

mencionado Luís do Santos Vilhena, morador da capital baiana, em 1790, a maior parte dos sobrados desembocava na praia, ou Cidade Baixa. Sete calçadas levavam desta à Cidade Alta. "Há nela", explicava o autor, "muitos edifícios nobres, grandes conventos e templos ricos e asseados". Salvador tinha ainda três praças: a Nova da Piedade, onde os regimentos faziam exercícios militares; a do Palácio, em torno da qual se concentrava a residência dos governadores, a Casa da Moeda, a Câmara, a Cadeia, o Paço da Relação, o corpo da guarda principal, outras tantas casas particulares e seis ruas que se comunicavam com toda a cidade; e o Terreiro de Jesus, cercado pelo colégio e igreja dos jesuítas, posteriormente à sua expulsão, transformado em Hospital Militar, a igreja dos Terceiros de São Domingos, a igreja da Irmandade de São Pedro dos Clérigos e inúmeras casinhas bordejando sete ruas que ali desembarcavam.

Nas cercanias da cidade se encontrava o bairro de São Bento, planície aprazível cortada por ruas largas, onde se erguiam belas residências e algumas igrejas, o bairro da praia, endereço de opulentos comerciantes, e o de Santo Antônio, menos importante. A preocupação de Vilhena era, contudo, com a construção demasiada em terreno impróprio.

Segundo ele, encarapitadas morro acima, por "evidente milagre, não rolavam" morro abaixo. "Visto que todas são feitas de tijolo, sobre delgados pilares do mesmo, levantados em precipícios escarpados, e sem terreno para segurança dos alicerces cuja vista infunde terror ao mais afoito e destemido", queixava-se. Sua preocupação era igual ou maior do que o número de sobrados cujas varandas com rótulas, cobertas com telhadinhos, se sobrepunham. A escuridão dava ao "tapume de rótulas", como o chamava, um aspecto fúnebre. Ainda criticando a fragilidade do urbanismo de Salvador, lembrava que, se "troassem canhões" de nações inimigas sobre a Cidade Alta, esta arruinaria a Cidade Baixa.

No Recife, a riqueza do açúcar tratara de concentrar a população e promover a construção de altos sobrados, chamados "sobrados magros", que conviviam com uma multidão de mocambos de escravos e homens pobres. Nos sobrados, o comércio ocupava o térreo; no primeiro andar, o escritório com apartamentos para caixeiros e sucessivamente alcovas e salas; no último andar, em função do calor excessivo, se localizava a cozinha. Ia longe a época em que Gabriel Soares de Souza definia Recife, no século XVI, como um simples povoado de "pescadores e oficiais de ribeira".

No início do século XVII, a capital pernambucana era considerada por frei Vicente do Salvador o porto mais frequentado do Brasil. Diferentemente de outras tantas cidades coloniais, Recife estabeleceu uma relação especial com as águas, principalmente as do Capibaribe, que emolduravam o espaço urbano. No bairro de Santo Antônio ficava o palácio da Boa Vista. O Recife propriamente dito – onde ainda fica o porto – estava unido a Olinda por um istmo de areia de praia facilmente encoberto pelo mar em dias de ressaca forte. Santo Antônio, a *Mauritstadt* de Nassau, concentrava as lojas de comércio, sendo que expressiva parte dessa atividade – portas adentro ou portas afora – era exercida por mulheres, entre as quais muitas negras quitandeiras e prostitutas.

Na época em que chegaram os holandeses, Santo Antônio, antiga ilha de Antônio Vaz, não passava de um vasto pântano coberto pelas marés. Aí se erguia o convento de São Francisco e algumas casas de morada. Na direção de Afogados, passava-se ao pé do forte das Cinco Pontas. O palácio da Boa Vista, de longe a maior construção, estava mais no interior, pontilhado de casas grandes, com quintais extensos e até sítios. Um braço do Capibaribe cortava o sudoeste daquele subúrbio e, ao norte, um afluente do rio Beberibe e os manguezais de Santo Amaro das Salinas – local de desembarque de escravos africanos – iam, aos poucos, separando a ilha que abrigava o palácio da Boa Vista da terra firme até chegar à divisa com Olinda, a antiga capital.

O incêndio provocado pelos holandeses em 1631 em Olinda fez desabrochar Recife, que cresceu ao longo das águas. O nó da antiga povoação feito de um conjunto de armazéns, trapiches de açúcar e pequenas casas de pescadores fora substituído, no "tempo dos flamengos", pela rua dos judeus, com suas residências, comércio e sinagoga. Ao longo do rio, debruçavam-se moradias de todos os tipos mirando o movimento imenso de canoeiros escravos ou livres, levando gente, víveres, mercadorias, água potável e animais em todas as direções. O Poço da Panela, de águas cristalinas, era o lugar onde as famílias abastadas se refugiavam durante os tórridos verões. O Varadouro, barragem natural que separava a água doce da salobra, foi melhorado por sucessivos governadores, tornando-se não só o manancial da cidade como também um porto para as canoas que iam e vinham de Recife. Nas margens do Capibaribe, de águas caudalosas, sobretudo em época de cheia, concentravam-se as lavadeiras da cidade, assim como os mocambos – feitos de barro batido, mariscos, cipós, madeira e folhas –, em que moravam escravos e famílias pobres.

Ancorada entre os charcos formados pelo Tamanduateí, o Pinheiros, o Juqueri e o Cotia, São Paulo parecia, aos olhos dos viajantes estrangeiros, melhor aglomeração urbana do que suas congêneres. No alto de uma pequena elevação sobressaíam as torres de suas oito igrejas, seus dois conventos e três mosteiros. Casas em taipa branqueada com tabatinga, uma espécie de argila clara, davam-lhe ares de incrível limpeza. As ruas, no entender de vários observadores, eram "largas, claras", e as calçadas, "espaçosas e asseadas".

Aqui e ali, chafarizes reuniam a multidão de escravos e mulheres em busca de água. O do largo da Misericórdia era dos mais concorridos. O clima ameno e saudável também impressionava: "O clima de São Paulo é um dos mais amenos da terra", exultavam Spix e Martius, depois de torrar sob o intenso calor carioca. Transposto o riacho do Tamanduateí, entrava-se na

PECTIVE VIEW of the Cit

S.t SEBASTIAN at Rio d

*No século XVIII, o Rio de Janeiro passou a ser a capital do Brasil.*

FORBES, James. *A perspective view of the city of St. Sebastian at Rio de Janeiro* [Iconográfico]. S.L. 1765.

parte mais animada: o mercado ou rua das "casinhas" – lojas de víveres – que se esparramavam pela rua do Buracão ou pela ladeira do Carmo.

As casas de moradia dos que tinham mais posses costumavam ter dois andares dotados de balcões, onde se instalavam homens e mulheres. Alguns cômodos tinham piso em madeira: "assoalhado de taboado" ou "forrados". Neles, os moradores tomavam a fresca da manhã e da tarde e assistiam ao desfilar das procissões em dias de festa de santos. Outras casas possuíam corredores laterais sustentados por pilares em madeira, assim como umbrais de portas e janelas decoradas. Até o início do século XVIII, os carpinteiros eram índios, e seu estilo deixou registros na construção das casas: elevadas para evitar que as enxurradas destruíssem suas paredes, voltadas para o Norte, evitando os ventos frios que sopravam de Sudoeste, armações de paus roliços habilmente amarrados para suportar telhados e cozinhas externas sob jiraus.

Quanto ao seu interior, Saint-Hilaire, viajante francês do século XIX, descreveu-as como limpas e mobiliadas com gosto. As paredes, pintadas com cores claras e guarnecidas de rodapés nas casas novas, contrastavam com as das antigas, ornadas com arabescos e desenhos.

Singelas construções religiosas dominavam a silhueta da capital: a catedral da Sé, o mosteiro de São Bento, os conventos de São Francisco, Carmo e Santa Teresa e, mais afastado, o da Luz. O cedro garantia a fabricação de altares e retábulos. Capelas particulares, como a de Fernão Paes de Barros, eram elegantemente decoradas com folhas de ouro, exóticas chinesices e tetos pintados. Outras construções se sobressaíam ao casario uniforme e austero: o palácio do governo, a cadeia, o quartel e o hospital militar. Segundo um cronista, as igrejas pouco tinham de notável. Para além da colina central, ao norte da cidade, descobria-se o Jardim Botânico, construído em 1799 por Antônio Manuel de Mello Castro e Mendonça, governador da capitania; do lado do Brás, da Consolação ou da Santa Ifigênia, pequenas chácaras com seus pomares e roças bem cuidadas indicavam a presença de moradores. Mais longe, além dos rios que banhavam o sopé da colina, freguesias periféricas sediavam fazendas que abasteciam, com seus produtos, o mercado de alimentos.

Os chamados "negros da terra" tinham seus alojamentos no fundo das propriedades, próximos às cozinhas e separados das casas por roças. No campo, suas moradias estavam sempre próximas à lavoura em que trabalhavam. No início do século XVII, tais casas extensas eram chamadas "tijupares". Gradativamente, passaram a ser individualizadas e cobertas de palha para, no século XVIII, se transformarem em senzalas para os africanos chegados a São Paulo.

A presença de terreiros e praças, tão comum em nossas cidades, notadamente nas costeiras, não se faria sentir nos núcleos de mineração que se formaram de pequenos arraiais, como Ouro Preto e São João Del Rei. Ocorrendo o ouro em regiões montanhosas, os arraiais nasciam ora junto aos regatos, ora nas encostas. Entre eles se formou uma rede de ruas irregulares e íngremes, nas quais se encravavam pequenos pátios. Em meio ao emaranhado de vielas, travessas e becos, se equilibravam, a princípio, casas de pau a pique cobertas de telhas do barro facilmente encontrado na região, as casas de "sopapo", posteriormente trocadas, pelo menos entre a elite, por construções mais duráveis. No auge da corrida do ouro, a itinerância dos moradores definia o futuro das casas. Contou certo comerciante Francisco da Cruz, de Sabará, que houve quem trocasse seus imóveis "por uns calções encarnados ou um freio de cavalo". E que tudo deixasse para ir às minas novas.

O ouro fez com que os povoados rapidamente se transformassem em vilas, concentrando colonos e imigrantes que, com seus escravos, vinham em busca de fortuna, além de autoridades que ali se instalavam para controlar a extração aurífera. Com essas mudanças, os casarões se assobradavam e, como em outras partes do Brasil, instalavam-se negócios no térreo. Ao longo do século XVIII, as austeras paredes de taipa começaram a abrir-se em janelas e vãos que davam às casas mineiras uma extraordinária harmonia. Ipês, braúnas, cedros e casca-de-cobra foram madeiras largamente utilizadas na construção de residências, igrejas e edifícios públicos. Seus interiores ganhavam tetos lisos ou com painéis ricamente decorados com festões, arabescos, colunas e figuras de animais.

Com o mesmo objetivo de embelezar, a esteira de bambu achatado, processo trazido pelos portugueses do Oriente, recebia curiosas pinturas. Os imóveis eram acessados por corredores, muitas vezes pavimentados com hematitas e quartzos rolados. Uma escada metida entre as paredes levava ao primeiro andar. Nele se encontravam o salão de visitas – de frente para a rua – e a sala de jantar, nos fundos, abrindo-se para um alpendre.

Os quartos de dormir se abriam para o primeiro recinto. As cozinhas, para a varanda. Aí também se localizava o quartinho em que eram depositados os vasos de serviço íntimo e onde, em gamelas ou bacias de "arame", vez por outra se tomava banho. Outra escada ligava a varanda ao pátio interno. Para além do pátio, estendia-se a horta familiar. Debaixo da casa, junto ao galinheiro, às cocheiras e ao quarto de arreios, localizava-se o espaço onde os escravos dormiam. Segundo especialistas, com poucas variantes, esse foi o tipo de construção comum à elite nos distritos do ouro e dos diamantes. A partir da segunda metade do século XVIII, o uso da pedra lavrada de tradição minhota foi frequente em igrejas, casas solarengas, edifícios públicos e fazendas nas regiões de "tapanhoacanga". Esse é o caso, por exemplo, do sítio do padre Faria, do Taquaral, e do arraial da Passagem de Mariana.

A prosperidade da vida urbana mineira incentivou uma série de melhoramentos arquitetônicos e domésticos: as fachadas começaram a ganhar sacadas rendilhadas em pedra-sabão, grades em ferro de inspiração italiana e ornamentos em cantaria nas soleiras. Jardins à francesa, recortados em canteiros de flores variadas, chamavam a atenção dos viajantes, como os da casa dos Motta, em Ouro Preto.

Em Goiás, cidades do ouro, como Jaraguá, viram surgir o uso da malacacheta em lugar de vidros na janela e de seixos rolados na ornamentação de vestíbulos. Fontes inspiradas na escola de escultura de Mafra murmuravam, refrescando as tardes. Residências médias e grandes abrigavam capelas com altares em jacarandá ou cedro, onde senhores e escravos assistiam à missa. Nas casas sem capela, o "quarto dos santos", em que uma cômoda alta sustentava oratórios e imagens, atendia às promessas e orações de todos.

Até a descoberta do ouro em Minas Gerais, a cidade do Rio de Janeiro não tinha muitos encantos. Possuía, no século XVII, uma fortaleza bem guarnecida de canhões e um centro comercial muito animado por embarcações vindas do Rio da Prata e de Angola. Até meados do século XVII, a cidade possuía quinze igrejas e instituições religiosas: o colégio dos jesuítas, no extinto morro do Castelo, o mosteiro de São Bento, o convento do Carmo, a igreja de Nossa Senhora da Conceição ou da Cruz dos Militares sinalizavam a prosperidade da cidade. Seu perfil, contudo, era ainda de um Rio de Janeiro rural. A cidade tinha havia pouco descido dos morros, onde a plantara inicialmente Mem de Sá, para invadir várzeas e vales entre montes. Ao longo da ribeira, plantavam-se trapiches encarregados de armazenar açúcar. Entre o quadrilátero dos morros do Castelo, Santo Antônio, de São Bento e da Conceição delineavam-se as primeiras vias: a rua Direita, da Vala, da Misericórdia. No atual Catete, instalaram-se olarias que abasteciam a cidade com tijolos e telhas.

Duas importantes ermidas foram, então, construídas: a da Candelária, erguida, em promessa, pelo abastado Antônio Martins da Palma, que pagava um voto que fizera durante terrível travessia do Atlântico, e a da Penha, que desde sua construção, por Baltazar de Abreu Cardoso, ganhou fama de santuário milagroso. Medidas de higiene combatiam com timidez o péssimo estado sanitário: isolaram-se bexigosos em lazaretos e obrigou-se o destripamento em alto-mar das baleias caçadas ao largo da costa: "Para que o mau cheiro que exalavam não infeccionasse a cidade." A Cadeia Pública e a Casa da Câmara desceram do Castelo e se instalaram na várzea, no antigo terreiro da Polé, depois nomeada praça do Carmo, e atual praça XV de Novembro. Na ilha grande, erigiu-se um estaleiro, destinado a fabricar galeões e fragatas empregados no comércio marítimo e no policiamento do litoral brasileiro. Os primeiros quilombos, constituídos por negros fugidos dos engenhos, começavam a concentrar-se nas margens do Paraíba.

No início do século XVIII, se intensificou o tráfico negreiro para a extração do ouro e o aumento da produção do açúcar fluminense. Como ficou a cidade e a moradia? A primeira, crescida, inchada, via aumentar dia a dia os problemas com limpeza. Os viajantes estrangeiros consideravam o Rio de Janeiro, como disse dela um inglês, "a mais imunda associação humana vivendo sob a curva dos céus". Em contraste com a belíssima baía azul e montanhosa, as casas eram feias. As ruas, sujas, atraíam porcos ou outros animais domésticos que vinham comer os restos de lixo jogados porta afora. O "desasseio" das praias, em cujas águas se derramavam os dejetos domésticos, preocupava as autoridades: "Despejos cujos eflúvios voltam para a cidade e a fazem pestífera."

Nicolas-Louis de Lacaille, astrônomo, passou no Rio em 1751 e observou que, em meio à sujeira, "as casas, feitas com pedras talhadas e tijolos, são bem construídas. Elas são comumente de dois andares, algumas de três, são todas cobertas com telhas e contam com gelosias nas portas e janelas. As igrejas locais são bonitas, ainda que compridas e pouco elevadas. Quase todos os interiores são esculpidos com frisos banhados em ouro, mas esses frisos são tantos que quase não se percebe nenhum desenho. A maior parte desses templos, iluminados por uma única e grande janela instalada acima da porta, tem um aspecto soturno".

Já Évariste Parny, poeta e *planteur* rico, proveniente da Reunião, desembarcado em setembro de 1773, discordou: "A cidade é grande, as casas são grandes e mal construídas e as ruas são bem alinhadas, mas muito estreitas [...] Nada direi sobre as igrejas, pois os portugueses são iguais a si próprios. Registrarei apenas que elas são de uma riqueza espantosa, porém desprovidas de bancos."

Melhorados em 1743, os "armazéns do rei" se transformaram em residência dos governadores e, a partir de 1763, em residência dos vice-reis. John Byron, avô de Lord Byron, na rota para uma missão especial nas Índias Orientais, ao passar, em outubro de 1764, anotou: "O palácio, além de ser uma suntuosa construção de pedra, é o único edifício da cidade que conta com janelas de vidro, pois as demais casas só dispõem de pequenas gelosias. Junto a esse prédio está instalado um cárcere, destinado aos criminosos; essa construção, repleta de grades, oferece ao visitante um espetáculo desagradável e diminui a formosura do edifício contíguo."

Branca, retangular e baixa, a construção era modesta e seus vastos salões abrigavam pouca mobília. À sua direita, na linha do casario voltado para a praia, erguiam-se os telhados íngremes da casa dos Telles. Ao lado, portas abertas indicavam a estalagem do francês Philippe, bodegueiro conhecido dos imigrantes portugueses que buscavam os caminhos para Minas Gerais. Um chafariz na praça reunia escravos que vinham buscar água em sonoro tumulto.

Sem numeração, as casas eram conhecidas pelos nomes dos que nelas residiam ou pelo comércio que ali se praticava. Num porto onde o tráfico de escravos era determinante, onde ficava tal mercado? O Valongo, nome que o sinistro local recebeu, localizava-se entre o outeiro da Saúde e o morro do Livramento. Erigido sob as ordens do marquês do Lavradio, quando se instalou no Rio, em 1769, consistia em armazéns alinhados, beirando a praia, cada um com sua porta aberta para receber a mercadoria humana vinda da África. Depois da travessia em condições terríveis, os cativos encaveirados eram engordados com farinha, banana e água, podendo ganhar "até cinco libras por semana". Cartazes do lado de fora anunciavam a chegada de "negros bons, moços e fortes", vendidos por preços com "abatimento".

Aliás, em qualquer parte, as melhorias urbanas não alcançavam os escravos. Quando não havia senzala ou galpão onde dormir, esticavam suas esteiras onde desse: porão, rés do chão e perto do fogão nas cozinhas dos sobrados. No Pará, já no início do século XIX, Spix e Martius observaram pequenas casas para cativos. Presentes em Minas Gerais, elas também existiram em alguns engenhos baianos, como o do visconde de Pedra Branca, Domingos Borges de Barros ou no Vale do Paraíba, antes de os cafezais tomarem conta dos morros e aumentarem os plantéis de cativos, quando foi preciso controlá-los por meio de grandes senzalas. Feitas em tijolo, madeira ou pedra, cobertas de palha ou telha, com portas que davam para corredores e eram trancadas pelo lado de fora, agregavam famílias ou separavam os escravos por sexo. Alguns autores enxergam tradições banto e iorubá nas construções dedicadas aos cativos. Tinham piso de terra nua, aberturas estreitas e uma única porta.

Nas artérias mais importantes cruzavam-se os funcionários do governo, os soldados da milícia da terra, frades e padres seguidos de beatas, mazombos – enriquecidos graças ao açúcar, ao ouro ou ao tráfico de escravos –, mulatos, mamelucos, cabras, peões, oficiais mecânicos, ciganos, degredados e milhares de escravos. Mulheres – as trabalhadoras, cativas, forras ou brancas pobres – vendiam, elas também, os seus serviços de lavadeiras, doceiras, rendeiras, prostitutas, parteiras, cozinheiras etc. Pouco se viam senhoras e sinhás. Reclusas, não deixavam de realizar tarefas domésticas, expondo-se apenas em dias de festa religiosa.

# 2. “PODE ENTRAR...”

Portas adentro, as moradas brasileiras não impressionavam. Ao entrar, o visitante mergulhava na meia obscuridade proporcionada pelas janelas estreitas e pela presença de muxarabiês: treliças de madeira que encobriam rótulas e permitiam ver sem ser visto. A ideia era conjugar sombra, ventilação e discrição. Na falta de vidros, essa era a solução. Ao chegar a Salvador, o marquês do Lavradio ficou horrorizado com o que chamou de "memoráveis urupemas [...] que guarneciam portas e janelas da cidade, fazendo-as parecer mais cabanas do que casas de uma capital". Tais urupemas eram um tipo de treliça que, na falta da madeira – custosa e rara –, era confeccionada com fibra vegetal. O chão batido e a fumaça do fogão a lenha faziam o resto. A falta de chaminés enegrecia as paredes. Tudo ficava escuro e fedido: "Todos os sentidos ali padecem com o fedor insuportável de catinga", dizia o marquês.

Móveis? Poucos, e somente nas casas de ricos fazendeiros ou autoridades. Demorou para que o catre substituísse a rede e fosse, por sua vez, aposentado pelas "camas com seu sobracéu e seus pavilhões". Para que as cadeiras de espalda ou de estado, onde só se sentavam autoridades, tomassem o lugar de cadeiras rasas, tamboretes e bancos. E para que as mesas de "missagras e engonços" dessem lugar a móveis "torneados e com gavetas". Que o diga o professor de latim Luís dos Santos Vilhena, que descrevia os interiores do lado pobre de Salvador como "mobiliados de ordinário com duas ou três esteiras de tábuas, segundo as camas que carece a família".

Ele tinha razão. Móveis variavam de acordo com a condição social dos ocupantes da casa. Naquelas dos ricos, as artes orientais, criadoras de contadores marchetados de marfim, com aplicações de tartaruga ou incrustações de madrepérola, foram chegando. A moda na metrópole, em 1662, era o mobiliário oriundo da China e da Índia, tal como o que fez parte do enxoval de casamento de d. Catarina de Bragança, que levou para a Inglaterra "tantos

*A precariedade do dia a dia.*

DEBRET, Jean-Baptiste. *Debret na pensão.* [Aquarela sobre papel]. MUSEU CASTRO MAYA, RIO DE JANEIRO. 1816.

contadores indianos como nunca se tinha visto", segundo um contemporâneo.

Isso explica, na relação de bens deixados por José Lopes Fiúza, senhor de engenho do Baixo de Boca do rio Paranamirim, na Bahia, em 1741, a presença de "dois contadores da Índia", avaliados em 16 mil réis, de dois "ventos da Índia", ou seja, biombos ou "para-ventos", também marchetados e avaliados em 50 mil réis e "arcas, tabuleiros, bandejas grandes e pequenas de charão" ou laca fina. Igualmente, ilustra o caso do espelho de "tartaruga com seu pavilhão de damasco vermelho", mencionado num testamento paulista do século XVII – o mesmo que cita o chão coberto "com alcatifas de seda, tapetes de lã, coxins de damasco, de palha de Angola" e painéis de "madamas e santos".

Na mesma cidade, famosa por sua aparente simplicidade, não faltava o gosto por embelezar o ambiente com pinturas. Certo Antônio Ribeiro de Morais possuía "seis quadros de Roma grandes, seis quadros de Roma pequenos e três quadros de Roma médios", além de "uma lâmina de santa Catarina". Deixou tudo para o colégio dos padres jesuítas, em troca de algumas missas por sua alma. Leonor da Siqueira tinha uma lâmina da Virgem Senhora e uma imagem de Cristo, enquanto que Miguel Garcia Velho possuía "doze painéis de madamas".

Contadores de jacarandá, fabricados na colônia ou importados de Portugal, foram encontrados entre pessoas de posses: comerciantes, artesãos e proprietários rurais. Com suas inúmeras gavetas e segredos, eles indicam certa racionalização na administração do patrimônio. Móveis com elementos torneados e incrustados revelam a presença de artesãos habilidosos entre os paulistas.

Nas cidades litorâneas, cabia aos azulejos deixar as casas bonitas, formando, com cor e luz, lambris em vestíbulos e em corredores de entrada. Os mais antigos tinham ornatos repetidos compondo tapetes ou figurinhas isoladas. Os mais modernos, do século XVIII, traziam cenas ou grandes painéis contornados de elementos barrocos, conta José Wasth Rodrigues.

Arcas? Aos montes. Na vastidão de seus sete ou oito palmos de profundidade, substituíam todos os móveis da casa. Guardavam de roupas a armas, de ferramentas a louças. Fechadas, serviam de mesa ou banco.

Cobertas de couro ou "encouraçadas", guardavam ornatos para dias de festa como "mantos de recamadilho, capilhas de cetim e os chapéus de Bardá". Elas aparecem nos inventários com o nome de "caixas com argolas", "com fechaduras", "com chave", "com alças". Podiam ser "meãs" ou grandes, ter pés ou gavetas e possuir escaninhos secretos. Feitas em madeira ou ferro,

*Rede de dormir: tradição indígena incorporada pelos colonizadores.*

BRIGGS, Frederico Guilherme. *Brazilian souvenir: a selection of the most peculiar costumes of the Brazils.* S.L. 1845.

podiam ser cobertas de couro de vaca ou de anta. O baú, com seu tampo abaulado, também foi muito utilizado como móvel de guarda. Pintado ao gosto hispano-arábico e decorado com pequenas tachas, veio direto do norte de Portugal para nossos interiores.

Traseiros pobres sentavam-se sobre tripeças, assento redondo e baixo com vazado central, tamboretes rasos ou mochos cobertos de couro de boi. Os mais sofisticados tinham pés tornados. Cadeiras de madeira, só a partir do século XVII em São Paulo e, em fins do século seguinte, no Nordeste, diz Tilde Canti. As cadeiras dobradiças, de couro lavrado com decoração geométrica, ou as cadeiras de braço, com assento e espaldar também cobertos de couro lavrado, só foram incorporadas ao cotidiano no século XVIII.

Transportável e fresca, além de adaptada ao clima tropical, a rede retardou a difusão do leito ou do catre. Os raros exemplares destes móveis pertenciam, no século XVII, a autoridades, funcionários da Corte ou colonos abastados – caso de certo Francisco Lopes Pinto, cujo inventário revelava, na São Paulo de 1623, "um catre torneado à cabeceira". Coisa rara! Em Minas Gerais, a influência do norte de Portugal se fez sentir na segunda metade do século XVII. Surgiram leitos com balaustradas e colunas sustentando dosséis, mas sem torneados, pois não havia... torno!

Já no século XVIII, quando as camas se tornaram mais comuns, houve influência da marcenaria hispano-americana vinda das reduções jesuíticas e feita por índios paraguaios. Exímios marceneiros, entalhadores e torneadores, eles não hesitaram em colocar caras exóticas e representações do Sol nas camas que confeccionavam. Em menor número, em alguns inventários, elas podiam ter cortinas e ser vistas de perto, nos ex-votos pintados. Neles, doentes deitados evocam os milagres que os arrancaram das doenças. Gente pobre ou escravos sonhavam seus sonhos sobre esteiras, couros de boi ou finos colchões de palha.

Cansado? Um "preguiceiro sem cabeceira" fazia parte do arresto de bens do inconfidente padre Carlos Correa de Toledo e Mello. Já o catre, leito de estrutura mais simples e sem dossel, foi muito usado. Sua versão rústica encheu os inventários do século XVII com designações diversas: catre de mão, de enxó, de vento, ordinário, torneado, entre outros. A sofisticação veio mais tarde quando catres começaram a ter cabeceiras com bilros e torneados.

Sobre eles se colocava colchão de lã, de paina ou de perfumada macela, coberta por esteira mole de Angola e a seguir revestida com lençol, segundo o viajante francês Jean-Baptiste Debret. A roupa de cama era abundante e constava dos testamentos. Em 1710, certo Francisco Proença legou à sua filha "seis lençóis". Eles podiam ser de algodão, de bretanha, de holanda e de ruão. As denominações indicavam as regiões de origem do pano. Da arca de moscóvia do engenho da família Rocha Pita saíram, entre outros: "uma colcha de damasco carmesim guarnecida com prata", "uma dita de cetim de flores usada", "três lençóis de bretanha de França", "quatro colchas de chita usada", "seis lençóis de morim novo" e "dois colchões de lã em bom uso". Travesseiros já eram usados. Podiam ser sofisticados, cobertos de linho bordado ou simplesmente recheados de palhas de milho. Por vezes e por incúria do escravo que o preparasse, com os sabugos junto.

E as mesas? As famílias se reuniam à sua volta para as refeições diárias? Tudo indica que, até o século XVIII, o hábito de comer junto não se tinha instalado, salvo nos conventos. Hoje, exibidas em museus, as mesas de aba ou cancela, de cavalete ou com pernas de lira mais serviam para suporte de alfaias ou de oratórios de santos. Somente no início do século XIX encontraremos informações como as de John Luccock explicando que "na hora do jantar, a meio dia, pela justaposição de duas ou mais mesinhas formava-se uma única". À volta, "tamboretes toscos". Improvisação, portanto.

Na segunda metade do século XVIII, bufetes com gavetas e molduras foram recorrentes em Minas e Goiás, e os armários começaram a sair das paredes, ganhando portas pintadas e almofadas. Antes se penduravam em chifres de veado objetos de uso constante como selas, armas, cestas, peneiras ou capas. Ganchos serviam de cabides.

Numerosas oficinas de carpintaria davam conta de encomendas de estátuas, terços, coroas e rosários. A mobília, inspirada em desenhos importados de Portugal, ganhava volutas, garras de leão ou burro, embelezando camas, cadeiras, cômodas, contadores e bufetes. Espelhos e ferragens se sofisticavam. As arcas, onde se guardavam roupas finas e bens preciosos, também ganhavam decorações com tachas douradas. Para alegrar as paredes, religiosos italianos vendiam quadros de procedência europeia. A prata convertia-se em baixelas, serviços de toucador e arreios, sob a batuta de prateiros baianos e mineiros. O linho cultivado nos distritos do rio das Mortes e o algodão de Montes Claros transformavam-se em finas alfaias domésticas. Em Mariana, Prados e Congonhas do Campo, pequenas olarias forneciam louça grossa para o uso diário.

Ao final do século XVIII, chegou o estilo híbrido entre o luso e o inglês, o dito d. João V: os móveis ganharam arcos, pés em feitio de pata de animal e elementos decorativos em forma de concha. Novidades foram as arcas-bancos e as cômodas. A influência inglesa foi trocada pela francesa no reinado de d. José. Mais leves, menos entalhados e menores, multiplicaram-se os formatos de cadeiras, de papeleiras, de canapés. Os estrados e assentos trocaram o couro pela palhinha. O douramento e a pintura das cabeceiras de cama coloriram os ambientes.

As alfaias eram variadas. Na São Paulo seiscentista, sobre as mesas se viam tigelas, alguidares, púcaros, potes de louça do reino ou da Índia. Pesquisas arqueológicas têm revelado a fisionomia dessa louça decorada em azul sobre fundo branco, com listras, caracóis ou "garatujas". Entusiasmado com a qualidade do barro, certo André Jacobus propôs mesmo

*Crianças escravas tratadas como animais de estimação.*

DEBRET, Jean-Baptiste. *Um jantar brasileiro* [Aquarela sobre papel]. MUSEU CASTRO MAYA, RIO DE JANEIRO, 1827.

sua fabricação, na segunda metade do século XVIII. Não foi o único. Em carta para Portugal, datada de 1805, o governador Franca e Horta contava que, viajando no brigue inglês *Mary*, vindo do rio da Prata, o naturalista John Marre, em passeios ao largo de Santos, descobriu "que se podem tirar grandes vantagens do barro fino, capaz de fazer uma louça tão superior quanto a da Saxônia". A ideia não foi adiante, mas graças à generosa tabatinga seguia a fabricação de telhas e a confecção de botijas e peroleiras para armazenar vinho.

Em Minas, os objetos de mesa existiam e oscilavam entre rusticidade e sofisticação. Certo João de Azevedo Pereira, comerciante no arraial do Tejuco, tinha para seu uso garfos e colheres de latão, mas também um "faqueiro de prata com doze facas e doze garfos", além de um jogo de "facas com cabo de osso". D. Ana Perpétua Marcelina da Fonseca arrolou objetos finos de mesa no inventário do finado marido: pratos da Índia, rasos e fundos, grandes e pequenos, chocolateiras de cobre, colheres, garfos e facas de prata, um galheteiro e bandejas diversas. Felipe José Correa de Lacerda, administrador-geral dos Diamantes no Tejuco, tinha uma grande quantidade de peças que iam do latão e do estanho à prata, da louça simples à da Índia, jogos de pires com xícara, cálices e frascos para vinho. Não era raro encontrar nos inventários do século XVIII garrafas de vinho branco e tinto.

Na cozinha se usavam frigideiras de barro ou ferro e caçoilas, vasos em que se coziam os alimentos. E também pilões de todos os tamanhos e almofarizes para esmagar grãos, moringas de louça, salvas e bandejas, tambuladeiras, saleiros, alguidares e pratos. Mais: de cobre, havia tachos, caldeirões e alambiques. De estanho, pratos, colheres e tigelas. De ferro, candeeiros e caldeirões. De pau, gamelas de todos os feitios. Rodas de ralar mandioca ou prensas de farinha são enumeradas ao lado de moinhos de água de moer trigo, de alambiques de destilar cana ou de prensas e fôrmas de fazer queijo. Grãos e farinhas eram guardados em gavetões fechados a sete chaves.

De norte a sul, se iluminavam as casas da mesma forma: castiçais já aparecem em inventários desde o século XVI. Podiam ser em latão, estanho, bronze ou arame. Castiçais com muitos braços e lampadários, também. Candeeiros ou candeias com bicos por onde saía a mecha, assim como lanternas de folhas de flandres ou de prata, eram comuns. Alimentavam-nos os óleos mais diversos: o de tartaruga, na Amazônia; o de copaíba, na Bahia; o de andiroba e gergelim, no Pará; o de palmeira, em todo o Nordeste; a *palma-christi*, em São Paulo; o de abóboras, no Sul. Todos fabricados em casa. Tesouras de espevitar em ferro ou metal nobre eram usadas para apagar as mechas sem deixar odor ou queimar os dedos.

Tapetes, chamados de alcatifa, podiam ser em lã ou seda, provenientes da Índia ou da cidade espanhola de Arrayolos, ou ser tramados em rede vegetal. Na guarnição da mesa usavam-se toalhas de mesa e de sobremesa, em algodão, linho ou "pano do reino", com suas rendas e crivos, lavrados e franjas coloridas que punham sofisticação às refeições. As mais simples podiam ser cobertas de esteiras, sobre as quais iam as tigelas e os pratos de barro. Havia ainda panos para cobrir bancos e assentos: os "lambéis". Também nas redes herdadas dos índios conviviam delicadeza e arte. Elas tinham vários feitios: de Carijó, grosseira de chã, com suas rendas, de pano rendado, de picote grosso, ou seja, de lã de cabra.

E, para belas ceias, não faltaram esforços em algumas casas. Quem conta é Louis Antoine de Bouganville, de passagem pelo Rio de Janeiro, em 1766: "A atenção que nos dispensava o vice-rei prolongou-se por muitos dias, num dos quais ele nos ofereceu uma pequena ceia – servida à beira-mar sob um caramanchão decorado com flores de laranjeiras e jasmins –, seguida de um espetáculo de ópera. Fomos conduzidos até uma bela sala, onde assistimos a uma representação da obra maior de Metastásio, encenada por uma trupe de mulatos, e escutamos alguns extratos de grandes mestres italianos, executados por uma péssima orquestra dirigida por um padre corcunda em traje eclesiástico."

Pano rápido!

# 3. EU ME LAVO, TU TE COBRES, NÓS SUJAMOS: CATINGA E LIMPEZA

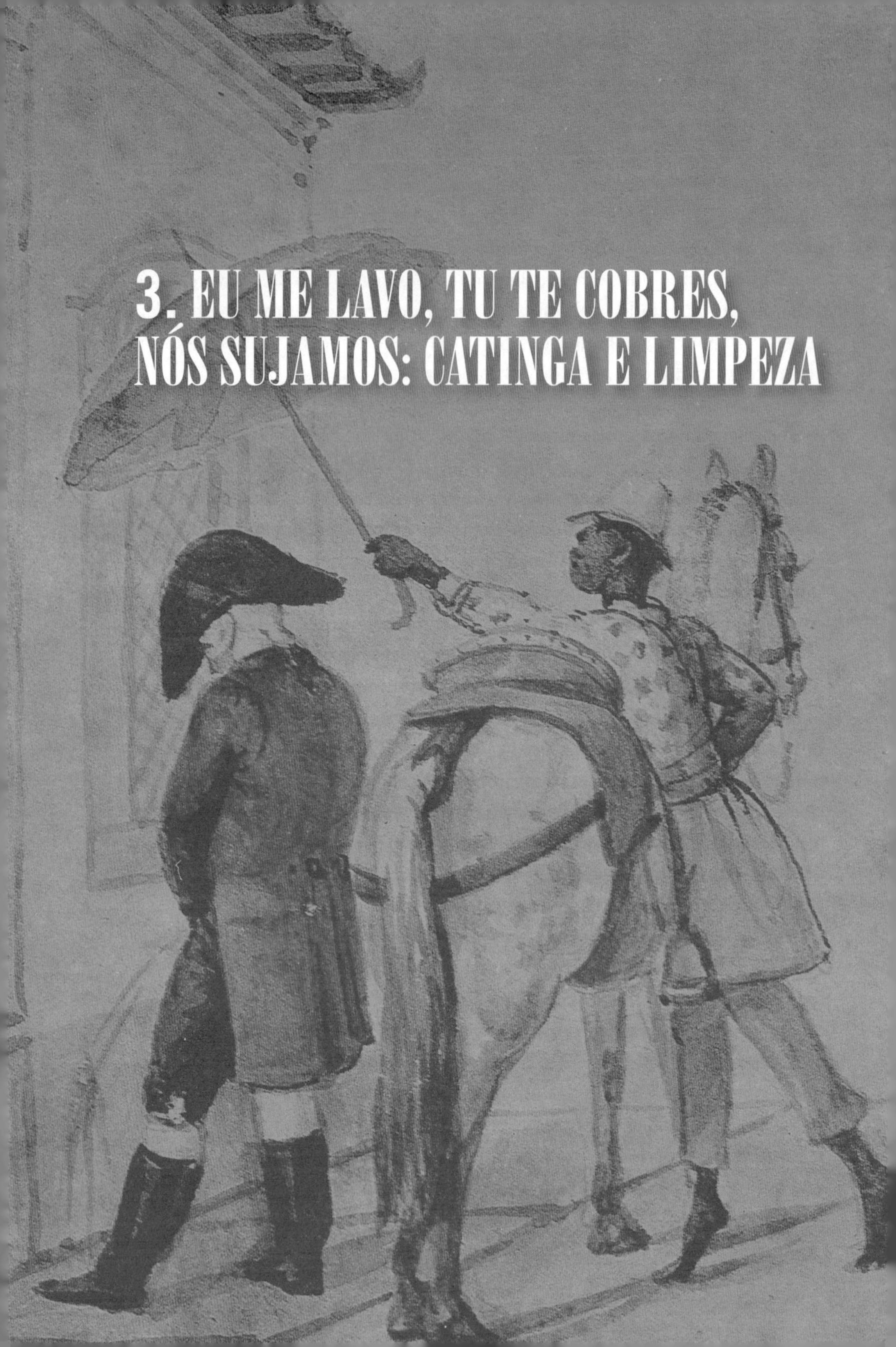

*Escravo da nobreza da terra.*

DEBRET, Jean-Baptiste. *Cena de rua* (patrão e escravo) [Aquarela].
COLEÇÃO GENEVIÈVE E JEAN BOGHICI, RIO DE JANEIRO, C. 1817-1829.

Comer com as mãos, arrotar, defecar ou urinar publicamente são hábitos banidos de nosso convívio. Porém, as práticas em torno das necessidades fisiológicas, assim como o uso da água e da indumentária, percorreram uma longa estrada antes de serem adestrados. E a educação do corpo teve que se dobrar às fórmulas de contenção, contrariando o desejo e os apelos da "natureza". "Lavado"? Significava "limpo com água ou outro licor"! A palavra "higiene", por exemplo, não constava nos dicionários do século XIX, momento em que muitos viajantes estrangeiros passaram por aqui. Nem por isso o tema lhes passou despercebido.

Casas? Essas eram "repugnantemente sujas", segundo a inglesa Maria Graham. Ainda piores eram as cozinhas, fossem de pobres ou de ricos: "Um compartimento imundo, com chão lamacento, desnivelado, cheio de poças d'água, onde em lugares diversos armam fogões, formados por três pedras redondas onde pousam as panelas de barro em que cozinham as carnes", horrorizou-se John Mawe.

Raramente o interior das habitações era limpo. Quando muito, era varrido com uma vassoura de bambu. Água no chão? Nunca. As paredes, apenas caiadas, ficavam amarelas. A fim de tornar os quartos toleráveis e deles expulsar o mau cheiro, costumava-se queimar plantas odoríferas. Tais odores também mantinham afastados os "atacantes invisíveis": mosquitos, baratas e outras imundícies. No Colégio Jesuíta do Maranhão, os reverendos padres preferiram espalhar vasos com "cheiros", ou seja, com ervas aromáticas, com o mesmo objetivo, conta-nos J. P. Bettendorf.

Os penicos estavam em toda parte, e seu conteúdo, sempre fresco, era jogado nas ruas e praias. Acostumado aos "gabinetes à inglesa", o comerciante inglês John Luccock queixava-se que entre as piores inconveniências domésticas havia certa "tina destinada a receber todas as imundícies e refugos da casa, que, nalguns casos, é levada e esvaziada diariamente, noutros, somente uma vez por semana, de acordo com o número de escravos, seu asseio relativo e pontualidade, porém sempre carregado, já sobremodo insuportável". Até encherem, tais perfumadas tinas ficavam isoladas no compartimento chamado "secreta". Quando chovia, eram esvaziadas nas ruas. O monturo secava sob o sol. E varredores de rua não existiam! Os "esterquilínios" – como os chamou o bem-humorado Ernani da Silva Bruno – eram facilmente reconhecidos: cobriam-se de uma espécie de cicuta, planta popular conhecida como erva-salsa.

Jean-Baptiste Debret deixou, ele também, suas impressões sobre os "potes": "[...] de barro cozido e de forma oblonga, tem mais o caráter indígena. É em geral de três palmos de altura. Suas funções vergonhosas fazem com que esteja sempre escondido num canto do jardim ou do pequeno pátio contíguo à casa, colocado atrás de uma cerca de trepadeiras ou simplesmente escondido por duas ou três taboas apoiadas ao muro. Nas casas mais ricas, ele se dissimula sob um assento de madeira móvel. E, nesse esconderijo, aguarda a hora da ave-maria para, molemente, balançando à cabeça do negro encarregado desse serviço, ser esvaziado numa praia. Antes da partida é previamente coroado por uma pequena tábua ou uma enorme folha de couve, tampa improvisada que se supõe suficiente para evitar o mau cheiro exalado durante o trajeto".

Quartos? Os sobrados costumavam oferecer um para os pais e camarinhas apertadas para as moças. As janelas pouco se abriam, e não se expunham ao sol as camas úmidas de suor. Na alcova havia mosquiteiro, colchão rijo, travesseiros redondos e "excelentes lençóis". Sinal de que, apesar da sujeira, a roupa branca era valorizada.

Quanto aos habitantes, a maioria deles deambulava pelas ruas vestida com "casacas pretas, velhas e coçadas". As calças nos joelhos eram atadas com fivelas de brilhantes-fantasia, as meias eram de algodão nacional, e a cabeça era coberta com "uma peruca empoada sobre que punham um enorme chapéu armado já sebento, geralmente ornado de um tope". O número de pessoas de aparência respeitável, segundo Luccock, era diminuto. E pior: o que se mostrava na rua não era realidade portas adentro. Para fazer visitas, os homens enfiavam-se em tricórnios e grudavam fivelas aos sapatos. Mas em casa mostravam-se "com barba de vários dias e os cabelos pretos em franco desalinho, embora besuntados de gordura e sem roupa alguma sobre sua camisa de algodão. É verdade que esse traje é bem-feito, ornamentado com trabalhos de agulha, especialmente sobre o peito; mas frequentemente o põem de peito aberto e com as mangas arregaçadas até os ombros". Curtas, as calças deixavam as pernas nuas e "os pés metidos em tamancas. Nada disso é lá muito correto", ponderava.

O hábito de estar semivestido era também observado na hora das refeições: tiravam sapatos, meias e outras "peças que o calor tornasse opressivas, guardando apenas o traje que a decência requer", reportou Luccock. Garfos e facas começavam a serem usados, embora fossem de modelo antigo, pequeno e desaparelhado:

> Comem muito e com grande avidez e, apesar de embebidos em sua tarefa, ainda acham tempo para fazer grande bulha. A altura da mesa faz com que o prato chegue ao nível do queixo; cada qual espalha seus cotovelos ao redor e, colocando o pulso junto à beirada do prato, faz com que por meio de um movimento hábil o conteúdo todo se lhe despeje na boca. Por outros motivos além deste, não há grande limpeza nem boas maneiras durante a refeição; os pratos não são trocados [...] por outro lado, os dedos são usados com tanta frequência quanto o próprio garfo. Considera-se como prova incontestável de amizade alguém comer do prato do seu vizinho [...] antes do final da refeição, todos se tornam barulhentos, exagera-se a gesticulação e despedem punhadas no ar, de faca ou garfo, de tal maneira que um estrangeiro pasma que olhos, narizes e faces escapem ilesos.

E registrou para concluir mais à frente: "É de observação vulgar que os hábitos pouco limpos costumam seguir de perto a ignorância [...] Poucos vocábulos foram tão empregados quanto sujeira, imundície e expressões sinônimas, mas não é possível fazer-se de outro modo se quisermos de fato representar a situação real e geral do país e de seus habitantes."

Debret concordaria, pois ficou chocado em constatar que pequenos comerciantes ou homens abastados comiam "com os cotovelos fincados à mesa, enquanto sua mulher, com o prato sobre os joelhos, sentada em sua marquesa com as pernas cruzadas, à moda oriental, comia com as mãos, bem como seus filhos ainda pequenos que, deitados sobre a barriga ou de cócoras

*Nas fazendas, o escravo garantia o abastecimento de água.*

VELOSO, José Mariano da Conceição. O fazendeiro do Brazil. LISBOA:.NA OFFICINA DE SIMÃO THADDEO FERREIRA, 1799. TOMO 3, PARTE 2.

nas esteiras, se enlambuzavam à vontade com "a pasta comida nas mãos!".

Guardanapos? Coisa rara, mesmo na casa do governador. Em jantar que lhe foi oferecido, Nicolas de La Caille ironizou: "Na ocasião, deram-nos uns guardanapos quadrados, pequenos e sujos. E esse senhor gabava-se de ser muito rico e especialista na arte de bem viver."

Já a sensibilidade olfativa dos colonos estava longe daquela que já se instalara na Europa, junto com a preocupação de "oxigenar os ares" e de banir em definitivo o mau cheiro. Tal movimento suscitava a intolerância em relação aos odores do corpo que entre nós ainda eram plenamente admitidos. Teóricos já advertiam para os riscos de a gordura tapar os poros, retendo "humores" maléficos e "imundícies", das quais a pele já estava carregada. A película nauseabunda, que os antigos acreditavam funcionar como um verniz protetor contra doenças, na verdade bloqueava as trocas "aéreas" necessárias ao organismo.

Essa mudança provocou uma passagem da natureza ao artifício. Os perfumes que remetiam aos odores animais – âmbar, almíscar – saíram de moda por sua violência. Antes, as mulheres os utilizavam não para mascarar seu cheiro, mas para sublinhá-lo. Havia nele um papel sexual que acentuava a ligação entre as partes íntimas e o odor. Na Europa "civilizada", porém, a emergência de uma nova forma de pudor ameaçava esta tradição, substituindo-a por exalações delicadas à base de lavanda e rosas. O bidê foi então introduzido na França, tornando-se o auxiliar do prazer. As abluções femininas se revestiam de erotismo. Os talcos perfumados e outros pós, à base de íris, flor de laranjeira e canela, cobriam as partes íntimas. Um simples perfume aguçava a consciência de si, aumentando o espaço entre o próprio cheiro e o dos outros: multidão fedorenta. O odor forte, considerado um arcaísmo, se tornou coisa de roceiras e prostitutas velhas.

Entre nós, o âmbito da higiene íntima feminina, de difícil pesquisa histórica, foi brevemente abordado pelo poeta baiano Gregório de Matos. No final do século XVII, ele escreveu sobre a carga erótica do "cheiro de mulher". Sim, cheiros íntimos agradavam: o do almíscar era um deles. O poeta criticou uma mulher que o seduzira apesar de lavar a vagina antes do ato sexual, maldizendo

Est. I B.
Fig. 9.
Fig. 10.
Fig. 11.
Fig. 12.

BEBIDAS ALIMENTOSAS
CAFÉ
O FAZENDEIRO
DO BRAZIL,
CULTIVADOR,
Melhorado na economia rural dos generos já cultivados, e de outros, que se podem introduzir; e nas fabricas, que lhe são proprias, segundo o melhor, que se tem escrito a este assumpto:
DEBAIXO DOS AUSPICIOS,
E DE ORDEM
DE SUA ALTEZA REAL
O
PRINCIPE REGENTE,
NOSSO SENHOR.
Colligido de Memorias Estrangeiras
POR
FR. JOSÉ MARIANO DA CONCEIÇÃO VELLOSO.
TOMO III.
BEBIDAS ALIMENTOSAS.
PARTE I.
.... merito hac una Satis arbore felix
Dicenda est regio: Sparsas nam hinc omnibus oris
Orbis opes trahit ad sese.
Knowl. 
ANNO. M. DCCC.
NA OFFICINA DE SIMÃO THADDEO FERREIRA.
QUINTA DAS LAGRIMAS
COIMBRA

as que queriam ser "lavandeiras do seu cu". Certa carga de erotismo dependia do equilíbrio entre odor e abluções, embora houvesse muitos, como o Boca do Inferno, que preferissem o sexo feminino recendendo a "olha" e sabendo a "sainete"; "Lavai-vos, minha Babu, cada vez que vós quiserdes", cantava o poeta, "já que aqui são as mulheres lavandeiras do seu cu."

> Lavai-vos quando o sujeis
> E porque vos fique o ensaio
> Depois de foder lavai-o
> Mas antes não o laveis

E reclamava:

> Lavar a carne é desgraça
> Em toda a parte do Norte
> Porque diz, que dessa sorte
> Perde a carne o sal, a graça;
> E se vós por essa traça
> Lhe tirais o passarete
> O sal, a graça, o cheirete,
> Em pouco a dúvida topa
> Se me quereis dar a sopa
> Dai-ma com todo o sainete.

O cheiro de almíscar ainda agradava por estes lados do Atlântico onde o bidê só aportou no século XIX.

Mas lavar o corpo com o quê? Um pedaço de sabão era bem inestimável. Que o diga certo Baltasar Dias, em 1618, ao ver que fora roubado do seu, transportado com dificuldade na caravela que o trazia da cidade do Porto para Pernambuco, deu de "dizer palavras de cólera e que o Diabo o levasse de seu corpo", numa explosão de rara fúria. Conclusão? Foi denunciado à Inquisição por blasfêmia.

Banhos? Só em caso de doença. D. João VI seria o melhor exemplo. Contam biógrafos que, picado por um carrapato na fazenda de Santa Cruz, onde passava o verão, teve a perna inflamada e muita febre. Os médicos lhe recomendaram banho de mar. O rei tinha pavor de ser atacado por peixes ou crustáceos e, por isso, mandou construir uma caixa de madeira, dentro da qual era mergulhado nas águas da praia do Caju, nas proximidades do Palácio de São Cristóvão. A caixa era uma banheira portátil, com dois varões transversais e furos laterais por onde a água do mar podia entrar. O rei costumava ficar imerso ali dentro por alguns minutos, com a caixa imersa e sustentada por escravos. O iodo marinho ajudaria a cicatrizar as feridas. O uso de caixas para banhos era conhecido das cidades europeias, cortadas por rios.

Esses mergulhos improvisados na praia do Caju, a conselho médico, são a única notícia que se tem de um banho de d. João nos treze anos em que permaneceu no Brasil. Ao que tudo indica, o banho de imersão era coisa de estrangeiros no século XVIII. Coisa de "gosto inglês", como comentou Juan Francisco de Aguirre, ao observar que apenas nas chácaras sob influência estrangeira se contava surpreendentemente com "lugares para banhos com abundância de água".

Passadas décadas, Luccock complementou que as abluções não eram "nada apreciadas pelos homens. Os pés são geralmente a parte mais limpa das pessoas. Os rostos, mãos, braços, peitos e pernas, todos eles andam muito expostos em ambos os sexos, raramente recebem a bênção de uma lavada". Os inventários confirmam: toalhas "para enxugar" só as "de cabeça", "de rosto" ou "de mãos". Mais nenhuma.

A sujeira causava doenças de pele. Em sua correspondência com familiares em Portugal, o vice-rei marquês do Lavradio se vangloriava da saúde, acrescentando que "conserva-se bem sem sarnas, nem perebas, moléstia de que aqui padecem todos, e só não tenho escapado aos bichinhos do pé, porque estes me têm perseguido barbaramente".

De origem latino-americana, esta espécie de pulga ganhou nomes populares: zunja, xique-xique, jatecuba. Habituada à pele mais fina e tenra entre os dedos, era encontrada em currais, chiqueiros e praias. O mercenário alemão Carl Seidler foi uma das vítimas desses "imundos hóspedes": "Ainda me lembro bem que havia soldados que extraíam de trinta a quarenta saquinhos desse bicho, cheio de ovos, cada um dos saquinhos deixava um buraco do tamanho de uma ervilha, extração muito dolorosa, e já no dia seguinte número igual se alojara, notadamente nas unhas e nos calcanhares. Para evitar isso, muitos de nós nos limitávamos a abrir o saquinho cheio daquela criatura do Diabo e lhe deitávamos em cima um pouco de mercúrio".

A sensibilidade olfativa dos colonos estava longe daquela que já se instalara na Europa, pois mesmo para limpar usavam-se produtos fétidos. Os tintureiros, por exemplo, misturavam urina e vinagre para fixar as cores dos tecidos e couros. Lavava-se roupa com folhas saponáceas e passava-se nela bosta de cavalo para fixar as cores. Para tirar manchas, usava-se "fel de boi" ou cebola bem esfregada. A fabricação de sabão, que, aliás, foi importado da África até 1780, consistia numa mistura de gordura animal e vegetal com um tipo de soda cáustica. Tomavam-se cinzas resultantes da queima de algumas madeiras e, molhando-as sobre um pano, se deixava que gotejassem lentamente. Sebos e carnes fervidas proviam a gordura animal. Já o uso do coco permitia a fabricação de uma gordura mais leve e refinada. Daí, no entender de alguns autores, a multiplicação de coqueiros, sobretudo na região de Salvador, onde africanos ensinaram aos portugueses a fazer sabão.

O mau cheiro dos produtos de limpeza não impedia, contudo, que se tomassem certos cuidados. Contou-nos Debret, em 1816: "As lavadeiras brasileiras, aliás muito mais cuidadosas do que as nossas, têm a vaidade de entregar a roupa não somente bem-passada e arranjada em ordem, dentro de uma cesta, mas ainda perfumada com flores odoríficas." Asseio não era se lavar, mas vestir roupa limpa. Para combater o mau cheiro das vestes, usava-se a bolsa escrotal do jacaré. "Melhor do que qualquer animal almiscareiro", recomendava Knivet ou ainda Gandavo: "Qualquer roupa a que chegam os testículos, o cheiro fica pegado por muitos dias". Mas roupa limpa todos os dias? No caso dos padres jesuítas, a resposta seria não. Só trocavam de camisa às quartas-feiras e aos sábados.

Maus modos também eram notados. Defecar e urinar em público, expondo as partes íntimas, chocavam os viajantes. Que o diga John Barrow, que registrou o hábito de as mulheres urinarem "descaradamente" nas ruas do Rio. O certo era fazê-lo contra um muro, cobrindo o sexo, na tentativa de proteger-se dos olhares alheios. M. de la Flotte, em 1759, também estranhou que aqueles mesmos que se autodenominavam "fidalgos", "título que em Lisboa é usado somente pelas pessoas de qualidade", "andassem malvestidos, e muitos, na sombra, *estendessem a mão* para satisfazer as suas necessidades mais elementares". Mas o exemplo vinha "de cima". Eduardo Theodor Boesche, contratado como cadete de cavalaria, com quartel na praia Vermelha, assistiu a uma cena cujo protagonista foi ninguém menos do que o jovem imperador d. Pedro I:

> Ao romper do dia chegavam a cavalo d. Pedro e sua consorte, acompanhados de camaristas e generais. Não há talvez no mundo soldado tão entendido como o imperador no manejo prático e exercício da espingarda [...]. De resto, seus modos são grosseiros, falta-lhe o sentimento das conveniências, pois vi-o uma vez trepar ao muro da fortaleza para satisfazer uma necessidade natural e nesta atitude altamente indecorosa assistir ao desfile de um batalhão em continência. Tal espetáculo deixou atônitos a todos os soldados alemães, mas o imperial ator conservou inalterável a calma.

Até as primeiras décadas do século XIX, "da higiene pública incumbiam-se as águas da chuva, os raios de sol e os diligentes urubus", resumiu Capistrano de Abreu. As relações com a higiene e o pudor refletem como os processos civilizatórios modelaram gradualmente as sensações corporais, aumentando seu refinamento, desenrolando suas sutilezas. E, na observação da falta delas, nada escapou aos viajantes. Pelo buraco da fechadura, eles viam os brasileiros ainda bem longe das "boas maneiras".

# 4. NO FOGÃO A LENHA: PALADAR E ALIMENTAÇÃO

Comia-se muito, pouco, o quê? Gilberto Freyre, um dos pioneiros em tratar a questão da alimentação no Brasil, já informava: "É ilusão supor-se a sociedade colonial, na sua grande maioria, uma sociedade de gente bem-alimentada". Talvez, as extremidades: os senhores, porque comprariam ou importariam alimentos. E os escravos, porque tinham que suportar o trabalho duro.

Nas regiões de engenhos, a lavoura monocultora cobrou seu preço. Tanta cana em toda parte não dava espaço para se plantar mais nada. No início do século XVII, o autor dos *Diálogos das grandezas do Brasil* se queixava: "Resulta a carestia e falta destas cousas." As "cousas" eram os demais alimentos que enchessem os pratos de estanho ou cerâmica: ovos, legumes, carne fresca. E de boa qualidade, pois, segundo Freyre, os frutos eram bichados, a carne, má, e os produtos importados, malconservados. Muitas doenças do aparelho digestivo eram atribuídas não à alimentação, mas aos "maus ares".

Na Bahia, grandes proprietários evitavam ter animais domésticos para que não atacassem as lavouras de cana ou tabaco. Não sobrava terra para pasto. Ovelhas e cabras eram consideradas inúteis. Os porcos, difíceis, pois rapidamente se tornavam selvagens. E o gado mais tinha era que obrar na lide do engenho. Os senhores de léguas de terras opulentas não tinham o que comer! Sofria-se da "falta de farinhas". Por outro lado, a doçaria arredondava a gordura de frades e sinhás.

É certo que padre Fernão Cardim se entusiasmou com os banquetes com que foi recebido em toda parte, na casa de homens ricos e nos colégios de padres. A boa acolhida se justificava: era o Visitador. Mas foi exceção. Ao final, ele mesmo registrava: "Nunca falta um copinho de vinho de Portugal, sem o qual não se sustenta bem a natureza por a terra ser desleixada e os mantimentos, fracos." Pois era no vinho e depois na cachaça que se afogavam as mágoas e... a fome.

O bispo de Tucumã, em visita ao Brasil no século XVII, observou que nas cidades "mandava comprar um frangão, quatro ovos e um peixe e nada lhe traziam, porque nada se achava na praça nem nos açougues". Nóbrega se queixava sistematicamente da falta de mantimentos. Os alunos das escolas de padres caçavam e pescavam para encher as próprias barrigas, e em Pernambuco, os jesuítas resolveram criar gado, pois, "se assim não o fizessem, não teriam o que comer". "Todos se sustentam mediocremente [...] por as cousas valerem mui caras e o tresdobro que em Portugal." Padre Anchieta disse com uma perdoável pontinha de inveja: "Alguns ricos comem pão de farinha de trigo de Portugal, máxime em Pernambuco e Bahia, e de Portugal também lhes vem vinho, azeite, vinagre, azeitona, queijo, conserva e outras cousas de comer."

Na falta de carne, fazia-se regime com carne branca: "alimentação de classe indigente", segundo Debret, sobretudo no Rio de Janeiro, onde "as enseadas da Glória e da Lapa eram extremamente piscosas". Ali de passagem em 1715, De la Caille observou que a dieta de farinha e peixe era comum em todas as classes. Num jantar na casa do governador, "o cardápio foi quase todo preenchido por pescado", comentou. Na falta de carne, se comiam acaris, acarás, arraias, baiacus, dourados, garoupas, siobas, surubins, piabinhas – enfim, o que caísse na rede. Desde o século XVI, os moradores se deliciavam: "abrótea [...] é peixe mole, mas muito sadio e saboroso", registrou Gabriel Soares de Souza. E um surpreso Francisco de Aguirre complementou: "Os peixes mais apreciados são o cherne, a cavala e a anchova, espécies grandes que julgamos de qualidade superior. Nas peixarias, situadas no lado noroeste da cidade, passam de sessenta as espécies de pescados à venda. Costumávamos percorrer essas bancas simplesmente para apreciar a abundância da mercadoria exposta."

Ostras se empilhavam nos mercados. Comiam-se as ovas de várias espécies, mas as de moreia davam ânsias e vômitos. "Ovadas de ovas grandes e saborosas", secas e prensadas, eram vendidas nos mercados em Salvador, Bahia. Os fígados de peixes como o peixe-porco eram tidos por iguaria: "Gordos e saborosos." O pacífico peixe-boi era feito em "taçalhos", "cozido com couves e outras carnes", e, surpreendentemente, tinha gosto de vaca. Assado, "parece no cheiro e gosto o porco, e também tem toucinho", apreciava Fernão Cardim. Na Quaresma, o peixe era obrigatório e, sem vinagre

*Frutas das matas e caça eram alimentos dos livres e pobres.*

DEBRET, Jean Baptiste, 1768-1848. *Voyage pittoresque et historique au Brésil.* Tome premier. p. 09

ou azeite, ingerido "sobre leite", segundo o Visitador. Camarões eram "sustento dos escravos e regalo de muitos brancos", anotava Vilhena. Em 1768, a James Coock não escapou a presença de pequenos e grandes caranguejos nos riachos à beira-mar, de onde iam para as caçarolas. "Caçar guaiamum" era prática habitual.

No século XIX, foi a vez de Von Spix e Von Martius descreverem os jiraus com ripas onde se secava o produto da pesca, refinava-se azeite e esperava-se novo cardume com arpão e tarrafa. A técnica consistia em abrir o peixe no sentido do comprimento, retirar as entranhas e salgá-lo de leve antes de pô-lo para secar. "Assados na própria gordura, espalham cheiro extremamente agradável." O trabalho de oito dias dava para meio ano, contaram estupefatos. O peixe ainda servia como comida de doentes "que estejam no cabo", e, quando sem ração nos quartéis, os soldados eram enviados para pescar, como contou o príncipe Maximiliano de Wied-Neuwied.

Em se plantando, tudo dava? Sim. Mas só em se plantando, pois a grande maioria das árvores frutíferas, como os cajueiros e as matas de mangabas do Nordeste, foi dizimada pelas plantações de cana. No século

*Vendedor de leite, uma ocupação de escravos.*

JULIÃO, Carlos. *Negro vendedor de leite.* SÉCULO XVIII.

XVI, há menções de Gabriel Soares de Souza ao abajeru, semelhante a ameixas europeias ou ao amitim, com seus bagos aveludados e cor "brancacenta". O amendoim, dito manobi, crescia em caroços do tamanho de avelãs, segundo Jean de Lery, e era cultivado pelos indígenas. Frei Vicente de Salvador chupou muito caju no mês de dezembro, quando a colheita ocupava todo mundo. Abacaxis podiam ser comidos frescos ou fritos, fatiados ou em rodelas.

Os araçás, vermelhos ou amarelos, eram considerados "gostosos, desenfastiados, apetitosos", por terem uma ponta de acidez. Seu emprego em marmelada era comum, assim como a goiaba, "com gosto de morango e cheiro de urina de gato", definia Debret. A banana crua ou assada, considerada "fresca e adocicada", lembrando ao mesmo francês "o sabor de um sorvete de framboesa", regalava. Da grumixama, ele apreciava o suco açucarado e ligeiramente ácido, e o jambo, dizia, tinha "forte perfume de rosa". Fernão Cardim valorizava o perfume do araticum, um tipo de pinha.

Em 1763, frei João de São José Queiróz, em Óbidos, Pará, louvava o açaí, com sua cor "negro-carmínea", misturado à água e ao açúcar. Com farinha de mandioca, era comida nutritiva de pobre. Palmeiras como a buriti ou o butiá, assim como os diversos cocos, tais como o de piaçaba, de indaiá, catarro ou da Bahia, emprestavam seu miolo para ser degustado fresco ou em doces: na canjica ou no canjicão. Ou nos pratos como o cuscuz, o mungunzá, a moqueca, os ensopados de lagostas e camarões. Vilhena gostava do abacate, "muito cálido e oleoso". A castanha-de-caju seria usada na doçaria para substituir a amêndoa. Fruta verde? Assava-se. No século XVIII, a abundância de frutas ainda impressionava os estrangeiros.

"Os bosques estão repletos de excelentes frutas, muitas das quais desconhecidas na Europa e no restante da América. As laranjas, os limões e outras frutas próprias de climas quentes são tão fáceis de encontrar nos bosques desse país quanto as avelãs nos bosques da Inglaterra", encantava-se John Byron.

O guaraná seria repertoriado a partir do século XIX e desceria do Tapajós, onde era consumido pelos maués, para o Sudeste. Colhidas entre outubro e novembro, suas cápsulas eram postas a secar, piladas sobre pedra aquecida por brasas e reduzidas a cinzas. Depois de umedecida pelo sereno, a pasta em forma de bola secava junto ao fogo, até ficar tão dura que fosse difícil de quebrar. Embrulhada em folhas largas de tabaco para conservação, era usada mediante um ralador. Os índios também conheciam o cacau, cujas amêndoas eram raspadas numa peneira para separar o invólucro viscoso do suco adocicado. As favas eram chupadas. Muitas outras frutas faziam parte da alimentação: do cajá ao cambucá, do figo à fruta-pão, da janamacara ao mandacaru. Em épocas de fome, elas faziam, junto com o peixe e a farinha, o trio que tapava os buracos do estômago.

Ah, a milagrosa e polivalente farinha! A de mandioca, usada pelos indígenas, por certo. Das mais antigas espécies cultivadas na América do Sul, crescia segundo "a bondade da terra e a criação que tem", explicava Gabriel Soares de Souza, que, um tanto exagerado, comparava o tubérculo à grossura da coxa de um homem. Segundo o mesmo cronista, depois de colocada em água corrente por alguns dias até amolecer e liberar a casca, era seca ao fogo ou ralada fresca sobre uma prancha de madeira cravejada de pedrinhas pontiagudas. Virava uma massa que era peneirada com água, graças a gestos precisos das cunhãs. Extraído o líquido peçonhento ou ácido prússico que possui, era arrumada em bolos e deixada a secar ao sol.

Tais bolos, esfarelados sobre um tacho raso, borrifados com água e levados ao fogo, davam no beiju, "de melhor digestão do que a farinha", concluía Pero de Magalhães Gandavo. "Mais agradável do que o pão de trigo", replicava Saint-Hilaire. A semelhança com o filhó português e a falta de farinha levaram o beiju das aldeias indígenas às casas grandes e senzalas. Com mel, carne ou peixe seco, ou ainda com caldos, a farinha de mandioca era fundamental. Na falta de acompanhamentos, era ingerida pura. Sem ela, se passava fome.

Já o milho foi o único cereal encontrado pelos europeus no Brasil. Depois de feita a farinha, foi considerado no *Diálogo das grandezas do Brasil* um "mantimento mui proveitoso para a sustentação dos escravos da Guiné e dos índios, porque se come assado e também em bolos, os quais são muito gostosos enquanto estão quentes". Relegado a comida secundária pelos portugueses, era usado no preparo de mingaus como o acaçá, papa grossa e consistente, receita africana, além de conhecidos angus. Sua existência no planalto paulista se deve à presença indígena nessas regiões, somada ao fato de que era fácil de transportar e produzir. Em Minas Gerais sustentava, sobretudo, escravos depois de um dia de garimpo. Misturada à água e ao açúcar, a farinha de milho resultava na jacuba, registrada por vários viajantes estrangeiros. Nas mesas via-se com recorrência um montículo de farinha de milho e outro de farinha de mandioca. Acompanhadas de feijão com carne-seca, eram um "jantar substancial", na opinião de George Gardner, de passagem pela Serra dos Órgãos.

Outras farinhas eram adicionadas ou transformadas em alimento: a de maniçoba, a de pau, de peixe, do reino, de araruta, de carimã, de centeio, de aricuri, de trigo, de tapioca ou fubá. Ao formar "grande variedade de pratos saudáveis e gostosos", as farinhas eram complementos indispensáveis nas dietas e nas cozinhas.

A carne-seca, por sua vez, é herança do moquém, a grade de varas sobre as quais os indígenas pousavam as carnes de caça que ali passavam do ponto. E com razão: em terra tropical, a vianda ressecada se conservava melhor. Transportada em lombo de mulas, ela vinha das charqueadas sertanejas para o litoral graças ao tropeirismo. O boi em pé sofria com as viagens e chegava magro aos mercados de abate. Se criado próximo às cidades, o gado era mau. Quem conta é James Cook:

> A maior parte das terras que visitamos era constituída por pastagens. Nela criavam-se animais tão magros que um inglês só os comeria a contragosto. A erva cultivada ali era muito curta, e só os cavalos e ovelhas conseguiam pastar nessas condições. O gado e as cabras, por sua vez, tinham imensa dificuldade em encontrar alimento.

Coube a Debret sintetizar a mesa colonial: "Passando-se ao humilde jantar do pequeno negociante e sua família, vê-se com espanto que se constitui apenas de um miserável pedaço de carne-seca [...] cozinham-no a grande água com um punhado de feijões, e joga-se nele uma grande pitada de farinha de mandioca, a qual, misturada com os feijões esmagados, forma uma pasta consistente que se come com a ponta da faca arredondada."

Partes mais fibrosas da carne, como nervos, gorduras e pelancas, eram picadas a ponta de faca, fritas em gordura, misturadas à farinha de mandioca e trituradas no pilão, até ficarem reduzidas a pó: paçoca de carne-seca. Entre 1791 e 1793, uma grande seca arrasou boa parte da pecuária no sertão nordestino. Mas outras zonas começaram a se erguer, roubando a maior parte do mercado do sertão. Em 1814, por exemplo, Georg Wilhelm Freyreiss, em viagem pelo Brasil, anotava: "A carne-seca ao ar e levemente salgada vem especialmente do Rio Grande do Sul e, como o consumo é muito grande, constitui uma das mais importantes indústrias daquela capitania." Uma vez reduzida a produção de ouro, Minas Gerais também se

*No final do século XVIII, começaram a ser difundidos objetos para servir café.*

VELOSO, José Mariano da Conceição. O fazendeiro do Brazil. LISBOA: OFF. SIMÃO THADDEO FERREIRA, 1800, P. 320. TOMO 3, PARTE 1.

dedicou à pecuária e ao abastecimento do Rio de Janeiro, só que se valendo das terras férteis e bem-hidratadas de seus vales e do cuidado com o gado, criado em vivendas e currais bem-construídos.

Em circunstâncias tão favoráveis, nasceu também o abastecimento de leite e a fabricação de queijos. O leite natado foi muitas vezes servido em chifres de boi, mas sua qualidade era discutível: "aguado", "rançoso", "não tão bom quanto na Europa" e "insípido" são qualificações que acompanham os comentários de quem o provou. A manteiga era pouca, importada e cara. Já as prensas e fôrmas de queijo davam em produtos apreciados, sobretudo o requeijão, "que fazia esquecer o Alentejo", segundo Fernão Cardim.

Cultivado em pequenas hortas, ou "roçarias de feijão", a leguminosa já era conhecida dos indígenas. Em 1637, Gaspar Barléus menciona "feijoais". O grão aparece nos documentos como "prato comum", "refeição principal", "cozido com porco e folhas de couve", alimento de negros, que o misturavam à farinha de milho, responsável por indigestões, oferecido nas vendas à beira dos caminhos, misturado ao arroz, levado nas viagens fluviais, ingerido por damas com "graça e destreza em forma de bola amassada", servido em cuia e mais outros tantos empregos. Podia ser feijão do mato, guandu, pardo, branco ou preto, o mais comum.

As gorduras usadas na culinária tinham procedência diversa. Desde o período colonial se usava o azeite de oliva, alvo de críticas pelo alto custo: "Uma pipa por 250 mil réis ou 300 mil réis", reclamava Luís dos Santos Vilhena. Na falta deste, recorria-se ao azeite de açaí, ao de coco, ao de dendê, "tempero essencial da maior parte das viandas dos pretos e ainda dos brancos criados com eles", segundo o mesmo Vilhena. Na Amazônia, empregava-se o azeite de peixe-boi; em Minas, a gordura do bicho de taquara; e em toda parte, banha de porco. Além da tradicional, havia a manteiga extraída dos ovos de jabuti, de peixes como o camurupim e do jaú ou de tartarugas. Os óleos vinham da prensagem do amendoim, da castanha-de-caju, das amêndoas da macaúba, da castanha da pindoba. E, em regiões de criação de porcos, usava-se o toucinho, que, em meados do século XIX, passou a ser importado dos Estados Unidos.

Se em 1530 havia gente de estômago exigente como certo João de Mello Câmara, que escrevia ao rei para dizer-lhe, entre outras coisas, que não comeria dos "mantimentos da terra", tantos outros se renderam à mestiça culinária tropical. As saudades do pão de trigo e do vinho tinto mais funcionavam como uma tentativa de reproduzir um modo de vida que, pouco a pouco, foi ficando para trás.

# 5. "COMIDA DE ESCRAVO" E CULINÁRIA AFRICANA

Na África, o escravo não escolhia o que comer: recebia ração. Grandes plantações de gêneros, destinadas aos capturados e recolhidos em barracões na costa, cresciam entre São Felipe de Banguela, Amabaca, Cacondo ou Cajango. Informa Luís da Câmara Cascudo que ali recebiam, num saco, a sua provisão de milho fresco ou assado, aipim e farinha de mandioca. Nas longas marchas, acorrentados, não tinham tempo para usar o azeite de dendê, ou *ndende*, em quimbundo, ou o sal, substituídos pelo peixe seco. Raramente conseguiam preparar um angu com farinha de milho, o *anfunge*, ou uma sopa, a *matete*. O tráfico de Angola e Guiné se abastecia nos portos brasileiros com farinha de mandioca, macaxeira ou aipim, feijão, salpreso e, a partir do século XVIII, aguardente. No século XIX, Carl Seidler viu acrescentarem arroz à dieta da travessia. Os barcos que cruzavam o Atlântico introduziram o uso do milho e da mandioca no litoral do continente.

Nos primeiros séculos, os africanos estranharam a alimentação. Ao milho que lhes era dado "por fruta", como indica Gabriel Soares de Souza, aos carás e às pacovas, banana nativa, preferiam o sorgo, os inhames e as bananas. No Recôncavo baiano, os senhores entenderam a lição e passaram a plantar inhames e bananas. Já a farinha de mandioca era obrigatória na casa grande ou na senzala. Que o diga Soares de Souza: "Desta farinha de guerra usam os portugueses que não têm roças [...] com que sustentam seus criados e escravos e nos engenhos se provêm dela para sustentarem a gente em tempo de necessidade."

Ao desembarcar exaustos e sangrando pelo "mal de Luanda", nome dado ao escorbuto, os escravos iam recuperar a saúde e, graças a ela, o preço. No Nordeste, os cajuais, ricos em vitamina C, eram remédio certo. No Rio de Janeiro, de onde eram distribuídos para as outras capitanias, faltavam os cajuais, mas a preocupação dos comerciantes do mercado do Valongo era a mesma: recuperar os viajantes. Eram, então, alimentados com farinha de mandioca, feijão e carne-seca, e, como observou o viajante Rugendas, "não lhes faltam frutas refrescantes".

Uma vez adquiridos, a comida de escravo variava com sua função ou atividade. E, segundo Câmara Cascudo, variava pouco. A base era idêntica, diz ele, e apenas a incidência de alguma carne ou pescado para dar gosto distinguia o regime. Para o Norte, a farinha de mandioca dava o tom do prato. Pelo interior da Bahia, na direção Sudeste, predominava o milho, batizado pelo angolês de fubá, nome da farinha em quimbundo, além do mingau mais consistente de angu. Saint-Hilaire observou: "É fazendo cozer o fubá na água, sem acrescentar sal, que se faz essa espécie de polenta grosseira que se chama angu e constitui o principal alimento dos escravos." No Rio, no tempo de Debret, os escravos das fazendas "alimentavam-se com dois punhados de farinha seca, umedecidos na boca pelo sumo de algumas bananas ou laranjas". E completava: "A alimentação do negro numa propriedade abastada compõe-se de canjica, feijão-preto, toucinho, carne-seca, laranjas, bananas e farinha de mandioca [...] É permitido, entretanto, ao negro mal-alimentado aplicar o produto da venda de suas hortaliças na compra de toucinho e carne-seca. Finalmente, a caça e a pesca, praticadas em suas horas de lazer, dão-lhe a possibilidade de alimentação mais suculenta."

Muitas plantas africanas foram, assim, transplantadas para cá, como a palmeira de dendê, vinda de Angola, ou o quiabo. Em tempo de seca, o escravo podia até comprar a liberdade pela venda de cereais produzidos e guardados no "roçadinho". Foi o caso de Feliciano José da Rocha, que morreu livre e rico, senhor da fazenda Barrentas, no Acari, Rio Grande do Norte, pois vendeu farinha a seu senhor. Já se propriedade de senhores pobres, eles tinham que se contentar com farinha e laranjas. Porém, escravo "pedir de comer" noutra casa era desonra para o senhor. Escravo faminto significava vergonha. Os escravos com filhos menores ou ainda amamentados tinham rações duplas, e as mães, horários para atender as crias.

Nas cidades – é o mesmo autor quem o diz – os recursos se acresciam pela venda de comida preparada e oferecida pelas negras nas praças e cais: angu, mingau de carimã ou milho, peixe assado, milho cozido em grãos servidos no caldo, mungunzá e iguarias vindas da Bahia,

*A culinária das ruas.*

DEBRET, Jean-Baptiste. *Angu da quitandeira* [Aquarela sobre papel]. MUSEU CASTRO MAYA, RIO DE JANEIRO, 1826.

possivelmente acaçá, caruru, moquecas com o peixe enrolado em folhas, farinhas de castanha-de-caju e milho torrado açucaradas, o tão elogiado por todos os viajantes aluá de arroz. E as carnes: seca, afogueada nas brasas ou assada nos braseiros, escaldada em rápida fervura. Para adoçar a boca e a vida, caldo de cana, rapadura, manuês, bolo-preto, pé de moleque, arroz-doce com canela, doce de coco ralado, "tantos engana-fomes inventados pela penúria aproveitadora do material mais próximo", conforme Câmara Cascudo.

Nos engenhos de açúcar, o escravo tinha na cana, na garapa e no mel reforço alimentar. O caldo era a bebida preferida. No Norte, a farinha fazia dupla com a "bucha" de carne de bode ou peixes secos. Quando era a época das "avoantes" e das arribações, não faltavam aves fartando quem estivesse com a barriga vazia. Na fornalha acesa dos fogões externos, se assavam bananas verdes, mamões, ananases, camaleões, mocós, preás e tatus, com a cumplicidade dos cozinheiros ou fornalheiros. Os pedaços misturados aos mingaus de farinha "desciam rápido", disfarçando a temporária ausência do trabalho.

*Bichos das matas serviam de alimento para escravos.*

JONSTON, John. Historiae naturalis de quadrupetibus libri.

BIBLIOTECA PÚBLICA DE NOVA YORK: FRANCOFURTI AD MOENUM, 1655.

No agreste, almoço de escravo tinha feijão, farinha de mandioca, carne-seca ou carne fresca de bode e, às vezes, de boi. No jantar, juntava-se ao mesmo cardápio o jerimum, ou abóbora. As sextas-feiras eram dias de peixe seco: agulha, voador ou caíco misturado à farofa d'água e temperado com cebola e coentro. Para quem trabalhasse no eito, engenho ou lavoura – é sempre mestre Câmara Cascudo quem informa –, era levado o "de comer" pelos moleques, antes preparado por negras escolhidas. Os casados, quase todos comiam em casa alimentos preparados pelas esposas.

Cuidados para os que trabalhavam em alagadiços? Sim. Para fechar o corpo contra os miasmas, muito alho, tanto na comida quanto mastigado cru. Para imunizar contra tremedeiras e febres, milho cozido misturado com mel e um gole de cachaça. A "branquinha" era considerada santo remédio com goma de mascar, cebolas assadas, raspas de raízes ou frutos secos. O café, "bebida tônica", segundo Debret, passou a ser ministrado na primeira refeição da manhã, no século XIX. Para "rebater", um gole de cachaça.

Em Minas, na lista de compras que sustentavam os escravos, o milho era o primeiro ou dos primeiros a ser mencionado, seguido pelo fubá, o feijão, a carne, o sal, o azeite de mamona e o fumo, tido por energizante. Na região dos diamantes, os grãos constituíam o principal alimento da população escrava. O aumento da criação de suínos permitiu acrescentar o toucinho ao angu. A caça da codorna, do macuco ou da perdiz é mencionada como complemento: "Tem os alimentos que dá o mato", concluíam as autoridades, pensando também nas frutas silvestres: jabuticabas, mangabas, araçás, mamões, entre outras; ou nas pacas, antas e quatis, cujo toucinho se considerava maior e mais saboroso que o do porco.

Escravos podiam receber de presente cabras, ovelhas, porcos e carneiros. Ou os compravam e criavam, raramente matando para comer, mas lhes dando o triste destino de morrer em homenagem aos deuses. Quando vendiam as carnes, porém, reservavam os ossos e as vísceras. O tutano era "batido" ou retirado dos ossos sobre o pirão, ou derretido e guardado em frascos para combater o reumatismo. As vísceras eram saboreadas fritas, cozidas ou assadas adicionadas ao feijão-verde ou preto. Ovo, só como

remédio. A comida que levasse ovos era suspeita de fazer mal, promover coceiras e atacar a pele. Tampouco gostavam de leite cru, nem cozido. Só com jerimum, batatas ou farinhas.

O condimento preferido era a pimenta, esmagada no caldo e incluída em quase todos os pratos, proveniente da Costa de Malagueta ou da Pimenta, compreendendo o leste de Serra Leoa à atual Libéria. O material manuseado na cozinha o era também no terreiro de candomblé, durante "calundus" e "acotundás": feijão, milho e mandioca. Nenhum animal africano participava do cardápio brasileiro, excluindo-se a galinha-d'angola ou da guiné, também chamada galinha-do-mato, oblação aos orixás e, desde o século XV, costume entre bantos e sudaneses. Galinhas e galos eram oferendas regulares, e não alimento regular.

Os excelentes quiabos tinham papel importante nos carurus, oferenda votiva aos Ibeji e iguaria real a Xangô. O prato é africano, embora a denominação seja indígena. Seu conteúdo é bem diverso, podendo levar galinha, peixe, carne ou crustáceos. Já o indígena continha apenas ervas batidas a pilão. O caruru foi registrado pioneiramente pelo doutor Guilherme Piso, médico de Maurício de Nassau, em seu *História natural*, de passagem por Pernambuco, em 1638: "A erva vulgar caruru, que nasce nos campos e hortos, parece mais uma espécie de bredo branco que vermelho; é chamada bredos pelos portugueses [...] Come-se este bredo como legume e cozinha-se em lugar de espinafre; é do mesmo sabor e eficácia juntando-se suco de limões para condimento [...] é de facílima digestão, de temperatura úmida e fria."

No final do século XVII, reaparece o caruru num soneto do Boca do Inferno, o poeta Gregório de Matos:

A linha feminina é carimá
Moqueca, petitinga, caruru
Mingau de puba, vinho de caju
Pisado num pilão de Pirayá.

Outra delícia africana era o aluá, ou aruá, de milho, arroz ou cascas de abacaxi. O padre Antônio José de Souza, em 1797, bebeu a iguaria no Daomé, referindo-se a "umas asseadas cuias cheias de aruá, que é uma massa de arroz desfeita em água". Fervida e não fermentada, a bebida foi e ainda é servida nas festas de São José e no Natal, no Nordeste. Já o mais conhecido prato afro-brasileiro é o vatapá, cozido de peixe ou de galinha. É feito com uma espessa base de papa de arroz ou de farinha de mandioca, camarões, azeite de dendê, pimenta e leite de coco. Em Angola, vários pratos estudados por Câmara Cascudo se aproximam do vatapá: a muamba de galinha, o *quitande* de peixe com *funji*, pirão de milho, o candumba e o azeite de palma ou de dendê. Outro prato importado é a moqueca de peixe, especialmente de xaréu, frito no azeite doce ou de dendê. O vocábulo é tupi, significando "envolvido, embrulhado", porque o peixe era enrolado em folhas, fazendo-se dele um pacotinho. Já a conhecida feijoada, que, segundo o especialista Almir El-Kareh não foi inventada nem importada por africanos, só se tornaria famosa a partir de meados do século XIX.

Trocas? Sempre. Daqui para lá foi o peru, vindo do país do mesmo nome e familiar das festas quinhentistas portuguesas. Abundante no século XVI, a ave cruzou o Atlântico nos negreiros e aclimatou-se entre os bantos agricultores. Outras influências se podem observar na inclusão do milho nas comidas de Oxossi, Iemanjá, Omulu e Xapanã, que também gosta das pipocas indígenas. O feijão é do agrado de Oxum. O fumo, do gosto de Irocô. E a farinha de mandioca engrossa o *amalá*, ou pirão de inhame, de Iansã. E, além de trocas, havia saudades. Que o diga certo jesuíta Daniel, isolado numa prisão portuguesa, que sonhava com "um pouco de água engrossada ao fogo com a farinha carimã, e com seus raios de tucupi e picante de malagueta", o tacacá.

Enfim, cada qual com sua "*madeleine*"!

# 6. PARA MATAR A SEDE

"Está com sede? Tome água." Este poderia ser o mote quando se trata de bebidas no período colonial. "A bebida ordinária dos índios é a água fria das fontes ou do rio", observou o naturalista alemão George Marcgraf em 1638. Era preciso se contentar com aquela que se tinha à mão: da chuva, de rios, fontes ou cisternas. Quando era água da chuva, colhida das folhas da bromélia, como sabiam fazer os indígenas, o líquido era coado num pano, juntava-se suco de limão, aguardente e açúcar, resultando a mistura "num delicioso refresco", como contou o príncipe Maximiliano de Wied-Neuwid, que o degustou. Na falta de fontes, tomava-se água de coco, tida por rival "dos mais finos refrescos", segundo Daniel Parish Kidder.

Mas "beber água" era hábito do resto da população, pois há um consenso sobre a sobriedade do brasileiro, para quem ela era uma bebida ordinária, tanto durante as refeições como no resto do dia. O viajante Saint-Hilaire confirma o hábito. Nas famílias ricas, ela era "servida em um copo imenso levado em uma salva de prata, que é sempre o mesmo para todos [...] em casa de gente menos abastada, encontra-se, a um canto da peça denominada sala, uma enorme talha com um copo preso a um cabo, e cada qual bebe por sua vez". Para Debret, a água era frequentemente solicitada "para acalmar o abuso dos alimentos ardidos ou das compotas açucaradas". Louis-François Tollenare, autor de certas *Notas dominicais* sobre sua estadia em Recife em 1819, concordaria: para ele, também, a culpa era do excesso das pimentas no prato.

Mas tanto indígenas quanto africanos conheciam bem as bebidas fermentadas. Os primeiros tiveram as suas "cauinagens" bem registradas pelos padres jesuítas que condenavam as borracheiras. A cargo das mulheres, a preparação à base de caju, macaxeira, milho, ananás ou jenipapo, depois de bem mastigados para acelerar a fermentação, por vezes misturados ao mel de abelha, resultava num líquido tomado em sonora celebração tribal.

*Vendedor de água, uma herança colonial.*

BRIGGS, Frederico Guilherme. *Water-seller* [Iconográfico]. RIO DE JANEIRO: LUDWIG AND BRIGGS, 1845.

Investida de caráter religioso, a bebedeira era proibida para crianças e só admitida depois da puberdade. Ao som dos maracás, improvisavam-se canções, danças e assobios, que levaram o jesuíta Fernão Cardim a comentar: "De bêbados fazem muitos desmandos e quebram as cabeças uns dos outros e tomam as mulheres alheias etc." Com a chegada dos portugueses, os nativos aderiram ao *cauim-tatá*, "bebida de fogo", e à garapa, tomada pelos africanos nas zonas açucareiras.

Estes, por sua vez, produziam vinho de palma, da palmeira dendê, e o macerato, infusão de sementes, sorgo e milhetos. A adesão ao milho brasileiro permitiu a criação de cervejas cujo consumo se estendeu desde o Senegal até o Índico, segundo Câmara Cascudo. Outros produtos transplantados, como o caju, o cajá ou a mandioca doce, ganharam a adesão de todo o litoral africano em ambos os oceanos. Tanto na África quanto no Brasil irritava os jesuítas o fato de a maior parte do que consideravam alimento, notadamente a mandioca, não era ingerida, mas transformada em líquido e sorvida em festas, pois, para eles, o líquido não era alimento. E, pior, bebia-se de uma única vez, pois as libações duravam dias! A bebedeira era localizada, pois, tal como no caso dos indígenas, elas ocorriam apenas nos festejos. Durante as refeições, se tomava água.

Já para os europeus, não era possível beber sem comer. Um sem o outro era atitude de bêbados, ou melhor, "beberrões ou beberrazes", adjetivos dicionarizados no século XVIII para definir os que cometiam excessos. Para "beber a miúdo" se usava "beberricar". Ao fundar a indústria do açúcar, o português criou a do álcool. E se o estado de embriaguez indígena ou africana resultava da quantidade de líquidos fermentados, a rapidez com que eles se embriagavam com cachaça, aguardente de cana destilada dos alambiques, surpreendia. A mais antiga notícia sobre o assunto é dada pelo viajante François Pyrard de Laval, em 1610: "Faz-se vinho com o sumo da cana, que é barato, mas só para os escravos e filhos da terra."

Sua fabricação foi descrita por Guilherme Piso: uma vez isolada a espuma que servia para o gado, os expurgos do caldo de cana eram filtrados em pano de linho e, misturados à água, resultavam na garapa, avidamente procurada pelos habitantes quando envelhecida. O envelhecimento era feito num vaso apropriado chamado "coche descumas". Antonil esclarece: "À derradeira escuma da última meladura, que é a última purificação do caldo, chamam claros, e estes, misturados com água fria, são uma regalada bebida para refrescar a sede nas horas em que faz a maior calma." Vê-se que o bom jesuíta não provou a beberagem. A garapa, designação legitimamente africana, é vinho ou cerveja que ainda se bebe em Angola, e título, também, para cervejas de outras frutas.

Da ladroagem nas tabernas onde a bebida era "batizada", deixou testemunho, em 1728, Nuno Marques Pereira. Na conversa entre o taberneiro e o escravo, o primeiro pergunta, sem cerimônias, quanta água o segundo "deitara no vinho e nas mais bebidas". Resposta: "No vinho deitara duas canadas de água e no vinagre três; e que também caldeara a aguardente do reino com a da terra [...] tudo fiz, Senhor, como Vossa Mercê me tem ensinado."

Em 1799, o marquês do Lavradio, em relatório, assinalava a produção de 3.969 pipas de aguardente. Todos os naturalistas estrangeiros que visitaram o Brasil, do Rio Grande do Sul ao Amazonas, encontraram a cachaça, a aguardente da terra, ou jeribita, como a bebida favorita e indispensável ao brasileiro pobre. No século XIX, eles observaram pequenas engenhocas para fabrico doméstico ou alambiques de cobre ou barro escondidos pelos matos, a maior parte funcionando clandestinamente e sem pagar impostos.

Segundo Câmara Cascudo, o modelo se exportou para a África Ocidental e Oriental, onde a cachaça, feita de frutas, sementes e raízes, tinha venda garantida. Os tumbeiros, ou navios negreiros, levavam em seus porões barris ou garrafas de cachaça que eram trocados por cativos. Certo Antônio Coelho Guerreiro enviou da Bahia para Luanda, em 1689, barris de jeribita avaliados em 2.279 réis cada um. E, num ofício de 12 de julho de 1730, o governador de Angola, Rodrigo César de Menezes, oferecia a d. Sebastião Francisco Cheque Dembo Caculo Cacahenda, do Congo, "um quinto de jeribita que, como o tempo está fresco, servirá para vos esquentar". Presente português num inverno africano!

A cachaça, ou jeribita, ainda inspirou poemas como o que lhe fez Gregório de Matos:

> Aguardente é jeribita
> Filha da caninha torta

"Tortas", mesmo, ficavam as autoridades. Os alambiques, no entender de uma autoridade, eram prejudiciais ao sossego público, posto que era lugar para "bebedices dos negros". Por um lado, sabia-se que o uso da jeribita acalmava. Pacificava ânimos de escravos exaltados, evitando comportamentos rebeldes e contribuindo para que os senhores pudessem dormir sem susto. Por outro, o elevado consumo podia acarretar problemas de saúde, acidentes de trabalho e a inutilização ou perda do escravo. Veja-se o exemplo de Minas Gerais: havia repressão à venda da aguardente, ordenada por meio de "bandos", ou seja, ordens e instruções de comando emanadas pelo governador português, mas estes eram burlados pelas negras de tabuleiro. Elas não se esquivavam em oferecer o produto e ganhar dinheiro com sua venda. Tabernas e zungus também tinham suas pipas e garrafas ao abrigo do olhar das autoridades. Quando havia quilombos por perto, a repressão era ainda mais violenta. Uma provisão de 1659, decorrente do surgimento de quilombos na serra dos

*O comércio das ruas.*

DEBRET, Jean-Baptiste. *Uma tarde na praça do Palácio* [Aquarela sobre papel].

MUSEU CASTRO MAYA, RIO DE JANEIRO, 1826.

Órgãos, ordenou a aplicação de penas severas aos infratores e a destruição dos alambiques.

Se até o século XVIII foi considerado saudável remédio contra vermes, mal da vista e erisipela, a aguardente depois passou ao *index* dos médicos. Só bebida com moderação era útil, sobretudo para os velhos cujos órgãos aquecia. Em excesso, fazia perder a razão e os sentidos: "Que fraqueza! Que tristeza! Que palidez!", – pontuava o médico mineiro Francisco de Mello Franco, vituperando contra a bebedice. Beber em demasia passou a ser problema moral. A embriaguez fora de controle era capaz de gerar "furores e ímpetos perniciosos", levando seu adepto a homicídios, adultérios e ladroagens. Tornada "vício", a cachaça teve, porém, seu consumo embalado pelo comércio transatlântico de destilados e a modernização das garrafas. Antes em forma de cebola, agora, tinham formato de bastão, podendo ser empilhadas umas sobre as outras, para a alegria dos comerciantes e dos "viciosos" consumidores.

Na defesa dos comportamentos moderados, os médicos davam largas à imaginação. Um remédio eficaz, por exemplo? A cabeça de um cordeiro lanudo, uma mancheia de cabelos humanos, uma enguia com seu fel, tudo levado ao forno até torrar. O pó resultante devia ser misturado à bebida. "Tiro e queda!"

O vinho português reinou absoluto por séculos. Era solicitado à mesa dos engenhos ricos e constava da hospitalidade dos conventos. Em recepções, as autoridades não economizavam o conteúdo das preciosas pipas vindas da terrinha. Oriundos do Porto ou da Madeira, os vinhos eram oferecidos em festas de Natal e Páscoa, enchendo com sua cor dourada e quente os cálices erguidos em brindes. Debret e Saint-Hilaire provaram deles. Antes dos franceses, porém, os fundadores da Austrália, de passagem pelo Rio, em 1787, estiveram à sua procura: "O vinho durante a estação em que permanecemos na cidade só era encontrado nos mercados de retalhos. [...] Entre os produtos aqui disponíveis encontram-se: o açúcar, o café, o rum, o vinho do Porto..."

Referindo-se aos costumes paulistas, Vilhena assim os descreveu: "Tomam muito pouco vinho às refeições. A bebida usual é água. Em ocasiões públicas ou quando se oferece uma festa a muitos convidados, ornamenta-se a mesa suntuosamente [...] O vinho circula copiosamente, repetindo-se os brindes durante o banquete que dura em geral de duas a três horas, seguido de doces, o orgulho da mesa."

Na documentação do Santo Ofício, o capitoso vinho surge como coadjuvante nos prelúdios amorosos, sobretudo os proibidos, aqueles praticados por sodomitas. João Freire, um jovem criado morador de Olinda, em 1595, confessou à mesa do Santo Ofício, quando da Primeira Visitação em Pernambuco, que, indo algumas vezes à casa do sapateiro André Lessa, "por importunação e instigação do dito que o provocava, lhe mostrou seu membro viril contra sua vontade, deixando o sapateiro tomá-lo na mão, e certa vez convidou-o para jantar e comeram pão, pacovas e beberam vinho". Em 1652, durante uma travessia transatlântica, o barbeiro André Mendes não fez por menos: "Estava cheio de vinho, querendo beijar e convidando muitos soldados para dormir junto." E explicava sua receita infalível de sedução: "Com uma peroleira de vinho e uma botija de aguardente fazia nos rapazes o que quisesse, porque o vinho e a aguardente fazem perder o juízo."

Em mesa farta e ao final da refeição imperavam os licores. Destilados em casa e preparados segundo receitas avoengas, podiam ser de abacaxi, jenipapo, anis, macaxeira, butiá ou "quaisquer frutas da fazenda", como garantiu John Mawe. Houve até quem comparasse o anisete preparado em Belém com aquele feito nas ilhas francesas. Refrescos tinham outro nome: os sumos de fruta, xaropes ou capilés eram chamados de garapa, garapada ou gelada. Entre a gente rica, "gente-sinhá", a garapa recebia o nome de ponche: sempre frio e sem álcool. Em outubro de 1817, escrevendo do Rio de Janeiro a seu pai em Lisboa, o bibliotecário e arquivista real Joaquim dos Santos Marrocos informava: "José Lopes Saraiva morreu de repente em Pernambuco em ação de tomar um copo de ponche dentro de um botequim."

Água de coco era outra bebida desalterante e com "um sabor especial", assim como a limonada, muito requisitada e vendida pelas negras de ganho. O caldo de cana era comercializado pelas ruas no verão e no inverno, dizia Daniel Parish Kidder. O chá era tomado regularmente entre oito e dez horas da noite e servido em xícaras, a partir do século XIX. Já o mate ou congonha seguia dentro de um coco cortado ao meio ou um chimarrão. Ao já mencionado francês Louis-François de Tollenare, foi oferecido, em 1818, um copo de genebra, lembrança da presença flamenga, em Pernambuco. O guaraná já era consumido por brancos no século XVIII. Bastava misturar ao pó açúcar e um quartilho de água, recomendava d. frei João de São José Queiróz. A laranjada azedava no calor, uma pena!

# 7. NA TERRA DO AÇÚCAR: DOCES!

Sim, já existia: "Sobremesa: a fruta ou o doce, que depois da carne ou do peixe se põe no fim da mesa", explicava o dicionarista Bluteau. Na terra do açúcar, nem podia ser diferente. Na Europa, o ingrediente já tinha passado de droga ou remédio para a mesa de nobres, sempre recomendado como um facilitador da digestão. Com ele se faziam pudins, doces e molhos que acompanhavam a carne de caça. Os próprios animais caçados, javalis ou faisões, por exemplo, recebiam o glacê capaz de permitir a sua apresentação como se estivessem vivos, sobre as bandejas. Ou ainda, viravam recheio de pastéis, passados no açúcar e na canela, como se vê em *Arte da cozinha útil e necessária a todos que regem ou governam casa*, da pena de Domingos Rodrigues, publicado em 1680. Nessa obra, já se vê o ainda conhecido "manjar real em tigelas coroadas", os "ovos brancos" ou "moles", os "sonhos passados em açúcar e graxa [gordura]", sempre apresentados como penúltimo ou último prato, servidos antes dos "doces frios" e das frutas.

Do seu lado, os conventos portugueses aumentavam seus proventos graças à confecção de bolos, compotas, licores e outros regalos à base de muitos ovos e açúcar. Desde o reinado de Afonso IV, em 1325, até maio de 1834, quando as ordens religiosas foram dissolvidas, a doçaria conventual trazia nomes e aromas dignos de registro. Havia os confessionais: bolinhos de amor, esquecidos, melindres, paciências, raivas, sonhos, beijos, suspiros, caladinhos, saudades; os que traziam a marca da vida religiosa: beijos de freira, triunfos de freira, fatias de freira, creme da abadessa, toucinho do céu, cabelos da Virgem, papo de anjo, celestes; e ainda os satíricos: barriga de freira, orelhas de abade, sopapos, casadinhos, velhotes; ou os cerimoniais: manjar-real, marqueses, morados, bolo-rei etc.

Herança mourisca quando feitos com mel na forma de alfenim, alféola, pinhoada ou bolo de mel, muitas das receitas incentivaram bem

*Livros difundiam receitas de doces portugueses.*

RODRIGUES, Domingos. Arte de cozinha. LISBOA: NA OFFIC. DE JOÃO ANTONIO REIS, 1794.

guardados segredos de cozinha. O *Caderno de receitas* de sóror Maria Leocádia, abadessa do convento de Santa Clara de Évora, datado de 26 de outubro de 1729, é um exemplo. Ele revelava informações que eram proibidas a estranhos: "Este livro não se entregará a outrem que não seja pessoa desta casa, nem por cedência, nem por empréstimo, por afetar os proveitos da feitura dos doces que nesta casa são feitos", advertia o manuscrito.

As broas de milho de santa Clara, os queijinhos do céu, os pastelinhos de nata ou as fatias de santa Clara revelam não só a criatividade das reclusas, mas também a multiplicidade de apetrechos usados na doçaria: tachos, púcaros, carretilhas, colheres de recheio, fôrmas de vários feitios – estrelas, coração, luas, flores –, batedeiras de bacia, colheres e escumadeiras de madeira ou cobre, tábuas, cestinhas adornadas com papel recortado para a apresentação dos doces, covilhetes de barro onde eram acondicionados. O segredo era a frescura dos ovos, como se vê nesta receita de manjar celeste do convento de Santa Mônica, especialidade de "nossa irmã sóror Theresa de Santa Rita", segundo o caderno: "Duas quartas de requeijão e duas de açúcar; seis ovos, gemas sem claras. Põe-se o açúcar em ponto de fio e deita-se o requeijão ralado; em fervendo, tira-se do lume e deitam-se as gemas. Torna a ir ao lume a ferver outra vez. Tira-se depois do lume e deita-se em tigelinhas de barro pequenas, deixa-se esfriar e vai ao forno à fartes."

"Fartes" ou "fartem da Beira" era o nome dado a um determinado tipo de bolo feito em casa ou vendido por confeiteiros que tinham, até 1755, em Lisboa, uma rua dedicada somente a eles. Um amigo de Luís de Camões, Fernão Rodrigues Lobo Soropita, deixou dos deliciosos e inesquecíveis "fartes" as suas impressões. Eles continham amêndoas, canela e cravo, além de pão ralado. Foram também oferecidos por Pedro Álvares Cabral aos tupiniquins, em Porto Seguro. Segundo Câmara Cascudo, foi o primeiro doce-bolo vindo da metrópole e consumido na colônia. Inúmeras receitas nasceram de sua fórmula clássica do bolo batido com ovos, manteiga, farinha de trigo e o finíssimo açúcar. Havia também muitos outros bolos com nomes de fantasia ou pilhéria: "bolo busca-marido", "orelha de burro",

# ARTE
## DE
# COZINHA

DIVIDIDA EM TRES PARTES,

A primeira trata do modo de cozinhar varios guizados de todo o genero de carnes, conſervas, tortas, empadas, e paſteis. A ſegunda de peixes, mariſcos, frutas, ervas, ovos, laticinios, doces, conſervas do meſmo genero. A terceira de preparar mezas á Franceza em todo o tempo do anno, para hoſpedar Princepes, e Embaixadores.

Obra util, e neceſſaria a todos os que regem, e governaõ caza.

*Correcta; e emendada neſta ſetima impreſſaõ.*

AUTOR

DOMINGOS RODRIGUES,

Meſtre da cozinha de Sua Mageſtade.

---

LISBOA:

Na Offic. de JOAM ANTON. DA COSTA

Impr. do Sereniſſimo Senhor Infante D. Pedro, e da Sagrada Religiaõ de Malta.

Anno MDCCLXV.

---

*Com todas as licenças neceſſarias.*

*Doceira baiana, c. 1800.*

CALLCOTT, Lady Maria. *Seller of sweetmeats* [Iconográfico].
BAHIA: S.L./S.N., [S.D.].

"come e cala", "engorda marido", "beijo de estudante", "brevidade", "bolo de beata". Em alquimia com o leite de coco, o milho, frutas e o amendoim, outros tantos bolos dominaram muitas combinações de sobremesa.

A mesa de doces era comum nas varandas nobres e nas festas religiosas, e os rapazes elegantes costumavam levar rebuçados – um tipo de caramelo que podia ou não conter ovos – nos bolsos, para oferecer às senhoras. O "saber fazer" da ilha da Madeira circulava entre os amantes de doçaria. De lá vinham conservas de doces em que entravam especiarias vindas de longe: cravo das Molucas, noz-moscada de Banda, pimenta e gengibre de Malabar, canela do Ceilão e açúcar do Brasil.

Diz Câmara Cascudo que o bolo possuía função social indispensável na vida portuguesa, representando a solidariedade entre as pessoas. Figurava sempre em noivados, casamentos, visitas de parida, aniversários, convalescença, enfermidade ou condolências. Ele significava oferta, lembrança, prêmio, homenagem. O doce, diz ele, "visitava, fazia amizades, carpia e festejava". Em bandejas mais ou menos enfeitadas, era oferecido ao rei, ao cardeal, aos príncipes, aos fidalgos, aos compadres e aos vizinhos. Desenhos feitos com pó de canela, em formatos simbólicos, e adornos com açúcar fundido deixaram sua história na doçaria portuguesa.

Qualquer bandeja de bolo ou doces era decorada. Panos com franjas ou "papel decorado" eram obrigatórios. Os segundos eram tradição seriamente respeitada, verdadeiras maravilhas de fineza e graças. Sua fabricação foi arte de freiras, pois era nos conventos que se aprendia a prepará-los. Tesourinhas especiais e muita paciência transformavam o rude papel em rendas finíssimas. No Nordeste, as meninas da elite iam aprender a "cortar papel para bolo" com matronas de saber reconhecido. O epíteto de "boa quituteira", "mão de ouro nos doces" ou "boleira" era dote potencial para o casamento.

Menos sofisticado que as receitas portuguesas foi o emprego do leite de coco, que, no Brasil, encontrou o milho. Juntos, eles tiveram no carimã, no polvilho, na goma de mandioca e no fubá parceiros ideais para fazer bolos, cremes, papas, mingaus, tortas e pudins. A cocada e o doce de coco, além das comidas juninas como a pamonha, a canjica, o mungunzá, o cuscuz e a tapioca, têm na fruta importada da Índia o maior aliado. Gilberto Freyre lembra ainda a presença do doce nos pratos salgados como a lagosta ao molho de coco doce; a fritada de siri ou a guaiamunzada com arroz de coco; o marisco ao molho de coco.

Gabriel Soares de Souza reservou páginas às senhoras portuguesas, primeiras donas de casa na colônia e pioneiras em adaptar as receitas da terrinha aos produtos brasileiros, como o cará. "Da massa destes carazes", informa o cronista, "fazem os portugueses muitos manjares com açúcar." E dos amendões, ou castanhas-de-caju: "Desta fruta fazem as mulheres portuguesas todas as castas de doces que fazem de amêndoas e cortados os fazem cobertos de açúcar de mistura com confeitos."

As frutas cristalizadas eram guloseima encontrada em toda a colônia. Mergulhava-se o fruto numa calda espessa, e, depois de retirado, ele era posto ao sol, ou sobre o forno do fogão à lenha para secar. Algumas delas ficavam, no dizer popular, "doces como torrões de açúcar", caso das mangas

*Vendedores nas ruas do Rio de Janeiro.*

DEBRET, Jean-Baptiste. *Vendedores de pão-de-ló* [Aquarela sobre papel]. MUSEU CASTRO MAYA, RIO DE JANEIRO, 1826.

ou de sapotis de Itamaracá na Bahia. Em caixotes, goiabadas e marmeladas circulavam entre as capitanias como um dos produtos mais consumidos, além de serem vendidos nas tendas de secos e molhados.

O vice-cônsul de S. M. britânica na Bahia e Paraíba, James Wethrell, revelou o prazer em degustar "the most excellent" geleia de pitanga, o doce de araçá e o maracujá e o mamão em torta. Suspiros, diz ele, eram vendidos pelas ruas em feriados. Já o francês Ferdinand Denis adorou o arroz-doce salpicado de canela. A rapadura, "massa dura de açúcar ainda não depurado", veio das Canárias e acompanhava tropeiros e viajantes dentro da colônia, notadamente no Sul. Dotada de alto valor nutritivo, era preparada em vasilhames apropriados e depois embrulhada em folhas secas da própria cana, o que lhe permitia uma conservação invejável. Era acompanhamento para carne de sol, farofas, jerimuns, batatas, umbuzada, cuscuz e paçoca. Dela se faziam doces de banana, goiaba, araçá, caju, abacaxi, laranja ou guabiraba. Com mel de rapadura se saboreavam – e até hoje se saboreiam – inhame, macaxeira ou farinha.

A tradição da doçaria passou da cozinha à rua, graças aos tabuleiros das negras forras, enormes e forrados com panos alvos. "Negras doceiras", contou Freyre, tinham o cuidado de enfeitar seus doces com papel azul ou encarnado, arrumados sobre folhas de bananeiras. "Desses tabuleiros de pretas quituteiras, uns corriam as ruas, outros tinham seu ponto fixo à esquina de algum sobrado grande ou pátio de igreja, debaixo de velhas gameleiras. Aí os tabuleiros repousavam sobre armações de pau escancaradas em X [...] De noite os tabuleiros se iluminavam como que liturgicamente de rolos de cera preta; ou então de candeeirinhos de folha de flandres ou de lanternas de papel." Entre escravas, não faltou a que fugisse de seus senhores, levando consigo tabuleiros, balaios de frutas secas, bolos e doces, como certa Simoa, vendedora de bolinhos, negra fula bem falante que, num belo dia de 1837, fugiu de Aflitos, Recife, da casa de seu senhor, Pimentel.

Conservou-se na colônia – é sempre Gilberto Freyre quem relata – a tradição de acompanhar as procissões, com pessoas oferecendo doces aos penitentes que se flagelavam, sobretudo aos que representavam figuras da Paixão e da História Sagrada, os "bons". Aconteceu que um desses beneméritos ofereceu o regalo a um indivíduo que fazia papel de judeu, mau e inimigo de Nosso Senhor. Foi denunciado à Inquisição.

Nem os remédios escaparam do doce. Para tratamento de tosses e bronquites, tornaram-se célebres as balas de doces de cambará, uruçu e agrião. Para "abrir o leite" de mulher parida, um pouco de cachaça com açúcar. Os mortos também gostavam de doces. Confirma o hábito de se "pôr a mesa às almas" – termo corrente nos processos inquisitoriais –, normalmente em caminhos ou encruzilhadas, alimentando-as com pão, bolos, queijo, mel, água e vinho. O cardápio servia para pedir curas, dava conta do paradeiro de objetos perdidos, pessoas vivas e até das já mortas.

# 8. COBERTO E DESCOBERTO

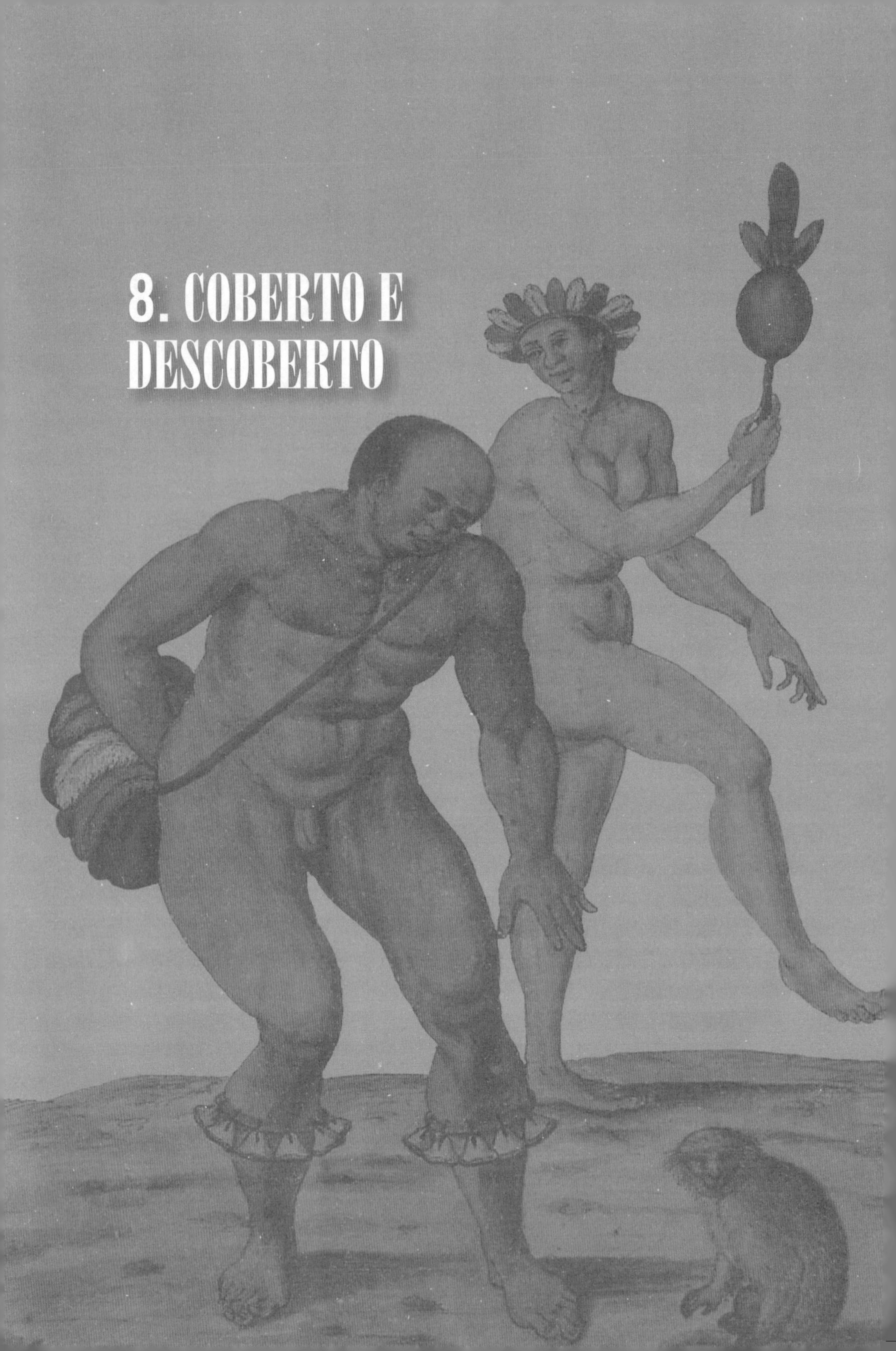

História da indumentária – algo fútil? Nunca. Muitas questões podem ser respondidas pelos historiadores quando se remexe o fundo dos baús. As matérias primas, os procedimentos de fabricação, os custos, a moda, as hierarquias sociais através das aparências são algumas delas. A roupa definia, então, os lugares sociais. A que era usada dentro de casa raramente saía à rua, e vice-versa. Leis suntuárias, em Portugal chamadas de *Pragmáticas*, definiam os limites do luxo e regulavam hábitos de consumo.

O problema, porém, não se colocava para quem andava nu ou seminu, caso de nossos ancestrais indígenas. As referências à despreocupação com a vestimenta são constantes nos cronistas coloniais, a começar por Pero Vaz de Caminha, que escreveu em tom impressionado, voltando várias vezes ao assunto: "Acudiram pela praia [...] vinte homens, pardos, todos nus, sem nenhuma coisa que lhes cobrisse as vergonhas." Ou "andam nus, sem nenhuma cobertura". Em 1584, o jesuíta Anchieta registrava algumas leves mudanças:

> Os índios da terra de ordinário andam nus e quando muito vestem alguma roupa de algodão ou de pano baixo e nisto usam de primores a seu modo, porque um dia saem com gorro, carapuça ou chapéu na cabeça e o mais nu; outras vezes saem com seus sapatos ou botas e o mais nu, outras vezes trazem uma roupa curta até a cintura sem mais outra coisa. [...] As mulheres trazem suas camisas de algodão soltas até o calcanhar sem outra roupa e os cabelos quando muito entrançados com uma traçadeira de fita de seda ou de algodão; mas homens e mulheres de ordinário andam nus e sempre descalços.

Menos sisudo, o capuchinho Claude d'Abbeville achava tudo isso "cômico"!

No início, impressionou a beleza de nossas índias: pardas, bem-dispostas, com cabelos compridos, andando nuas e "sem vergonha alguma". A Caminha não passou despercebidas as "moças bem moças e bem gentis, com cabelos muito pretos compridos pelas espáduas". Seus narizes, segundo o mesmo narrador, eram "bem-feitos", assim como tinham "bons rostos". Os corpos, "limpos e tão gordos e tão formosos que não pode mais ser". As tupinambás se pintavam de tinta de jenipapo, "com muitos lavores a seu gosto [...] e põem grandes ramais de contas de toda a sorte nos pescoços e nos braços", segundo informa, em 1587, Gabriel Soares de Souza. Já o capuchinho Yves D'Evreux acentuava seu gosto pelos banhos e por pentear-se "muitas vezes".

Os cânones da beleza europeia se transferiam para cá, no olhar guloso dos primeiros colonizadores. Durante o Renascimento, graças à teoria neoplatônica, amor e beleza caminhavam de mãos dadas. Vários autores, como Petrarca, por exemplo, trataram desse tema para discutir a correspondência entre o belo e o bom, entre o visível e o invisível. Não é à toa que nossas indígenas são consideradas pelos cronistas seiscentistas criaturas inocentes. Seu despudor era lido numa chave de desconhecimento do mal, ligando, portanto, sua "formosura" à ideia de pureza.

É bem verdade que as características de nossas belas estavam um tanto distantes do modelo renascentista europeu. Os grandes pintores do período – por exemplo, Veronese, o veneziano – preferiam mulheres de cabelos claros, ondulados ou anelados, com rosto e colo leitosos como pérola, bochechas largas, fronte alta, sobrancelhas finas e bem separadas. O corpo devia ser "entre o magro e o gordo, carnudo e cheio de suco", segundo um literato francês. A "construção", como se dizia, tinha que ser de boa carnadura. A metáfora servia para descrever ombros e peito fortes, suporte para seios redondos e costas onde não se visse um sinal de ossos. Até os dedos afuselados eram cantados em prosa e verso, dedos de unhas rosadas finalizadas em pequenos arcos brancos. Joias e pedrarias, bem diversas dos ramais de contas e da tinta de jenipapo que recobriam nossas índias, reafirmavam o esplendor da união entre elementos anatômicos e elegância.

Gilberto Freyre foi pioneiro em captar o interesse dos portugueses não pelo modelo clássico que acabamos de descrever, mas pela "moura encantada": tipo delicioso de mulher morena de olhos pretos, segundo ele, envolta em misticismo sexual – sempre de encarnado, sempre penteando os cabelos ou banhando-se nos rios ou nas águas de fontes mal-assombradas – que os lusos vieram reencontrar nas índias nuas e de cabelos soltos.

*A dança: ritual indígena.*

WHITE, John. *Dança Tupinambá.* [Aquarela sobre papel]. WIKIMEDIA COMMONS, SÉCULO XVI.

"Que estas tinham também os olhos e os cabelos pretos, o corpo pardo pintado de vermelho, e, tanto quanto as nereidas mouriscas, eram doidas por um banho de rio onde se refrescasse sua ardente nudez e um pente para pentear o cabelo. Além do quê, eram gordas como as mouras." Ele lembra ainda que, enquanto em terras brasileiras prevalecia o modelo moreno, em Portugal, a moda italiana vingava. Lá, na época de Felipe II, as mulheres "das classes altas tingiam os cabelos de cor loura, e lá na Espanha várias arrebicavam o rosto de branco e encarnado para tornarem a pele, que é um tanto, ou antes, muito trigueira, mais alva e rosada, persuadidas de que todas as trigueiras são feias". Segundo Freyre, poder-se-ia afirmar que a mulher morena era a preferida dos portugueses para o amor físico.

Sendo a roupa o envelope do corpo, como seria andar nu? Sabemos que escravas e índias vestiam-se com camisa e saia de algodão grosso. A preocupação era de que não se vissem "nuas nem rotas", como se queixava Anchieta. Mas que significado teria o nu na Idade Moderna? Ha-

*As culturas africanas e indígenas valorizavam a liberdade de expor o corpo.*

GUILLOBEL, Joaquim Cândido. *Colecção dos usos e costumes dos habitantes da cidade de S. Luiz do Maranhão.* BRASILIANA, USP: 1822.

via, então, uma grande diferença entre nudez e nu. A primeira se referia àquelas que fossem despojadas de suas vestes. O segundo remetia não à imagem de um corpo transido e sem defesa, mas ao corpo equilibrado e seguro de si mesmo. O vocábulo foi incorporado, no século XVIII, às academias de ciências artísticas onde a pintura e a escultura faziam do nu o motivo essencial de suas obras. No mesmo ano do achamento do Brasil, o pintor Giorgione criara uma *Vênus*, deitada e adormecida numa paisagem cor de mel, totalmente oferecida ao olhar do espectador, embora seu corpo branco exalasse castidade.

Na mesma época, no Brasil, índias e negras andavam seminuas. Ambas tinham, contudo, condições de transformar sua nudez em objeto estético. Todo um código artístico era inscrito na substância corporal através de técnicas arcaicas: pinturas faciais, tatuagens, escarificações, que as transformavam em obras de arte ambulantes, em "quadros vivos". Não escaparam a Gilberto Freyre seus sinais de nação, as tatuagens africanas ao longo do nariz, os talhos imitando pés de galinha, na testa e nas faces, "talhinhos ou recortes, verdadeiras rendas, pelo rosto todo". As orelhas furadas, para argolas ou brincos, também eram uma constante. As iaôs, de rituais religiosos, tinham direito às pinturas corporais.

No corpo, valorizavam-se as nádegas arrebitadas para trás, empinadas e salientes, a "bunda" grande – palavra quimbundo para designar o que os portugueses chamavam de "nadeguda"! Os peitos valorizados eram os pequenos e duros, a ponto de haver uma lenda recolhida por Nina Rodrigues sobre o assunto: uma mulher muito grande e valente tinha peitos tão grandes que caíam pelo chão. Depois de um embate com guerreiros inimigos, na floresta onde morava, foi morta, despedaçada e cozida pelas mulheres da mesma tribo. "Então, diz o conto, cada qual tratou de apoderar-se de um pedaço do peito; as que puderam apanhar um pedaço grande tiveram os peitos muito grandes, as que só alcançaram um pedacinho ficaram de peito pequeno, e é por isso que as mulheres não têm peitos do mesmo tamanho." A gigante de peitos grandes e caídos, entidade maléfica, era também critério de feiura na cultura africana.

Os anúncios de jornal, notificando a fuga de escravos, informavam as características físicas de nossos avós negros: a cor "preta", "alva ou fula da pele"; os cabelos encarapinhados, crespos, lisos, anelados, cacheados, acaboclados, russos, assas, avermelhados e até louros. Nas mulheres, cabelos que eram cuidadosamente arranjados em birotes, tranças, coques. Cabelos "agaforinhados com pentes de marrafa dos lados" ou alisados com óleo de coco. Os dentes quase sempre inteiros e alvos podiam ser "limados" ou "aparados". As deformações profissionais deixavam marcas nas mãos, pés e pernas e os vestígios de chicote pelo corpo não eram escamoteados: "nas nádegas marcas de castigo recente" ou "relho nas costas". Os olhos podiam ser "na flor do rosto", grandes, castanhos ou "tristonhos". Podiam, ainda, piscar "por faceirice", enquanto a negra falava. De muitas se dizia "ter boa figura", ser "uma flor do pecado", ser "alta e seca", "bem-feita de corpo" ou simplesmente robusta. "Ter peitos em pé", "peitos escorridos e pequenos", "nariz afilado e pequeno", "peitos em pé e grandes", "pés e mãos pequenas" era sinal de formosura que podia impressionar o comprador.

O peito feminino era também o lugar de sinais de nação ou marcas. A negra rebolo que, em 1840, desaparecera da casa de seus senhores, informa-nos Freyre, trajava "vestido azul com flores amarelas", ostentava "argolas de ouro pequenas nas orelhas" e levava no peito esquerdo a marca MR". Mas ele também seduzia: "o busto de basalto negro" encantou o olhar do viajante Robert Avé-Lallemant.

Os vistosos panos da costa, turbantes e rodilhas, xailes amarrados à cabeça, saias rendadas, camisas abertas de renda e bico e chinelinhas vestiam muitas cativas. Uma poesia de Melo Moraes Filho enfeita a mulata ou a negra com muitos dos adereços utilizados pelas brancas: camisa bordada, fina e tão alva arrendada, torso de cassa à cabeça, corais engrazados nos pulsos, saias de rendas finas, brincos de pedrarias, correntinha de prata. E suas palavras exprimem o ciúme das últimas: "Eu sou mulata vaidosa, linda, faceira, mimosa, quais muitas brancas não são!" Para arrematar, "minhas iaiás da janela, me atiram cada olhadela, *Ai dá-se*! Mortas assim... E eu sigo mais orgulhosa, como se a cara raivosa não fosse feita p'rá mim".

No início do século XIX, índios e negros demonstrariam as adaptações vestimentares. Os primeiros, distantes do hábito de tirar e botar roupas dadas pelos padres ou europeus, usavam calções, coletes, vestes e bonés e mesmo camisas feitas com fibras vegetais. Os naturalistas Spix e Martius, na Amazônia, em 1819, encontraram o chefe dos índios Corotus, que lhes apareceu "descalço, trazendo as calças de algodão usuais dos índios, mas envergava um fraque azul e empunhava a 'pococaba', um junco espanhol com borla de prata". As mulheres se cobriam com camisas e saias de algodão, de bretanha, de chita. Ou usavam aventais de retalhos de algodão, por vezes, lenços na cabeça à moda portuguesa. Ainda que portando roupas sujas, as guaranis pareceram a Saint-Hilaire incrivelmente "asseadas". Os cabelos negros e bastos, presos em coque por "pentes feitos de bambus", observou Henry Walter Bates.

A elegância das negras não escapou aos cronistas da colônia. O preparo das roupas com capricho e o afinco caracterizam um culto rigoroso na forma de portar saias, torços de seda, sandálias enfeitadas e panos da costa, ensina o antropólogo Raul Lody. Na Bahia, se identificavam por seus turbantes e camisas de musselina sobre a qual colocavam os panos da costa. Roupas bordadas e ornadas de bicos e crivos na rua contrastavam com camisolões brancos daquelas que eram escravas domésticas de gente pobre. E Vilhena conta sobre as escravas que saíam à rua com suas senhoras:

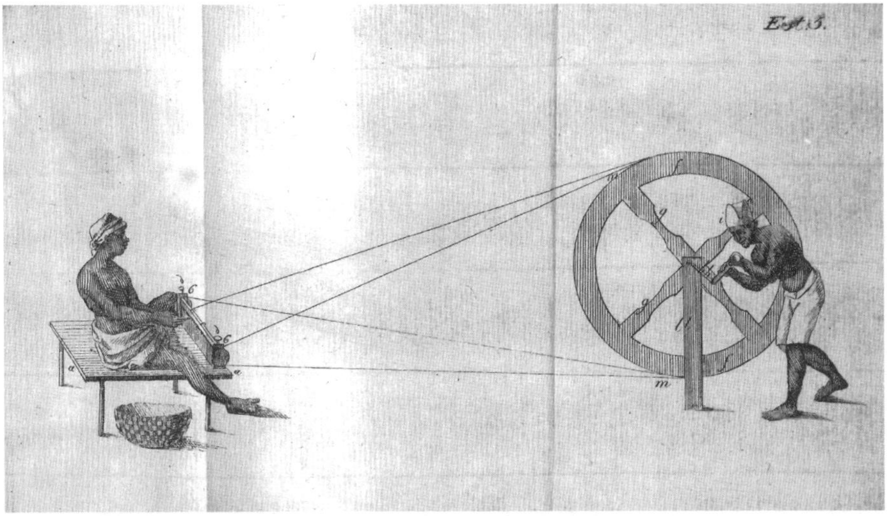


*A produção de fios de algodão para confecção de tecidos.*

CÂMARA, Manuel Arruda da. Máquina de fiar algodão. Tipografia Calcográfica, Tipoplástica e Literária do Arco do Cego. 1799, anexo 5.

"Pretas vestidas com ricas saias de cetim, becas de lemíste finíssimo e camisas de cambraia ou cassa bordadas de forma tal que vale o valor três ou quatro vezes mais do que a peça; e tanto é o ouro que cada uma leva em fivelas, cordões e pulseiras ou braceletes, ou bentinhos, que, sem hipérbole, basta para comprar duas ou três destas negras ou mulatas como a que o leva." E quantas joias!

Desde "punhos ou copos" e braceletes em ouro em que se via a elaborada joalheria desenvolvida por africanos e seus descendentes até balangandãs de prata com diferentes objetos que tinham função simbólica: dentes, figas de madeira, contas e bolas de louça em coral, âmbar ou marfim. A penca, presa por um correntão de prata, era usada na altura da cintura combinando com o pano da costa. Os balangandãs podiam ser devocionais, com a espada de são Jorge, a pombinha do Espírito Santo, são Cosme e Damião presos a uma só argola, entre outros; votivos, representando graças alcançadas nos ex-votos de costelas, cabeças, seios, olhos etc.; propiciatórios com figas diversas, dentes de jacaré, moedas, bastões ocos de prata com guiné, pó de pemba e terra de cemitério; ou evocativos: o cacho de uvas para lembrar as vindimas portuguesas, o tambor, instrumento das danças de terreiro e senzala. Portava-se ainda o brinco em estilo "pitanga", feito de búzio e ouro, ou as argolas, também conhecidas como "africanas", aros ou aros de rapariga. E tinha ainda os anéis, como o de "pedra-corada", gordos e pesados, normalmente usado por homens. Nas laterais, atributos curiosos como folhas de tabaco, para os produtores de fumo, e flores de algodão, para os agricultores.

E havia os fios de conta, simbolizando diferentes orixás, e a joalheria de Axé, aquela religiosa: os ibós e idés, as pulseiras, captados precocemente por Debret e Carlos Julião e, no Maranhão, ditos "rosários". Tal joalheria subiu até Minas Gerais pelo rio São Francisco e era comumente encontrada nos testamentos de escravas ou forras que as compravam com seu "ganho". Muitas destas joias foram ainda presente de senhores generosos à amas de leite ou amas. O material simbólico chegava nas embarcações que faziam a rota entre a costa africana e os portos brasileiros, sendo distribuído nas lojas e tendas mantidas por negros, e tais talismãs eram usados por ambos os sexos.

A compra de relíquias era corrente entre escravos, traduzindo a crença na comunicação com seres sobrenaturais do catolicismo. Eles foram grandes consumidores de bentinhos, contas do rosário, medalhinhas com efígies de santos, verônicas e até papelotes com o "leite em pó da Virgem Maria", vendidos por um padre salafrário na região do Serro, em Minas Gerais. O porte de bolsas de mandinga se misturava às joias de axé. Trazendo poderosas orações que vinham acompanhadas por desenhos, pós de ossos, pedaços de pedra d'ara ou de círio pascal, tais conteúdos atendiam a objetivos variados. Eram usados como proteção contra a maldade, para separar casais, contra doenças ou quedas, para escapar da morte e atrair o bem. Acessório obrigatório, tais bolsas de mandinga tinham seus fabricantes especializados. Alguns tão bem-sucedidos que até de equipe de ajudantes precisavam para dar conta do número crescente de encomendas. Tais bolsas faziam parte da

indumentária africana no Brasil ou entre os membros das diferentes nações do outro lado do Atlântico.

Elegância? Sim. No Rio de Janeiro, durante o batizado de um negro novo, Debret se impressionou com "o padrinho, vestido cerimoniosamente, usa uma calça de seda herdada de seu senhor, chapéu e bengala". Por sua vez, John Mawe, nas minas de diamantes observou: "Não há regulamento especial para o vestuário dos negros; vestem para o trabalho o que mais convém a seu gênero de ocupação; usam, em geral, jaleco e calção e não andam nus como asseveram alguns escritores." Os que garimpavam dentro dos rios portavam calças e blusas de couro de capivara para se proteger do frio, como visto pelos mesmos Spix e Martius. No calor dos engenhos, o uso da camisa de baeta ou algodão, tecido muitas vezes fiado em casa, era constante. O chapéu de palha contra o sol era uma obrigação para homens e mulheres: "As negras usam, na rua ou no campo, um chapéu preto para se protegerem do sol." Já as escarificações permaneciam como marca de identidade e procedência. Kidder, em 1837, num engenho nordestino referiu-se aos "provenientes da África que têm os ombros, os braços e o peito cobertos de marcas simétricas que parecem feitas com ferro em brasas". Nicolas de La Caille os viu "quase nus, vestidos com um calção ou, quando às voltas com suas lidas diárias, com um simples pano. Alguns têm, contudo, uma camisa e um casaco. Os negros libertos portam as mesmas vestes e o mesmo manto dos brancos".

Se a roupa serviu para identificar quem era quem na colônia, percebe-se que havia muitos tons de cinza entre o que vestiam brancos e negros. Nada era óbvio.

# 9. BELAS OU FERAS?

Morenice e robustez eram, então, padrões de beleza feminina. Não apenas na pluma dos poetas, mas também na pena de viajantes estrangeiros de passagem pelo Brasil, sensíveis eles também às nossas Vênus. Coube-lhes deixar o registro do que era percebido e apreciado. Registro, diga-se, de uma forma de reagir à beleza. Sua palavra sobre nossas avós as reproduz ao mesmo tempo em que as modela e esculpe:

"As portuguesas do Brasil são, em geral, extremamente honradas e têm o corpo bem-feito; seus cabelos são de um belo castanho-escuro e os seus olhos, grandes e negros, deixando transparecer uma espécie de languidez que denuncia um pouco de crueldade. Suas maneiras são doces e afáveis, sobretudo em relação aos estrangeiros. Em matéria de amor, entretanto, é muito perigoso despertar o seu ciúme, pois elas são capazes de grandes excessos", registrava cuidadoso M. de la Flotte.

Juan Francisco Aguirre, por sua vez, anotava: "As mulheres do Rio de Janeiro vestem-se como as de Portugal. Há algumas senhoras que não dispensam o uso de mantilhas e os penteados adornados com fitas. O que mais lhes interessa, porém, é estarem bem calçadas e empoadas. Para irem às igrejas ou a qualquer outra parte, usam sempre uma capa de castor – seja qual for a estação do ano. As fidalgas portam, em geral, saia e manta. Durante a Semana Santa, quando as vestimentas ganham maior luxo, as saias são abertas na frente e deixam à mostra um saiote bordado em ouro e prata. Nessa ocasião, as senhoras portam uma grande quantidade de pedras preciosas [...]. Os portugueses que as contemplam julgam que estão diante das mais formosas damas do universo. A moda não tem grande penetração entre as mulheres do Rio de Janeiro e o gosto é bastante flexível, o que faz com que as cores e os padrões das vestimentas variem muito. Observamos que há uma grande predileção pelas cores fortes como o azul, o violeta e o vermelho e pelos desenhos de ramagens. O apreço pelas pedrarias é enorme. Uma noite, no teatro, parou ao nosso lado uma senhora que, em razão dos grandes anéis e de outras joias que trazia, era apelidada pelas gentes da terra de *Tabuleta* ou *Vitrine de Ourives.* Essa mesma dama usava um penteado copiado de uma inglesa que há pouco passara por esta cidade a caminho do Oriente."

"Tanto os homens quanto as mulheres são muito asseados e adoram vestir roupa branca, a qual é bem tratada, lavada e engomada primorosamente." "Todos têm especial predileção pelos laivos azuis que o emprego do anil deixa no tecido branco." Um dos fundadores da Austrália, de passagem pelo Rio de Janeiro em 1787, legou-nos também suas impressões:

> As mulheres, antes da idade de casar, são magras, pálidas e delicadas. Depois de casadas, tornam-se robustas sem, contudo, perder a palidez, ou melhor, certa cor esverdeada. Elas têm os dentes muito bonitos e melhor tratados do que a maioria das mulheres que habita países quentes, onde o consumo de açúcar é elevado. Seus olhos são negros e vivos e elas sabem como ninguém os utilizar para cativar os cavalheiros que lhes agradam. Em geral elas são muito atraentes e suas maneiras livres enriquecem suas graças naturais. Tanto os homens quanto as mulheres deixam crescer prodigiosamente os seus cabelos negros: as damas em forma de grossas tranças que não combinam com a delicadeza dos traços. Mas o hábito torna familiares as mais estranhas modas. Estando um dia na casa de um rico particular do país, comentei com ele minha surpresa relativa à grande quantidade de cabelos das damas e acrescentei que me era impossível acreditar que tais cabelos fossem naturais. Esse homem, para demonstrar que eu estava errado, chamou sua mulher, desfez seu penteado e, diante de meus olhos, puxou duas longas tranças que iam até o chão. Ofereci-me, em seguida, para rearranjá-los, o que foi aceito com simpatia.

No passado ou hoje, os cabelos femininos ainda são altamente valorizados em nossa cultura. E nela desvalorizada a onipresente feiura. E feiura associada à velhice. As cantigas medievais portuguesas de escárnio e maldizer não poupavam as "feas, velhas e sandias", ou seja, as feias, velhas e malucas. Um renomado poeta, Pero da Ponte, dizia sem pudores que não se dava às vacas velhas o mesmo tratamento das novilhas novas. No cancioneiro popular, o rosto feminino enrugado era comparável ao traseiro e ai daquelas que pintassem "cu" e rosto com alvaiade!

Qualquer tentativa de esconder a idade ou a má aparência era ridicularizada. Orelhas enrugadas, pele escura, sobrancelhas que cobrissem os olhos, pelos em bigode ou barba feminina, pés grandes, maçãs encovadas, barriga mole e seios fartos demais armam a antítese da beleza juvenil. Após os trinta anos, como diria o poeta baiano Gregório de Mattos a certa "discreta e formosíssima Maria", a beleza se esvanecia:

Enquanto estamos vendo claramente
Na vossa ardente vista o sol ardente,
E na rosada face a Aurora fria:

Enquanto pois produz, enquanto cria
Essa esfera gentil, mina excelente
No cabelo o metal mais reluzente,
E na boca a mais fina pedraria:

Gozai, gozai da flor da formosura,
Antes que o frio da madura idade
Tronco deixe despido, o que é verdura.

Que passado o zênite da mocidade,
Sem a noite encontrar da sepultura,
É cada dia ocaso da beldade

Enquanto cronistas, poetas e viajantes despiam o que a sociedade cobria, uma rede de objetos, matérias, cores e odores buscavam transformar o copo feminino, batalhando a dupla infernal: feiura e velhice. Dissimular, apagar, substituir as imperfeições graças ao uso de pós, perucas, unguentos, espartilhos e tecidos volumosos era comum. A pele azeitonada, a robustez física, as feições delicadas e a longa cabeleira passavam por processos feitos de bens e serviços, utensílios e técnicas, usos e costumes capazes de traduzir gostos e rejeição, preceitos e interditos. Muitos deles, aliás, já bem conhecidos na Europa moderna.

Lá, desde o século XVI circulavam livros de receitas – *os segredos* – de beleza. A cosmética evoluía. A depilação das sobrancelhas, a pintura dos olhos e dos lábios, a coloração das maçãs do rosto, o relevo dado à fronte atestavam uma nova representação da mulher. Preparações variadas desdobravam-se em maquilagens pesadas, muito parecidas a máscaras.

Difíceis de manejar, muitos pós deviam ser diluídos em água de rosas, servindo para cobrir a cara inteira. Elaborado a partir de pau-brasil ou cochinilha, e mais raramente de cinabre, o "*rouge*" apresentava-se na forma líquida ou de unguento quando se lhe adicionava gordura de porco ou cera. Servia para tingir boca e bochechas e tinha consistência ideal quando aplicado quente. Resistência era um critério recomendado. Os bons tinham que durar entre sete e trinta dias. Sua cor variava do carmim, para passeios ao ar livre, ao vermelhão, usado à luz de velas, até um "meio-ruge", para dormir. Complexas ou onerosas, boas e baratas, tais receitas eram feitas a partir de ingredientes diversos. A virtude de algumas atravessou os séculos.

A ação depilatória do sulfato de arsênico, malgrado sua toxicidade, por exemplo, é uma delas. O leite de cabra e a gordura de cavalo, pela analogia com os longos pelos do animal, garantiam cabelos soberbos e sedosos. A pele e a gordura de cobra prometiam fazer a pele feminina ficar nova. Pérolas esfregadas aos dentes garantiam brilho e brancura. Milagrosa para o mesmo fim era a pedra-pome dormida no vinho branco e transformada em pó. Pomadas e pentes davam forma perfeita aos pelos faciais restantes. Coberto de alvaiade, o rosto era totalmente emaciado com a finalidade de cobrir as marcas deixadas por doenças, então, corriqueiras: varíola, catapora, manchas de sol, acne.

Numa época em que o dimorfismo sexual era lei, a figura feminina era marcada, nas partes baixas do corpo, pelas curvas e, no rosto, pelos signos da feminilidade. A cabeleira em tranças e birotes era alvo de todas as preocupações. Monumento de afetação, extravagância e desmesura, ela se equilibrava graças às camadas de farinha empoadas pelo cabeleireiro. Embranquecer e perfumar os cabelos graças à utilização do amido, de ossos secos e transformados em pó depois de bem pilados, de madeiras raspadas e reduzidas a pó era ofício desses cúmplices da intimidade feminina. Depois, os cabelos eram frisados, eriçados, encrespados e banhados em pomadas.

Os penteados mais conhecidos eram o "tapa-missa" e o "trepa-moleque". Esse último feito com uma infinidade de pentes sobre os quais se empilhavam perucas, inclusive as feitas com cabelos de moças defuntas.

*Padre e criança negros acompanhados de uma dama.*

BRIGGS, Frederico Guilherme. *Huma simplicia* [Iconográfico]. [S.l.] s.n., [s.d.].

O resultado final? Nuno Marques Pereira, cronista dos hábitos baianos do início do século XVIII, é quem descreve as mulheres que traziam "enfeites e toucados nas cabeças, e vinha a ser que se usava naqueles tempos uma moda que chamavam *patas*, feitas também de cabelos, porém presas em arames. Foi crescendo tanto a demasiada moda, [...] e tão disformes, que para entrar uma mulher com este enfeite nas igrejas, era necessário que estivessem as portas desimpedidas de gente!".

Não faltaram cronistas a ver o outro lado: os cabelos desgrenhados, mal penteados e a aparência de gente que "não tomava banho". Apesar da pobreza material que caracterizava a vida diária no Brasil Colônia, a preocupação feminina com a aparência não era pequena. Só que ela era controlada pela Igreja. A mulher perigosa por sua beleza, por sua sexualidade, por sua associação com a natureza inspirava toda a sorte de preocupações dos pregadores católicos. Não foram poucos os que fustigaram o corpo feminino, associando-o ao instrumento do pecado e das forças obscuras e diabólicas que ele representava na teologia cristã.

"Quem ama sua mulher por ser formosa, cedo lhe converterá o amor em ódio; e muitas vezes não será necessário perder-se a formosura para perder-se também o amor, porque, como o que se emprega nas perfeições e partes do corpo não é o verdadeiro amor, se não apetite e a nossa natureza é sempre inclinada a variedades, em muitos não durará", admoestava um pregador resmungão. O enfeamento do corpo estava articulado com a teoria punitiva do uso deste mesmo corpo. Os vícios e as "fervências da carne", ou seja, o desejo, tinham como alvo o que a Igreja considerava ser "barro, lodo e sangue imundo", em que tudo era feio porque pecado. Isso, porque a mulher – a velha amiga da serpente e do Diabo – era considerada, nesses tempos, um veículo de perdição da saúde e da alma dos homens.

Aquela "bem parecida", sinônimo no século XVII para formosa, era a pior! Logo, modificar a aparência ou melhorá-la pelo emprego de artifícios implicava em adensar essa inclinação pecaminosa. Mais. Significava, também, alterar a obra do Criador, que modelara seus filhos à sua imagem e semelhança. Interferência impensável, diga-se de passagem. Vários opúsculos circulavam tentando impedir as vaidades femininas. Os padres confessores, por exemplo, ameaçavam com penas infernais:

> Estar à janela cheia de besuntos, levantar os fatos (os vestidos) quando não há lama, levantar a voz entoando falsete, por ostentar melindre; tingir o sobrolho com certo ingrediente e fazer o mesmo à cara com tintas brancas e vermelhas, trazer boas meias e fingir um descuido para mostrá-las, rir de manso para esconder a podridão ou a falta dos dentes e comer mal para vestir bem.

Apesar de tantas advertências, a mulher sempre quis ser ou fazer-se bela. Se a Igreja não lhe permitia tal investimento, a cultura lhe incentivará a forjar os meios para transformar-se. Os dispositivos de embelezamento, assim como o cortejo de sonhos e ilusões que os acompanhavam, eram de conhecimento geral. O investimento maior concentrava-se no rosto, *locus*, por excelência, da beleza. As outras partes do corpo eram menos valorizadas. Consequência direta desta valorização, o embelezamento facial recorria à certa incipiente técnica cosmética. A preocupação maior era, em primeiro lugar, tratar a pele com remédios. Seguia-se a maquilagem com pós, "besuntos" e "tintas vermelhas e brancas", como já se viu.

Desabrochava, nessa época, uma visão médica da cosmetologia, visão que foi fortemente retomada no século XX pelos fabricantes de cosméticos. Assim como hoje, há quatrocentos anos atrás, a ideia fundamental consistia em esconder os males de maneira artificial. Afecções cutâneas e má coloração da tez eram consideradas preocupantes. Para combatê-las usou-se, até o aparecimento da química, certa farmacopeia doméstica à base de produtos que, ainda hoje, vigoram: cera de abelha, mel, amêndoas doces, gordura de carneiro, água de rosas, leite de pepinos, glicerina, benjoim.

A partir do século XVI, o crescimento das trocas econômicas e comerciais incrementou o aparecimento de especiarias que vinham do Oriente ou da América para a Europa no fundo das naus: limão, arroz, açúcar, manteiga de cacau, que foram acrescidos ao receituário tradicional. Havia, contudo, produtos mais prosaicos. Por exemplo, o "leite de mulher parida" era considerado eficiente para a queda de cabelo, sinais e cicatrizes, erisipela, icterícia e "cancro".

Os excrementos de animais, mais conhecidos como "flores brancas", foram largamente utilizados para clarear e cicatrizar sinais na pele. Excrementos, diga-se, que podiam ser tanto de sofisticado crocodilo africano quanto de prosaico cachorro doméstico. A urina, poderoso cicatrizante, idem. É óbvio que tais produtos não eram aplicados sobre a pele sem certos cuidados. Cozimentos, exposição ao sol, macerações buscavam decompor ou desmaterializar o componente original. A destilação, apropriada da alquimia, alimentava o imaginário de pureza associado aos tratamentos cosméticos. Era preciso purificar para embelezar. Matérias puras, límpidas, essenciais eram usadas para embranquecer a pele azeitonada, considerada feia pelos estrangeiros de passagem. Ferros aquecidos em cinzas quentes ajudavam a encrespar os cabelos. Mas não esqueça: "embelecar" era sinônimo de "enganar".

O limite entre a cosmética saudável, aquela capaz de sanar males e doenças, e a cosmética para "embelezar" era estreito. As mulheres resvalavam de uma para a outra, sob o olhar sempre condenatório de maridos, padres e médicos. A crítica regular do uso excessivo de tintas, besuntos, cremes e unguentos se acumulava. Perseguia-se a possibilidade de vê-las se assemelhar às cortesãs ou prostitutas. O critério, portanto, era o "muito" ou "pouco" maquilada, critério, esse, que variou ao longo dos tempos. Basta pensar no "meio-ruge" que as mulheres usavam, ao deitar-se, no século XVIII! Nada disso, porém, impediu um viajante francês de vê-las penteadas com fitas e registrar: "O que mais lhes interessa, porém, é estarem bem empoadas.

# 10. O SUPÉRFLUO E O NECESSÁRIO

A roupa, na sua forma, cor e substância, significou, entre os séculos XVI e XVIII, uma condição, uma qualidade, um estado. Não havia dúvidas quanto a isso. Instrumento de regulação política, social e econômica, as "leis suntuárias" existiam para manter visíveis os níveis sociais de quem se vestia. O luxo de tecidos e bordados era apanágio da aristocracia. Seus membros não podiam ser confundidos com os das camadas emergentes. Codificando cortes, materiais, tinturas, a roupa garantia marcas de poder, intensificando-lhes o brilho. Semelhante ao que ocorre, hoje, com o uso de roupas de *griffe*? Não. Muito mais rígido. Entre os séculos XV e XVIII, a roupa tinha um papel político-social. Ela funcionava como signo de hierarquização, de fixidez ou de mobilidade dos grupos.

No preâmbulo da pragmática de 8 de junho de 1668, por exemplo, d. Pedro II de Portugal ordenava: "Faço saber aos que esta lei virem que, nas Cortes que convoquei para as *cousas* necessárias a conservação deste reino, por parte dos Três Estados *delle*, Eclesiástico, Nobreza e Povo, me foi representado e pedido com grande *instancia* quizesse atalhar a grande demasia e excessos que há nos trajes, vestidos, guarnições e outras *cousas*, e feitios *delles*." Com intenção protecionista, tais pragmáticas buscavam mitigar os danos à economia portuguesa, causados pela saída dos metais preciosos do reino, decorrente da constante entrada de manufaturas estrangeiras. E elas eram minuciosas, como se vê, por exemplo, na proibição do uso de "todo o gênero de telas e sedas que levarem prata ou ouro, toda aguarnição de ouro, ou prata, em qualquer gênero de alfaias, ou de vestidos [...]. Todo o gênero de chapéus que não forem fabricados neste reino. Todas as rendas, que se chamam bordados, ou ponto e Veneza. Todos os adereços de vidros e pedras falsas, ou venha de fora do reino, ou façam dentre dele".

Outro exemplo do alcance das pragmáticas era a obrigação, em Portugal, de os judeus usarem uma carapuça amarela. E os mouros, uma lua de pano vermelho de quatro dedos, "cosida no ombro, na capa e no pelote" segundo o código de leis conhecido como Ordenações Filipinas. Outro exemplo para que se perceba a que ponto tal legislação era restritiva diz respeito às roupas que se podia ou não usar durante o luto, chamado então, dó:

> Quando a alguma pessoa falecer pai ou mãe, ou outro ascendente ou filha, ou outro descendente, sogro ou sogra, genro ou nora, ou cunhado, poderá trazer por dó capuz, tabardo ou loba cerrada por tempo de um mês somente, e não serão de mais comprimento que até os artelhos, e daí por diante poderá trazer capa aberta de dó que não passa de meia perna [...] e os pelotes e roupetas que trouxerem por dó não serão mais compridos que até cobrirem os joelhos, e não trarão neles mangas largas.

O tabardo era uma capa, capote ou casacão com capuz e manga. Loba era um tipo de vestido com túnica aberta, sem mangas, que se sobrepunha pela frente, e a roupeta, uma veste mais estreita, como a túnica dos jesuítas. Como se pode observar, a imobilidade das linhas correspondia à imobilidade que se esperava de quem estivesse triste e chorando a partida dos seus.

Tais leis suntuárias funcionavam? Sabemos que elas mais freavam do que impediam o porte de determinadas vestimentas ou tecidos por quem não devia. Um exemplo? Nos finais do século XVII, durante o reinado de Luís XVII, chegou-se a cercear, de acordo com o nível social, a grossura dos galões ou a matéria dos botões. Restritos ao uso masculino, os botões só então passaram a ser usados pelas mulheres, antes obrigadas a manusear um sem número de laços e fitas para fechar suas vestimentas. Mas não há dúvidas de que, com a emergência da burguesia e o declínio do feudalismo, tem início a corrida pelo desejo de consumo. Até então as qualidades vestimentares femininas eram baseadas na modéstia e na moderação, como pregava a Bíblia. No século XVIII tudo se precipita. A gestão das rivalidades entre cortesãos escapa progressivamente aos soberanos, e a moda, que, desde o Renascimento, parecia ter tendências seculares, adquire sua acepção moderna de tendência passageira, de gosto coletiva e de efêmera. É essa, pelo menos, a definição que lhe é dada, em 1690, num dicionário francês.

E, entre nós, como funcionavam tais cuidados com a vestimenta? De acordo com as informações que temos para o Brasil Colonial, nossas

JULIÃO, Carlos. *Cena romântica: velho vestido à moda do séc. XVIII faz menção de entregar a uma jovem, carta onde se lê: "A Sra. Joanna Rosa..."* SÉCULO XVIII.

antepassadas foram excelentes rendeiras. Se o trabalho de fiar algodão, reservado às escravas negras e índias, era considerado cansativo, aquele de adornar panos caseiros, roupas, xailes e redes era tarefa generalizada entre as mulheres das mais variadas condições sociais. Sentadas com as pernas cruzadas ao chão, frente à certa quantidade de bilros e uma almofada, seu trabalho funcionava ao mesmo tempo como fonte de lucro e diversão. O crivo, um tipo de trabalho de agulha feito sobre desenho, com fios de linha e cerzido num padrão, complementava os adornos em qualquer vestimenta.

Sabe-se, também, que uma quantidade enorme de rendas era importada de Espanha e Portugal. Aqui, como lá, nenhuma mulher andava sem véus ou uma profusão de rendas nas roupas. A seda prestava-se bem para realçar tais trabalhos. De seda negra eram as mantilhas guarnecidas com rendas largas que serviam para tapar a cabeça, como um capuz, talvez para "embuçar" a dama nas ruas, em sua caminhada para a igreja. Há informações de que algumas eram tão grandes que só deixavam expostos os olhos, cobrindo toda a pessoa até os pés. Mulheres negras, de origem muçulmana ou não, cobriam-se com finos véus de algodão branco, tido por "o das mulheres do Oriente", e longos mantos que lhes caíam até os pés, envolvendo todo o corpo. Usavam-se também capas ou mantas em cores vivas.

O anil e o pau-brasil eram costumeiramente utilizados para tornar os tecidos mais atraentes. Urina era o produto mais utilizado na fixação das cores. Tal como na Europa moderna, onde tecidos caros serviam para a realização de modelos da moda, entre nós, as mulheres não pareciam ter dificuldade para escolher. Os percalços, contudo, chegavam na hora do pagamento. Isso, pois, mesmo sendo o ambiente da terra de grande precariedade e pobreza, vestir-se com apuro fazia parte das mentalidades e não se mediam esforços para aparecer bem. Os emblemas exteriores de riqueza contavam, e muito, numa terra onde as aparências, na maior parte das vezes, enganavam.

Não faltaram críticos ao hábito de "parecer, sem ser". Já em 1587, Gabriel Soares de Souza queixava-se dos colonos que tratavam suas mulheres "com vestidos demasiados, porque não vestem se não sedas, por a terra não ser fria, e no que fazem grande despesa, mormente entre a gente de menor condição". Pavonear-se em "sedas, veludos e panos finos de Portugal" era muito comum. Mas o outro lado desta exibição eram as dívidas. O exibicionismo – e o consequente endividamento – levaram o padre Antônio Vieira a vituperar do púlpito contra o gasto excessivo dos fiéis com tecidos, na cidade de São Luís:

> Vem um mestre de navio de Portugal com quatro varreduras das lojas, com quatro panos e quatro sedas que já se lhes passou a era e não têm gasto; o que faz? Isca com aqueles trapos aos moradores da nossa terra; dá-lhes uma sacadela e dá-lhes outra, com que cada vez lhes sobe mais o preço; e os bonitos, ou os que querem parecer, todos esfaimados aos trapos, ali ficam engasgados e presos, com dívidas de um ano para outro ano [...] No triste farrapo com que saem à rua, para isso se matam todo o ano.

A maior parte das naus que aportava no litoral trazia fazendas finas ou grosseiras para vender. A busca pelo raro e caro traduzia-se numa cultura de aparências exibida na praça pública – cenário ideal para aquelas que buscavam fazer parte do espetáculo dos privilegiados – e multiplicada na concorrência. Era o efeito vitrine que contava. Mas não escapava aos mais observadores o ponto fraco da questão. "O luxo dos vestidos", escrevia em 1768 o governador de São Paulo, "é desigual à possibilidade desta gente; se as fazendas fossem do reino tudo ficava em casa, porém sendo estrangeiras não há ouro que as pague... Tudo isso compra-se fiado, e depois estuda-se para pagar".

Por vezes, a descrição das roupas, mesmo as de festa, não indicava a ênfase em tais gastos suntuários. A descrição de uma denunciada à Inquisição, no século XVII, demonstra que suas melhores roupas – "e vestiu de festa", diz o documento – constavam de "uma saia de tafetá azul e jubão de holanda e toucado na cabeça". A dupla saia e gibão dominava também entre as burguesas e camponesas europeias cujo guarda-roupa básico era de cinco peças. O que variava era o contraste com a qualidade e a quantidade de tecido. As cores, como no caso o mencionado azul, podiam identificar o uso da roupa: "Festa."

Para atividades diárias, escolhiam-se as escuras. A lã era indicada por sua durabilidade. Vestidos eram coisa de aristocracia cujos membros enfiavam uma média de dez peças de roupa, fora a roupa branca e íntima. O século XVIII introduziu na Europa tecidos novos: sedas, algodões, linho. Os coloridos se diversificavam. Os ricos se adaptaram com mais rapidez a essa mudança de gosto, mas os pobres também aderiam. O que se ganhava em diversidade perdia-se em solidez. Esse é o momento em que as classes menos abastadas começam, elas também, a acelerar o ritmo das compras.

Confirmando a hegemonia da aparência, a maior parte das mulheres só se vestia para ir às ruas. Era a confirmação do velho ditado: "Por fora, bela viola; por dentro, pão bolorento! " Em casa, cobertas com um "timão", espécie de confortável camisolão branco em tecido leve, ocupavam-se nas atividades domésticas. Os cabelos, mal penteados ou "*en papilottes*", segundo a inglesa Maria Graham, davam uma péssima impressão de desmazelo.

Pior, a tal camisola deixava expostos os seios. E a estrangeira fulminava: "Não vi hoje uma só mulher toleravelmente bela. Mas quem poderá resistir à deformação como a que a sujeira e o desleixo exercem sobre uma mulher?" Ao visitar, em 1821, residências baianas, anotou, consternada, sobre suas moradoras: "Quando apareciam, dificilmente poder-se-ia

*Joias de d. Maria I.*

Estudo de joias de estilo d. Maria I. [Visual gráfico]. G. Pessoa [ENTRE 1800 E 1850].

acreditar que a metade delas eram senhoras de sociedade. Como não usam nem coletes, nem espartilhos, o corpo torna-se indecentemente desalinhado logo após a primeira juventude; isto é, tão mais repugnante quanto elas se vestem de modo muito ligeiro, não usam lenços ao pescoço e raramente os vestidos têm qualquer manga. Depois, nesse clima quente, é desagradável ver escuros algodões e outros tecidos sem roupa branca, diretamente sobre a pele, o cabelo preto mal desgrenhado, amarrado inconvenientemente, ou, ainda pior, em papelotes, e a pessoa toda com a aparência de não ter tomado banho."

Segundo Maria Beatriz Nizza da Silva, a saída dominical para a missa levava as mulheres a usar uma mantilha negra de seda que ocultava as roupas mais transparentes e decotadas usadas por baixo delas. Outro inglês, Thomas Lindley, que esteve na Bahia no início do século XIX, observou que o vestuário feminino mais comum era uma saia usada por cima de uma camisa: "Esta é feita de musselina mais fina, sendo geralmente muito trabalhada e enfeitada. É tão larga no busto que resvala pelos ombros ao menor movimento, deixando o busto inteiramente à mostra. Além disso, é tão transparente que se vê toda a pele."

O prussiano Theodor Leithold, por seu turno, observou que, no Rio de Janeiro, no primeiro quartel do século XIX, as mulheres vestiam-se de preto, geralmente com seda, com meias de seda branca, sapatos da mesma cor, "e sobre a cabeça um véu preto de fino crepe que cobre metade do corpo". O tal véu, segundo De La Flotte, servia de disfarce, também: "Como todas se escondem atrás de um véu e se vestem de preto, é impossível mesmo ao olhar mais penetrante distingui-las umas das outras. Assim, sob o pretexto de ir à igreja pode tranquilamente dirigir-se para um encontro amoroso sem ser reconhecida", dizia o francês.

A simplicidade ou pobreza da indumentária contrastava com as joias. Sem elas, as mulheres não saíam às ruas. As negras portavam figas, crucifixos e pencas de ouro. As brancas, anéis, colares, brincos e braceletes ricamente trabalhados, tesouro que tanto podia ser presente do marido,

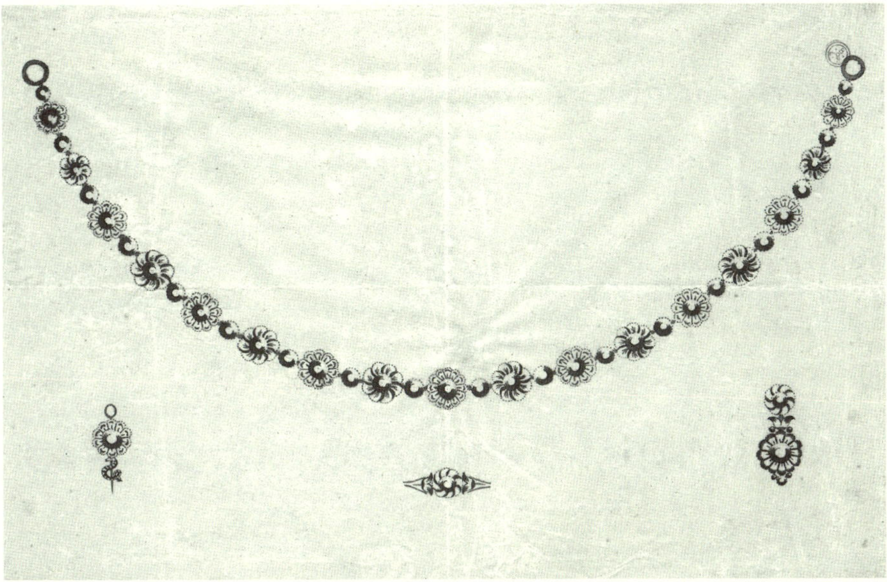

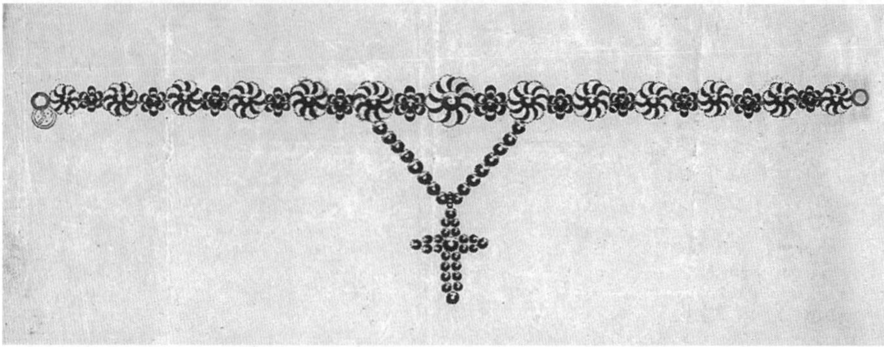

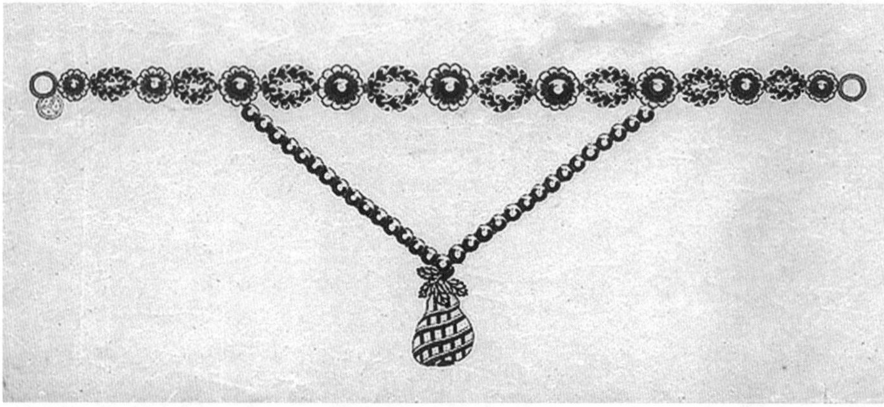

*Outras joias de d. Maria I.*

Estudo de joias de estilo d. Maria I. [Visual gráfico]. G. Pessoa [ENTRE 1800 E 1850].

quanto parte do dote de casamento. Segunda Silva, além de saírem aos domingos para ir à igreja, as mulheres apareciam em público nas reuniões da Corte, se eram aristocratas e moravam no Rio de Janeiro, ou nos espetáculos teatrais, que só se realizavam nas grandes cidades, momento em que tiravam as joias do cofre. Pedras preciosas como esmeraldas, crisólitas, topázios brancos ou amarelos, diamantes rosa, águas-marinhas, pérolas, além de vestidos bordados a ouro e prata, ousadamente decotados à moda francesa da segunda década do Oitocentos, enchiam a plateia.

Na cabeça colocavam quatro ou cinco plumas, importadas da França, inclinadas para a frente, e na fronte, diademas incrustados de diamantes e pérolas. Para dançar nos bailes, o cerimonial exigia "vestidos redondos, luvas e enfeites de cabeça mais ligeiros e próprios para aquele fim". O espetáculo teatral, no entender da mesma autora, exigia menos luxo do que as cerimônias da Corte e nesse ambiente usavam as mulheres flores no cabelo, brincos compridos e vistosos, um xale pelos ombros e um leque que podia ser mais ou menos valioso.

Dois prussianos em visita ao Rio de Janeiro, em 1819, fizeram questão de anotar que as mulheres de elite possuíam amplos guarda-roupas de linho e sedas de toda a classe, "guarnecidos de outros enfeites". Para atender a essa demanda de consumo, os armarinhos de luxo enchiam as ruas cariocas. Capelistas vendiam fitas largas ou estreitas, lisas ou lavradas, na sua maior parte de seda, mas também de veludo; galões de ouro e de prata, guarnições bordadas, franjas e rendas de várias qualidades (linho, linha, filó, seda), inclusive de fio de ouro para "véus de ombros", tiras bordadas para "coleiras", entremeios, cordões de seda, bordaduras de ouro e tudo o mais o que servisse para ornar as mulheres. Sim, para enfeitá-las, mas, também para irritar seus padres confessores.

Veio de Vieira a crítica mais ácida: "Tem chegado o luxo e a vaidade das mulheres a tal excesso que até nas Horas ou livros de orar que levam à igreja vão entre as folhas encadernadas espelhos [...] a fim de que suas fervorosas orações não apareçam diante de Deus desacompanhadas deste ornato."

Entre o mundo rural e o urbano, estabeleciam-se clivagens. No primeiro, os valores de estabilidade, identificados ao clima, à duração das peças e ao uso reiterado do vestuário, permaneciam regra. No sul do Brasil, John Luccock observou mulheres usando capotes de casimira com ornamentos de pele e escravas enroladas em pedaços de baeta enfeitados com franjas. Em Minas Gerais, elas se vestiam de branco ou de cores vistosas, e guarda-sóis coloridos abrigavam-nas do sol causticante. Na falta destes, usavam um chapéu em lã negra. O gosto pelas telas rústicas e tecidos resistentes como a baeta, o baetão, a estamenha, o lemiste e a sarja mostra que os hábitos não eram exclusivamente os ditados pelos ricos.

O que não faltava no guarda-roupa, ou melhor, nos baús, era a bata, a camisa, a camisola, a saia, os sapatos ou chinelas. Espartilho? Raro, tornando o corpo "indecente e repugnante". A peça só se tornará obrigatória, no século XIX.

E eles? Segundo padre Vieira, eram tão vaidosos quanto as mulheres, sobretudo quando se esforçavam para demonstrar "fidalguia". Os membros da elite formada por senhores de engenho, grandes proprietários de terra e traficantes de escravos aguardavam a chegada de navios trazendo produtos importados como os tecidos de seda e lã, o crepe, o damasco, a holanda, o chamalote, além de chapéus de Segóvia ou de Bardá e botas, abotoaduras, fivelas e gravatas, entre outros.

E Vieira sabia bem do que falava, pois no seio da própria Igreja existiam condenações ao exibicionismo de religiosos. As *Constituições do Arcebispado da Bahia* proibiam que os clérigos adotassem a moda dos seculares tais como bordados, detalhes em ouro e prata, meias com ligas de seda, guarnições, galões e retrós que faziam a graça da indumentária de alguns poucos. Longe os tempos em que, paupérrimos, os membros da Companhia de Jesus pediam ao rei de Portugal que lhes enviasse pano pardo para as batinas, sapatos e pano de lenço para fazer camisas. Até as sotainas de cânhamo, tingidas de preto, eram feitas de velas de naus das Índias. Na cabeça, levavam sombreiros doados ou emprestados. As capas para sair à rua eram poucas. A solução? Revezar-se. Seus calções podiam ser feitos em pele de ema e os cintos, em pele de lontra.

Em 1785, quando a produção de tecidos de algodão, notadamente a chita, estava em franca expansão um decreto de d. Maria I proibiu as manufaturas. O resultado foi o aumento da importação de produtos de luxo vendidos em toda a parte por mercadores e mascates. Roupas e tecidos eram tão preciosos que a própria Inquisição do Santo Ofício os confiscava, ao lado de joias e outros objetos. Caso, por exemplo, do lavrador de cana

Antônio da Fonseca Rego, de Olinda, preso em 22 de novembro de 1729, que declarou possuir: "Um vestido de lemiste preto novo que constava de casaca, veste e calção forrado de baeta preta que tinha custado 40 mil réis, com meias brancas de seda e talabarte de marroquino [...] quatro gravatas com uma rendinha muito pequena."

O mercador Belchior Mendes Correa, da Bahia, preso em 22 de novembro de 1726, declarou a posse de um "roupão de seda azul-claro matizado com várias cores forrado de tafetá carmesim, novo, que valeria 20 mil réis".

Outro fato interessante, nas suas confissões ao Inquisidor, os réus revelavam suas dívidas para com mercadores, alfaiates e sapateiros.

Numa tentativa de retrato do vestuário masculino, Nicolas Louis de La Caille diria que "a gente comum usa um casaco e um amplo manto com o qual cobrem todo o corpo e até mesmo o rosto; alguns trazem também um chapéu do mesmo material para cobrir a cabeça, de modo que, frequentemente, não é possível reconhecer a pessoa que passa, a não ser pela sua maneira de caminhar ou pela cor ou pelo tipo da sua manta. Os oficiais de justiça se distinguem por um bastão ou uma bengala que os principais carregam no lado direito, acima do cotovelo, enquanto os oficiais subalternos carregam o mesmo adereço preso no bolso esquerdo da vestimenta. Os oficiais militares que estão de luto têm por hábito trazer um lenço de crepe preto atado no braço esquerdo. Os doutores em teologia, direito e medicina usam geralmente óculos sobre o nariz para se fazer respeitar pelos passantes".

Em São Paulo, onde a vida era áspera e rude, reinava o "gibão de armas" com os quais os homens se internavam pelos sertões e matos ou a "saltibarca de picote" com que se assistia à faina agrícola. Ao final do século XVI, a julgar pelos testamentos, era o fim dos vastos "tabardos", dos "pelotes de mangas golpeadas", das "gorras de guedelha", dos "pantufos". Os calções perdiam os "golpes", estreitando-se até os joelhos. As meias longas, chamadas de calças, encurtaram-se em meias-calças. A bota alta iria acabar abaixo dos joelhos, com o cano voltado "em canhão". Pouco a pouco, a cor conquistava a indumentária e os bandeirantes usavam coletes amarelos, gibões azuis da cor do céu, roupetas verdosas, calções verde-mar, meias azuis, amarelas ou verdes, casacas cor de flor, cor de pessegueiro, calção de seda amarela, entre outras roupas vivas e chamativas.

Em Minas Gerais, os homens pobres costumavam usar calças leves e folgadas e camisas com as fraldas para fora, ambas de algodão. Às vezes, se cobriam com uma jaqueta de couro. As esporas eram colocadas mesmo nos pés nus ou calçados em tamancos. Hercule Florence os viu tão empobrecidos que lhes bastavam as ceroulas. No frio, um colete de lã fazia às vezes de agasalho. Os chapéus eram de feltro, desabados e grandes no caso dos tropeiros, e de aba estreita e copa alta, entre os condutores de porcadas. Na zona de mineração, John Mawe observou: "Algumas vezes, os homens se envolvem num velho capote ou manto, e têm como calçados uma espécie de sandália de madeira, exceto quando saem, ocasião em que mostram toda a sua magnificência, diferindo sua *toilette* da roupa doméstica, tanto quanto difere a borboleta faustosa do modesto casulo da crisálida."

No Rio Grande do Sul, nas "classes obreiras", como denominava Saint-Hilaire, barqueiros, peões, campônios e pequenos sitiantes que encontrou, era comum o porte de jalecos de lã com moedas de dois reais, feito botões. Suas botas eram feitas da pele crua tirada da perna de um cavalo ou boi, secada depois numa fôrma grosseira e amarrada na extremidade inferior para formar a ponta do pé. Botas de pele de jiboia eram o orgulho dos que as portavam.

No Rio de Janeiro, o que impressionava era a "sem cerimônia", como a definiram vários viajantes estrangeiros ao estranhar o hábito de os homens estarem de tamancos, camisas abertas ao peito e calças frouxas à porta de suas tendas: a roupa demonstrava que seus usuários eram "amigos do comodismo", criticou Saint-Hilaire. Eles seriam a "verdadeira imagem do relaxamento [...], portanto, nada de meio-termo; ou está num desalinho mesquinho ou numa vestimenta brilhante", arrematava John Mawe. No século XVIII, não escapou a De La Flotte a aparência e o comportamento: "Os homens são de um talhe medíocre e de uma tez azeitonada; são sérios, orgulhosos e, com raras exceções, desprovidos daquelas maneiras finas que distinguem um cavalheiro de um homem do povo."

O problema da negligência vestimentar não estava só na capital. No Rio Grande do Norte, na cidade de Natal, em visita pastoral à igreja de Nossa Senhora da Apresentação, o padre pregou contra os que chamou de "irreverentes": homens que adentravam a matriz com "chinelas de talam"! E o visitador d. Manuel Garcia Velho do Amaral repreendeu, chocado: "As Igrejas de Deus não são casas de pessoas particulares para que entrem nela com o traje referido em que mostram a pouca reverência que têm ao Santíssimo Sacramento e à Mãe de Deus, e demais Santos." Talam, provavelmente, vem da palavra talão, que significa parte posterior traseira do pé, ou seja, calcanhar, que nesse calçado ficava exposto. Motivo da ira do Visitador.

Juan Francisco de Aguirre observou que os portugueses não usavam seda, preferindo os tecidos de algodão ingleses ou indianos. As casacas de lã, apesar do intenso calor, eram bastante comuns; ninguém as dispensava. Os oficiais e mestres de qualquer ofício usavam perucas, que, segundo ele, pareciam ser "mais estimadas do que o próprio cabelo. Nem mesmo os negros dispensam esse adereço e estão sempre bem penteados e empoados. Mas o forte dos adereços são as pedras preciosas que adornam os chapéus, os anéis, os botões, os peitilhos e as fivelas".

Lorde Macartney, em 1792, confirmou a importância das bengalas e bordões, além de observar que enormes brincos de ouro ou de prata ornavam os sapatos e que as ligas podiam ser presas com diamantes e topázios do Brasil. Guarda-chuvas cobertos com algodão grosso e resistente já eram usados, enquanto que os escravos se defendiam da chuva com mantos feitos com folhas secas e longas do capim-mumbeca. Nos sertões usavam-se as folhas de buriti nessas capas de chuva improvisadas. Nunca faltou criatividade!

# PARTE 3

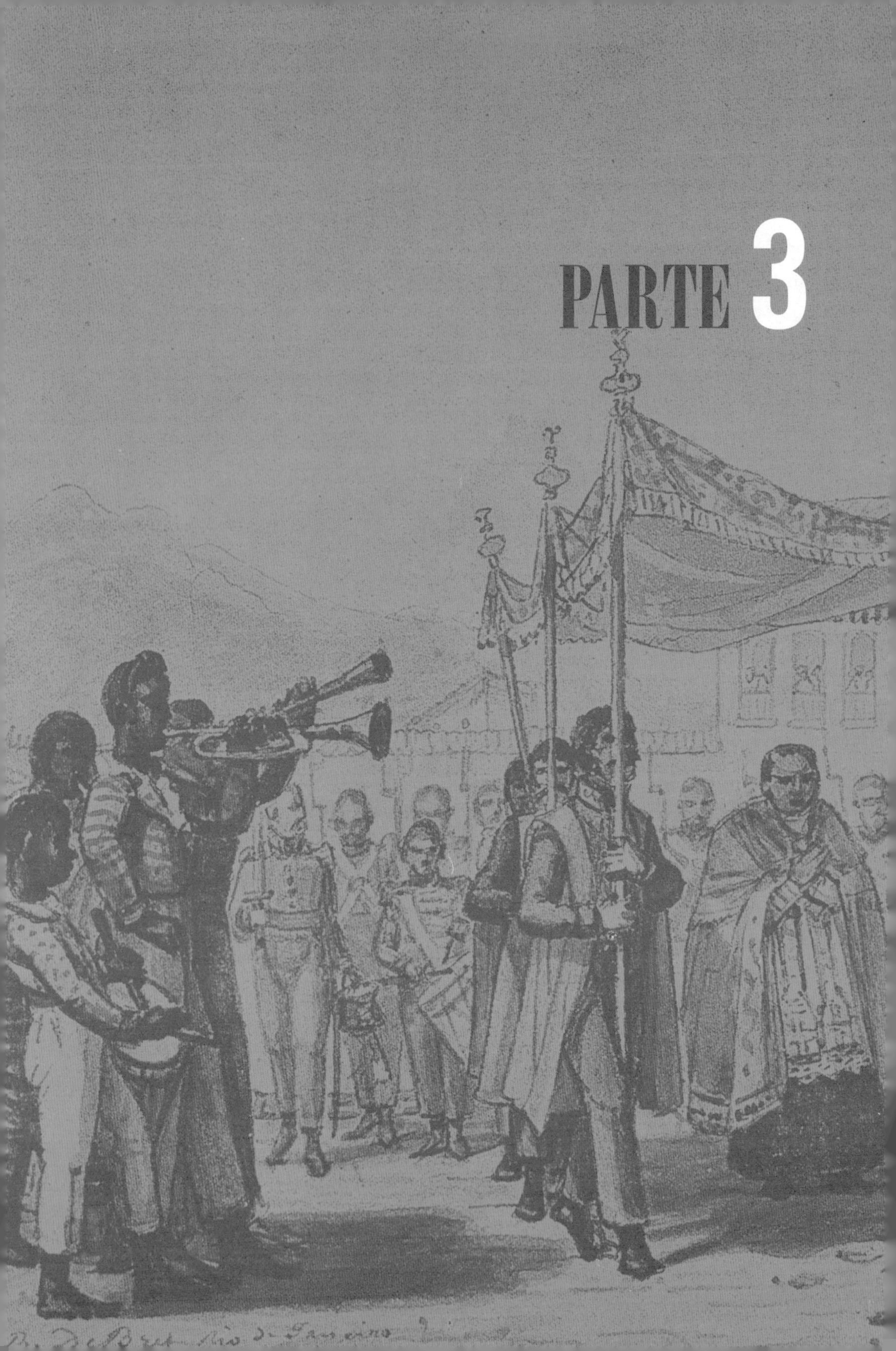

# RITMOS DA VIDA:
## *nascimento, adolescência, uniões, doença e morte*

# 1. OS VERDES ANOS: TEMPO DE NASCER E CRESCER

PÁGINAS 308 E 309
DEBRET, Jean-Baptiste. *Casa de um doente preparado para ser sacramentado* [Aquarela sobre papel].
MUSEU CASTRO MAYA, RIO DE JANEIRO, 1826.

Há muito poucas palavras para definir a criança no passado, sobretudo no passado marcado pela tremenda instabilidade e pela permanente mobilidade populacional dos primeiros séculos de colonização. "Meúdos", "ingênuos", "infantes" são expressões com as quais nos deparamos nos documentos referentes à vida social na América portuguesa. O certo é que, na mentalidade coletiva, a infância era, então, um tempo sem maior personalidade, um momento de transição e, por que não dizer, uma esperança.

Galeno, citado em manuais de medicina entre os séculos XVI e XVIII era quem melhor definia o que fosse a primeira idade do homem: a "puerícia" tinha a qualidade de ser quente e úmida e durava do nascimento até os 14 anos. A segunda idade, chamada adolescência, cuja qualidade era ser "quente e seca", durava dos 14 aos 25 anos. Na lógica de Galeno, o que hoje chamamos infância corresponderia aproximativamente à puerícia. Esta por seu turno se dividia em três momentos que variavam de acordo com a condição social de pais e filhos. O primeiro ia até o final da amamentação, ou seja, findava por volta dos 3 ou 4 anos. No segundo, que ia até os 7 anos, crianças cresciam à sombra dos pais, acompanhando-os nas tarefas do dia a dia. Daí em diante, as crianças ou iam trabalhar, desenvolvendo pequenas atividades, ou estudavam em domicílio, com preceptores ou na rede pública, através das escolas régias, criadas na segunda metade do século XVIII, ou, ainda, aprendiam algum ofício, tornando-se "aprendizes".

Mas vejamos como esses pequenos entravam na vida e depois no mundo dos adultos. Vigiada por uma imagem de Nossa Senhora do Ó ou do Bom Parto, agachada ou sentada, a mulher esperava os sinais do parto. Familiarizadas com as manobras para facilitá-lo, as comadres ou "aparadeiras" encarregavam-se da lubrificação das partes genitais, untando-as com gordura animal, óleo de açucenas ou azeite. Entre goles de cachaça e de caldos de galinha com canela, a parturiente era confortada, devendo mostrar-se "rija e varonil" para enfrentar as dores que se seguiriam. O ventre dilatado pela gravidez se cobria de relíquias e cordões coloridos, capazes, na mentalidade da época, de assegurar um parto tranquilo. No joelho esquerdo da parturiente era amarrada uma pedra chamada "de Mombaza", encontrada em Minas Gerais, cuja função mágico-religiosa era a de atrair a criança para fora da barriga da mãe. Preces endereçadas a são Mamede, são Francisco e santa Margarida eram murmuradas, baixinho, a fim de afugentar qualquer perigo que pusesse em risco a vida do nascituro. Mastigar cebolas ou atar na coxa direita o fígado cru de galinha recém-abatida eram gestos recomendados para combater a dor do parto. Os gritos, que sugeriam que as mulheres fizessem força ou empurrassem, acompanhados de vigorosa massagem abdominal, incentivavam a expulsão. A criança vinha ao mundo entre preces, gritos de dor e júbilo.

A socialização do nascimento fazia-se através de cartas trocadas entre parentes ou da notícia boca a boca: "Seja-nos uma e mil vezes parabéns o feliz nascimento de meu querido neto e o bom sucesso de minha querida filha", escrevia em 1771 um esfuziante marquês de Lavradio, vice-rei da capitania do Rio de Janeiro, ao filho em Portugal! Um nascimento significou, desde a noite dos tempos, uma vitória contra a morte.

Os primeiros cuidados com o recém-nascido eram velhíssimos. Seu corpinho molengo era banhado em líquidos espirituosos, como vinho ou cachaça, limpo com manteiga e outras substâncias oleaginosas e, firmemente enfaixado. A cabeça era modelada e o umbigo recebia óleo de rícino com pimenta com fins de cicatrização. Coroando os primeiros cuidados, era fundamental o uso da estopada: "cataplasma confeccionado com a mistura de um ovo com vinho", aplicado a uma estopa que por sua vez era presa por um lencinho à cabecinha do pequeno para "fortificá-la". As mães indígenas preferiam banhar-se no rio com seus rebentos.

As africanas costumavam esmagar o narizinho de seus pequenos, dando-lhes uma forma que lhes parecia mais estética. Os descendentes de nagôs eram enrolados em panos embebidos numa infusão de folhas, já bebida pela parturiente. O umbigo recebia as mesmas folhas maceradas e, num rito de iniciação ao mundo dos vivo, imergia-se a criança três vezes na água.

Pouco a pouco os manuais de medicina ensinavam às mães a envolver seus filhinhos em "mantilhas suaves e folgadas" em vez de apertá-los em faixas capazes de estropiar os tenros membros. Sugeriam, ainda, que se substituíssem as pegajosas abluções com óleos por "água e sabão" e que a estopada fosse substituída por "barretinho ou touca de pano branco", como aconselhava Francisco de Mello Franco, médico mineiro do século XVIII. Como se vê, os médicos davam grande ênfase ao asseio corporal numa época em que a geografia dos odores era bem outra. As mães, por sua vez, cuidavam para preservar a função simbólica da sujeira do corpo infantil como uma forma de proteção contra o mau olhado ou bruxarias. Partes como o umbigo ou as unhas, que poderiam ser utilizadas para malefícios contra os vulneráveis filhinhos, eram cuidadosamente enterradas no quintal. Já a urina e os primeiros excrementos, considerados santos remédios e poderoso exorcismo, eram cuidadosamente usados para curar manchas ou infecções de adultos.

Os médicos vigiavam cuidadosamente o cardápio servido à pequena infância. A ênfase no leite era total, não só por ser "mais saudável", mas, porque "para qualquer doença é extremado remédio a mama da mãe", como já explicava Alexandre de Gusmão em 1685. As mães, para garantir o leite, portavam, por sua vez, "contas de leite": contas de louça em branco leitoso que por mimese garantiam a fartura do leite de peito. Tudo indica que o hábito indígena do aleitamento até tarde tenha incentivado a amamentação na colônia, pois o viajante francês Jean de Léry notara, em 1578, que as mulheres na América amamentavam diferentemente das europeias, que, "embora nada as impeça de amamentar os filhos, cometem a desumanidade de entregá-los a pessoas estranhas, mandando-os para longe, onde muitas vezes morrem sem que o saibam as mães".

Além do leite, era comum oferecer às crianças "alimentos engrossados com farinha", o que segundo Melo Franco causava "azedumes, lombrigas, obstruções do mesentério, opilação do estômago, opressões do peito, cólicas contínuas, câmaras viscosas, pardas, amarelas, verdes, negras, inchações do ventre inferior, ventosidades, numa palavra, todos os sintomas convulsivos". A lista aterradora devia bastar para que se desencorajasse essa dieta considerada inadequada para as crianças. Outro médico, J. M. Imbert, denunciava, por seu turno, o hábito introduzido por mães africanas que, "sem atender à fraqueza dos órgãos digestivos dos recém-nascidos", lhes nutriam com "alimentos grosseiros e tirados da própria comida". E admoestava: "Semelhante maneira de alimentar, em vez de ser proveitosa, faz muito mal às crianças." As recomendações médicas tinham razão de ser. Ernest Ebel, viajante austríaco de passagem pelo Brasil, em 1824, escandalizara-se com as escravas que alimentavam as crianças brancas "com mingau de tapioca, que ela lhe levava à boca servindo-se para isso dos dedos". Um "procedimento censurável", segundo o mesmo. O que a maior parte dos autores não se dava conta é que as crianças eram cevadas desde cedo com toda a sorte de papinhas, por uma única razão: as mães queriam fortificar logo seus pequeninos, evitando o risco de perdê-los nos primeiros meses. A valorização da superalimentação, aliás, revanche simbólica sobre a má nutrição crônica, explica o recurso às papas nos meios populares e no seio da medicina tradicional.

A passagem da alimentação mista para a semissólida se operava com infinita precaução não percebida, todavia, pelos viajantes estrangeiros. A técnica de pré-digestão de alimentos embebidos na saliva dos adultos significava muito mais um cuidado do que falta de higiene.

Na tradição africana, até os três anos, as crianças comiam pirão de leite, de manhã, farinha seca com açúcar bruto; leite com jerimum ou escaldado de carne ao almoço. O prato de resistência era o feijão cozido, servido com farinha e machucado à mão. Leite de cabra era considerado poderoso fortificante infantil. Faltando leite à mãe, alugava-se uma ama de leite negra (isso no caso das famílias de posses, e já no início do século XIX) ou entravam em cena as papinhas mais variadas. De acordo com a economia caseira, o bebê recebia papa de farinha de mandioca, leite de gado e açúcar, papa de goma, araruta, banana machucada, creme de arroz e fubá de milho, empurrados a dedo, o indicador em anzol, na boquinha faminta.

Dava-se mesmo leite de coco, destemperado na água com açúcar. A preocupação materna era a de "arredondar" a criança; o critério não era alimentá-la, mas dar-lhe de comer! Contudo, os jovens intestinos ainda preguiçosos e os diminutos estômagos despreparados para receber tantos alimentos grosseiros ou viscosos incentivavam a gastrenterite a cobrar alta porcentagem de pequenas vidas no primeiro ano. É bom não esquecer que estas pequenas vidas estavam ligadas estreitamente à evolução do sistema econômico. A criança era a vítima privilegiada das crises frumentárias, das tensões sociais, das epidemias. As diferenças sociais acentuavam, por sua vez, as chances entre ricos e pobres; os últimos, sem dúvida, mais vulneráveis e adoentados.

Com os dentinhos já visíveis aplicava-se o ditado popular: "Mordeu! Comeu!" O pequerrucho iniciava-se no cardápio familiar, degustando pirões escaldados, peixe cozido, carne desfiada, caldos de panela engrossados com farinha sessada. Não havia diferenças entre a alimentação infantil e a adulta. Desde que começava a mastigar, o pequeno comia de tudo, participando das refeições comuns. As crianças indígenas recebiam o mesmo tratamento, observado, aliás, pelo cosmógrafo francês André Thevet no século XVI. Os pequenos mamavam e comiam frutas e farinhas mastigadas pelas mães. A criança sertaneja recebia beijus mais finos para facilitar a digestão. Crescidas, acompanhavam as mães, que iam "às frutas": mulheres do povo vendedoras de frutos colhidos nas cercanias das cidades, em tabuleiros. Maiores, ainda, colhiam, elas mesmas, moluscos e crustáceos, em mangues, alagados e manguais à beira do mar ou de rios onde aproveitavam para banhar-se como uma forma de lazer. Vale lembrar que "os banhos frescos de rio", para "o asseio do corpo" das crianças, passa, em 1855, a ser recomendado pelo médico pernambucano Carolino da Silva Campos, pois, como dizia, "além de preencherem o fim relativo à limpeza", concorriam para "fortificar os tecidos".

Outra grande preocupação em torno das crianças pequenas era a de resguardá-las contra o assédio de bruxas. O medo da perda, a crença em feitiços realizados com os excretos da criança, o perigo de doenças reais ou imaginárias alimentavam uma série de conselhos seguidos à risca pelas mães. O médico Bernardo Pereira, em meados do século XVIII, prevenia sobre o poder que tinham as bruxas de atrofiar os recém-nascidos por malefícios, pois, segundo ele, "elas chupam o sangue dos mínimos". Não se podia deixá-los sós, à noite. Protegê-los graças a defumadouros na casa e na cama e do uso de arruda entre os lençóis era obrigatório. Os aposentos deviam ser regados com cozimento de verbena e "os mínimos", borrifados com o mesmo. O médico, ainda, recomendava: "Armem-se com os antídotos da Igreja [...] relíquias, orações etc. que essas são mais certas e seguras que outras para afugentar os bruxos." Não satisfeito, o médico insistia para que se pendurasse à cama da criança "cabeça ou língua de cobras e sangue e fel da mesma, posto pelas paredes da casa em que dormirem os mínimos".

Sendo alvo fácil, a fragilidade do corpo infantil incentivava o sentido de proteção das mães. Estas se mantinham alertas e reconheciam o enfeitiçamento de seus pequeninos por vários sintomas claramente detectáveis: "medos e tremores a miúdo, choros repetidos, tristeza de aspecto, mudança de cor, terrível repugnância em mamar, vergões ou nódoas em algumas partes". Na dúvida, existiam algumas maneiras de reconhecer se havia "quebranto". Bastava tomar um vaso cheio de água e posto debaixo dos cueiros ou faixas dos mínimos ou dos berços, metendo-lhe dentro um ovo, "e se andar nadando é certo haver quebranto, e se for ao fundo, está livre". Para combater quebrantos e bruxedos, a criança era benzida, em jejum, durante três dias, com raminhos de arruda, guiné ou jurumeira.

Mas não eram exatamente as bruxas as responsáveis pela mortalidade infantil nos primeiros tempos da colonização. Os lusos, recém-chegados, traziam consigo rígidas noções de resguardo e de agasalho. Tinham horror aos banhos e ao ar livre. O médico holandês Guilherme Piso, morador de Recife na primeira metade do século XVII, contrapondo tais hábitos aos dos caboclos recifense locais, concluiu pela superioridade do método indígena, no qual a criança era livre de panos grossos e agasalhos pesados como os que enfaixavam a criança europeia a fim de dar firmeza aos seus membros. Mais tarde, em 1834, o padre Gama explicava que as mulheres portuguesas teriam a princípio criado muito poucos filhos pelo elevado índice de mortalidade infantil. Mas que "as filhas destas mulheres, acomodando-se ao clima e rejeitando o peso dos vestidos e o uso de abafar a cabeça dos filhinhos, banhando-os em água morna, não se queixaram mais de que o clima fosse o destruidor das vidas dos recém-nascidos".

De toda a forma, doenças infantis mais comuns – mal dos sete dias, sarna, impingem, sarampo, bexiga, lombrigas – eram combatidas com remédios de pouquíssima eficácia. A erisipela, por exemplo, era tratada com santos óleos e uma oração em verso:

> Pedro e Paulo foram a Roma
> e Jesus Cristo encontrou
> Este lhe perguntou:
> – Então, que há por lá?
> – Senhor, erisipela má.

– Benze-a com azeite.
e logo te sarará.

Gilberto Freyre lembra que a mortalidade infantil abrandou da segunda metade do século XVI em diante; mas continuou impressionante. No século XVIII preocupou-se com ela o dr. Bernardino Antônio Gomes; no século XIX é um dos problemas que mais inquietam os higienistas do Segundo Império – Sigaud, Paula Cândido, Imbert, o barão de Lavradio; até que, em 1887, José Maria Teixeira consagrou-lhe um estudo notável: "Causas da Mortalidade das Crianças do Rio de Janeiro." Na sessão da Academia de Medicina de junho de 1846 levantaram-se várias hipóteses. As mesmas, aliás, que perseguiam os manuais de medicina do século XVIII: o abuso de comidas fortes, o vestuário impróprio, o aleitamento mercenário com amas de leite atingidas por sífilis, boubas e escrófulas, a falta de tratamento médico quando das moléstias, os vermes, a "umidade das casas", o mau tratamento do cordão umbilical, entre outras que estão aí até hoje. Mas havia aqueles que milagrosamente se salvavam. Os relatos de histórias envolvendo a saúde dos pequenos e as crenças na proteção divina ou na de intercessores celestiais iluminam alguns aspectos da religiosidade colonial envolvendo a infância.

Colocados frente às imagens da Virgem, levados em peregrinação a oratórios, presentes às procissões ou recebendo bênçãos em dias de festa religiosa, os pequeninos recuperavam a saúde e reproduziam um universo mental e cultural de pietismo religioso. Ex-votos pintados sobre madeira, em que se reproduzem cenas da vida quotidiana de crianças atingidas por acidentes, doenças ou qualquer forma de perigo – na época era comum a mordedura de cobra ou de cão raivoso – são testemunhos da preocupação que as mães tinham com seus "meúdos". Havia os que morriam e se tornavam "anjinhos", honravam a Deus, no céu, e havia aqueles que partiam direto para "o limbo": segundo um catequista, "uma caverna escura por cima do purgatório em que estão os mínimos que faleceram sem batismo". Pagãos eram enterrados nas biqueiras das casas ou nas encruzilhadas, de onde – acreditava-se – rogavam batismo. Os cortejos fúnebres de anjinhos, iluminados por velas e congregando filas de pessoas, atraíam, sobretudo, a atenção dos viajantes. Sensibilizado, Debret fez questão de registrar suas impressões: "Grupos de círios acesos, colocados em profusão, fazem brilhar as flores e vidrilhos entre os quais não se distingue o pequeno embrião fantasiado de anjo e deitado num pequeno leito de tafetá branco, rosa ou azul-céu, guarnecido com debruns de prata. O rosto descoberto é pintado das mais vivas cores e o penteado consiste numa peruca loura, bem empoada, coroada por uma enorme auréola feita de plaque de ouro e prata."

Escravinhos e indigentes utilizavam, apenas, um tabuleiro recoberto por uma toalha de renda enquanto que as mães pobres preferiam alugar flores artificiais e coroas para cumprir o dever de enterrar condignamente seus rebentos.

Os que sobreviviam continuavam a merecer cuidados. Os "meúdos" eram embalados por acalantos em redes, em xales enrolados nas costas das mães de origem africana, ou em raros bercinhos de madeira. Essas formas rudimentares de canto, sobre melodias simples e feitas, muitas vezes, com letras onomatopaicas a fim de favorecer a monotonia necessária para adormecer a criança, vieram de Portugal.

Mas nossos indígenas tinham também acalantos de extrema doçura, como um, de origem tupi, no qual se pede emprestado ao Acutipuru o sono ausente ao curumim. No idioma nheengatu, o acalanto é descrito como cantiga do macuru, sendo o macuru o berço indígena. As "mães negras", amas de leite, contavam por sua vez, aos pequenos tinhosos e chorões, histórias de negros velhos, papa-figos, boitatá e cabras-cabriolas. A cultura africana fecundou o imaginário infantil com assombrações como o mão de cabelo, o Quibungo, o xibamba, criaturas que, segundo Gilberto Freyre, rondavam casas grandes e senzalas aterrorizando os meninos malcriados:

Vamos atrás da Sé
Na casa da sinhá Teté
Caiumba
Ver a mulatinha
De cara queimada
Quem foi que a queimou
A senhora dela
Caiumba
Por causa do peixe frito
Que o gato comeu...

*Escravas carregavam os filhos nas costas.*

JULIÃO, Carlos.
*Negras vendedoras.*
SÉCULO XVIII.

Embalar, cantando, a criança que dorme ou chora sublinha a importância de certos gestos e atitudes face à primeira infância.

Para além dos cuidados materiais, as crianças recebiam, igualmente, aqueles espirituais. Compêndios de doutrina católica circulando no Brasil colonial recomendavam às mães e "amas" que se empenhassem "em fazer com que os mínimos que criam pronunciem primeiro que tudo os Santíssimos nomes de Jesus e Maria. Depois de levantados, quando tiverem algum conhecimento, os mandem beijar o chão, e que, prostrados por terra, lembrem-se do inferno onde vão parar as crianças que fazem obras más e lhes expliquem o horror do fogo do inferno".

O cardápio de práticas religiosas servido na pequena infância atendia a uma pastoral difundida em larga escala na Europa e na América portuguesa. Ele incluía o hábito de dar o nome do santo de proteção que presidisse o dia do nascimento ou do batismo aos filhos, bem como o de ter Nossa Senhora ou santos de devoção por padrinhos e madrinhas de batismo. O recebimento do batismo "sem dilatação" – como enfatizava o padre confessor Manoel de Arceniaga – era outra exigência. Criticando a habitual demora dos pais, a Igreja dava-lhes apenas oito dias de tolerância para a cerimônia, pois "era certo que os mínimos inocentes que morriam logo depois do batismo sem terem o uso da razão" iam direto para o céu sem passar pelo purgatório. O batismo consistia não somente num rito de purificação e de promessa de fidelidade ao credo católico, mas uma forma de dar solenidade à entrada da criança nas estruturas familiares e sociais. A roupa branca bordada e os enfeites de fitas de diversas cores estenderam-se, no início do século XIX, até aos filhinhos de escravas. A parteira era muitas vezes convidada a ser madrinha da criança. Em liteiras de aluguel ou de empréstimo, ou a pé, essas matronas levavam os pequerruchos todos enfeitados à pia batismal. A cerimônia costumava reunir os próximos, padrinhos e madrinhas, traduzindo o enrijecimento de laços afetivos. "Entre os ricos", conta Debret, viajante francês de passagem pelo Brasil em 1817", o batismo é administrado no oratório da casa por um eclesiástico amigo da família; neste caso, a cerimônia religiosa constitui um pretexto para uma reunião brilhante, realizando-se por isso somente à tarde. As visitas feitas ao recém-nascido permitem uma alegre noitada que termina por um magnífico chá".

No caso dos filhos de escravos e de libertos, os laços estabelecidos graças ao batismo eram, também, étnicos e culturais. Os registros de batismo de localidades como Inhaúma e Jacarepaguá, no estado do Rio, para o início do século XIX, revelam que de 5% a 6% dos escravos batizados tomavam os nomes de seus padrinhos e madrinhas escravos, numa forma de ampliar suas relações familiares.

## Amar, educar, modelar e restringir

Mas a infância tinha aspectos mais práticos e menos teóricos. O mais importante deles era, sem dúvida, o relacionamento afetivo entre pais e filhos. Observado por vários viajantes, ele era considerado excessivo: "O carinho dos pais pelos filhos, enquanto pequenos, chega a não ter limites, e é principalmente o pai quem se ocupa com eles, quando tem um minuto livre. Ama-os até a fraqueza e, até certa idade, atura as suas malcriações. Não há nada que mais o moleste do que ver alguém corrigir seu filho. Quando marido e mulher saem de casa, seja para visitarem uma família, seja para irem a alguma festa, levam consigo todos os filhos, com suas respectivas amas, e é ainda o pai quem carrega todo o trabalho, agarrando-se-lhe os pequenos ao pescoço, às mãos, às abas do casaco." Mas "estremecer sobre os filhos, contar histórias, graças, acalentá-los", como dizia-se, no século XVIII, era considerado coisa de mulher: "Não é coisa pertinente a um homem ser ama nem berço de seus filhos", resmungava o médico Francisco de Mello Franco em 1790.

O amor materno, por seu turno, deixou marcas indeléveis nos testamentos de época. Não havia mãe que ao morrer não implorasse às irmãs, comadres e avós que "olhassem" por seus filhinhos, dando-lhes "estado", ensinando-lhes "a ler, escrever e contar" ou "a coser e lavar". A expressão "amor materno" pontua vários destes documentos, revelando a que ponto as mães, no momento da despedida, tinham os corações carregados de apreensão, temerosas do destino dos seus dependentes.

A ama negra, como lembra Gilberto Freyre, deu também sua contribuição para enternecer as relações entre o mundo adulto e o infantil. Criou uma linguagem na qual se reduplicavam as sílabas tônicas dando às palavras pronunciadas um especial encanto: *dodói, cacá, pipi, bumbum, tentem, dindinho, bimbinha.* Com tantos mimos, o risco era de a criança ficar mole e bamba, cansada e amarela. Padre Gama, já na virada do século XIX, voltava à carga contra a criança criada entre resguardos de mães extremosas e amas negras. "O molequinho quebra quanto encontra", informa. "E tudo é gracinha; já tem 7 e 8 anos, mas não pode ir de noite para cama sem dormir o primeiro sono no regaço de sua Iaiá, que o faz adormecer balanceando-o sobre a perna e cantando-lhe uma embirrante enfiada de chácaras e cantilenas monótonas do tempo do capitão Frigideira."

Os mimos em torno da criança pequena estendiam-se aos negrinhos escravos ou forros vistos por vários viajantes estrangeiros nos braços de suas senhoras ou engatinhando em suas camarinhas. Brincava-se com crianças pequenas como se brincava com animaizinhos de estimação. Mas isto não era privilégio do Brasil. Nas grandes famílias extensas da Europa Ocidental, onde a presença de crianças de todas as idades e colaterais era permanente, criava-se uma multiplicidade de presenças que não deixavam jamais os pequeninos sós.

E esses eram tratados pelos mais velhos como verdadeiros brinquedos, da mesma forma, aliás, como eram tratados os filhos de escravos entre nós:

engatinhando nas camarinhas de suas senhoras, recebendo de comer na boca, ao pé da mesa, como os retratou Debret. Tais carinhos exagerados ou "os mimos maternos" eram, contudo, vistos por moralistas setecentistas, como o baiano Nuno Marques Pereira, como causa para "deitar a perder os filhos". A boa educação implicava em castigos físicos e nas tradicionais palmadas.

O castigo físico em crianças não era nenhuma novidade no cotidiano colonial. Introduzido, no século XVI, pelos padres jesuítas, para horror dos indígenas, que desconheciam o ato de bater em crianças, a correção era vista como uma forma de amor. O "muito mimo" devia ser repudiado. Fazia mal aos filhos. "A muita fartura e abastança de riquezas e boa vida que tem com ele é causa de se perder", admoestava em sermão José de Anchieta. Vícios e pecados, mesmo cometidos por pequeninos, deviam ser combatidos com "açoites e castigos".

A partir da segunda metade do século XVIII, com o estabelecimento das chamadas Aulas Régias, a palmatória foi o instrumento de correção por excelência: "Nem a falta de correção os deixe esquecer do respeito que devem conservar a quem os ensina", cita um documento de época. Mas, ressalvava, endereçando-se aos professores: "E tão somente usarem dos golpes das disciplinas ou palmatórias quando virem que a repreensível preguiça é a culpada dos seus erros e não a rudez das crianças a cúmplice de sua ignorância."

As violências físicas, muitas vezes dirigidas às mães, atingiam os filhos e não foram poucas as famílias que se desfizeram deixando entregues ao Deus dará mães e seus filhinhos: fome, abandono, instabilidade econômica e social deixaram marcas em muitas das crianças. Não são poucas as que encontramos, nos documentos de época, esmolando às portas de igrejas, junto com suas genitoras. Um processo crime datado de 1756, movido na vila de São Sebastião, São Paulo, por Catarina Gonçalves de Oliveira revela imagens de outras violências: a de pais contra filhos. Nos autos, Catarina revela ter defendido seu enteado, uma criança pequena, de chicotadas desferidas pelo pai, ansioso por corrigir o hábito do pequeno de comer terra. As "disciplinas", os bolos e beliscões se revezavam com as risadas e mimos. Mas também com divertimentos e festas.

Nas escolas jesuíticas o lazer ficava por conta do banho de rio e no "ver correr as argolinhas". Tradição lusa antiguíssima, essas consistiam em uma forma de "justa" em que se deixava pender de um poste ou árvore enfeitada uma argolinha que devia ser tirada pelo cavaleiro em disparada. "Ensina-mo-lhes jogos que usam lá os meninos do reino", conta, entusiasmado, o padre Rui Pereira em 1560. "Tomam-nos tão bem e folgam tanto com eles que parece que toda sua vida se criaram nisso." Brincava-se, também, com miniaturas de arcos e flechas ou com instrumentos para a pesca. Outras brincadeiras: o jogo do beliscão, o de virar bundacanastra, o jogo da peia-queimada, além de ritmos, cantos, mímicas feitas de trechos declamados e de movimentação aparentemente livre, mas repetidora de um desenho invisível e de uma lógica misteriosa e mecânica. Piões, papagaios de papel e animais, gente e mobiliário reduzidos, confeccionados em pano, madeira ou barro, eram os brinquedos preferidos. A "musicaria" atraía loucamente: crianças indígenas adoravam instrumentos europeus como a gaita ou o tamboril que acompanhavam, segundo os cronistas jesuítas, ao som de maracás e paus de chuva.

A participação em festas com música atraía crianças de todos os grupos sociais. Alegrando procissões, enfeitadas com carapuças cobertas de pedrarias e flores, participavam de coreografias e cantos em homenagem a determinado santo da Igreja Católica ou em homenagens aos governadores recém-chegados de Portugal. Um documento do século XVIII fotografa com clareza a participação de crianças nas festas coloniais:

> Pelas sete da noite doze meninos ricamente vestidos apresentaram uma cena terníssima. Eles vinham conduzidos em um carro triunfal e pararam diante da barraca (onde estava o Governador do Ceará). Depois de se apearem com os braços entrelaçados formaram uma cadeia sobre a qual uma menina de seis anos adornada dos encantos da inocência passou airosamente e aproximando-se do Governador derramou-lhe sobre a cabeça um sem número de flores [...] enquanto os outros apresentam uma contradança engenhosa ao som de música instrumental.

Na famosa festa mineira, o Triunfo Eucarístico, realizada em 1734 em Vila Rica, "onze mulatinhos" vestidos como indígenas, enfeitados com saiotes de penas e cocares, levando nas pernas fitas e guizos, cantaram ao som de tamboris, flautas e pífaros, bailando uma "dança dos carijós".

Festas do calendário tradicional como São João ou Reis animavam as crianças que iam pular fogueira, subir em mastros e, com a invasão dos fogos de artifício, no século XVIII, soltar rojões e estrelinhas. Coadjuvantes nos autos de Natal participavam devidamente enfeitados como anjinhos ou pastores, e vinham vestidos de estopinha branca, chapéu de palha fabricado com palmas de ouricuri, enfeitado de fitas, tendo a copa coberta de algodão com enfeites de belbutina preta, cajado de fitas, cesta com flores no braço e pequeno pandeiro de folha de Flandres. Debret, de passagem pelo Rio de Janeiro, impressionou-se e reproduziu uma destas crianças, verdadeiro personagem das atuais escolas de samba, vestido com cocar de plumas, joias falsas e figurino sofisticado.

Nas zonas canavieiras, na época da moagem, as crianças escravas ajudavam a limpar paióis e depósitos, caiavam as extensas senzalas, recebiam timões de baeta azul e roupa de algodão para o gasto do ano e repartiam com os filhos do senhor de engenho e dos meeiros livres a ração de carne de vaca, carneiro e galinha. Todos juntos, também, acompanhavam em barulhenta algazarra um carro de boi enfeitado com flores e ramagens, às vezes coberto com toldo de esteira ou de chitão lavrado onde vinha um nédio vigário da região, para abençoar a moenda do engenho. O clímax da cerimônia tinha lugar quando sob música e palmas "um molequinho de roupa bonita e chapéu entremeado de folhas trepava na boleia fixa e uma das hastes do triângulo da almanjarra, tocava a parelha de burros, fazendo girar o maquinismo". Logo depois, tomava-se o caldo de cana da primeira moagem, devorando, junto, potes de melado e rapadura a gosto. À noite, os cantos e batuques dos negros acalentavam sonhos de pequenos escravos e livres.

A formação de uma criança se acompanhava, também, de certa preocupação pedagógica que tinha por objetivo transformá-la num indivíduo responsável. Humanistas europeus como Erasmo e Vicente Vivés já tinham dado as pistas desta "educação básica": desde cedo, a criança devia ser valorizada através da aquisição dos rudimentos da leitura e da escrita, assim como das bases da doutrina cristã que a permitissem ler a Bíblia em vulgata. No Brasil Colonial, "compêndios de doutrina cristã" como os escritos pelo padre João Felipe Bettendorf, em 1634, misturavam elementos de formação doutrinal com elementos de reflexão e leitura. Mas as exigências de formação não vinham só da Igreja.

Obras do tipo *Contos e histórias de proveito e exemplo*, como a que escreveu Gonçalo Fernandes Troncoso em 1575, ensinavam, por meio de histórias exemplares, o comportamento que era esperado, na sociedade portuguesa, de jovens de ambos os sexos. Temas como "a virtude das donzelas", "os prejuízos das zombarias", a desobediência dos filhos, a fé na doutrina cristã e todo um leque de outros "ensinamentos" considerados fundamentais para uma boa educação eram visitados de forma a ficar gravados na memória da criança, se constituindo numa autêntica bula de moral e valores comuns. As *Histórias do Troncoso* fizeram parte da longa duração das leituras entre as crianças da elite no Brasil. Não era ele o livro predileto do "Menino de Engenho" de José Lins do Rêgo?

Cartilhas de alfabetização e ensino da religião eram comumente usadas, tanto no aprendizado a domicílio, quanto naquele público. Sedimentando o trabalho que já deveria ter sido feito pela mãe, na primeira fase da vida da criança, tais cartilhas voltavam à carga sobre tudo o que dizia respeito à vida espiritual. A escola deveria ter um crucifixo diante do qual, ao entrar na escola, as crianças se persignavam, ajoelhando e benzendo-se, pois "o sinal da santa Cruz é o mais forte para vencer as tentações do inimigo comum", Satã. Os mestres tinham que ensinar as crianças a rezar o pai-nosso, ave-maria ("explicando-lhes que contém em si a saudação angélica que o anjo Gabriel veio a fazer a Senhora Ave Maria cheia de graça"), os símbolos da fé e rudimentos de teologia: "Deveis saber que cousa é a essência divina... Dizemos que Cristo foi concebido por obra do Espírito Santo... Por que o demônio e outros artífices criados não podem criar de nada... É preciso compreender que depois do pecado original condenou Deus a todos os homens ao trabalho" etc.

Cabia aos mestres incentivar e controlar a confissão mensal de seus alunos, bem como a sua participação nas procissões do Santíssimo Sacramento, com cantos de "bendito e louvado". Orações para serem ditas antes e depois das refeições também eram assunto de ensino: "Senhor, abençoai este sustento que nos dais para nutrição do nosso corpo e fazei-nos a graça que nos sirvamos dele com temperança; e isto vos peço, em nome do Pai" etc. E o mais importante: "Faz-se precisamente necessário que os mestres adotem a penosa tarefa de leitura aos meninos com algumas breves práticas com que se vão cristianizando e instruindo; como vós que já conheceis as letras, que sabeis as sílabas e as palavras é necessário agora aprender as letras e a juntá-las com perfeição, trabalhai com desvelo para serem bons católicos, bons cidadãos e para ordenadamente poderes manejar as vossas dependências principais a usar da vossa razão e concebei que Deus vos criou para o amares, servires e para gozardes a vida eterna [...] (E quanto ao ensino) Esta vida é cheia de dependências e embaraços que vos causarão bastantes desvelos e mais crescidos se vos faltar a comodidade devem falar bem, ler e bem escrever [...] aquele que carece dessas circunstâncias é vistoso sujeito inerte, servem as suas vozes de assunto para o escárnio e para a zombaria e para o desprezo. Aquele que não sabe ler passa a metade da vida cego, e para poucas coisas é capaz o homem que não sabe ler e escrever."

As cartilhas tinham uma introdução formal que anunciava: "Foram impressos os livros para a vossa instrução. Toda essa máquina que vedes de livros é composta de vinte e cinco letras; destas são seis letras vogais [...] Chamam-se estas vogais, porque cada uma por si só tem um som; chamam-se consoantes porque não significam nada por si sós sem auxílio de alguma das vogais [...]" Segundo as cartilhas aprendia-se a ler repetindo as sílabas de duas letras "Babebibobu Dadedidodu etc." Depois as sílabas de três letras "Blablebliblobl u... Brabrebribrobru... Chachechichochu... Claclecliclocl u..."A seguir a cartilha recomendava em diálogo direto com o leitor: "Estás já instruídos nas sílabas é preciso que entres com desvelo a juntá-las e a formar nomes: Amaro, Amador, Agostinho, Aleixo, Alexandre [...]". Depois: "Nomes de mulheres: Ana, Anastácia, Anacleta, Caetana, Custódia, Casemira, Dorotéia, Domingas, Francisca, Fulgência [...]". Por fim, eram ensinados os nomes de cidades: "Lisboa, Évora, Porto, Elvas, Lamego... Olinda, Bahia, Rio de Janeiro, Madrid, Salamanca, Toledo, Paris, Milão [...] Roma". Depois das cidades, ensinava-se aos "meninos e meninas" a escrever o padre-nosso "e mais orações". A seguir, artigos, pronomes, advérbios, preposições etc. até chegar ao capítulo "Do verbo". "O verbo é o que completa, o que enche e o que determina a oração, porque nenhuma oração sem verbo se pode chamar oração nem expressar nenhuma coisa, nem escrever período que tenha um sentido terminado e completo." E as últimas advertências: "Toda a escrita, todo o discurso de qualquer qualidade que seja principia sempre por letra capital. Depois de ponto se deve seguir sempre letra capital. Todos os verbos principiam na mesma forma."

E, encerrando: "Farão os mestres servir a Deus e ao público, que é aquilo a que todos devemos aspirar, os que quisermos viver como homens e como católicos..."

Interessante é que, nas festas religiosas, questões da formação pedagógica eram retomadas na forma de representações teatralizadas dentro das igrejas ou nas praças. Um papel de cordel, datado de 1758 e espécie de material pedagógico auxiliar, descreve o diálogo mantido por "meninos de escola". São eles "Florêncio, Roberto, Aurélio e Jerônimo" e seus personagens perguntam-se, entre si, questões devidamente trabalhadas na escola:

> Florêncio: Que lei professais, menino,
> a dos cristãos, piedosa,
> a de Lutero, deleitoso,
> ou a falsa de Calvino?
> Aurélio: Só a Católica sigo
> Abomino as outras mais
> Pois são todas infernais
> Cheias de eterno Perigo...
> Jerônimo: Quem vos deu esta fé santa
> Que nós hoje professamos
> Foi um excelso menino
> Um Deus, em forma de humano etc.

Pouco a pouco, a educação e a medicina vão burilando as crianças do Brasil colonial. Mais do que lutar pela sua sobrevivência física, tarefa que educadores e médicos compartilhavam com os pais, procurava-se adestrar a criança, preparando-a para assumir responsabilidades. Certa consciência sobre a importância deste preparo vai tomando forma, no decorrer do século XVIII, na vida social. O reconhecimento de códigos de comportamento e o cuidado com o aspecto exterior eram fenômenos, então, em via de estruturação até mesmo entre crianças.

Tais códigos eram bastante diferenciados entre os núcleos sociais distintos: os livres e os escravos; os que viviam em ambiente rural e em ambiente urbano; os ricos e pobres; os órfãos e abandonados e os que tinham família etc. Apesar das diferenças, o fator idade os unia. Aos "meúdos" convinha uma formação comum, quer dizer, cristã, e as circunstâncias socioeconômicas convidavam-lhes a amoldar-se a diferentes tradições culturais e costumes sociais e educativos. Entre os séculos XVI e XVIII, a percepção da criança como um ser diferente do adulto fez surgir uma preocupação educativa que se traduzia em sensíveis cuidados de ordem psicológica e pedagógica.

Francisco de Mello Franco, médico mineiro setecentista, advertia que "a educação é tanto física quanto moral (particularmente nas três primeiras idades: infância, puerícia e adolescência), é o mais poderoso expediente para conseguir até certo ponto notável alteração no temperamento originário". Segundo ele, era de pequenino que se torcia o pepino e "as duas educações" deviam começar "desde o berço".

Dizia ainda que "muito se engana quem entende que essas idades não admitem ensino algum", pois nelas "pouco ou nada obrava a razão, mas, em contrapartida, muito obravam os costumes" e, quando chega à luz do entendimento, nenhum lugar lhe dão os hábitos adquiridos, se não se usar de força e violência, que raras vezes não aproveitam".

Para quem não podia estudar, sobrava trabalhar. A infância traria ainda as marcas da cor da pele e da condição de nascimento. A grande maioria das crianças era ilegítima. Tinham nascido fora do casamento, dentro de uniões livres. Algumas ignoravam seus próprios pais. Outras possuíam paternidade reconhecida, mas nasciam de genitores concubinados. A ilegitimidade, segundo as atas de batismo de quase todas as capitanias, era uma praxe. Raros os casais com uma relação estável, repartindo ou não um mesmo domicílio, que não as tivessem. Os filhos naturais desta população predominavam.

Desde o início do século XVIII, a prevalência de crianças mulatas pelas ruas ensejou crítica ácida das autoridades que aí viam o anúncio de uma população mestiça e ameaçadora. Com o aumento das alforrias ao final do século XVIII, cresceu o número de crianças perambulando pelas ruas, vivendo de pequenos expedientes e esmolas. Somava-se a tal condição a instabilidade, bem como a rotatividade de grande parte da população paterna. Isto resultava em fogos, ou domicílios, com chefia marcadamente feminina.

O resultado? Uma estreita ligação, mesmo econômica, entre mães e filhos. Uns ajudando o sustento dos outros. Mas, também, entre senhoras –

brancas, mulatas ou negras – e seus pequenos cativos. Em Sabará, 1762, Vitória do Nascimento, preta forra, mãe solteira, além de possuir crianças escravas, criava uma "enjeitada". Viviam todos de costurar para fora. Nas inúmeras vendas que se espalhavam por pequenas ou grandes aglomerações, não era de estranhar encontrar crianças fazendo pequenos serviços. Os mesmos, aliás, que se executavam em toda parte. Com o adestramento completado entre nove e doze anos, qualquer menino ou menina participava às tarefas cotidianas de limpar, descascar, cozinhar, lavar, alimentar os animais domésticos, remendar roupas, trabalhar madeira, pastorear, estrumar a plantação, regar a horta, pajear crianças menores da própria casa ou dos vizinhos, levar recados ou carregar mercadoria. Como bem diz um memorialista, era o dia inteiro: "Joãozinho, vai buscar isto, Joãozinho, vai buscar aquilo!"

Alguns, inclusive, já teriam se iniciado em variados ofícios. Escravos ou livres pobres podiam ser aprendizes de sapateiros, costureiras, torneiros, carapinas, jornaleiros. Vários deles exerciam atividades domésticas, complementares às realizadas por suas mães. Filhos de doceiras descascavam amendoim, coletavam ovos, colhiam frutas, transportavam feixes de cana na cabeça. Filhos de vendedoras de tabuleiro portavam tripés, oferecendo, aos gritos, biscoitos de goma, sequilhos e broa. Outras crianças vendiam os produtos feitos em casa por suas genitoras, avós ou senhoras: velas de carnaúba, canjica, comida de angu, rendas, flores de papel. A tradição musical de certas regiões como Minas Gerais incentivava a participação de crianças como pequenos músicos e cantores – houve mesmo sopraninos – nas festas religiosas, tão comuns nestes tempos. Conta-nos Julita Scarano que "donos de escravos recebiam pagamentos por cativos 'moleques' que participassem de bandas ou de grupos profissionais". E a música podia ser um ótimo ganha-pão. Em caso extremo, os pequenos mendigavam, como ocorreu com os filhos de certo Antônio da Silveira, em Ouro Preto, 1753: "Muitas vezes estão a andar as crianças da dita casa em algumas casas, alguma coisa para se comer em casa...", revela um documento.

Muito deste precoce trabalho infantil era cadenciado pelo sofrimento. Entre os filhos de cativos e brancos e mulatos pobres, pequenas humilhações, castigos físicos e outros agravos marcavam a iniciação compulsória à sobrevivência.

# 2. ADOLESCÊNCIA: EXISTIA?

"Adolescência" é uma palavra que aparece ao final do século XIII. Ela designa, então, os anos que sucediam à infância, ou seja, dos 12 aos 18 para meninas e dos 14 aos 20 para meninos. Ausente da maior parte dos dicionários da língua portuguesa até o século XIX, ela aparece, por outro lado, nos manuais de medicina. Estava associada à segunda idade do homem – a primeira era a infância – e caracterizava-se por ser "quente e seca", segundo Galeno, médico grego. Uma tal ausência no mundo luso-brasileiro não é gratuita. Ela significa que a fase de amadurecimento ou de crescimento dos jovens se perdia entre milhares de afazeres relacionados à sua sobrevivência.

A juventude sempre suscitou reações ambivalentes e foi, em diferentes épocas, percebida e vivenciada de forma específica, segundo o grupo social no qual o jovem estava inserido. Os trabalhos do historiador francês Philippe Áries, uma autoridade e um pioneiro no assunto, sugeriam que entre o feudalismo e a industrialização se passava diretamente da infância à idade adulta. Sem adolescência. Hoje, sabe-se que as coisas não eram bem assim. Em diferentes regiões do planeta, modalidades de saída da infância e entrada no mundo adulto obedeciam a rituais precisos. Um exemplo: na Antiguidade grega, a formação de jovens, particularmente em Esparta e Creta, se compunha de um aprendizado de ginástica, caça, equitação, mas, também, de experiências eróticas nas quais meninos se submetiam às exigências dos "mais velhos" por meio de uma encenação na qual o adolescente era raptado por seu "amante".

Na Idade Média, o termo "juventus" remetia a realidades diversas: a dos clérigos, que, ao fazer seus votos de entrada nos monastérios, viviam o noviciado na juventude, mas, igualmente, a dos jovens nobres cujo ritual de entrada na cavalaria era codificado por sofisticada cerimônia de recepção. A literatura dos trovadores cantava, em prosa e verso, a juventude destes mancebos, capazes de se destacar por sua coragem e beleza física, enquanto a Igreja alertava contra as tentações que eles mesmos inspiravam. A partir da metade do século XVIII, conceitos como adolescência e juventude começam a se consolidar graças aos avanços da pedagogia, da medicina e da filosofia. O pensador Jean-Jacques Rousseau foi um dos primeiros a definir a crise da identidade sexual, durante a puberdade, no seu conhecido livro *Emílio*.

As poucas informações sobre a adolescência no período colonial mais contam sobre os rapazes. Sim, pois as moças tinham como única função preservar sua virgindade. Numa sociedade cristã, seu único destino foi, durante muito tempo, o casamento ou o convento, este último significando um confinamento muito maior do que aquele proposto pelos conventos masculinos. O que distingue suas vidas das dos rapazes é a total ausência de liberdade.

O trabalho feminino era associado à moral e à disciplina. Junto a isto se desenvolvia o horror ao corpo e à sexualidade, ambos esmagados pelo controle exercido pela família ou o grupo. Para as moças, as transformações da idade tinham que ser interiorizadas e vividas ao abrigo dos olhares do outro sexo. Moças ou rapazes sofriam, contudo, as consequências do controle dos adultos. A juventude era vivida como um tempo que inspirava temor aos defensores da ordem e das convenções sociais. O adolescente era visto como ameaça, sinônimo de desordem.

A julgar por nossa história, estes primeiros rebeldes apareceram cedo, na documentação histórica. Eles são jovens portugueses vindos com os padres jesuítas para a instalação das escolas para crianças indígenas, as chamadas "*Casas de Muchachos*". Recolhidos nas ruas das cidades portuárias da metrópole, eles cresciam, na colônia, entre indiozinhos que eram catequizados. Ao chegar à adolescência, os indígenas abandonavam a vida nas escolas e voltavam a viver nas matas. Neste momento, os jovens portugueses e mamelucos os acompanhavam. Fugiam todos juntos e iam viver nas aldeias, pintando seus corpos com tinta urucum, tatuando-se e usando penas. A pedagogia inaciana ficava para trás e tinha início uma vida em que as referências indígenas se misturavam à cultura europeia em franca mestiçagem de usos e costumes.

Nossos ancestrais africanos surgem por meio de seus ritos de passagem, bem demarcados e vindos para cá por conta do tráfico escravo. Sabe-se que no golfo da Guiné, de onde saiu as primeiras levas destes imigrantes forçados, cada aspecto da vida cotidiana permitia uma forma de aprendizado. A formação da juventude seguia um programa preciso e velava sobre a aquisição de virtudes morais, habilidades manuais, técnicas e guerreiras, atividades artesanais, comerciais ou místicas. Este desenvolvimento também incluía o desenvolvimento corporal, a sociabilidade, a obediência à ordem, o respeito à parentela, aos laços de sangue e à autoridade. A violência era permitida e encorajada por batalhas ritualizadas, que marcavam a passagem do menino para o guerreiro. Apostando na beleza física, na elegância dos trajes e dos penteados, na virilidade e insolência, adolescentes africanos construíam uma cultura particular. A estatuária em barro, feita na região de Kaduna, atual Nigéria, revela o rosto destes jovens cujo penteado cuidadoso em forma de coque era coroado por penas e ornamentados com cachos e tranças laterais. Anéis e braceletes colocados nos tornozelos aumentavam seu poder de sedução.

A festa da circuncisão, na entrada da adolescência, era realizada com música e dança que registrasse a importância do momento. Os *cucumbis*, ou *quicumbis* – do quibundo "puberdade" –, são os remanescentes desta tradição no folclore brasileiro. Com ranchos de canta e dança, realizados nas proximidades do Natal, época das congadas e da coroação do "rei Congo", um cortejo apresentava os "mametos" recém-circuncidados à rainha do Congo, após a lauta refeição do "cucumbe"!

A presença de jovens negros nas festas religiosas era constante. No Rio de Janeiro em 1763, numa "congada" que mereceu a atenção das autoridades, o préstito do rei Congo foi acompanhado de um "catupi" – provavelmente o catopê, tipo de dança em cortejo que tinha lugar durante a congada – realizado "por moleques maiores". Por outro lado, jovens índios eram convidados a dançar "caboclinhos", como se viu na igreja dos Pardos de Nossa Senhora do Livramento, em Recife, em maio de 1745. Era dia da festa de São Gonçalo Garcia – "da mesma cor dos caboclinhos" segundo um documento. Durante a luxuosa procissão, bailaram ao som de tambores e gaitas:

> Nove rapazes índios do país, ricamente ornados e nus da cintura para cima ao modo pátrio. Cobriam-lhes as cabeças capacetes lavrados de cordões de ouro matizados de broches de brilhantes com tremulante plumagem na

*Moça que chora: seduzida e abandonada.*

JULIÃO, Carlos. *Cena romântica: soldado do regimento de infantaria de Moura despedindo-se de uma moça que chora* [Iconografia].

parte posterior. Vestiam saiotes de seda com rendas e franjas de ouro [...] cingiam cinturões de ouro em ramagem; cingiam os mesmos nos buchos dos braços com carrancas em várias formas. Portavam não poucas cascavéis [guizos] nos pés, presas em suas fitas.

Especialistas afirmam que a verdadeira origem da capoeira é um ritual africano, chamado de N'golo, que marcava a passagem para a vida adulta. Neste ritual os jovens guerreiros das tribos disputavam, com movimentos baseados na luta das zebras, as jovens mulheres e cabia a quem melhor sobressaía-se o direito de escolher sua esposa entre as jovens, sem o pagamento do dote matrimonial. Os cativos descobriram que estes movimentos das zebras, quando usados com rapidez, destreza e malícia, poderiam ser fatais para o oponente. Diante de sua situação difícil e da violência a eles imposta, eles começaram, sempre que podiam, a ensaiar esta forma de luta nas capoeiras dos canaviais, lugares nas plantações de cana-de-açúcar onde o mato fora queimado para o cultivo da terra.

Já os brancos, "meninos órfãos" ou outros, estavam presentes em várias festas religiosas nas procissões. Reiteravam a tradição que rezava crianças e adolescentes terem aclamado Jesus em seu burrinho, na chegada à Jerusalém. Outra tradição, a de celebrar os "santos Inocentes", sublinhava o interesse da Igreja em oferecer uma imagem celestial da infância normatizada pelas regras da educação europeia. Nas festas comemoradas em Sabará pelo natalício do príncipe da Beira, por exemplo, estudantes da cidade fizeram sua aparição por meio de "uma esquisita farsa de lagartos, os mais próprios que se têm visto com música e movimentos bem imitados". Esquisito aqui, vale lembrar, significava sofisticado!

Durante os primeiros séculos de colonização, temos poucas notícias de nossos adolescentes por uma simples razão. Estavam todos no batente. A atividade econômica basicamente rural exigia braços para a lavoura desde cedo. Por isso, um rapaz ou moça, tendo forças para levantar a enxada, catar mato ou desempenhar qualquer outro serviço na lavoura, ia direto trabalhar. E não eram apenas os escravos que trabalhavam. Brancos pobres, mulatos e negros livres também. Alguns adolescentes se destacaram por sua luta em favor da colonização. Caso

de João Pais Barreto, oriundo da pequena nobreza de Viana, no Minho, que por ter lutado ferozmente contra os índios aos treze anos, recebeu, como recompensa, uma sesmaria.

Dos escravos desembarcados no mercado do Valongo, no Rio de Janeiro do início do século XIX, 4% eram crianças, informa Manolo Florentino. A partir dos quatro anos, muitas delas trabalhavam com os pais ou sozinhas, pois perder-se de seus genitores era coisa comum. Aos 12 anos, o valor de mercado das crianças já tinha dobrado. E por quê? Pois se considerava que seu adestramento estava concluído e nas listas dos inventários já aparecem com sua designação estabelecida: Chico "roça", Ana "mucama", transformados em pequenas e precoces máquinas de trabalho. A pobreza e a falta de escolarização empurravam os jovens para este meio de vida. Os casamentos precoces, entre 11 e 14 anos, roubavam às moças a sua adolescência. A maior parte dos viajantes estrangeiros que passa pelo Brasil, entre os séculos XVIII e XIX, afirmou, contudo, que nelas a malícia supria a idade. Como frutos tropicais, tais mocinhas amadureciam antes da hora e nada tinham de ingênuas. Já os rapazes eram subtraídos às suas famílias pelo recrutamento compulsório para as guerras, tornando-se, muitas vezes, soldados sem querer, lavradores sem querer, escravos sem querer e, mais tarde, operários sem querer.

## Pais soturnos e filhos amedrontados?

Reação dos pais? A relação entre pais e filhos era perpassada pelo sentimento de posse. Em decorrência disso, os pais se sentiam no direito de usufruir do trabalho e de determinar o destino dos filhos. A estes caberiam, apenas, dever e obediência. Os comportamentos e atitudes adultos eram impostos aos adolescentes, pois considerados, socialmente, paradigmas de conduta. Não se admitia franqueza, espontaneidade, criatividade e agitação. Intimidações morais e castigos físicos regulavam as relações. "Tomar propósito" era o lema. Valores patriarcais e autoritarismo faziam parte do jogo no qual o adolescente tinha que ser o obediente, ouvindo de cabeça baixa, as recomendações e admoestações paternas. Saber ler e escrever não era habilidade estimulada para moças, o que as obrigava a realizar o trabalho doméstico e a sonhar com o casamento e a maternidade como única via de passagem para o mundo adulto. A infância nestes tempos fabricava crianças tristes, verdadeiras miniaturas de adultos na forma de vestir e se comportar. Eram os candidatos ao fraque e à calvície precoce, como dizia o renomado sociólogo Gilberto Freyre, pioneiro em descrever a falta de brinquedos, de imaginação, de travessuras de crianças e jovens brasileiros.

Exceção ao trabalho de adolescentes era o tempo das festas religiosas. Uma delas, onde era mais visível a presença de aprendizes, jovens oficiais, e empregados nas tendas de comércio era a festividade chamada de a "Serração da Velha". A cerimônia caricata de serrar a velha realizava-se durante a Quaresma. Os dias variavam, vindo até o Sábado de Aleluia. Um grupo de foliões serrava uma tábua, aos gritos estridentes e prantos intermináveis, fingindo serrar uma velha que, representada, ou não, por algum dos vadios da banda, lamentava-se num berreiro ensurdecedor: "Serra a velha! Serra a velha!" E a velha gritando, gritando. Por vezes ocorria essa comédia diante da residência de pessoas idosas e o grupo era repelido a baldes d'água e mesmo tiros de espingarda ou pistola. Noutras ocasiões, mediante convênio prévio, os bandos de jovens recebiam bolos e bebidas, para a refeição ao amanhecer, porque a serração era durante a noite, para tornar mais sinistro o espetáculo.

Ao final e dado certo sinal, jovens de ambos os sexos se embolavam, trocando empurrões, pontapés e tapas. Os mais violentos acabam na prisão, enquanto as jovens, verdadeiras Cinderelas, queixava-se de sapatos perdidos e chinelas rotas. A representação da Quaresma como uma velha serrada pelos jovens determina bem o significado ritual da luta entre as diferentes faixas etárias. Mas quem é a velha? Certamente, uma representação da morte. Uma das várias que, no passado, à época da Quaresma, percorriam as ruas. Às vezes, a velha corria empunhando uma foice e revidando a pancadaria dos rapazes que a perseguiam cantando "Oh Morte! Oh piela, tira a chicha da panela!". Outras, ela acompanhava a procissão das Cinzas. A velha personificava a Quaresma, e Gil Vicente, em sua obra *Triunfo de inverno*, representou o inverno como a velha perseguida por Maio, o moço jovem, o verão. E quanto à função simbólica da Serração da velha? Câmara Cascudo explica que tradicionalmente a velha é uma entidade maléfica ou grotesca, intervindo nas histórias com a função de perturbar a felicidade ou dificultar a conquista de alguma coisa.

Como permanência das tradições europeias, misteriosa e cheia de poder, ela simboliza a morte, as trevas, a fome. Com o crescimento urbano, o aumento da violência e das dificuldades de sobrevivência, os jovens "botavam para fora" seus problemas na Serração da Velha. Barulhos, gritaria e ritos aí cuidadosamente representados – o julgamento, testamento e morte da velha – ajudavam na catarse. Numa batalha simbólica contra a morte, eles celebravam o fim do inverno (em fevereiro, no hemisfério Norte), o final da Quaresma e da esterilidade dos campos, homenageando a chegada do verão e da fecundidade, enfim, o poder da juventude. A inversão carnavalesca da poderosa morte, personificada numa frágil velha serrada, era também uma forma de meditar sobre a passagem do tempo, o envelhecimento e a morte.

Durante os festejos de São João, os jovens ajudavam a erguer o mastro diante da igreja e disputavam, depois, as prendas aí penduradas, enquanto as moças faziam adivinhas com copos de água para saber os amores prometidos para a próxima estação agrícola. No entrudo – nome que se dava ao Carnaval – os rapazes perseguiam as moças, procurando seus braços roliços para esmagar os limões de cheiro. A vida religiosa também incentivava encontros. Mas de longe. Na missa, os olhares trocados revelavam verdadeiros códigos secretos e, com sorte, era possível cochichar algumas frases de amor durante o sermão. Como não havia bailes públicos, eram frequentes as reuniões em residências particulares, onde se juntavam amigos e vizinhos e onde a mocidade dançava e fazia música. Em meados do século XIX, os jovens de ambos os sexos já eram vistos pelas praias e, nas palavras de um viajante estrangeiro, o missionário anglicano Kidder, "*corriam pela praia soltando gritos de prazer toda vez que uma onda mais pesada rolava em cima do grupo e os atirava cambaleando à praia*".

A adolescência era também a idade da iniciação sexual. Os rapazes principiavam com frutas – como a melancia –, árvores ou animais. O onanismo – ou masturbação – era severamente condenado. Ao jovem que se masturbava, fazia-se medo com o Mão de Cabelo e outros monstros do folclore. As flores vermelhas do mandacaru, os ocos de bananeira, as simples galinhas ou as ancas largas das vacas, tão úteis nos primeiros passos da vida sexual, passaram a ser perseguidas por pais, médicos e confessores. A masturbação destruía famílias. Dizia-se que não apenas fazia mal à saúde, como prejudicava o trabalho e os estudos por esgotar as forças. Suprimiam-se os bolsos das calças. Ameaçavam-se as meninas bonitas de ficarem feias. Proibia-se dormir de dorso. Eram proibidas as leituras picantes – "*as pestilenciais novelas*" ou a poesia erótica, assim como a ingestão de chá e vinho. Nos livros de medicina, a descrição dos masturbadores não variava: hálito forte, gengivas e lábios descorados, espinhas em toda a parte e perda de memória.

Amores homoeróticos também tinham início nessa faixa etária como comprovam os estudantes Jerônimo de Parada e Bastião d'Aguiar, que tiveram "acessos nefandos e ajuntamento de natura" com homens mais velhos, conforme registrou a Visita da Inquisição à Bahia, em 1591. Já o jovem pajem João Batista, da ilha da Madeira, em visita à casa de um sapateiro para encomendar chinelas para seu amo, depois de ouvir "palavras torpes" e comer pão e frutas, deixou-se seduzir. Mas fugiu antes que seu parceiro ejaculasse, livrando-se, segundo sua confissão ao Visitador, de castigos maiores por parte do Santo Ofício.

Entre rapazes e moças se desenvolvia um rápido namoro. As redes e esteiras serviam para os embates amorosos. Para encontros eram utilizados os "matos", as praias, os quintais, enfim, todo o canto que desse um pouco de privacidade. Muitas eram seduzidas e – como se dizia, então – "levadas de sua virgindade". Cair no mundo era o pior que podia acontecer às moças que, muitas vezes, eram expulsas de casa para não cobrir a família de vergonha.

Adolescência significou, durante séculos, a passagem do mundo infantil para o adulto. Mas não só. Tais passagens obedeciam a rituais precisos que implicavam em afirmar a identidade de determinada faixa etária, mas, também, de grupos vinculados a condições de vida diferentes: na cidade ou no campo, entre jovens pobres ou ricos, educados ou analfabetos. E, se durante séculos a noção de adolescência foi conotada negativamente, foi preciso esperar o século XX para inaugurar uma fase positiva e uma nova leitura desta fase da vida.

# 3. TEMPO DE UNIR-SE, TEMPO DE FAMÍLIA

"Minha querida filha e amiga do coração", "Cada vez lhe quero mais, se é possível", "Meu bem da minh'alma": muitas foram formas de dizer o amor, no passado. Muitos foram os amores e alguns registraram mais marcas do que outros. Quem não ouviu contar sobre a paixão que uniu, nos primeiros tempos da colônia, Paraguaçu e Caramuru? Ou não ouviu falar dos afetos, cantados em prosa e verso, de Marília, que roubou, entre suspiros, "o sincero coração de Dirceu", o inconfidente Tomás Antônio Gonzaga? Quem não se lembra da tórrida relação de d. Pedro I com a marquesa de Santos, de cuja lembrança o Museu Imperial de Petrópolis guarda, cuidadosamente, um insólito registro: um bilhete no qual o enamorado governante rabiscou seu próprio pênis ejaculando? Ou a sólida união entre Chica da Silva e o contratador de diamantes João Fernandes de Oliveira, que deu a ambos família extensa e prestígio local?

Mas em vez de "tempo de amar", melhor seria dizer tempo de se unir a alguém. E de se juntar, para sobreviver. Tempo de formar família através de uma união estável. Pois essa foi a tônica dos casais durante séculos. Entre nós, durante mais de quinhentos anos, os casamentos não se faziam de acordo com a atração sexual recíproca ou a paixão. Eles mais se realizavam por interesses econômicos ou familiares. Entre os mais pobres, o matrimônio ou a ligação consensual era uma forma de organizar o trabalho cotidiano. Não há dúvidas de que o labor incessante e árduo não deixasse muito espaço para a paixão sexual. Sabe-se que, entre casais, as formas de afeição física tradicional – beijos e carícias – eram raridade. Para os homens, contudo, as chances de manter ligações extraconjugais eram muitas.

O europeu trouxe para o Novo Mundo uma maneira particular de organizar a família. Esse modelo, constituído por pai e mãe "casados perante a Igreja", correspondia aos ideais definidos pelo catolicismo. Apenas dentro deste modelo seria possível educar os filhos, movimentando uma correia de transmissão pela qual passariam, de geração em geração, os valores do Ocidente cristão.

Mas será que o europeu conseguiu impor esse tipo de família ao Novo Mundo? Inicialmente, foram poucos os homens que trouxeram mulheres e filhos. Entre os donatários, apenas dois: Duarte Coelho, em Pernambuco, e Pero de Campos Tourinho, em Porto Seguro. Em 1549, padre Nóbrega comentava as uniões informais e a miscigenação: "Todos me escusam que não têm mulheres com quem casem, e conheço eu que casariam, se achassem com quem." O jesuíta tinha solução: mandar prostitutas de Portugal para o Brasil, "ainda que fossem erradas, se casarão todas muito bem"! Para os oficiais do governo, a rainha d. Catarina mandou "donzelas órfãs de nobre geração". Como o contingente de mulheres brancas continuou baixo por muito tempo, os colonos escolhiam as índias como concubinas, com quem viviam "segundo os costumes da terra".

E Nóbrega conta, chocado: "Não há nenhum que deixe de ter muitas negras (leia-se índias) por mancebas das quais estão cheios de filhos e é grande mal." Entre colonos solteiros ou casados que tinham suas mulheres em Portugal não havia problema em "abarregar-se com suas escravas gentias". Os concubinatos incomodavam mais à Igreja do que às autoridades. Mas eles foram responsáveis pelas primeiras uniões e uma geração de mamelucos. Deles, nasciam os "bastardos tidos com brasilas", o termo, no século XVI, significando ao mesmo tempo ilegítimo e mameluco. As crianças nascidas destes "amancebamentos" eram chamadas "curibocas", na língua tupi.

É bom não esquecer alguns aspectos importantes da vida indígena. O casamento era proibido entre filho e mãe, filho e irmã, pai e filha. Eles seguiam regras bem simples: desejando se unir, os homens se dirigiam a uma mulher e perguntavam sobre sua vontade de casar. Se a resposta fosse positiva, pedia-se permissão do pai ou parente mais próximo. Dada a permissão, os "noivos" se consideravam "casados". Não havia cerimônias e, se ficassem fartos do convívio, consideravam a relação desfeita. Ambos podiam procurar novos parceiros: "Tomam uma mulher e apartam-se quando querem", lamentava padre Ignácio de Azevedo em 1556. Normalmente, os índios tratavam bem suas companheiras. Protegiam-nas,

*Família senhorial acompanhada por escravos.*

CLARK, John Heaviside. *A Brazilian family* [Iconográfico]. LONDRES: HOWLETT AND BRIMMER, 1822.

andavam juntos com elas dentro e fora da aldeia, se o inimigo aparecesse, lutavam, dando chance às mulheres de escapar. Quando os casais brigavam, podiam espancar-se mutuamente, sem interferência de terceiros. O adultério feminino causava grande horror. O homem enganado podia repudiar, expulsar e mesmo matar a mulher que tivesse cometido essa falta. Quando as mulheres engravidavam na relação extraconjugal, a criança era enterrada viva e a adúltera, trucidada. Havia uma grande liberdade sexual antes do casamento. As moças podiam manter relações com rapazes índios ou europeus, sem que isso lhes provocasse desonra. Posteriormente, casavam-se sem nenhum constrangimento.

A análise dos testamentos quinhentistas feita por Maria Beatriz Nizza da Silva revela a preocupação dos pais em educar e profissionalizar os filhos mamelucos. Muitas vezes, contavam até com a ajuda de suas legítimas esposas. Em geral, os filhos naturais ou ilegítimos eram alforriados, registrava-se em documento o pedido de ensinar-lhes a ler e escrever e o aprendizado de um ofício. Às filhas reservava-se, quando possível, um dote para lhes garantir um casamento.

Em estudo, Nizza da Silva chama a atenção para as diferenças regionais na incorporação de mamelucos e bastardos às famílias de brancos. No Nordeste, prevaleceu a endogamia acentuada pela presença flamenga. Frente ao estrangeiro calvinista, os senhores de engenho pernambucanos católicos se casaram, mais e mais, entre si, protegendo seus bens em favor da descendência legítima. Mamelucos herdando? Só se fosse filho de mulheres brancas. Filhos de negras e índias podiam ser excluídos como, por exemplo, o foram na sucessão do morgado de Francisco de Sá, da família de Mem de Sá. Sem abandonar a prole ilegítima, os senhores de engenho evitavam sua legitimação. Caso, por exemplo, de João Fernandes Vieira, que, em seu testamento em 1674, refere ter tido um filho de certa moça portuguesa, Maria de Arruda, a quem "o mandei criar e doutrinar até a era de 1654 e o sustentei e vesti, trazendo-o sempre a cavalo com escravos".

Em São Paulo, por outro lado, era normal que se cuidasse dos filhos dos bastardos, sobretudo quando não havia herança a receber. Um exemplo? Ana da Costa escreveu em seu testamento, em 1649, "temos uma menina em casa, neta nossa que criamos por nome de Maria, filha de nosso filho Tomé Fernandes, defunto; peço e mando que fique a mãe com a dita menina isenta de servidão, sem sujeição alguma". Ou, já no fim do período colonial, em 1820, o brigadeiro Manuel Rodrigues Jordão, solteiro, fez uma doação de alimentos ao filho ilegítimo de 14 anos, Antônio Rodrigues de Almeida Jordão, a quem sempre tratara e educara como filho. Nessa doação estavam incluídos um engenho com seus utensílios e terras em Piracicaba, uma casa em São Paulo, quatro ações do Banco do Brasil e quatro escravos. Ela sublinha também as dificuldades que envolviam a partilha de bens entre herdeiros dos senhores de engenho. Quando havia muitos escravos a herdar, era difícil retirá-los das propriedades, pois, ao fazê-lo, quebrava-se a produtividade.

Para Gilberto Freyre, com ou sem mamelucos, a família rural foi o mais importante fator de colonização. Ela era a unidade produtiva que abria espaços na mata, instalava fazendas, comprava escravos, bois e instrumentos. Agia de forma mais eficiente para o desbravamento da terra

*Apesar do patriarcalismo, mulheres brancas circulavam nas ruas.*

HUNT, G. *Huma historia* [Iconográfico].
LONDRES: HOWLETT AND BRIMMER, 1822.

do que qualquer companhia de comércio. Já Sérgio Buarque de Holanda observou que a família prevalecia como centro de todas as organizações. Os escravos, juntamente com parentes e empregados, dilatavam o círculo no qual o senhor de engenho era o todo-poderoso *pater-familias*.

Para os dois autores, a soma da tradição patriarcal portuguesa com a colonização agrária e escravista resultou no chamado patriarcalismo brasileiro. Tanto no interior quanto no litoral, ele garantia a união entre parentes, a obediência dos escravos e a influência política de um grupo familiar sobre os demais. Uma grande família impunha sua lei e ordem nos domínios que lhe pertenciam. O chefe cuidava dos negócios e tinha absoluta autoridade sobre a mulher, filhos, escravos, empregados e agregados. Essa concepção quase imperial na relação entre os membros é uma característica sublinhada por Evaldo Cabral de Mello, em seus estudos sobre as famílias pernambucanas. Elas incluíam, também, parentes, filhos ilegítimos ou os de criação, afilhados. Sua influência era enorme e se estendia, muitas vezes, aos vizinhos. Havia uma relação de dependência e solidariedade entre seus membros.

Embora se reconheça a importância deste modelo, outros tipos de família vicejavam nessa época: famílias pequenas de solteiros e viúvos, de mães e filhos vivendo sem pais. Entre as camadas mais pobres, eram comuns as tradicionais ligações consensuais, sobretudo nas áreas de passagem, urbanização acelerada ou mineração. Importante: viver numa família onde faltava bênção do padre não queria dizer viver na precariedade. Tais ligações, então chamadas de concubinárias, podiam ser, e eram, muito estáveis. Havia consenso entre os companheiros. Havia divisão de papéis e partilha de tarefas. O que era precário era sua situação material. Mas a estima, o respeito e a solidariedade eram características que se encontravam tanto num tipo de família, quanto no outro. Assim como as tensões ou violências, presentes, em ambas, também.

As africanas, por sua vez, vieram engrossar as "uniões à moda da terra". Os portugueses já estavam familiarizados com elas, pois, desde o século XV, eram enviadas para Portugal. Trabalhando como escravas, em serviços domésticos e artesanais, acabavam se amancebando ou casando com eles. No Brasil, as coisas não foram diferentes. Daí as famílias de mestiços e mulatos. Da mesma maneira que as uniões de brancos com índias, ou de brancos pobres, as de brancos, mulatos e negros também não pressupunham o casamento oficial. As pessoas se escolhiam por que se gostavam, passando a trabalhar juntas e a ter filhos.

O fato de no Brasil Colonial as cidades serem distantes umas das outras fazia com que a maioria das pessoas morasse "pelos sertões ou matos". Elas, também, tinham dificuldade em cumprir os preceitos da religião. Em sua maioria viviam juntas, antes mesmo de casar. Eram os chamados "desponsórios de futuro", isto é, uma união tendo em mente um futuro casamento. Para alguns homens, engravidar a companheira era importante, pois permitia avaliar se ela lhe daria muitos filhos. Como a maioria vivia na roça, os filhos ajudavam na lavoura. Mas, se eventualmente não se importavam com a virgindade, os homens ligavam muito para a fidelidade da companheira. Quando se sentiam traídos era comum ameaçar e espancar suas mulheres. Mas elas davam o troco. Abandonadas, não hesitavam em tentar envenená-los ou pediam ajuda aos irmãos e parentes para aplicar-lhes uma boa surra.

Graças às grandes ondas migratórias, alguns centros urbanos ficavam com mais mulheres do que homens. Elas cuidavam do pequeno comércio, da lavoura, da plantação e dos animais domésticos. Algumas, mais abastadas, eram fazendeiras, comerciantes de escravos e de tropas. Enfim, trabalhando em casa ou na rua, elas ajudavam na sobrevivência de suas famílias e eram membros destacados da economia informal que existia então. A vida de mulheres sozinhas, com filhos e dependentes, se consolidava no que, hoje, chamamos de lares monoparentais. Alguns deles incluíam escravos. Outros, parentes ou "agregados". Longe de revelar qualquer fragilidade social, tais famílias permitiam às matriarcas traçar agendas extremamente positivas: casavam filhos interferindo na escolha do cônjuge, controlavam o dinheiro, com que cada membro colaborava para o domicílio, punham em funcionamento redes de solidariedade, agiam em grupo, quando tinham seus interesses contrariados.

E os escravos? A Igreja Católica não só permitia como defendia seu direito ao casamento, inclusive com pessoas livres. Os senhores mais ricos costumavam casar seus escravos no mesmo dia em que batizavam as crianças nascidas no engenho. Assim, chamava-se um padre que realizava as duas cerimônias e depois havia uma "função": festa ao som de batuques, violas e atabaques. O trabalho na lavoura, a época de colheita ou de moagem da cana, servia para que homens e mulheres se encontrassem. De maneira geral, nas grandes fazendas, havia mais homens do que mulheres nas senzalas. A escolha da companheira muitas vezes causava disputas violentas, ameaças e até mortes. Os escravos preferiam unir-se com companheiras da mesma origem étnica. Chama-se a este fenômeno endogamia. Escravos de origem nagô se casavam com nagôs; os de origem haussá, com haussás, e assim por diante. Essa escolha, ditada por afinidades culturais e religiosas, permitia ao casal organizar seu mundo com os mesmos hábitos e tradições da sua região de origem na África. O melhor retrato da situação foi o diálogo que manteve Saint-Hilaire com um africano, em Minas Gerais. Perguntado se era casado, o escravo respondeu:

> Não, mas vou me casar dentro de pouco tempo, quando se fica assim, sempre só, o coração não vive satisfeito. Meu senhor me ofereceu primeiro uma crioula, mas não a quero mais; as crioulas desprezam os negros da costa. Vou me casar com outra mulher que minha senhora acaba de comprar; essa é da minha terra e fala minha língua.

De acordo com as *Constituições primeiras do Arcebispado da Bahia*, os escravos tinham o "direito humano e divino" de casar-se com outros escravos ou livres. O senhor não podia impedi-los. A Igreja chegou a lembrar que a multiplicação de famílias cativas só poderia ajudar os proprietários. Em algumas regiões os grandes plantéis de fazendas e engenhos tinham a bênção do padre: até 94%, em Santana do Parnaíba, em São Paulo, por

*Passeio em família nas ruas do Rio de Janeiro.*

DEBRET, Jean-Baptiste. *Empregado do governo saindo a passeio* [Aquarela sobre papel].

MUSEU CASTRO MAYA, RIO DE JANEIRO, C. 1820-1825.

exemplo. Havia mesmo quem enviuvasse e casasse com companheiros da mesma senzala. Manolo Florentino e José Roberto Góes comprovaram que no Norte fluminense três ou quatro gerações se reproduziam dentro dos mesmos plantéis. E, mesmo quando havia partilha dos cativos por herança, a tendência era manter as famílias unidas, demonstrando grande estabilidade nos arranjos. Sete entre dez crianças conviviam com seus genitores.

Casamentos mistos entre livres e escravos levantavam questões problemáticas. Quando índias se casavam com escravos, quando esses eram vendidos, elas tinham que acompanhá-los no novo cativeiro, colocando o problema da mobilidade geográfica da população de cor. Tais uniões, porém, eram mais comuns nas fazendas de gado do Nordeste. E repetidas em São Paulo, onde a estratégia dos colonos de casar seus escravos africanos com índias quando o preço dos primeiros subia foi seguida pelos padres jesuítas. Os filhos destes casais eram chamados "servos". A diferente condição jurídica dos cônjuges fez com que muitas mulheres tentassem comprar a liberdade de seus maridos. Quando o senhor negava o pedido, elas recorriam aos governadores ou mesmo ao rei, que concedia a liberdade como uma "graça".

## Amores, amor, famílias e família: plural

Nas cidades, as uniões consensuais entre homens e mulheres escravos ou entre alforriados ou livres também eram correntes. Aí também prevalecia o padrão endogâmico de casamento. Ao estudar a família na vila do Recife, em Pernambuco no final do período colonial, o historiador Gian Carlos de Melo e Silva observou a permanência de casamentos dentro do mesmo grupo, sobretudo quando se tratava de uniões legalizadas: brancos com brancos, pardos com pardos, crioulos com crioulos, pretos com pretos. As uniões mistas, que fizeram Henri Koster louvar a miscigenação como algo corriqueiro, eram menos correntes e se davam à margem do sistema oficial de casamentos.

A família escrava se apoiava numa forma de solidariedade muito forte: a espiritual. Escolhendo para padrinhos ou madrinhas de seus filhos amigos ou companheiros de trabalho ou de etnia, os descendentes de africanos formavam um tipo de família onde laços com a tradição africana eram muito importantes. Os padrinhos ficavam encarregados de proteger e ajudar o afilhado até o final da vida, servindo para forjar uma rede de informações das diversas "nações" que fazia circular as notícias sobre os familiares vendidos a proprietários diferentes. Havia sempre a possibilidade de reencontrarem-se irmãos, pais e mães ou outros parentes.

Nas senzalas, quando aumentava a importação de africanos, os crioulos se fechavam entre si. A entrada de novos homens era sentida como uma ameaça. Apenas um entre cinco casamentos reunia pessoas de etnias diferentes. Este padrão vigorou no Rio de Janeiro e no Recôncavo Baiano. Mas o aumento do tráfico no século XIX acabou por rompê-lo, pois aqui chegavam cada vez mais indivíduos vindos de diferentes origens. Florentino e Góes observaram agudas diferenças de idade entre os cônjuges. Homens velhos se casavam com moças – como, aliás, se fazia no golfo do Benim – e moços, com mulheres décadas mais velhas. Os mais velhos, prestigiados na tradição africana, dominavam o mercado de mulheres férteis; os cativos jovens, excluídos do acesso a estas, acabavam com mulheres em idade bem superior.

Quanto ao tempo de amar dos grupos afrodescendentes, vale lembrar ao leitor que os sistemas de nupcialidade não eram idênticos. Há diferenças entre casamentos de livres e de escravos. Os primeiros podiam se casar quando quisessem ou pudessem. O calendário de casamentos da população livre nunca foi, contudo, homogêneo e era equitativamente distribuído pelos meses e dias do mês. O fenômeno sofria interferências de sistemas de religiosidade popular, mitos e crenças, assim como do calendário agrícola ou litúrgico.

A família senhorial apresentava algumas características também encontradas no restante da sociedade. Ela podia ser "extensa" – englobando familiares e agregados, parentes, filhos bastardos e concubinas. Ou podia ser monoparental. Essa era em geral liderada por viúvas que viviam com seus filhos e irmãos ou irmãs solteiras. Em ambos os casos, eram comuns as núpcias entre parentes próximos, primos e até meios-irmãos. Graças aos casamentos "endogâmicos", as famílias senhoriais aumentavam sua área de influência, aumentando também suas terras, escravos e bens. O casamento com "gente igual" era altamente recomendável e poucos eram os jovens que rompiam com essa tradição. O dia a dia destes grupos transcorria em meio ao grande número de pessoas. As mulheres pouco saíam de suas casas, empregando seu tempo em bordados e costuras, ou no preparo de doces, bolos e frutas em conserva. Eram chamadas de "minha senhora", pelos maridos.

Embora a Igreja considerasse o vínculo do matrimônio indissolúvel, esse nem sempre se extinguia com a morte de um dos cônjuges. Crises? Sim. Separações e anulações do contrato, enclausuramento de mulheres em conventos femininos, bigamias e mesmo assassinato do cônjuge ocorriam. Em outubro de 1795, numa relação de presos culpados por morte na cadeia do Rio de Janeiro, se encontravam quatro esposas que tinham eliminado seus maridos. Na capitania do Maranhão, em 1804, d. Maria da Conceição foi condenada por ter mandado matar e assistido "à morte aleivosa" de seu marido. Ela vivia "em pública e adulterina devassidão" com o corréu do crime, sobreiro e caixeiro do marido "com quem se ajustara a casar por morte deste". Em maio de 1816, foi a vez de prenderem no Rio de Janeiro certa Joaquina Marinha de Albuquerque, que matara o seu cônjuge com uma corda, juntamente com um cúmplice. Tentativas de envenenamento, várias. O uso do vidro moído misturado aos alimentos era corrente.

Não faltaram uxoricidas. Homem de negócios, Vitorino Vieira Guimarães ferira de morte sua mulher, d. Helena da Silva, fazendo-lhe dezoito feridas com um prego aguçado. A acusação de adultério contra a morta foi aceita, embora ela fosse conhecida por ser "entrada em anos, doente, notoriamente honrada e bem-procedida". Já Vitorino era renomado concubinário, desfilando com sucessivas amantes. Mas tinha "poder, arte e amigos". Por meio de provas falsas, conseguiu provar ao magistrado que sua mulher o enganava e que agira para "limpar sua honra".

Era comum que homens de condição elevada obtivessem "seguro real" para cuidar de suas causas em liberdade, mesmo quando bastante evidente o crime. Em geral, eram desculpados por cometer crimes "por paixão e arrebatamento". Já a gente de cor não encontrava o mesmo apoio junto aos magistrados, pois esses não achavam que negros e mulatos tivessem honra a defender, explica Nizza da Silva. Certo Manoel Ferreira Medranha, pardo liberto, foi condenado a degredo para toda a vida em Angola, além de pagar uma pena pecuniária por ter matado a mulher.

Se havia diferenças entre assassinos pobres e ricos, havia pior distinção entre homens e mulheres. Enquanto entre as segundas não se colocava sequer a possibilidade de serem desculpadas por matarem seus maridos adúlteros, o marido traído que matasse a adúltera não tinha qualquer punição. Ele estava protegido pelas Ordenações Filipinas: "Achando o homem casado sua mulher em adultério, licitamente poderá matar ações a ela, como ao adúltero, salvo se o marido for peão e o adúltero fidalgo ou pessoa de maior qualidade." A condição social do parceiro de adultério era levada em conta. A da adúltera não contava. Morria a plebeia ou a nobre.

Outra forma de punição feminina era a reclusão nos conventos, muitas vezes, perpétua. Para trancafiá-las era preciso uma permissão da autoridade, fosse essa do rei, do vice-rei ou do bispo. E, a partir de 1808, do intendente geral da polícia do Rio de Janeiro. Um exemplo: em 1771, Bento Esteves de Araújo, suspeitando de que sua mulher, Ana da Cruz, lhe era infiel, conseguiu sua confinação no convento de Nossa Senhora da Ajuda, no Rio de Janeiro. Ana tentou sair de lá, mas o marido reagiu escrevendo às autoridades e dizendo-a "um monstro". Qualquer retirada, alegava, seria "vergonhosa". Mas a paixão devia ser grande, pois lhe escrevia: "Não tenho tempo de narrar o que tenho sentido a seu respeito... Olha, fiquei tão fora de mim que cheguei em casa todo molhado [...] Infinitas vezes tenho de noite acordado todo elevado, e querendo completar toda a vontade não acho o que tenho no sentido, pois, cada dia, são mais de mil lembranças destas [...]" E, avisando à esposa que iria visitá-la às escondidas, rabiscava:

"Estando o prego fora avise que lá irei dizer-lhe um adeus, ouviu. Rasgue logo esta. Seu marido."

Esse tipo de punição era tão corrente que chamou a atenção dos viajantes estrangeiros como Luccock e Leithold, que mencionavam os conventos como lugares onde os maridos podiam encerrar as mulheres, "por capricho ou outras razões". O encarceramento podia ser para sempre, bastando, para isso, sustentá-las com alimentos lá dentro.

Violência entre cônjuges? Muita e desde sempre. "Dar má vida à mulher", "viver em bulhas", "dar pancadas" ou "açoitar como um negro" são expressões que aparecem normalmente nas Devassas Episcopais em toda a parte. Afrontas de todo o tipo eram perpetradas, como, por exemplo, alguns maridos dedicarem tratamento ímpar às suas amantes: não alimentavam suas famílias, mas cobriam de mantimentos a "outra". Vestiam a amásia enquanto a esposa andava em andrajos. Faziam a mulher trabalhar, enquanto a concubina, muitas vezes mulata e negra, era "tratada como senhora da casa". "Dar o tratamento que Deus manda" à esposa era recomendação da Igreja aos maridos violentos. Na crise do matrimônio, a mulher era a primeira a sofrer, explica Luciano Figueiredo, que estudou as famílias em Minas Gerais.

A fragilidade do casamento não resistia, muitas vezes, à violência e ao abandono. Há registros de mulheres que fogem de seus cônjuges, voltam para a casa dos pais, tentam refazer suas vidas. Quem julgava os comportamentos, apoiando um ou outro lado do casal, era a comunidade. Vizinhos, amigos e parentes se uniam ao cônjuge ofendido para apoiá-lo perante os bispos que visitavam as paróquias distantes avaliando sua situação. Eram as chamadas Visitas Pastorais, ou "pequenas inquisições", como as chamou Figueiredo, por meio das quais se tentava disciplinar a população e avaliar a administração eclesiástica. Mas, se a mulher "andava vagabunda", era "adúltera" ou "meretriz", perdia os apoios comunitários. Passava-se de relações conjugais para uniões consensuais. Viver em concubinato era opção imediata, menos dispendiosa e desligada de obrigações institucionais e burocráticas, tornando-se o inimigo implacável da Igreja. Vale lembrar que a atividade comercial de muitas mulheres lhes dava independência suficiente para estabelecer novos amores. Punição para os concubinários? Pouca... Recusa dos sacramentos e proibição de assistirem a missa, por vezes, expulsão da comunidade.

Em pesquisas sobre roceiros pobres, a historiadora Maria Luíza Marcílio comprovou que as uniões consensuais eram a regra. E, quando havia casamentos, eles mais respeitavam o calendário das colheitas do que o religioso. Aquele de "papel passado" mais interessava às famílias proprietárias, interessadas na transmissão do patrimônio a seus herdeiros. Nas roças de alimentos, localizadas pelos sertões, apesar da austeridade moral e a estabilidade conjugal o casamento legal de livres ou escravos tinha pouco significado. Entre cativos, a taxa de mulheres era inferior à dos homens e a dispersão nas roças dificultava a escolha do cônjuge.

Mas havia quem, no casamento oficial ou fora dele, vivesse feliz para sempre. Caso, por exemplo, de Francisca, ou Chica da Silva, e o contratador de diamantes João Fernandes de Oliveira. Embora casado, ele fez vida conjugal com a ex-escrava que alforriou e com quem teve treze filhos, todos batizados por conhecidos personagens do Arraial do Tijuco. Francisca da Silva de Oliveira agia como qualquer senhora da elite social. Educou todas as filhas no Recolhimento de Macaúbas, o melhor educandário das Minas. Chica da Silva, os filhos e o marido participaram de diversas irmandades religiosas da região, como a do Santíssimo Sacramento, São Miguel e Almas, São Francisco de Assis, Terra Santa, Nossa Senhora do Carmo do Tejuco e da Vila do Príncipe, São Francisco, Terra Santa e também das irmandades de mulatos negros, como Nossa Senhora do Rosário e Mercês.

Chica da Silva foi uma boa mãe e esposa honrada. Quando o marido foi obrigado a retornar para Portugal, assumiu a educação das filhas, mantendo-se fiel ao esposo. Cada uma das filhas recebeu do pai uma fazenda como herança e, assim, realizaram seus casamentos com homens bem posicionados socialmente. João Fernandes levou para Portugal os quatro filhos homens, além de Simão Pires Sardinha, o primeiro filho de Chica com um médico português. Seu filho João se tornou seu principal herdeiro, que constituiu na metrópole o Morgado do Grijó, destinando-lhe dois terços de seus bens. José Agostinho, outro filho, tornou-se padre e recebeu dote para ocupar uma capela. Simão Sardinha estudou em Roma, comprou títulos de nobreza e patente de tenente-coronel da cavalaria no regimento de Dragões de Minas Gerais.

À medida que as famílias iam se adaptando às realidades do meio, a Igreja atraía mais e mais fiéis. O casamento foi transformado num sacramento regulamentado que deveria ser obedecido e só concedido mediante a bênção do padre. O objetivo dependia de várias regras a serem respeitadas: os impedimentos. Não era permitido "erro de pessoa", ou seja, era proibido fingir ser outrem ou falsificar documentos para tal. A mesma proibição valia para "erro de condição", a fim de evitar que escravos se passassem por livres. O de "voto" se referia às ordens sacras. O de "cognação", ao parentesco espiritual que existia a partir do batismo: era proibida a consanguinidade até quarto grau ou casamento com adotados. O de "disparidade" interditava a união de pessoas de credo diferente. O de "força ou medo" dizia tudo. E o de "ligame" proibia aos que tinham feito voto de casamento ligar-se a terceiros. Enfim, havia outros impedimentos ainda como o de "afinidade", contraído a partir de cópula ilícita fora do casamento. O de "impotência" quando um dos cônjuges tinha problemas com "os instrumentos da cópula", não conseguindo gerar. O "rapto" quando o "roubador" não podia casar com sua vítima. O "crime", quando se matava o cônjuge anterior.

O controle era importante, pois a bigamia foi um fenômeno conhecido na colônia. Quando da Primeira Visitação do Santo Ofício ao Brasil, em 1591, houve dezenas de casos denunciados, pois os bígamos teriam "fama pública" ou "porque se ouvia dizer" de sua condição. Não escapou ninguém: homens como o marinheiro Belchior Pires ou Antônio Róis, que conseguiu se casar três vezes! Mulheres como a portuguesa Isabel Soares ou uma "Negra brasila" com dois maridos.

As situações eram espantosas como a de Baltazar Martins, nascido na ilha da Madeira e mestre de açúcar, que aos 26 anos se casou com Isabel Nunes de Grados. O casamento findou, pois ele descobriu que a esposa já era casada em Tanger, com certo Bento Veiga. O bispo local exigiu que Isabel voltasse a viver com o primeiro marido, embora ele estivesse vivendo com sua primeira mulher. Ao ter notícia de que Isabel estava vivendo na Madeira e "fazendo mal de si", Baltazar resolveu se casar na Bahia com Suzana Borges Pereira, de quem teve filhos. Denunciado pela última esposa ao Santo Ofício, foi sentenciado às galés. Finda a pena, voltou a viver com a primeira mulher, Isabel, já viúva. Quando esta faleceu, voltou a casar com Suzana Borges!

Ao final do século XVIII, as "uniões à moda da terra" deram progressivamente lugar aos casamentos. Não custa lembrar que está se falando de um sacramento que se consolidou apenas no século XIII. A partir do

Concílio de Trento, em 1545, a Igreja desenvolveu uma doutrina em torno do matrimônio, estabelecendo, inclusive, a necessidade do consentimento dos cônjuges e de seus pais, encarregados de proverem dotes ao casal. A união sexual se tornou "um mistério" e "sacramento" que assegurava dignidade e legitimidade ao ato. Antes realizada às portas de qualquer igreja, no século XVII, a cerimônia passou a ter lugar em frente ao altar com a bênção nupcial auferida por um padre. Os nubentes não usavam trajes especiais para o enlace, mas vestiam suas melhores roupas. Os "manuais laicos de casamento", em apoio às normas da Igreja, justificavam as vantagens da vida de casado tanto sobre o ponto de vista patrimonial quanto para evitar os desregramentos da vida de solteiro.

Muitos casais usaram o sacramento como forma de inserção e de mobilidade social. Ao fugir à pecha da relação condenada e ilegítima, mais e mais mestiços, mulatos e brancos ou negros pobres procuravam manter seu status dentro do grupo de origem. Formavam laços de parentesco com pessoas de sua mesma realidade social, evitando manchar a descendência da família, além de inserir homens e mulheres de cor, nos costumes dos brancos. Eles conquistavam, assim, direitos civis e respeito perante os demais membros da comunidade.

Melhor época para celebração? Fora do "tempo proibido" ou "tempo de penitência", na Quaresma e no Advento. Sextas-feiras, dia da Paixão e morte de Jesus eram evitados, assim como os domingos, dia de louvar o Senhor. Evitavam-se igualmente os meses de trabalho na lavoura do milho, cana, mandioca, feijão e arroz. E na beira-mar, a época de "campanhas de pesca", quando se pescava, secava e salgava o peixe. As cerimônias se realizavam, em geral, de manhã, mas os convidados chegavam dias antes, arranchando-se como podiam. Ao ato religioso, por vezes coletivo, seguiam-se as festas de bodas com música, comezaina e bebida a fartar.

# 4. TEMPO DE TODOS OS DESEJOS

ACIMA E AO LADO

*A imagem do desejo*

Mestre Valentim. *Ninfa Eco.* [Bronze patinado].

MUSEU NACIONAL DE BELAS ARTES - IBRAM/MNC, 1783.

Uma vez que, na Idade Moderna, erotismo designava "o que tivesse relação com o amor", como esta definição se materializava em práticas? Há registros de estratégias de sedução que soariam pouco familiares e mesmo pueris aos olhos de hoje. É o caso do "namoro de bufarinheiro", descrito por Júlio Dantas, corrente em Portugal e talvez no Brasil, ao menos nas cidades. Consistia em passarem os homens a distribuir piscadelas e a fazerem gestos sutis com as mãos e bocas para as mulheres que se postavam à janela, em dias de procissão, como se fossem eles bufarinheiros a anunciar seus produtos. É também o caso do "namoro de escarrinho", costume luso-brasileiro dos séculos XVII e XVIII, no qual o enamorado punha-se embaixo da janela da moça e não dizia nada, limitando-se a fungar à maneira de gente resfriada. Caso a declaração fosse correspondida, seguia-se uma cadeia de tosses, assoar de narizes e cuspidelas. Escapa-nos, sobremaneira, o apelo sedutor que os tais "escarrinhos" poderiam ter naquele tempo, mas sabe-se que, até hoje, no interior do país, o namoro à janela das moças não desapareceu de todo.

Documentos remanescentes das Visitas da Inquisição, preocupadas com as moralidades de nossos ancestrais, revelam, por exemplo, a existência de "palavras de requebros e amores" e de "beijos e abraços", sugerindo prelúdios eróticos e carícias entre amantes. Atos sexuais incluíam toques e afagos, implicando na erotização das mãos e da boca. "Chupar a língua", "enfiar a língua na boca" segundo os mesmos documentos não eram algo incomum. Os processos revelam que alguns sedutores iam direto ao ponto:

"pegar nos peitos" e "apalpar as partes pudentes" era queixa constante de mulheres seduzidas.

Processos de sodomia masculina, por exemplo, revelam amantes que "andavam ombro a ombro", abraçavam-se, trocavam presentes e penteavam-se os cabelos mutuamente à vista de vizinhos, desafiando a Inquisição, sua grande inimiga. É conhecido o caso de certo João de Carvalho, um rapaz que ensinava latim e linguagem para os filhos dos moradores de uma freguesia em São João Del Rei, no século XVIII. Apaixonado por um dos seus alunos, lhe mandava bilhetes nos quais dizia: "Luiz, meu amorzinho, minha vidinha! Vinde para o bananal que eu lá vou com a garrafinha de aguardente."

Rituais de namoro entre homossexuais não se distinguiam dos demais. Luís Delgado, estanqueiro de fumo em Salvador da Bahia, se tornou conhecido por demonstrar publicamente a paixão que nutria por seus sucessivos amantes, beijando-os na frente de outras pessoas, regalando-os com presentes de fino trato, vestindo-os com "galas", ou seja, roupas e sapatos caros, andando juntos debaixo de um grande guarda-sol, para escândalo e escárnio de seus inimigos. Era comum a troca de "memórias de ouro", ou seja, um anel de compromisso. Num arrufo com um deles, certo Doroteu Antunes, de quem morria de ciúmes, ameaçou-o aos gritos, defronte da Fonte dos Sapateiros: "Com isso me pagais do amor que vos tenho e o muito que convosco gasto, dando-vos dinheiro, vestidos, casas em que morais e tudo o mais que vos é necessário?!"

Outro, Luís da Costa, o tabaqueiro, costumava pegar na mão, "dizendo-lhe que era afeiçoado a ele e o queria muito gentil-homem e tinha uma cara como uma dona". Outra cena pública de grande ciúme teve certa Isabel Antônia, apelidada "A do Veludo", referência ao falo que usava nas relações, também moradora em Salvador. Ela tinha conturbada relação com Francisca Luiz, causando grande escândalo na cidade, pela violência e excessivo zelo que tinha com a amante. Numa ocasião, ao saber que a amiga tinha saído com um homem, dirigiu-se a ela, aos brados de: "Velhaca! Quantos beijos dás ao seu coxo (amante) e abraços não dás a mim! Não sabes que quero mais a um cono que a quantos caralhos aqui há." Disse isso tudo aos berros, pegando-a pelos cabelos, trazendo-a à porta de casa com bofetões à vista dos vizinhos.

Arroubos não foram incomuns; beijos roubados e furtivas bolinações eram práticas usuais regadas a propostas lascivas e palavras amatórias. Alguns tocamentos podiam ser tímidos, escondendo confessados desejos. Rostos e mãos levemente roçados por dedos ávidos ou mãos apertando outras. Fazer cócegas na palma da mão e pôr a mão sobre o coração para dizer o querer bem era parte da gramática amorosa. Em algumas ocasiões, eram os pés que agiam ligeiros a alisarem outros pés. Alguns afagos eram apenas esboçados, a anunciar a vontade de outros mais ousados, enquanto se elogiava a formosura da mulher. Conjugavam-se muito os verbos estimar e querer bem. Câmara Cascudo estudou o significado de inúmeros gestos que serviam de código de conversação entre namorados, impedidos de expressarem de forma mais declarada os seus sentimentos.

A poesia burlesca e satírica vingava-se da repressão. Nela, os órgãos genitais "falavam". Em Bocage, o pênis afirmava categórico: "Juro só foder senhoras." Na poesia, o universo vocabular também contemplava o corpo e o sexo, sem pudor. "Alcatreira" queria dizer bunduda. "Arreitar" era excitar, dar tesão. "Bimba", pênis pequeno. "Crica", vagina. "Cu", bunda. "Pachocho", genitália feminina. "Pívia", masturbação. "Trombicar", foder. "Vir-se", gozar. "Sesso", ânus.

E é o próprio poeta que informa sobre os encontros:

Tal fogo em mim senti, que de improviso
Sem nada lhe dizer me fui despindo
Te ficar nu em pelo, e o membro feito [...]
Nise cheia de susto e casto pejo
Junto a mim sentou-se sem resolver-se
Eu mesmo a fui despindo, e fui tirando
Quanto cobria seu airoso corpo
Era feito de neve: os ombros altos
O colo branco, o cu roliço e branco
A barriga espaçosa, o cono estreito
O pentelho mui denso, escuro e liso
Coxas piramidais, pernas roliças
O pé pequeno... oh céus! Como és formosa.

Mas, como demonstrei em *Histórias íntimas*, isso era poesia... Pois enquanto literatos davam vazão aos sentimentos eróticos, a catequese se impunha a toda a sociedade colonial. A agenda era uma só: civilizar, educando nos princípios cristãos. No casamento todo o cuidado era pouco. Normas regiam as práticas dos casados. Até para ter relações sexuais, as pessoas não se despiam. As mulheres levantavam as saias ou as camisas e os homens, abaixavam as calças e ceroulas. Mesmo nos processos de sedução e defloramento que guardam nossos arquivos vê-se que os amantes não tiravam a roupa durante o ato. Um exemplo, em Paraty, Rio de Janeiro, no início do século XIX: "E que ele testemunha presenciara e vira a ofendida e o Réu estarem no mato juntos e unidos um por cima do outro a fazerem movimento com o corpo, e que ele testemunha, vendo este ato, voltou sem dar a perceber a ninguém."

Nem uma palavra sobre despir-se. As práticas amorosas, contudo, eram rigidamente controladas. Toda a atividade sexual extraconjugal e com outro fim que não a procriação era condenada. Manobras contraceptivas ou abortivas não eram admitidas. O casal deveria se portar com pudor, amizade, discernimento, moderação e sem nenhum impulso de volúpia. A manifestação de ardor sexual era considerada, como queria são Jerônimo, uma forma de adultério porque conspurcava a conjugalidade. A noção de *debitum*, ou débito conjugal, uma dívida ou dever que os esposos tinham que pagar quando sexualmente requisitados, torna-se lei. Associava-se o prazer exclusivamente à ejaculação, e por isso era "permitido" aos maridos prolongarem o coito com carícias, recorrendo até à masturbação da parceira, a fim de que ela "emitisse a semente", justificando a finalidade do ato sexual.

Ao ser definido como uma conduta racional e regulada em oposição ao comércio dito apaixonado dos amantes, o comércio conjugal só era permitido em tempos e locais oportunos. Consideravam-se impróprios os dias de jejum e festas religiosas, o tempo da menstruação, a quarentena após o parto, os períodos de gravidez e amamentação. Sobre o papel da mulher durante o coito, fazia-se eco aos conselhos de Aristóteles: que nenhuma mulher, mas nenhuma mesmo, desejasse o lugar de amante de seu marido. Isso queria dizer que a esposa não devia demonstrar nenhum conhecimento sobre sexo. Somente casta e pura, ela seria desejada. Sua ingenuidade seria prova de sua honradez.

As regras da Igreja Católica pareciam se esconder sob a cama dos casados, controlando tudo. Proibiam-se ao casal as práticas consideradas "contra a natureza". Além das relações "fora do vaso natural" consideravam-se pecados graves "quaisquer tocamentos torpes" que levassem à ejaculação. Assim, se perseguiam os "preparativos" ou preliminares ao ato sexual. A prática, bastante difundida, aparece em tratados de confissão encarregados de simular o diálogo entre o pecador e o padre: "Pequei em fazendo com algumas pessoas na cama, pondo-lhes as mãos por lugares desonestos e elas a mim, cuidando e falando em más coisas", diria o primeiro. "Já pagar seus pecados com penitências!", diria o segundo.

O sexo admitido era restrito exclusivamente à procriação. Donde a determinação de posições "certas" durante as relações sexuais. Era proibido evitar filhos, gozando fora do "vaso". Era obrigatório usar o "vaso natural" e não o traseiro. Era proibido à mulher colocar-se por cima do homem, contrariando as leis da natureza. Afinal, só os homens comandavam. Ou colocar-se de costas, comparando-se às feras e animalizando um ato que deveria ser sagrado. Certas posições, vistas como "sujas e feias" constituíam pecado venial, fazendo com que "os que usam de tal mereçam grande repreensão, por serem piores do que brutos animais, que no tal ato guardam seu modo natural", dizia a Igreja. Outras posturas conhecidas como "à la brida", "como carneiro pastando" ou a dos "malabaristas" eram ilícitas. Controlado o prazer, o sexo no casamento virava débito conjugal e obrigação recíproca entre os cônjuges. Negá-lo era pecado, a não ser que a solicitação fosse feita nos já mencionados dias proibidos ou se a mulher estivesse muito doente. Dor de cabeça não valia. O que se procura é cercear a sexualidade, reduzindo ao mínimo as situações de prazer.

Esta vigilância extrapola o leito conjugal espalhando-se por toda a sociedade. Condenavam-se, também, "as cantigas lascivas", "os bailes desonestos", "os versos torpes", "as cartas amatórias", a alcovitice, "as bebedices", os "galanteios". Essas expressões resgatam o burburinho da vida social com seus encontros, festas, enfim, a sexualidade do cotidiano, que a Igreja precisava regulamentar, controlar desde o namoro às relações conjugais. Gestos miúdos de afeto, como o beijo, eram controlados por sua "deleitação natural e sensitiva", sendo o beijo considerado "pecado grave porque é tão indecente e perigoso". Além de evitar beijos, – os temidos "ósculos" –, devia-se estar em guarda contra as sutilezas das menores expressões de interesse sexual que não conduzissem ao que era chamado de "coito ordenado para a geração". Dentro destas relações, quase não havia espaço para o amor erotizado e as mulheres se entregavam aos maridos por amor a Deus.

Tudo indica que ao final do século XVIII, alguns casais já tivessem incorporado às ideias da Igreja. E, sobre o assunto, não foram poucos os depoimentos. Em 1731, por exemplo, certa Inácia Maria Botelho, paulista, parecia sensível ao discurso da Igreja sobre a importância da castidade, pois se negava a pagar o débito conjugal ao marido. Alegando ter feito votos quando morava com sua mãe e inspirada do exemplo das freiras recolhidas em Santa Teresa, se viu estimulada por esta virtude. Sobre o seu dever conjugal, contava o marido, Antônio Francisco de Oliveira, ao juiz eclesiástico que, na primeira noite em que se acharam na cama, lhe rogara a esposa que "a deixasse casta daquela execução por uns dias", pois tinha feito votos de castidade.

Casos de desajustes conjugais devido à pouca idade da esposa não foram raros e revelam os riscos por que passavam as mulheres que concebiam ainda adolescentes. Há casos de meninas que, casadas aos 12 anos, manifestavam repugnância em consumar o matrimônio. Num deles, o marido, em respeito às lágrimas e queixumes, resolvera deixar passar o tempo para não violentá-la. Escolástica Garcia, outra jovem casada aos nove anos, declarava em seu processo de divórcio que nunca houvera "cópula ou ajuntamento algum" entre ela e seu marido, pelos maus-tratos e sevícias com que sempre tivera que conviver. E esclarecia ao juiz episcopal que "ela, autora do processo de divórcio em questão, casou contra sua vontade, e só por temor de seus parentes". Confessou também que, sendo tão "tenra [...] não estava em tempo de casar e ter coabitação com varão por ser de muito menor idade".

Os casos de casamentos contraídos por interesse ou na infância, somados a outros em que idiossincrasias da mulher ou do marido revelam o mau estado do matrimônio, comprovam que as relações sexuais dentro do sacramento eram breves, desprovidas de calor ou refinamento. Cada vez mais se evidencia o elo entre sexualidade conjugal e mecanismos puros e simples de reprodução. Maria Jacinta Vieira, por exemplo, bem ilustra a valorização da sexualidade sem desejo. Ela se recusava a copular com seu marido "como animal". Bem longe já se estava dos excessos eróticos cometidos quando das primeiras visitas do Santo Ofício à colônia. Na Bahia do século XVI, Inês Posadas não parecia então muito preocupada em ter sido denunciada pelo fato de seu amante, durante o coito, retirar o membro de sua vagina para sujar-lhe a boca. O comportamento de Maria Jacinta ilustrava um consenso do Antigo Regime, verbalizado por Montaigne. A esposa devia ignorar as febres perversas do jogo erótico.

E como funcionava o matrimônio? Os casados desenvolviam, de maneira geral, tarefas específicas. Cada qual tinha um papel a desempenhar frente ao outro. Os maridos deviam se mostrar dominadores, voluntariosos no exercício da vontade patriarcal, insensíveis e egoístas. As mulheres por sua vez apresentavam-se como fiéis, submissas, recolhidas. Sua tarefa mais importante era a procriação. É provável que os homens tratassem suas mulheres como máquinas de fazer filhos, submetidas às relações sexuais mecânicas e despidas de expressões de afeto. Basta pensar na facilidade com que eram infectadas por doenças venéreas, nos múltiplos partos, na vida arriscada de reprodutoras. A obediência da esposa era lei.

Com relação à população escrava, estudos comprovam a presença do machismo e do racismo. Os gestos diretos, a linguagem chula eram destinados às negras escravas e forras ou mulatas; às brancas reservavam-se galanteios e palavras amorosas. Os convites diretos para a fornicação são feitos predominantemente às negras e pardas, fossem elas escravas ou forras. Afinal, a misoginia racista da sociedade colonial classificava as mulheres como fáceis, alvos naturais de investidas sexuais, com quem podia-se ir direto ao assunto sem causar melindres. Gilberto Freyre chamou a atenção para o papel sexual desempenhado por essas mulheres, reproduzindo o ditado popular "Branca para casar, mulata para foder e negra para trabalhar".

Degradadas e desejadas, ao mesmo tempo, as negras seriam o mesmo que prostitutas, no imaginário de nossos colonos: mulheres "aptas à fornicação", em troca de alguma paga, explicou Ronaldo Vainfas. E na falta de mulheres brancas, fossem para casar ou fornicar, caberia mesmo às mulheres de cor o papel de meretrizes de ofício ou amantes solteiras,

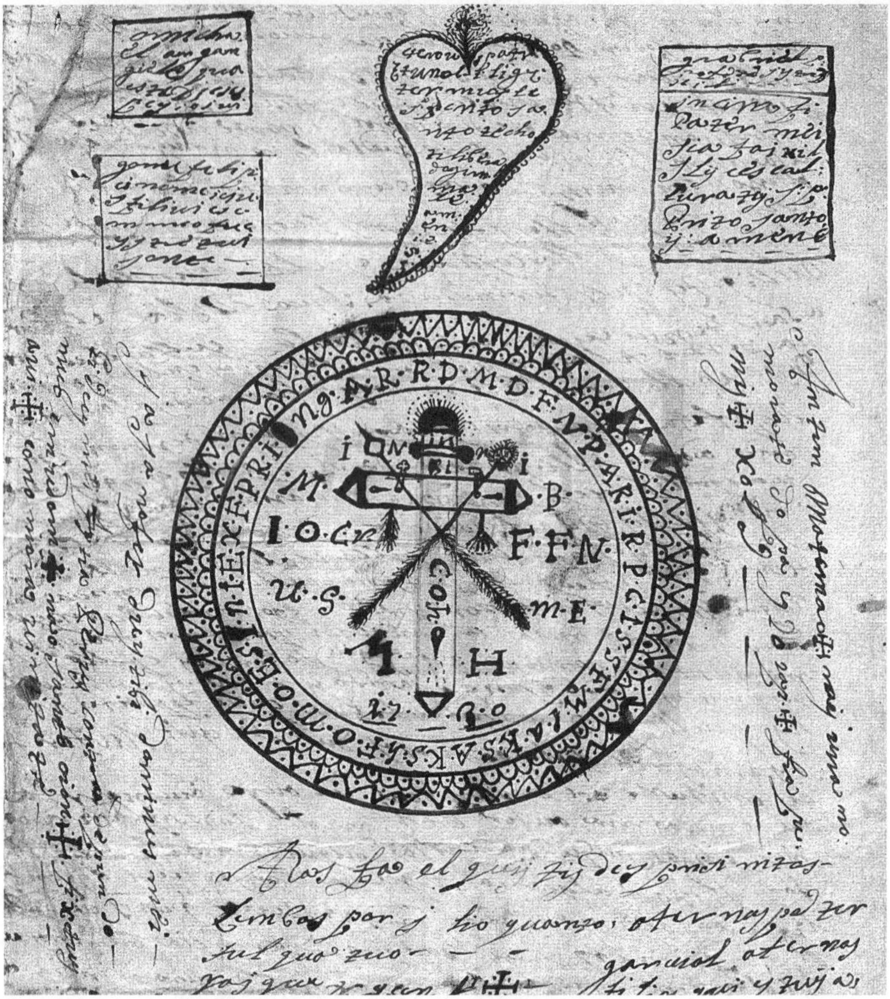

*Mandingas: feitiços de amor que circulavam em Portugal e no Brasil.*

Processo de José Francisco [1730- 1736].

ARQUIVO NACIONAL DA TORRE DO TOMBO, LISBOA, PORTUGAL.

em toda a história da colonização. Nos séculos seguintes a degradação das índias como objetos sexuais dos lusos somou-se à das mulatas, das africanas, das ladinas e das caboclas – todas inferiorizadas por sua condição feminina, racial e servil no imaginário colonial. Mais desonradas que as "solteiras do reino", nome que se dava às prostitutas portuguesas, pois aquelas mulheres, além de "putas", eram negras.

Mas nem por isso ficaram as cabrochas do trópico sem a homenagem do poeta. No século XVII, Gregório de Matos dedicou vários de seus poemas a certas mulatas da Bahia, em geral prostitutas. "Córdula da minha vida, mulatinha de minha alma", folgava o Boca do Inferno. O poeta louva o corpo e os encantos da mulata, que, como a índia do século XVI, torna-se objeto sexual dos portugueses. Mas o mesmo poeta não ousa brincar com a honra das brancas, as quais só descrevia em tom cortês, ao passo que às negras d'África ou às ladinas refere-se com especial desprezo: "anca de vaca", "peito derribado", "horrível odre", "vaso atroz", "puta canalha". À fornicação e aos pecados sexuais nos trópicos, não faltaram pontadas de racismo e desprezo à mulher de origem africana.

Não há dúvidas, por outro lado, que os afrodescendentes tivessem seus rituais de sedução. A receita certa era extraída de falares africanos. Um manuscrito mineiro do século XVIII reconstitui um diálogo de abordagem sexual e negociação amorosa, em língua mina-jeje:

– *Uhámihimelamhi.* Vamos deitar-nos.
– *Nhimádomhã.* Eu não vou lá.
– *Guidásucam.* Tu tens amigos (machos)?
– *Humdásucam.* Eu tenho amigo (macho).
– *Nhimácóhinhínum.* Eu ainda não sei dos seus negócios.
– *Nhitimcam.* Eu tenho hímen.
– *Sóhá mádénauhe.* Dê cá que eu to tirarei.
– *Guigéroume.* Tu me queres?
– *Guitim a sitóh.* Vosmicê tem sua amiga (mulher).
– *Gui hinhógampè guàsuhé.* Tu és mais formosa do que ela (minha mulher).

Uma série de palavras de origem banto e iorubá com sentido erótico engordou nosso vocabulário: xodó, que quer dizer, em banto, namorado, amante, paixão. Nozdo, amor e desejo, naborodô, fazer amor, caxuxa, termo afetuoso para mulher jovem, enxodozado, apaixonado, indumba, adultério, kukungola, jovem solteira que perdeu a virgindade, dengue, candongo e kandonga, bem querer, benzinho, amor, binga, homem chifrudo, huhádumi, venha me comer/foder.

# 5. CORPO DOENTE E CORPO SADIO

"Médico" desde sempre foi coisa rara e cara. Era aquele que "curava e aplicava remédios", segundo o dicionarista Bluteau. Em Portugal, a ciência se dividia em dois ramos: um erudito, exercido por médicos formados, outro, mais prático, desempenhado por cirurgiões, barbeiros e parteiras, que realizavam sangrias, extraíam dentes e, quando possível, tratavam de ossos quebrados. Para ficar numa simples comparação, apenas na cidade de Lisboa, em 1533, havia 57 médicos, 70 cirurgiões e 46 boticários. Quantos na colônia? Só um! À 20 de abril do mesmo ano, foi nomeado pela Coroa certo Jorge Fernandes, cujo ordenado não passava de 60$000 réis. Pobre colônia!

Não por acaso, em 1554, o padre Anchieta escrevia do planalto de Piratininga, aos seus superiores: "Servi de médico e barbeiro, curando e sangrando aqueles índios." Encontrava-se então o jesuíta. Ele mesmo chegou a se improvisar cirurgião: "Esfolei parte das pernas e quase todos os pés, cortando-lhes a pele corrupta com uma tesoura, ficando em carne viva, coisa lastimosa de se ver, e lavando-lhes aquela corrupção com água quente [...] sararam." "Nossa casa é a botica de todos", exultava.

Mas o jesuíta se enganava. Pois a competição com os feiticeiros, que se gabavam de ter a vida e a morte nas mãos, era grande. Os índios se escondiam para usar seus métodos tradicionais de cura. Longe da tradição europeia de sangrias e purgas para todos os males, inclusive para curar mordida de carrapato, preferiam exercer seus conhecimentos sobre a flora medicinal. É Gabriel Soares de Souza quem conta sobre a fitoterapia indígena, conhecimento recém-adquirido pelos colonos:

"Assim, por exemplo, as raízes do jeticuçú, usadas como purga em todo o Brasil e nomeadamente na Bahia, eram preparadas do seguinte modo: se cortam em talhadas ainda verdes, que são por dentro alvíssimas, e secam-nas muito bem ao sol; e tomam dessas talhadas depois de secas, para cada purga o peso de dois reais de prata, e lançando em vinho ou em água muito bem pisado se dá a beber ao doente de madrugada e faz maravilhas."

E não era só o jeticuçú. O óleo de copaíba era sensacional para curar feridas, emplastros de raiz de mandioca curavam "postemas", o carimã, também extraído do tubérculo, era usado contra picadas de cobras ou para matar lombrigas. O milho saburro dado em suadouro, e em "bafos", curava "boubas". Os cajus eram bons para quem sofria de fastio ou de males do estômago. E o "petume", ou erva-santa, fechava bicheiras, matando-lhes todos os vermes. Sem socorro, o remédio era prestar atenção na dieta destinada a contribuir para a melhoria do doente. A carne de porco era considerada muito sadia e oferecida ao longo do ano em lugar de galinha. E o que dizer do benefício dos peixes, "muito medicinais", como os "jaguaraçás, piraçaquens ou tucupás?", perguntava-se Anchieta. Os remédios vindos do reino não só corriam o risco de se deteriorar durante os três meses de travessia atlântica, como, uma vez chegados, tinham suas virtudes originais alteradas em função do clima. Conclusão: melhor usar os produtos locais.

E Nieuhof corroborava com mais informações:

> Várias moléstias comuns na Europa são desconhecidas no Brasil. Os nativos usam remédios muito simples e riem-se de nossas poções. São muito hábeis em ministrar seus remédios, principalmente no que respeita a antídotos. Praticam a sangria sugando através de um chifre sobre uma escarificação ou sobre uma veia aberta. Em lugar de lanceta, usam o dente de certa lampreia chamada *kakaon*, que todos trazem consigo. Logo que algum conhecido cai doente, todos se reúnem para oferecer o remédio que a experiência lhes ensinou ser bom. Põem-se, então, a fazer incisões nas partes mais carnudas do corpo, quer com espinho de carnaúba, quer com dente de peixe, até que tenham extraído do doente, quantidade de sangue que julguem suficiente. Sugam, também, a ferida com a boca, pretendendo assim remover os maus humores da região afetada. Provocam vômito introduzindo na garganta folhas de carnaúba torcida. Quando nenhum destes remédios dá resultado, não procuram outros, e, se depois de tentar vários tratamentos, perdem a esperança de ver o doente restabelecido, abrem-lhe a cabeça com o tacape, pois para eles é muito mais glorioso libertar dessa forma o paciente de seus sofrimentos que deixá-lo esperar pela morte até os últimos instantes.

Mordeduras por animais venenosos foram acidentes que reclamavam terapêuticas eficientes. Nem os padres da Companhia escaparam do flagelo das cobras que andavam por toda a parte, entravam pelas casas dos colonos e, também, por suas botas. O irmão Luís Rodrigues, em carta de Ilhéus, referiu que ao visitar uma roça foi picado: "Era cascavel, que nunca escapa nenhum que aquelas mordem." Deu-se então por perdido: "Tornei-me para casa fazendo conta de aquela noite ir ver o Nosso Criador e Senhor." Despediu-se dos irmãos de hábito, e em três horas perdeu os sentidos sob a ação de fortíssimas dores que tinha em todo o corpo. Foi tratado com "*olicorni*", ou seja, pós de unicórnio! Conclusão da história: "Quis nosso Senhor que escapasse." Um milagre!

Havia acidentes e doenças. E tudo valia a pena quando se tratava de lutar contra elas, que não foram poucas. Em toda a América, entre os séculos XVI e XVII, epidemias não cessaram de realizar sua "obra de extermínio". O sarampo, a varíola, a tuberculose e as doenças venéreas estavam entre os mais devastadores males. Os tumbeiros, vindos de diferentes regiões da África, transportavam homens e seus vírus. Embora obrigatória desde o século XVII, a quarentena era burlada. Primeiro os negócios, depois a saúde. O chamado "mal de Luanda", ou escorbuto, não necessariamente proveniente da África, se manifestava nas longas travessias. A culpa, segundo o cirurgião José Antônio Mendes, era dos "alimentos crassos e corruptos de que se usa na maior parte dessa América dar-se aos negros". Tais alimentos, como peixe, queijo, biscoitos, cebolas, açúcar, mel ou manteiga, não incluíam frutas e verduras responsáveis pelo provimento de vitamina C.

Enquanto que desde 1580, no México, se estudava medicina em universidade local e circulavam textos inspirados na farmacopeia e na terapêutica indígena, entre nós, só havia mesmo milagres ou "remédios de índios". O pioneiro a se debruçar sobre a questão foi o flamengo Guilherme Piso, naturalista e médico de Maurício de Nassau, que, em 1648, viu ser publicado o seu *De medicina brasiliense*. Aqui, Piso coletou plantas e animais, descreveu pioneiramente doenças tropicais, estudou a terapia indígena, examinou o efeito dos remédios nativos, fez autópsias e dissecações, tendo ainda enviado para a Holanda material exótico para o acervo do "Theatrum Anatomicum" de Leyden – instituição para estudos de anatomia recentemente criada.

*Em 1694, um livro identifica as pestes em Pernambuco.*

ROSA, João Ferreira. *Tratado único da constituição pestilencial de Pernambuco.* LISBOA: OFFICINA DE MIGUEL MANESCAL, 1694.

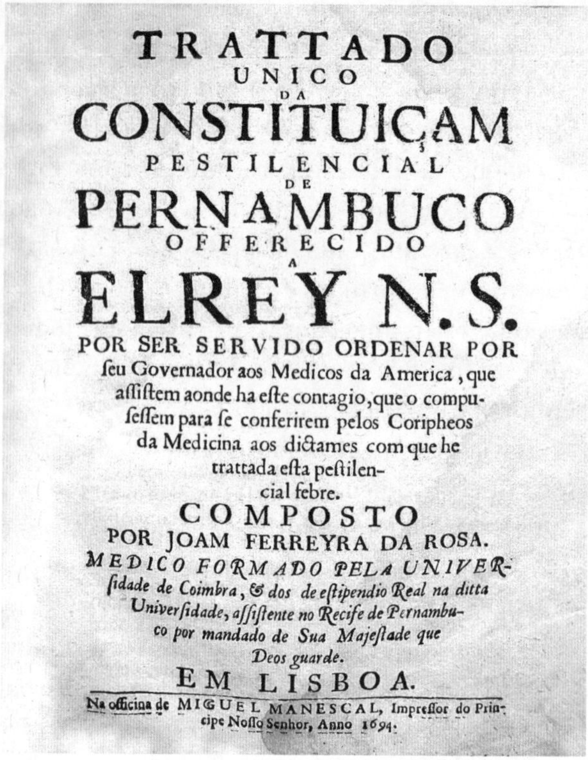

TRATTADO UNICO DA CONSTITUIÇAM PESTILENCIAL DE PERNAMBUCO OFFERECIDO A ELREY N.S.

POR SER SERVIDO ORDENAR POR ſeu Governador aos Medicos da America, que aſſiſtem aonde ha eſte contagio, que o compuſeſſem para ſe conferirem pelos Coripheos da Medicina aos dictames com que he trattada eſta peſtilencial febre.

COMPOSTO POR JOAM FERREYRA DA ROSA.

*MEDICO FORMADO PELA UNIVERſidade de Coimbra, & dos de eſtipendio Real na ditta Univerſidade, aſſiſtente no Recife de Pernambuco por mandado de Sua Mageſtade que Deos guarde.*

EM LISBOA.

Na officina de MIGUEL MANESCAL, Impreſſor do Principe Noſſo Senhor, Anno 1694.

A partir do final do século XVII, surgiram os primeiros relatos em língua vernácula sobre os males que atingiam os habitantes, no Brasil. O médico cristão-novo Simão Pinheiro Morão publicou em 1683 seu *Tratado único das bexigas e do sarampo*; João Ferreira da Rosa foi pioneiro em descrever a febre amarela no seu *Tratado único da constituição pestilencial de Pernambuco*, em 1694; e Miguel Dias Pimenta, cirurgião-mascate, seu *Notícia do que é o achaque do bicho*, de 1707. Eram todos portugueses que, emigrados para a colônia, seguiram o passo de hispânicos no México ou Peru. Ou seja, entenderam que era preciso assimilar as substâncias tropicais às formas europeias de vida. Não havia saída sem o diálogo de sabres tão diferentes.

A varíola, "corrupção pestilenta", "peçonha" ou "bexigas" atacou desde o século XVI, registrada que foi, com pânico, por Anchieta e Simão de Vasconcellos. Era mal terrível: "Gastada a maior parte da escravaria [...] tirou a vida de três partes dos índios [...] estrago miserável", clamava Vasconcellos. Teria chegado nos primeiros tumbeiros, para os engenhos de Pernambuco e São Vicente? Tudo indica que sim. Pelo menos assim o considerava Guilherme Piso, que atribuía sua origem a Angola ou o reino de Arda. Em suas cartas, os jesuítas dizem que os primeiros variolosos chegaram à Bahia numa nau que aportou em 1561, mas a epidemia atingiu seu clímax apenas em 1563, matando três quartos dos índios aldeados e catequizados. O padre Leonardo Vale chamou a epidemia de "flagelo do Senhor" e assim a descreveu: "Umas varíolas ou bexigas tão asquerosas e hediondas que não havia quem as pudesse suportar com a grande fetidez que delas saía, e por esta causa morriam muitos ao desamparo, comidos de vermes ou das chagas nasciam e se engendravam em seus corpos em tanta abundância e tão grandes que causavam horror e espanto a quem as via.

"Havia muitas mulheres prenhes que tanto lhes dava o mal, que as debilitava de forma que botavam a criança, ficando-lhes as páreas de que procedia fedor insofrível até que morriam [...] Finalmente, chegou a coisa a tanto que já não havia quem fizesse covas e alguns se enterravam pelos monturos e arredores das casas e tão mal enterrados que os tiravam os porcos."

Em pânico, os índios fugiam dos aldeamentos para despistar o "demônio da varíola" e entravam nos matos onde permaneciam andando em círculos, deixando para trás os familiares doentes e os padres, que não tinham qualquer ajuda para enterrar os mortos. Em 1662, a varíola dizimou tantos negros e índios em Pernambuco que a lavoura canavieira ficou estagnada.

Para combater a varíola e, portanto, a mortalidade recomendava-se desde "untar bexigas com a banha que as parteiras acham nas crianças quando nascem" ou "passar sebo dos rins de bode" nas bexigas até "sangrar as pústulas e extrair os bichos gusanos que ferviam em seus corpos como formigas num formigueiro". A dieta alimentar dos doentes se fazia à base de caldo de galinha e marmelada. Arroz, farinha e feijão eram adquiridos pela Santa Casa de Misericórdia para bexiguentos pobres.

Além disso, empregou-se a delação de doentes que deviam ser isolados como medida para evitar contaminação. Alarmada com o surto de varíola no litoral, a Câmara de São Paulo, em 1666, organizou um cordão sanitário para isolar o planalto com ordens para deter à bala os que tentassem rompê-lo. Certo "Agostinho Leitão, médico licenciado, avisava às autoridades haver visto um mulatinho varioloso em casa de Domingas Fernandes, sendo este condenado a três dias de cadeia e seis mil réis de multa por haver ocultado o caso". Em 1774, em São Paulo, foi presa Josefa Ávila por tratar variolosos ocultamente em casa.

O Tratado de Morão é dividido em oito partes sobre causas, "castas", contágio e cura das bexigas. Havia as "loucas ou brancas", as "negrais", as "pintas", as "peles de lixa" e as "de olho de polvo"; todas, em maior ou menor escala, resultantes de humores que em muitos casos, "cometendo a sua malignidade ao coração, matam o enfermo". A "peste", ou "febre pestilencial", atingia grandes e pequenos e era "mal que se apegava". Segundo Morão, o contágio não se fazia de pessoa a pessoa, mas de "parte a parte", de local a local, provocado, entre outros, pela passagem de cometas no céu. O de 1664 "fez mais os seus efeitos nesta América como estes fervores, produzindo bexigas e sarampos, e nos outros reinos produziu guerras e outros efeitos semelhantes". Os poros abertos devido ao calor dos trópicos absorviam os "ares infectos". Ares "de manifestas qualidades, ou de qualidade maligna oculta, que por influência dos astros se movem" e que junto "às grandes mudanças de tempo" influíam diretamente na disseminação dos males. Além do clima, e da crença em "falsos médicos", os vícios dos brasileiros ajudavam a propagá-los.

Eis porque, nos adultos, as bexigas eram mais severas do que nas crianças. Contínuos banhos e excesso de exercícios atraíam a doença. Sangrar, purgar, enfiar o doente num aposento a salvo de ventos, cobrirem-no com panos vermelhos, esfregar-lhes os poros para abrir as vesículas, lavar-lhe com água de salsa, aipo, funcho ou marcela eram o tratamento corrente. Depois vinham as "mezinhas", os clisteres de "caldo de galinha", os lambedouros e xaropes, as dietas alimentares. Os ingredientes? Raiz de cana torrada, "água ferrada em ouro", gordura de ganso, pós de osso, rosas secas, mingau de carimã, entre outros. No *Tratado único das bexigas e do sarampo* se encontra, com bastante clareza, a distinção entre a varíola e o sarampo. Persistia ainda no século XVII muita confusão quanto à individualização dessas doenças. E a importância do livro é a de descrever, com bastante rigor, as manifestações da varíola, fazendo a necessária distinção entre uma doença e outra.

Para Ferreira da Rosa, tão medonha quanto a varíola era a "*bicha*", ou febre amarela. Bicha, pois se fazia analogia dos sintomas da febre com as

*Botica: farmácia colonial.*

DEBRET, Jean-Baptiste. *Botica* [Aquarela sobre papel].
MUSEU CASTRO MAYA, RIO DE JANEIRO, 1823.

resultantes das picadas de cobra peçonhenta. O veneno de uma ou de outra agia em sete dias. Fazia-se urgente um "remédio preservativo e curativo". "O mal da bicha fazia deserto de muitas cidades", ou seja, trazia consigo mortalidade altíssima, levando consigo pacientes e médicos. Mais tarde, o mesmo vocábulo passou a denominar as prosaicas lombrigas.

A causa da peste que vitimou gente na Bahia e, depois, em Pernambuco seria, novamente, um fenômeno astronômico: um eclipse lunar observado em 1685, aliado ao desembarque de barricas de carne podre, oriundas da navegação negreira vinda de São Tomé, teriam viciado os ares. Mas não era só culpa dos astros. Os tumultos dos povos, as agitações sociais e os pecados dos homens também influíam sobre a saúde dos povos. E, segundo Ferreira da Rosa, pecados como a prostituição e os concubinatos atraíam pestes. Rocha Pitta confirmava: dois homens depois de jantar na casa de uma prostituta morreram em 24 horas! E de nada adiantou a procissão pelas ruas de Salvador com a sisuda imagem de São Francisco Xavier a 10 de maio de 1686. Já em Pernambuco, preferiu-se invocar são Sebastião e são Roque. Mas, a bicha ignorou orações e seguiu mordendo...

Os tratamentos variavam. Iam de ventosas de casca de abóbora ou vidro a andar com "pomos aromáticos" feitos de âmbar ou pinho, nas mãos e no sovaco. Os doentes deviam estar sempre bem cobertos e com roupas limpas, defumadas com louro ou alecrim. O ideal era esfregar os dentes com alho, pela manhã. A dieta era à base de chicórias, doce de cidra e queijo duro. Insônia? Melhor tomar "infusões de ervas dormideiras". Andar pouco, tomar pouco sol, evitar "paixões d'alma", tais como a melancolia, o ódio, a tristeza ou o temor da morte, comer pouco e nas horas certas eram forma de prevenção. Nada de fartura ou exageros!

Quanto aos remédios, pílulas de erva-babosa, infusões de maracujá-mirim, óleo de escorpiões e raiz de angelicó já provinham do receituário local. Dor de cabeça? Bastava colocar "pombos mortos nas solas dos pés, abertos vivos pelo espinhaço e aplicado seu calor". Nos pés? Sim, junto com o ânus, eles simbolizavam as aberturas mágicas do corpo pelas quais os males eram drenados. Milagroso mesmo e receitado de Léry a Anchieta, de Gandavo a Cardim era o óleo de copaíba. Considerado adstringente, sanava contusões, impinges, quebraduras, dor de dente, flatos e picada de cobra. Fazia vir regras e expulsava febres. Conservava a mocidade e era, em suma, a quinta maravilha que Ferreira da Rosa encontrou no Brasil.

Mas seria certo pântano que se achava em Olinda, conhecido como barragem do Varadouro, a causa da bicha? Depois de solicitar um parecer ao médico que inocentou o poço sujo, o governador Marques de Montebelo encaminhou à Câmara um regulamento em nome "dos inumeráveis mortos e quase infinitos ressuscitados" para sanear a cidade. Ele exigia a escolha de um provedor de saúde, a instalação de hospitais para recolher doentes dos "males", o controle dos navios que chegassem ao porto, a limpeza obrigatória de casas, ruas e praias sob pena de multas e chicotadas, desinfecções com vinagre nos interiores, a obrigação semanal de acender uma fogueira com ervas cheirosas, a proibição de mulheres saírem sós, depois das ave-marias e, como não podia faltar num regime de polícia sanitária, a execução de uma lista com todas as meretrizes e sua "expulsão da cidade a dez léguas de distância". Homens livres ou escravos que se encontrassem na companhia de tais mulheres sofreriam pena de degredo.

A severidade das penas e os custos da execução do regulamento foram suficientes para que o Senado da Câmara de Olinda se negasse a aplicá-lo! Em sua raiz, porém, havia uma preocupação com fumigações, fogueiras e aspersões aromáticas como prevendo que o problema estaria num mosquito. Mas, como de hábito, as autoridades se preocupavam, apenas, em enterrar os mortos.

Isolado em sua luta por melhor higiene, só coube ao marquês de Montebelo registrar seu desapontamento: "Que importa toda a precaução e providência em prevenir a forma das sepulturas dos mortos, se para os vivos (quero dizer, os doentes do mesmo mal) não houve igual precaução ou providência?"

Também sem conhecer o mosquito transmissor da febre, o governador de São Paulo, Martim Lopes de Lobo Saldanha, na primeira metade do século XVIII ordenou "que se queimassem ervas perfumadas nos locais onde se encontrassem os atingidos pela peste amarela, e que grande quantidade de bois e carneiros fossem levados de cambulhada a percorrer ruas, a fim de com isso atraírem para eles, bichos, a maldita febre".

## Duelos entre a vida e a morte

Em época de epidemias, o médico se transfigurava, quem conta é o cronista Luiz Edmundo: "Vestia uma couraça antisséptica, um balandrau branco embebido em vinagre e outras drogas tremendas, na boca, um dente de alho atravessado e, na mão, sinistra e piedosa, um galhinho de arruda e mais um terço em contas de jacarandá." A assustadora figura auscultava o doente previamente lavado em aguardente e deitado sobre o melhor de sua roupa de cama.

O autor de *Notícia do que é o achaque do bicho*, diferentemente de seus antecessores, não se apresentava como médico. Era um simples empírico e, dizem, um mascate, viajante e conhecedor do interior da capitania. Impressionado com o que era considerado uma praga – o apodrecimento do baixo reto e a infestação do ânus com "bichos", Pimenta propôs tratamentos. Os índios já tratavam esse tipo de mal com folhas de tabaco sobre as feridas. Gabriel Soares de Souza e padre Fernão Cardim já tinham registrado a "doença do bicho muito comum nas terras quentes". Embora presente do Congo – ali denominada *bichos de cu* – à Dinamarca, era conhecida na Holanda como "mal do Brasil". À lassidão do doente, seguida de pruridos, sucedia uma úlcera "com muita podridão", e, depois de sucessivas e ininterruptas diarreias, "se avistavam as tripas". E ali, confortavelmente instalados, bichinhos brancos comiam a carne por dentro do corpo. Resultado: câmaras, dores e febres até a morte. O santo remédio era, segundo Pimenta, o limão. Limão em supositórios, limão em lavagens ou, ainda, seringas com cítricos associados ao cozimento de folhas de tapiá, um tipo de fedegoso, assim como o mussambê.

Andanças pelos sertões revelaram a Pimenta outro problema: a sífilis. Ele dedica um capítulo àqueles que sofriam com o "mal gálico". Reconhecidos por terem caspas na cabeça, mau hálito, fedor nos pés e axilas, suor nas mãos e, em caso de mulheres, sangue mensal cheirando a peixe cru, os "galicados" tinham que ser tratados antes que lhe aparecessem "as sarnas, impigens e boubas". O remédio era o suco das folhas da salsaparrilha, de acordo com Pimenta, tão eficaz quanto abundante, em Pernambuco.

No século XVIII, um cirurgião português, Luís Gomes Ferreira, se encontrava no Brasil atuando entre Bahia e Minas Gerais. Imigrante como Pimenta, ele não veio para tratar de doentes, mas para tentar a fortuna na mineração. Perdido nos sertões de Minas, em pouco tempo começou a exercer como "cirurgião-barbeiro". Mais tarde, autor de um *Erário mineral, dividido em doze tratados*, publicado em Lisboa, em 1735, não só criticou acidamente a degeneração dos remédios vindos de Portugal, como se entusiasmou com os ingredientes medicinais da colônia. Seu uso, afirmava, era inevitável, mesmo porque a pobreza das boticas e a distância dos centros urbanos eram enormes: "Em tão remotas partes, que hoje estão povoadas nessas Minas, aonde não chegam médicos [...] por cuja causa padecem os povos de grandes necessidades."

Em meio à natureza tropical, a experiência incentivava os profissionais da área médica a uma grande liberdade, além de alimentar a crença de que Deus deixara no Novo Mundo produtos medicinais superiores aos europeus. Como dizia Gomes Ferreira, existiam substâncias, "assim vegetais como raízes e minerais e animais, a quem o Nosso Senhor deu virtudes excelentes [...] para remédio de muitas enfermidades". A matriz de tantos conhecimentos eram os índios, confirmavam os próprios médicos. Sobre a raiz do butuá, "medicamento da terra", empregado em infusão contra febres, ele registrou:

> Eu vi os paulistas fazerem muito caso dela, trazendo-a consigo, que são estes homens muito vistos e experimentados em raízes, ervas, plantas, árvores e frutos, por andarem pelos sertões anos e anos, não se curando de suas enfermidades, senão com tais coisas, e por terem muita comunicação com os carijós, de quem se têm alcançado coisas boas, com que lhes se curam de muitas doenças.

Saberes africanos não ficavam atrás dos indígenas. Nieuhof foi um entusiasta dos "médicos" negros. Vistos como embusteiros e enganadores pelos moralistas coloniais, os babalorixás dos cultos nagôs e os feiticeiros curandeiros contribuíram para amenizar, mesmo com métodos pouco ortodoxos, as agruras do cativeiro:

> Lembro-me certa vez que me achava em casa de um amigo quando vi entrar pela cozinha um negro que vinha tratar de um escravo doente, que, segundo nos afirmou, havia sido vítima de feitiçaria. O curandeiro fez o doente levantar-se da cadeira e tomando um tição de fogo mandou que o escravo o lambesse três vezes justamente no ponto em que as brasas brilhavam. Depois apagou o tição numa vasilha d'água e esfregou nela o carvão até que ficasse negra como tinta. A seguir mandou que o doente ingerisse a água de um trago. Sorvida a beberagem, o escravo sentiu imediatamente uma ligeira dor no ventre. Feito isso, o curandeiro friccionou ambos os lados do paciente e, segurando com a mão um pouco de carne e gordura acima do quadril, aí fez com uma faca, que trazia no bolso, uma incisão de duas polegadas de profundidade de onde extraiu uma maçaroca de cabelos e trapos. Lavou a fenda com um pouco da água preta que ainda restava e, logo depois, a ferida estava fechada e o doente, curado.

Mas tanto entusiasmo em torno das receitas locais trazia dissabores. Havia quem não concordasse com sua eficácia e Gomes Ferreira chegou a haver disputa verbal, no meio de uma rua em Sabará, com outro médico.

A razão foi o emprego que este fez de clara de ovo para curar a fratura de fêmur de um escravo, receita portuguesa e, de acordo com o cirurgião, falha! Mas as receitas do nosso boticário não eram menos insólitas. Para curar picada de cobra, ele recomendava beber do "próprio esterco diluído em água" ou "pólvora desfeita", que "saravam". Para "mordedura de cão danado", lavar com vinagre e sal quente, depois aplicar uma mistura de alhos, cebolas e triaga magna. Essa última costumava levar carne de serpente, ópio e coral.

Além do conhecimento de ervas, a arte da medicina requeria conhecimento do cotidiano dos habitantes, lembra Junia Furtado, que estudou a trajetória de Gomes Ferreira. Eis porque, em suas receitas, ele acrescentava sapatos velhos, enxofre de verrugas, água de cisterna, leite de mulher parida, fezes de cavalos ou de meninos sadios, legumes de hortas, meias sujas e suadas. Um exemplo: para dor de garganta, "atar ao redor um escarpim, ou palmilha de meia bem suada e fedorenta". A receita teria "a aprovação de religiosos irlandeses que vivem na Corte Real", razão bastante, segundo ele, para sua validade.

Gomes Ferreira fez um longo e minucioso levantamento sobre plantas e animais úteis para a cura de moléstias tropicais e escreveu com a intenção de divulgar conhecimentos úteis aos moradores das Minas. Dedicou seu trabalho aos pobres e aos que "viviam nos matos faltos de notícias". Num clima diferente, cheio de perigos, febres e violência, o seu livro era um manual de sobrevivência, lembrando aos leitores cuidados óbvios: "Não trará os pés úmidos, nem enxugará camisa no corpo, não comerá coisas crassas, nem frias ou úmidas", e por aí afora.

Sem esquecer os escravos:

> Advirto que se o doente for preto, se lhe dê boa cobertura, casa bem recolhida e o comer de boa sustância, que nisto pecam muitos senhores de escravos [...] advirto que os senhores vão ver seus escravos quando estiverem doentes e lhes façam boa assistência, porque nisto lhe darão muita confiança, metendo-lhes ânimo e esforço para resistirem melhor à doença [...] e assim, por conveniência como por obrigação, devem tratá-los bem em saúde e melhor nas doenças, não lhes faltando com o necessário que desta sorte farão o que devem, serão bem servidos, terão menos doenças, mais conveniências, experimentarão menos perdas e terão menos contas que dar no dia delas.

Em Minas atuou, igualmente, José Antônio Mendes. Seu livro, com o meticuloso título de *Governo de mineiros mui necessário para os que vivem distantes de professores, seis, oito ou dez léguas, padecendo por esta causa seus domésticos e escravos que pela dilatação dos remédios se fazem incuráveis e o mais das vezes mortais*, foi publicado em Lisboa em 1770. O foco maior são as diversas moléstias e não suas causas, assim como receitas de sangrias, unguentos e ervas capazes de curá-las. Tal como os seus antecessores, ele se indignava: "Há lugares tão limitados e pobres que nesses não há médicos, nem cirurgiões, e só sim um simples barbeiro, que intrépida e atrevidamente se mete a curar a mais execranda maligna que se lhe oferece."

Apesar das publicações que trazem um retrato nítido dos problemas de saúde na colônia, a Coroa não fazia grande coisa para saná-los. A remuneração oferecida pelas Câmaras municipais aos cirurgiões contratados para cuidar dos pobres, necessitados e presos, os chamados cirurgiões de partido, não era nada atrativa. Que o dissessem os camaristas da Vila de Santos, ao reclamar, em 1736, a presença "de um médico naquela praça para aonde nenhum quer ir em razão de ter só cem mil réis de ordenado". O resultado é que quando tinha lugar uma epidemia, as Câmaras eram obrigadas a contratá-los de forma emergencial, pagando salários muito mais altos.

Uma das características da sociedade colonial do século XVIII era a crença de que as doenças eram uma forma de advertência ou punição enviada por Deus. Até os autores citados corroboravam essa impressão. Só o sofrimento dos corpos salvaria as almas. Deus e o Diabo mediam suas forças sobre o corpo humano: sadio era abençoado. Doente, amaldiçoado. A própria Igreja assistia os doentes com amuletos católicos e uma infinidade de objetos permeados de poderes mágicos. Santos e santas, invocados nas orações, eram encarregados de diminuir as dores. As de dente, por exemplo, eram da alçada de santa Apolônia: "Deus eterno, por cujo amor santa Apolônia sofreu que lhe tirassem os dentes com tanto rigor e fosse queimada com chamas, concedei-me a graça do celeste refrigério contra o incêndio dos vícios e dai-me socorro saudável contra a dor nos dentes, Amém, Jesus."

Para cicatrizar feridas, rezava-se a santo Amaro. Dores de cabeça seriam resolvidas por santa Brígida e partos difíceis, por santa Margarida ou são Adrido. Operações curativas e bênçãos dadas por eclesiásticos e outros religiosos eram aceitáveis, pois "coisa de Deus". Já quando as curas eram feitas por benzedeiras ou curandeiras, inspiravam todo o tipo de desconfiança... Desconfiança das autoridades.

Sim, porque a população recorria a elas sem pestanejar. Aparentemente distinta do saber de médicos e cirurgiões, a medicina empírica, se assim pode ser chamada, usava do mesmo conhecimento fitoterápico. Apenas acompanhado de fórmulas místicas e palavras mágicas. Porém, utilizando-se do mesmo procedimento em fricções, beberagens, emplastros e defumadouros de plantas conhecidas. Na colônia, o número de curandeiras era expressivo e elas se ocupavam, sobretudo, de outras mulheres adoentadas, cujos corpos, por uma questão de pudor, não podiam ser examinados por homens.

Plantas como a "malícia de mulher", sarmentosa, espinhosa e de folha miudíssima, que fechava a corola quando tocada, foram muito usadas para problemas uterinos. O goembeguaçu servia para conter fluxos mensais. O suco de sua casca, ou o defumadouro de suas folhas aplicado "na parte, logo estanca". O lírio amarelo, com sua raiz pisada, bebida com mel ou aplicada, purgava a aquosidade das partes íntimas. Chifre de veado raspado era recomendado para a madre, o útero, que saísse do lugar.

A farmácia doméstica contava com um uma rica variedade de espécies cultivadas nos quintais. O alecrim era considerado poderoso contra raios e usado para afastar feitiços. Folhas de figueira tinham que ser respeitadas: não podiam ser queimadas em casa onde tivesse criança em fase de aleitamento. O rosmaninho, o sabugueiro e o alecrim colhidos na manhã de São João livravam a casa de enfermidades. O chá da arruda colhida em noite de Natal era usado em todas as doenças. Picão e erva-de-santamaria combatiam vermes e parasitas intestinais. A manjerona enxugava corrimentos, a erva-de-urubu afastava cobras e a ipecacuanha incentivou mesmo capítulos em obras europeias: remédio milagroso para tudo!

Vários regulamentos vetavam aos leigos o exercício da medicina, tornando os curandeiros, homens e mulheres, personagens perseguidos. Mas, diante da realidade cotidiana, as próprias autoridades abdicavam e davam certidões para que mulheres seguissem substituindo médicos que não existiam. Em Mato Grosso, Maria Fernandes Maciel, que praticava curas com sucesso, em 1798, recebeu a certidão passada de punho pela Junta do Protomedicato:

> Antônio Rodrigues da Rocha, cirurgião, aprovado por Sua Majestade Fidelíssima, Delegado Real da Real Junta do Protomedicato, certifico que Maria Fernandes Maciel me enviou a dizer por sua petição que ela se tinha aplicado curiosamente a curar tumores cirrosos e como não o podia fazer sem licença me pedia que a admitisse a exame para curar as ditas enfermidades, e saindo aprovada mandar-lhe passar a certidão, o que assim o fez em minha presença pelos examinadores Serafim Pinto de Araújo, o qual me certificou que a suplicante tinha feito várias curas e que fora nelas feliz.

Vale lembrar que um regimento geral dos delegados e juízes comissários do cirurgião-mor e físico-mor no Estado do Brasil foi promulgado em 16 de maio de 1744, intensificando a fiscalização do exercício das artes de curar na colônia. A dita Junta do Protomedicato passou a exercer suas atribuições por meio de seus delegados, que passaram a fiscalizar a prática médica dos cirurgiões, cirurgiões-barbeiros, barbeiros, sangradores, veterinários, enfermeiros, dentistas e parteiras e o ensino médico cirúrgico no Brasil, além da concessão de cartas de examinação, licenças dos diversos curadores e vistos em diplomas de faculdades médicas estrangeiras, e do controle de hospitais civis e militares.

Adiantou? Para inúmeras partes da colônia, não. Ao chegar ao Grão-Pará, em 1763, a Terceira Visitação do Santo Ofício às partes do Brasil encontrou várias mulheres índias, mestiças e pobres que praticavam curas mágicas mesclando elementos católicos aos ritos mágicos. A índia Domingas Gomes da Ressurreição, por exemplo, aprendera a curar "quebranto" com sua senhora, uma portuguesa, usando as seguintes frases: "Dois olhos maus te deram, com três hei de curar. Jesus Cristo te livrou, Jesus Cristo te diz quem de mal te olhou." Era exímia no tratamento de erisipela, quando cruzava as mãos sobre o enfermo, rezando ave-marias e pais-nossos. Certa Ludovina Ferreira se destacava por desenterrar feitiços, retirar bichos de corpos enfeitiçados e descobrir a causa das doenças. Muito diferentes dos médicos? Não, pois as fronteiras entre ciência e magia eram tênues. Basta lembrar que Luis Gomes Ferreira indicava, ele também, antídotos contrafeitiços, sobretudo o pó de coxa de sapo para quem estivesse magro e se julgasse enfeitiçado.

Até mesmo no Rio de Janeiro, no início do século XIX, Jean-Baptiste Debret representou, numa gravura, o "cirurgião negro", capaz de tanto aplicar tratamentos tradicionais como as ventosas, quanto de vender amuletos e talismãs curativos como o cone feito de chifre de boi, "que se pendura ao pescoço para preservar das hemorroidas ou das afecções espasmódicas".

A difusão dos livros de medicina ficava restrita às esparsas classes letradas ou às bibliotecas de conventos. A dos jesuítas no Colégio do Pará, segundo inventário de 1760, continha vinte tomos de medicina. Sua botica era invejável: recipientes diversos com mais de quatrocentos remédios, fornalhas, alambiques, almofarizes de mármore, ferro e marfim, armários, frascos e potes de várias cores e tamanhos, balanças, pesos, medidas, tachos de cobre, bacias, prensas e tenazes, todo um aparato para a fabricação de remédios.

Remédios, aliás, que podiam se materializar em exorcismos, quando se tratava de malefícios. Afinal, a Igreja acreditava que o demônio se inseria nos corpos humanos causando-lhes mal. E, para extirpá-los, não faltaram exorcistas cujos métodos não muito ortodoxos foram perseguidos pela Inquisição. Certo frei Luiz de Nazaré, por exemplo, atuante na Bahia na década de 1730 do século XVIII, justificava atitudes lascivas que tinha com mulheres doentes escudando-se nas leituras que fazia. Sempre que procurado, o padre dizia que para recobrar a saúde era essencial ter relações sexuais com ele. E, sério, acrescentava: que elas não tivessem escrúpulos de tais atos, pois "tudo aquilo que fazia era coisa da Igreja e que o fazia pelo livro que tinha nas mãos".

Alguns dos remédios receitados por padres exorcistas não se diferenciavam dos que se encontravam publicados: pombos e frangões abertos pelas costas, encostados no umbigo ou nos pés dos pacientes, misturas de água com vinho e açúcar ou clisteres de água-benta. Outros conseguiam ir além da imaginação. Ao atender uma mulher supostamente enfeitiçada, frei Luiz de Nazaré mandou-a comprar um porco e, depois de enviar os quartos e a banha para sua despensa, que ela cozesse os "miúdos" e "os deitasse numa encruzilhada às dez horas da noite". A velhacaria do padre ficou conhecida como "a cura do porco"!

Em meio a tantas dificuldades, era possível ser saudável? De acordo com a literatura médica, sim. Já diziam os doutores que as práticas cotidianas eram fundamentais para a conservação da saúde. Alimentar-se de acordo com os "humores" era importante. Alimentos quentes convinham aos pacientes melancólicos, considerados frios e secos. Bebidas frias deveriam ser ministradas aos coléricos, de natureza quente. Excessos com comidas pesadas e não fermentadas deviam ser evitados e "nunca soltar as rédeas do apetite", recomendava um doutor.

A gula era pecado mortal, lembrava Nuno Marques Pereira, pregador na colônia, e além de ser uma enfermidade corporal era também espiritual. "Muito sal" também não fazia bem. Pão, ervas e legumes compunham a dieta ideal. Moderação era a palavra de ordem, inclusive nas bebidas: chá, chocolate e aguardente. O vinho, considerado remédio, tinha que ser ingerido sem excessos. Caso contrário, provocava "acidentes epiléticos, estupores, paralisias, pleurites, entre tantos males". Cachaça, bebida num dedal, pela manhã, matava "bichos" e fortificava. Mas, ao se tornar um "abominável vício", gerava críticas como a de Gomes Ferreira:

> Não há coisa alguma nelas que seja mais prejudicial à saúde, assim de pretos como de brancos, como é a dita aguardente ou, por outro nome, cachaça, pois ordinariamente, quando queremos afirmar que uma coisa não presta para nada, dizemos que é uma 'cachaça'. Esta tem sido a causa de morrerem inumeráveis escravos e também bastantes brancos, irremediavelmente; os escravos, uns bebem tanta que, perdendo o juízo, se matam em pendências; outros, bebendo-a de ordinário, adquirem doenças gravíssimas como as obstruções nas veias e canais de todo o corpo, no baço, no mesentério [...].

E, para curar a "bebedice", o autor do *Erário mineral* recomendava: "Tomem a cabeça de um cordeiro com lã, ossos e dentes e um quartilho de sangue do mesmo cordeiro e uma mão cheia de cabelos da cabeça de qualquer homem, e o fígado de uma enguia com o seu fel; tudo junto se meta numa panela e [...] se meta no forno até que tudo fique bem torrado." Os pós eram dados diariamente aos bêbados que saravam.

Mal também para a saúde, os "desejos de sujos e desonestos deleites". Luxúria ou sexo em excesso? Cuidado... Antes de matar, cegavam e enlouqueciam.

# 6. TEMPO DOS MORTOS E DE MORRER

Na colônia, embora as vidas fossem curtas, a definição da morte era longa. Dela dizia o dicionarista Bluteau:

"Ser a separação da alma e do corpo no composto humano e fim da vida ou cessação dos movimentos dos espíritos e sangue nos brutos. Pintaram os egípcios a morte em figura de moça com arco e flecha nas mãos, olhos vendados, asas nos pés, sem orelhas. Moça a fizeram porque se bem a todas as idades faz estragos, principalmente atira na mocidade [...] no véu dos olhos se vê que a morte não distingue as pessoas, mas os grandes e pequenos, bons e maus, igualmente leva. Mostram as asas nos pés a velocidade com que a todas as partes se acha tirando vidas; a falta de orelhas é demonstração de que não ouve ninguém, a razões e gemidos é sempre surda. Entrou no mundo a morte para castigo do pecado, mas não deixa de ser útil ao mundo, porque, se não fora o medo da morte, seria imortal a malícia humana."

Medo de morrer? Não. Medo de não se preparar para a morte. De não estar pronto e, por isso, não aceder ao paraíso. E como se aparelhar? De início por uma disposição testamentária que contava com o dedo da Igreja: a legislação canônica favorecia os legados *ad pias causas*. Quem dispunha de seus bens sem contemplar a instituição se arriscava a não receber a extrema-unção e não ser enterrado em solo sagrado. E o medo de se perder nas chamas do inferno fazia com que os indivíduos fizessem o possível para deixar esmolas ou encomendar missas em benefício de sua alma, sempre pecadora. Para redimi-la, se derramavam doações e pagamentos, óbolos e espórtulas.

Quem habitava a colônia sabia a morte "coisa muito ordinária, natural aos homens". No dizer simplório de um desses homens, "como ser humano, sou mortal e posso morrer", ou, no entendimento poético de outro, "somos, afinal, de fino metal e por não saber da morte nem da vida [...]". O importante era "aparelhar-se para bem morrer enquanto são, rijo, valente e de pé". Não se esquecendo nunca, no momento de testar, de dizer que se estava "com todo o seu juízo e siso e comprido entendimento com todos os seus cinco sentidos perfeitos, potências, memória e entendimento corporal, que Nosso Senhor teve por bem de lhe dar para com ele se reger e governar como é sua vontade".

Diz Alcântara Machado que a grande maioria dos moradores da capitania de São Paulo fazia testamento. Faziam-no desde indigentes como Maria Leite, "tão pobre e tão carregada de filhos", que pedia uma cova pelo amor de Deus no convento de São Francisco e implorava "pelo amor de Deus" que seu caixão fosse "acompanhado pelo vigário e mais três sacerdotes até a tumba da Misericórdia", até gente muito abastada ou viajante. O bandeirante Antônio Rodrigues de Miranda testou "por estar de caminho para o sertão buscar meu remédio e por ser mortal e não saber a hora que hei de dar conta da minha vida". Precavidos, também, certo Pedro Madeira, "por não saber da morte nem da vida nesta viagem que vou fazer aos Guaianazes", e, Francisco Ribeiro: "Se Nosso Senhor fizer de mim alguma coisa nesta viagem que hora faço *adonde* Deus me guiar."

O motivo que levava nossos antepassados a fazer testamento estava sempre declarado no proêmio dos documentos. "Temendo-me da morte e desejando por minha alma no verdadeiro caminho da salvação" ou "considerando quão incerta é a hora da morte e a estreita conta que devo dar ao meu Redentor e Criador". Tinha os que se deixassem mover por inspiração piedosa de "pôr a alma bem com o Senhor Jesus Cristo". Ou, como esclarecia certa Isabel Sobrinha, "para concertar suas cousas de maneira que ficassem postas em ordem e maneira que todo o cristão tem por obrigação fazer".

Debruçado sobre tais testamentos, Machado sublinhou que muitos só se lembravam da morte quando essa se fazia lembrada. O tabelião então encontrava o doente "em cama, ferido a espingarda", "doente numa rede", "preso na mão do Senhor, muito mal, com grandes dores", "enfermo na mão de Nosso Senhor Jesus Cristo e no regaço da Virgem Nossa Senhora", "doente de uma flechada que lhe deram os topiões no sertão de Paracatu".

Se o achaque permitisse, mulheres recebiam o oficial, "assentadas em seu estrado". Nesses casos, era melhor nomear a morte por eufemismos e não invocá-la com insistência: "Fazendo Nosso Senhor alguma coisa de mim"; "Quando deste mundo de misérias e vale de lágrimas sair à honra e reverência sua"; "Quando esta minha alma do corpo terreno de todo sair"; "No dia do meu transe".

A importância de estar preparado levou à divulgação de manuais como certo *Breve aparelho e modo fácil para ajudar a bem morrer o cristão com a recopilação de testamentos e penitenciais, várias orações devotas tiradas da Escritura Sagrada*, publicado em Lisboa, em 1627. O manual, aliás, não escondia no prólogo o seu uso: "Naquela hora de aperto os enfermos e suas almas, quanto ao apartar da vida, as dores do corpo, a lembrança do tempo passado malgastado, os temores do Juízo eterno de Deus, a vista dos Demônios e, finalmente, a lembrança da eternidade perturbem de tal maneira a sua pessoa posta naquele estado que com a fraqueza das potências corporais fica uma alma em grande tribulação."

A obra tinha seis partes, num verdadeiro itinerário para que o moribundo conseguisse garantir sua entrada no céu:

> A primeira para avisar ao enfermo que não fez o seu testamento que o faça; a segunda contém um solilóquio para lhe avivar a fé e inflamar a alma com amor divino. A terceira, perguntas de Santo Anselmo com orações muito devotas. A quarta, alfabeto de versos do Saltério de Davi. A quinta, recopilação de palavras sagradas tiradas da Escritura Santa, excelentes contra demônios. A sexta, versos de admirável virtude inseridos neles o nome de Jesus, o qual serve para o sexto passo em que a alma se arranca do corpo.

O manual continha orientação para ministrar os sacramentos, em especial a confissão, além de repreensões com as quais se censurava o moribundo. Um interrogatório particular era desejável no caso de se estar morrendo um "converso" ou cristão-novo: para se ter certeza de que não jurara a Maomé, não fizera feitiçaria ou superstição, não comera carne na Quaresma ou cometera pecado nefando, não desejara pecar por obra ou casar com alguma infiel. Não se evitavam perguntas íntimas: se o moribundo pecara com alguma mulher prometendo casar com ela e depois não satisfez a promessa. Se pecou com animal ou contra a natureza. Se se deleitou em ver partes desonestas suas ou de outras pessoas e se falou palavras censuráveis. Quais ilegítimos herdariam e quais não herdariam, além de recomendar que se deixasse "alimentos" para os bastardos. Mais uma caridade, afinal...

Ao confessar um condenado à morte, o confessor podia fazer sugestões. Afinal, esmolas para remir cativos, casar órfãs, ajudar hospitais, reparar igrejas e mosteiros eram sempre bem-vindas. E terminava consolando o doente com palavras pias e santas. A confissão era considerada "um remédio". Acreditava-se que, se corpo e alma eram um só, aliviar a alma implicava em aliviar o corpo. Seguindo-se a esta, fazia-se o testamento.

As aventuras do corpo depois de morto tinham variações que ficavam gravadas no documento. Falava-se com detalhes do enterro. Receosa de ser enterrada viva, Antônia Gonçalves recomendava que seu corpo não fosse "dado à sepultura" antes de "24 horas acabadas". Já o bem-estar da alma estaria assegurado pelo número de missas cantadas, "com responsos" ou com vésperas e ladainhas. Havia os que queriam pompa no enterro: "Todo o acompanhamento que for possível [...] todos os sacerdotes que na vila estiverem [...] com a bandeira da irmandade e a cera que houver." Havia os que desejavam um enterro na mais absoluta discrição: "sem mais pompa que o reverendo vigário e sua cruz", ou, como dizia outro, "sem pompas, mas honesto". Tinha moribundo cuja consciência em paz ou o bolso apertado pedia apenas "doze missas pelas almas do fogo do purgatório". A pompa estava na razão direta do acompanhamento. Quase todos gravavam no testamento um pedido: queriam dar uma passada na Misericórdia.

Em São Paulo, muitos queriam descer ao túmulo em hábito franciscano ou carmelitano, nunca sem signos da confraria a que pertencessem. Em Minas, Maria Vaz da Conceição pediu que seu corpo fosse amortalhado num hábito de lã. Isabel da Silva teve seu corpo enrolado num lençol. Mas muitas mulheres preferiam ser enterradas vestindo o hábito de São Francisco ou Nossa Senhora do Carmo, com predominância para o primeiro. As mortalhas eram caras e raras, e o acesso a elas era sinal de importância, mas também de devoção. A negra Maria Martins Castanheira determinou que se lhe enrolasse na cintura o cordão de São Francisco das Chagas, santo protetor dos pardos.

Os locais de inumação também eram criteriosamente descritos nos testamentos: "na matriz desta vila, do pau do arco grande para dentro", "diante do altar de Nossa Senhora do Rosário", "das portas travessas para baixo", "das grades para dentro". Um se contentava com a cova em bom lugar. Outro pedia "ao reverendo vigário que me enterre na matriz porque

*Enterro de anjinho.*

FRÈRES, Thierry. *Convoi funèbre de négrillons* [Iconográfico].

PARIS: FIRMIN DIDOT FRÈRES, 1839.

assim minha alma é lembrada de meus parentes". "Na sepultura de meu pai, que é começando do arcaz de Nossa Senhora do Rosário da banda do altar", dizia um aflito Antônio de Britto, em 1687. Por volta de 1757, a viúva Rita Godoy Soares pedia para ser sepultada na matriz da vila de Sorocaba, e seu corpo "levado à igreja por dois negros numa rede".

O preço do enterro variava de acordo com tais lugares. Mais caro, dentro da igreja nas partes mais próximas do altar e elevadas. Mais barato, nas partes baixas, no solo e adros. Anjinhos, se batizados, ficavam "dentro". Sem batismo, nas biqueiras das casas ou muros do cemitério. A importância dada à sepultura, e em particular à conservação do corpo no túmulo, permaneceu para a cristandade como fator extremamente importante com vistas à Ressurreição. O uso do sarcófago, ou do caixão, tradição antiga, devia estar reservado à gente importante, por questões de hierarquia e fortuna.

O testamento providenciava também o bem da alma que devia se elevar embalada por missas, muitas missas. Podiam ser "missas cantadas com responsos, com vésperas e ladainhas, ofícios de nove lições em riba do corpo, ofícios vários com noturnos". Sem receio de exagerar, o testamento de João Leite da Silva pedia "um milhar de missas, repartidas por todos os sacerdotes que houver". Luiza Leme pedia 600 missas no Brasil e 400 em Portugal e legava ao seu filho, padre João Leite, escravos cujos serviços pagassem missas. Escravos trabalhavam não só em vida, mas, depois da morte de seus senhores, também.

O já conhecido Antônio Britto ordenava que se dissessem duzentas missas repartidas entre a "honra de Nosso Senhor Jesus Cristo", "suas cinco chagas", "sua sagrada morte e paixão", "sua Santíssima reverência", "sua Gloriosa Ascensão", "a Santíssima Trindade", as "nove festas de Nossa Senhora" e assim por diante. De maneira geral, os moribundos tinham pressa. Pediam urgência na execução de seus pedidos insistindo: "seja logo, sem demora [...] quanto mais depressa melhor", "logo".

O esforço de apagar as faltas confirma que nossos antepassados temiam o inferno e criam na ressurreição da "alma", a mesma que Nosso Senhor "remiu com seu precioso sangue e morte", a que no último dia haveria de retornar em juízo final e dar conta do bem e do mal que tivesse feito. Os moribundos preferiam não incomodar diretamente Deus, mas pediam intercessão de advogados, como, por exemplo, "a Virgem Nossa Senhora e no seu santo nome, e ao anjo de sua guarda e ao arcanjo São Miguel e a todos os santos e santas da corte dos céus e as onze mil virgens e a todos os anjos, arcanjos, querubins, braços, dominações, patriarcas e profetas que sejam em sua ajuda e favor quando a alma deste mundo e seu corpo sair" mereça ver "a divina face".

Nos testamentos lembrava-se, também, das "almas do purgatório", das mais "desamparadas e sem remédio" e das "almas das peças que morreram em seu serviço", pois se temia a volta de seus fantasmas. Aliás, nessa época não faltavam sufrágios e obras pias destinadas a salvar as almas, procissões realizadas com finalidade de absolvição das almas do purgatório e procissões de ossos, as que transladavam os ossos de justiçados publicamente em direção ao cemitério pelas Misericórdias, que consumiam a maior parte da fortuna deixada nos testamentos.

A crença no purgatório como local de remissão das culpas criava um rito forçado de passagem para a elevação da alma. Nas Minas, por exemplo, as cativas forras reservavam grande parte de seu espólio para a celebração de missas específicas para as almas que se encontravam no estágio intermediário entre o céu e a terra. Entre as inúmeras missas deixadas por elas destaca-se a precisão com que dispôs certa Teresa Feliz: dez celebradas na Matriz do Serro e vinte no Arraial do Tejuco, nas igrejas do Carmo, Mercês, São Francisco, Bonfim e num altar privilegiado da igreja do Amparo.

Representadas em pinturas, nas caixas de esmolas às portas das igrejas e toda a sorte de confrarias, as almas tinham importante papel entre as elites dos arraiais mineiros. Só para brancos? Não. A já conhecida Jacinta de Siqueira, moradora da vila do Príncipe, no momento da morte reafirmou a posição que conquistara em vida. Amortalhado com o hábito de São Francisco, seu corpo foi enterrado na matriz, acompanhado da Irmandade das Almas e Nossa Senhora do Rosário, a que pertencia, sendo celebrada uma missa de corpo presente. A filiação à Irmandade das Almas, que congregava nos arraiais mineiros as elites locais na primeira metade do século XVIII, o hábito com que ia amortalhada e o enterro na matriz com toda a pompa – sinais exteriores de honra – mostraram que ela conseguira em vida se retirar do mundo de desclassificação que a cor e a condição de escrava lhe impingiram inicialmente. Em seu testamento, a irmã Jacinta determinou que seus bens fossem repartidos entre as quatro filhas igualmente, sem proteção a qualquer delas.

Demonstrou ser mãe e avó zelosa, pois no ato do casamento dotara cada uma das filhas com três escravos; além disso, ainda em vida, dera a cada uma das netas dois mulatinhos e para a sua bisneta, um. Quanto aos seus bens imóveis, era proprietária de uma fazenda, uma rocinha e da casa onde morava, além de se dedicar à mineração de ouro e diamantes, tendo vários escravos matriculados na Intendência. Possuía 27 escravos, plantel significativo para a sociedade da época. Situação que consolidou sua entrada para a dita irmandade. Afinal, riqueza nunca teve cor.

Já os comerciantes portugueses, preocupados em engajar-se em irmandades que denotassem distinção social, como a do Santíssimo de Mariana, não admitiam misturas. Nada de "judeus, mulatos e hereges". Desejavam os que fossem reconhecidos como "cristãos-velhos de limpo sangue, sem rumor em contrário"; o que não impedia a participação de cristãos-velhos ou comerciantes menores, sendo 25,8% dos filiados comerciantes que buscavam inserir-se na elite colonial. As frestas para a mobilidade social existiam em toda parte.

Nas Minas, a proibição da instalação das Ordens Primeiras fez com que florescessem as irmandades leigas, por meio das quais os homens expressavam sua religiosidade e eram refletidas estratificações raciais e locais. Mas ali, também, as pistas das origens se confundiam ou apagavam. Mulheres e comerciantes mulatos enriquecidos procuravam esquecer o passado escravista ou apagar o estigma de mecânicos reunindo elementos que os inserisse no mundo metropolitano ao entrar numa irmandade de brancos livres. O mesmo ocorria com os cristãos-novos ao se juntarem a uma irmandade de elite.

Por falar em riqueza, o que encarecia o funeral eram os mementos entoados durante as cerimônias fúnebres – os cantos com órgãos e harpas. A missa rezada custa apenas um tostão; a cantada, três mil réis. Testadores pediam "missas cantadas com responsos, com vésperas e ladainhas, ofícios de nove lições em riba do corpo, e ofícios vários noturnos".

Indicavam sempre quem iria acompanhar o corpo à sepultura: o padre-vigário, os padres da Companhia de Jesus ou de outras ordens religiosas, ou ainda membros da confraria. Uma das funções principais das irmandades consistia precisamente em fazer o acompanhamento fúnebre dos irmãos e em dizer missas pelas suas almas. Esses dois aspectos aparecem em todos os compromissos destas associações religiosas.

No compromisso da irmandade de Nossa Senhora do Terço da cidade de Salvador lê-se: "Quando falecer algum irmão serão obrigados a Mesa e mais irmãos acompanhar aquele cadáver em ato de irmandade; e no caso de alguns destes não terem com que se amortalhar por causa da pobreza, se lhes dará uma mortalha branca de esmola por amor de Deus."

A mesma obrigação tinha a irmandade para com filhos dos irmãos casados, se estes vivessem "debaixo da sujeição e obediência de seus pais". Emancipados, perdiam tal direito. Exceção era feita às filhas, em idade avançada e "estado de donzela". Quanto mais alta a posição, maior o número de sufrágios recebidos pelo irmão, que, por sua vez, deveria estar quite com suas "promessas" e pagamentos anuais à irmandade. Um juiz recebia trinta missas. Um escrivão, vinte. Procuradores e consultores quinze, e o simples irmão, dez.

Confrarias, ou melhor, irmandades e ordens terceiras, associações religiosas de leigos que se reuniam para louvar um santo, foram nevrálgicas nos ritos de morte. Elas também localizavam os lugares sociais de cada um, no seio das coletividades. Na colônia elas eram milhares, de brancos, mulatos, pardos e negros, livres, forros e escravos. A possibilidade de reunir-se oficialmente em confrarias congregadas por etnia permitiu aos negros a vivência do culto africano: dentro das igrejas, veneravam os santos católicos e, fora delas, seus orixás. Nas festas dos santos e santas das irmandades dos homens pretos e pardos, as tradições africanas se manifestavam. Tornaram-se uma expressão do sincretismo religioso do Brasil Colonial. Estas associações estão na origem do candomblé e outras manifestações afro-brasileiras como o maracatu e o congado.

As eleições dos reis e rainhas da irmandade eram uma ocasião de afirmação da identidade cultural e também a ocasião de arrecadar as doações para o sustento da associação. Além do amparo que as irmandades brancas garantiam a seus associados, como assistência médica, jurídica e funeral e amparo financeiro, as irmandades de negros reservavam parte de seus recursos para a compra de alforria de seus membros.

Redução das diferenças num denominador comum sobre a morte? Na aparência, sim. Era preciso impor as práticas europeias a uma população mesclada e mestiçada, que reunia, sobretudo, negros de nações diferentes. Para uniformizar comportamentos frente aos enterros, as irmandades do Rosário da capitania do Ouro tentavam impor aos seus confrades a imagem da morte da elite católica:

> Assim que falecer algum irmão ou irmã, branco ou preto forro, ou cativo, se fará logo saber ao procurador, ou sacristão da irmandade, o qual avisará logo esta, não só fazendo com os sinos sinais costumados como tocando pelas ruas a campainha da irmandade para que os irmãos se juntem na Igreja a horas costumadas (anoitecer) para o enterro e, juntos que sejam, sairão todos com suas opas brancas, levando o sacristão ou outro qualquer irmão adiante a Cruz baixa e quatro irmãos a tumba da irmandade, e atrás de todos, irão, o Juiz de Nossa Senhora, ou outro qualquer dos mais santos que presente se achar, com sua vara e levará a sua mão direita o reverendo padre capelão e chegados à porta do irmão defunto entrará o reverendo padre capelão com licença do reverendo pároco encomendá-lo, o que feito, mandará meter na tumba o corpo defunto, e postos os irmãos em duas fileiras com a cruz adiante, levantada, levarão o corpo até a sepultura que lhe estiver destinada em nossa igreja ou em outra qualquer for sepultado nesta vila, e o procurador irá regendo a irmandade para que vá com toda a modéstia e compostura que se requer em aqueles atos, rezando pela

alma do dito defunto. E, caso este esteja longe da vila, o irmão juiz o mandará conduzir por dois irmãos para parte conveniente onde a irmandade possa buscar e esta lhe mandará dizer por sua alma oito missas, a saber, cinco que até agora a irmandade mandava dizer por cada um dos irmãos defuntos e três que a irmandade agora acrescenta e, devendo alguma coisa à irmandade, se lhe descontará a quantia devida nos sufrágios.

A irmandade atendia aos afiliados, não os deixando expostos à morte natural e à voracidade dos animais "assistindo a uns e a outros no artigo de morte e ajudando-os a bem morrer". Morria-se bem expulsando o demônio através de orações e invocando o anjo da guarda, que ajudava a destacar a alma do corpo. Nos primórdios da capitania do ouro, quando as irmandades do Rosário não haviam ainda se retirado das igrejas matrizes para erigirem suas próprias capelas, o cativo era inumado no interior dos templos como leva a crer a tabela de preços promulgada por d. Manuel da Cruz, publicada no ano de 1749, que estabelecia a quantia de meia oitava de ouro para "escravo enterrado dentro da igreja".

No Rio de Janeiro, por outro lado, os negros eram enterrados em pequenos cemitérios. A alta mortalidade que caracterizaria as condições de vida da escravaria levou a abertura de campos santos para pretos e mulatos.

Da taça de práticas religiosas nem todos beberam com a mesma sede. Havia sentidos invisíveis da morte que os africanos e seus descendentes, e apenas eles, decifravam. Não foi por outra razão que o bispo visitador Frei Antônio de Guadalupe observou em 1726:

> Achamos que algum escravo, principalmente da Costa da Mina, retém algumas relíquias de sua gentilidade, fazendo ajuntamento de noite com vozes e instrumentos em sufrágio de seus falecidos, ajuntando-se em algumas vendas, onde compram várias bebidas e comidas e depois de comerem lançam os restos nas sepulturas; recomendamos aos Reverendos Vigários de suas freguesias que façam desterrar estes abusos, condenados em três oitavas para a Fábrica aos que receberem em suas casas e ajudarem estas superstições.

Sim, havia um hiato entre os rituais oficiais em torno da morte e as práticas populares mestiças. Veja-se o exemplo, na cidade do Rio de Janeiro, estudado por Adalgisa Arantes Campos. Segundo ela, a prancha de número doze da pena de Debret, que ilustra a extrema-unção levada a um doente, exibe um destacamento militar atrás do pálio e ainda a presença de uma banda. O que o gravador deseja mostrar é o irmão que sai com o sino para atrair os outros confrades. Não os encontrando, pede ajuda de "soldados do posto militar mais próximo". Mas se coincide que, naquele dia, "era dia de festa celebrada especialmente cuja assistência é solicitada, o cortejo é acrescido solenemente da banda de músicos negros", o resultado não é uma música fúnebre, mas sons variados de "valsas, alamandas, lundus, gavotas, recordações de baile, militarmente entrecortadas pela trombeta da retaguarda, que domina tudo com uma marcha cadenciada", acrescida de coro "entoando as litanias intermináveis da Virgem".

Nas imagens animadas pelo texto de Debret, o capelão chega à casa do moribundo e entra para administrar o sacramento da extrema-unção. Porém, do lado de fora, os negros "recomeçam com todas as forças a executar suas contradanças". O retrato minucioso feito por Kidder corrobora a mesma impressão:

"Devemos aludir a outra espécie de funeral que atesta a existência de costumes pagãos entre os africanos do Brasil. Os numerosos escravos da propriedade rural do imperador têm permissão de adotar os costumes que quiserem. Logo depois de nossa mudança para o Engenho Velho, tivemos, um domingo, a atenção atraída para trás de nossa casa, por uma interminável gritaria na rua. Olhando pela janela vimos um negro com uma bandeja de madeira sobre a cabeça, na qual levava o cadáver de uma criança, coberto com pano branco e enfeitado de flores, com um ramalhete atado à mãozinha. Atrás do negro, seguia uma multidão promíscua no meio da qual cerca de vinte negras e numerosas crianças, quase todas adornadas com tiras de pano vermelho, branco e amarelo, entoavam algum cântico etíope cujo ritmo marcavam com um trote lento e cadenciado; o que levava o corpo parava frequentemente e girava sobre os pés como se dançasse. Entre os da frente sobressaía pela exagerada gesticulação a mãe da criança, conquanto não pudesse, pela mímica, determinar com exatidão se eram de alegria ou de tristeza os sentimentos que a empolgavam. Assim foram eles até o adro da igreja, onde entregaram o corpo ao vigário e ao sacristão. O cortejo voltou então, cantando e dançando com mais veemência – se possível – que na ida. A cena se repetiu várias vezes durante a nossa permanência naquele bairro do Rio de Janeiro. Jamais a presenciamos em outro lugar."

A enorme carência assistencial, a insuficiência da atuação de autoridades e o teor violento da vida chamaram a atenção dos viajantes estrangeiros, dentre eles, John Luccock, que anotou, em sua estada na colônia, entre os anos de 1808 e 1818, quando passava pelo Recolhimento de Nossa Senhora do Parto, no Rio de Janeiro.

> Pela época em que cheguei, essa capela se fazia cenário dos mais abomináveis dos costumes. Os pequeninos cadáveres dos filhos da gente pobre, envoltos em molambos, eram frequentemente colocados nas grades de alguma das janelas, ali permanecendo até que alguma alma caridosa sobre eles depositasse a quantia da taxa cobrada para o enterro. Então, mas nunca antes, os homens cuja ocupação devia ser a caridade, tanto para os vivos, como para os mortos, carregavam o defunto e embolsavam o dinheiro.

Já Carl Seidler assistiu a um acontecimento na Misericórdia do Rio de Janeiro, entre 1833 e 1834 que o chocou profundamente:

> Ao referir esse cemitério acodem-me lembranças que me arrepiam. Na verdade, é indiferente que um dia nosso cadáver repouse aqui ou ali, que nos comam os tubarões ou os vermes: o morto nada percebe. Mas a questão muda para os queridos sobreviventes: para estes deve ser horrível saber o parente ou o amigo enterrado de uma forma que causa horror ainda ao mais indiferente passante. Sem esquife, muitas vezes sem a menor peça de roupa, em absoluta nudez, são atirados os mortos desse hospital numa cova que nem tem dois pés de profundidade. Dois negros conduzem o morto para a sepultura, em uma padiola ou rede presa a comprida vara, atiram-na ao buraco, como um cão morto, põem um pouco de terra solta por cima e então, se por causa da pouca profundidade da cova alguma parte fica descoberta, socam-na com pesados tocos de madeira, de forma que acaba formando um horrível mingau de terra, sangue e excrementos.

Não era diferente nas outras capitanias. Por outro lado, não eram incomuns os gestos de solidariedade de membros da nação do defunto indigente, no sentido de conseguir os recursos necessários ao sepultamento mais barato, "na Santa Casa de Misericórdia, onde este tipo de inumação custa três patacas". As ruidosas pompas fúnebres ocorriam ao anoitecer, como era costume, ao som de palmas e "rufar de tambores". O cadáver seguia dentro de uma rede "envolto em folhas de bananeira", condição dos pobres que não conseguiam alugar um esquife, ao custo de "dois francos".

Na outra ponta das comunidades africanas, ocorriam os enterros de príncipes, como o gravado por Debret. Nesses momentos, mantinha-se a tradição tribal de reverenciar antigas elites mesmo que escravizadas e privadas de suas insígnias. Assim, "saudar respeitosamente o soberano de sua casta", beijar-lhe a mão e pedir bênção eram atitudes que permaneciam nas práticas dos cativos. Era quase um funeral de Estado a que compareciam membros políticos de outras nações.

Morto o soberano ou seu filho, era estendido em sua esteira, com o rosto descoberto e a boca fechada com um lenço. Era costume também colocar uma moeda na boca do morto. Se ele não tivesse peças de suas vestes africanas, o melhor artista dentre seus vassalos compensava a falta de trajes reais desenhando seu corpo inteiro num muro próximo e "vestindo-o com seu grande uniforme embelezado com todas as cores", no dizer de Debret. O povo que vinha vê-lo jogava água-benta sobre "seu corpo venerado". O soberano era visitado também por delegações oficiais de outras nações negras, compostas por três dignitários: o diplomata, o porta-bandeira e o capitão da guarda. Ao chegar, cada grupo nacional era apresentado por seu capitão da guarda, que abria caminho no meio da multidão. Durante um dia inteiro, do amanhecer até a noite, os vassalos do soberano ficavam em sua casa, tocando seus instrumentos nacionais, batendo palmas juntos, num ritmo de três rápidas e duas lentas, ou duas rápidas e uma lenta, enquanto se disparavam fogos de artifício de tempos em tempos. Por fim, às seis ou sete horas da noite, organizava-se a procissão do funeral.

Um mestre de cerimônias liderava a procissão que saía da casa do soberano morto e com grandes golpes da sua bengala fazia a multidão de negros abrir caminho. Seguindo-o vinha o homem negro que soltava os fogos e três ou quatro acrobatas que realizavam piruetas. Depois desse grupo ruidoso, vinha o grupo silencioso de amigos e delegações nacionais que guardavam o corpo, transportado numa rede coberta com "um pano mortuário", com uma grande cruz. Fechava a procissão a retaguarda, que, carregando bengalas, também mantinha os curiosos à distância. Seguiam então para uma das quatro igrejas: Sé Velha, Nossa Senhora da Lampadosa, Nossa Senhora do Parto ou São Domingos. Durante a cerimônia na igreja, uma missa obviamente fúnebre, as pessoas do lado de fora soltavam mais fogos, batiam palmas, tocavam instrumentos africanos e cantavam suas canções nacionais.

Em comparação com o funeral dinâmico e colorido do filho de um rei africano, Rugendas dá testemunho do funeral católico e sóbrio de um homem negro. Nesse caso, somente um menino liderava a procissão, carregando a imagem de um triângulo no alto. Atrás dele vinha outro menino com o crucifixo, seguido de dois coroinhas segurando o que pareciam ser lanternas, adiante de um quinto que levava uma bandeira com uma caveira e ossos cruzados. Depois dele, caminhava o padre, de compleição mais clara que os negros. O corpo do homem morto era carregado numa caixa simples sobre os ombros de seis homens, viúva e filhos vinham atrás. Duas figuras encapuzadas lideravam o resto do grupo. Assim, não havia dança, nenhuma música aparente nem fogos de artifício e nada da vitalidade tumultuosa tão clara no funeral de um rei africano.

Segundo Debret, quando uma mulher negra morria, seu cortejo fúnebre era composto apenas por mulheres, exceto pelo mestre de cerimônias e um tocador de tambor. Em sua ilustração, Debret mostra o mestre de cerimônias na porta da igreja, ao lado do tocador de tambor. Estão diante de uma procissão de mulheres negras de pé ao lado da rede enrolada em um pano sustentada por dois carregadores. Outras observam o funeral ou batem palmas. Conforme Debret, as mulheres moçambiques cantavam canções que eram notáveis por seu sentido cristão, enquanto outras lamentavam a escravidão. Felizmente, ele transcreveu uma dessas canções: "Estamos chorando por nossa parenta; não a veremos nunca mais; ela vai para abaixo da terra até o dia do juízo, lá ela estará para sempre, amém."

Se a mulher fosse pobre, suas colegas passavam a manhã carregando o corpo numa rede até o muro da igreja ou perto da porta de uma loja, onde uma ou duas mulheres mantinham uma vela acesa perto da rede e pediam esmolas para completar as despesas de seu enterro. A visão do corpo atraía os curiosos, mas eram especialmente seus compatriotas que contribuíam para o sepultamento. Embora tão pobres quanto ela, todos davam alguma coisa; não havia exemplo de uma "pobre moçambique" que não tivesse sido enterrada "por falta de dinheiro".

Em certo funeral que se realizou à noite na Lampadosa, o mestre de cerimônias, com seu bastão na mão, parou a procissão diante da porta e o tambor tocou seu instrumento enquanto as mulheres batiam palmas e cantavam canções fúnebres em honra da mulher morta. O corpo dela, suspenso em uma rede, era acompanhado por oito de suas parentas e amigas, cada uma das quais colocava a mão na vara da rede ao som de dois pequenos sinos. A missa fúnebre e o sepultamento ocorriam imediatamente.

Se a igreja tivesse um local de enterro, como algumas das igrejas dos escravos, o corpo era colocado em um nicho da parede; o padre e os amigos do falecido borrifavam água-benta e depois cal sobre o corpo. Depois de orações em louvor de sua alma, o nicho era fechado com tijolos e coberto com reboco. Após dois anos, os ossos eram removidos e colocados em um vaso de pau-rosa ou mármore, ou queimados e as cinzas, preservadas. Porém, se os escravos fossem pobres, esses gastos eram dispensados e eles, enterrados em esteiras ou folhas de bananeira, em florestas das proximidades, ou na cova comum da Santa Casa. Em engenhos, não era incomum o enterro em covas perto das fábricas de açúcar.

Cada qual com sua morte. Morte que trazia alegrias, muitas vezes. Graças a ela, escravos ganhavam liberdade, bastardos eram reconhecidos, vendas extorsivas tinham a dívida reduzida, restituía-se dinheiro emprestado. Distribuíam-se patacas aos necessitados, roupas aos órfãos, dava-se alguma coisa ao "mais pobre homem" ou a "mais desamparada órfã que se achar". Os moribundos se lembravam de parentes mortos, de injustiças ou atrocidades cometidas, de brutalidades cometidas contra escravos ou desafetos. Para descarregar a consciência e evitar ir para o inferno, muitos se acusavam das faltas cometidas. Restituía-se até tostões, pediam-se missas para escravos mortos no eito ou índios trucidados. Outros alforriavam seus escravos "por amor" e perdoavam dívidas sabendo que a caridade era imprescindível à salvação. Alguns recomendavam um membro da família a outros, sobretudo, quando se tratava de uma amante ou concubina: "Peço aos meus filhos que ponham os olhos nesta mulher, pois foi mulher de seu pai."

Doava-se por amor, também. Maria Joaquina Silva Pereira, negra da Costa da Mina, ao falecer em Salvador, deixou uma terça de terra para seu marido "em atenção ao amor, fidelidade e zelo com que sempre me tratou e a boa união que sempre fizemos". Distribuíam-se bens, casas, animais, utensílios domésticos, roupas, joias, moedas à parentela, agregados e escravos. Nomeavam-se os filhos bastardos e as concubinas, ou, no caso de mulheres, seus amantes e "filhos do coito danado". Legava-se às irmandades, incumbindo-se os padres a administrar juros de "mil réis", para ajudar em festas religiosas e rezar missa pela alma do agonizante.

Mas havia quem morresse sem ter nada de si, abandonado e amortalhado em lençóis doados por uma alma caridosa. Suas queixas ficavam também registradas nos testamentos: Luzia de Abreu, falecida aos 93 aos, em 1793, Sorocaba, registrou que fora "vítima de uma pena de maldição" imposta por seus filhos e que nunca fora "assistida com um ovo que fosse". Estava tão abandonada que só lhe restou ser enterrada com um lençol de algodão dado por sua neta.

Os que se recusavam a submeter-se ao rito eram considerados "libertinos" e sua atitude, denunciada ao Santo Ofício da Inquisição em Lisboa. Em 1778, por exemplo, Antônio da Costa Serra, morador na cidade de São Paulo e comerciante de escravos novos, foi acusado de, estando gravemente doente, recusar-se à confissão e aos sacramentos. "Respondia com despropósitos e blasfêmias." Explicou um denunciante que o renegado "também nega que as nossas almas passem desta para outra vida a dar contas ao seu Criador e que Deus tenha lugar destinado, que é o inferno e o purgatório para as castigar; e ainda nega que haja céu onde alguém é premiado e glorificado em nome de Deus, antes que sejam aniquilados neste mundo". Chocado, o cura envia um vizinho para convencê-lo a confessar; a resposta era clara. Antônio em nada acreditava. Mas um "herege" era exceção.

## O aqui e o depois

O momento que se seguia à morte, situando-se, singularmente, entre o falecimento e o enterro, era crucial e, em alguns aspectos, perigoso. Ele exigia todo um conjunto de serviços a prestar tanto ao corpo quanto à alma, já separada da carne, assim como à comunidade. Os cuidados com o corpo eram tão mais importantes, quando este não era considerado ainda totalmente mor-

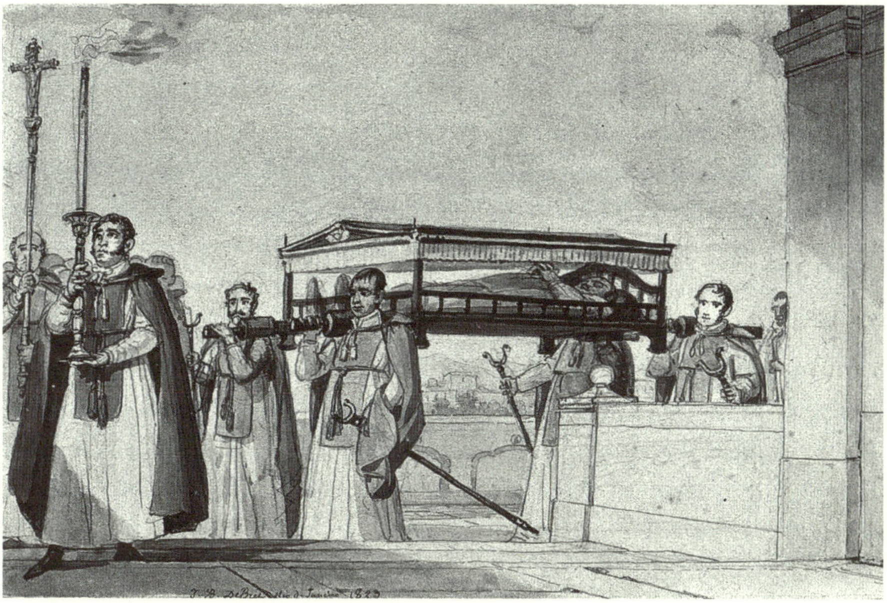

*Enterro solene.*

DEBRET, Jean-Baptiste. Enterro d'um irmão da Nossa Senhora da Conceição [Aquarela sobre papel]. MUSEU CASTRO MAYA, RIO DE JANEIRO, 1823.

to – só a putrefação determinava o fim. Falava-se, pois, com o morto, preparando-o para a viagem. Depois de fechar os olhos, na frente da família, do padre e de quantos quisessem vê-lo morrer, o indivíduo era banhado, por uma parteira ou curandeira ou parente próximo; acreditava-se que, lavando o corpo, lava-se a alma. Ele era ainda embelezado por um corte de cabelo, de barba e de unha, e vestido com a mortalha de sua irmandade. Guardavam-se os pelos para feitiços, embora este rito fosse punido com penas pecuniárias. Em casas distintas, em Pernambuco, as "choronas", vestidas de branco e cobertas com véus negros, seguiam o enterro, gemendo.

Iniciava-se a vigília, com a chegada de mais parentes, membros da comunidade e da irmandade à luz de uma fogueira acesa no quintal: a sentinela. Mulheres, novamente, entoavam *incelensas*. O fogo aceso marcava, simbolicamente, a casa do morto e a presença de sua alma. Esta última era vigiada. Havia quem a visse instalar-se numa coruja, borboleta, bruxa ou outro animal. Toda uma estratégia com as portas e janelas era acionada, para deixá-la partir. Não sabemos se aqui, como na Europa, avisava-se aos animais de estimação: "Seu dono se foi." Nos velórios, circulavam bebidas de fabricação doméstica, o aluá de milho ou de abacaxi, o vinho de caju ou de jenipapo, a cachaça com casaca de laranja, o café bem forte. As comidas eram secas, especialmente os doces tradicionais. Nada de garfo e faca. Era refeição fúnebre, rápida, silenciosa, contrita.

As crianças não desmereciam cuidados. O observador Daniel Kidder é quem conta: "Muitas são as descrições de enterros, no Rio de Janeiro. Caracteriza-os o mesmo gosto pelas exterioridades e ostentações que se nota nas outras cerimônias religiosas. Variam, porém, largamente de acordo com a idade e a condição do morto. Quando se trata de criancinha, o enterro é considerado motivo de júbilo e organizam uma procissão triunfal. Cavalos brancos, festivamente ornamentados com plumas na cabeça, puxam um coche aberto no qual vai um padre paramentado, de cabeça descoberta, levando ao colo num ataúde aberto o corpo da criança ricamente vestida e coberta de laços de fitas e flores. Os portadores das tochas, se não inteiramente de branco, levam rendas prateadas nos paletós e tocheiros brancos."

Diz ainda Kidder: "Quando o funeral é de adulto, o contraste é o maior que se possa imaginar. O cortejo sai geralmente à noite. No dia anterior armam um catafalco na casa do morto. À porta colocam um reposteiro preto. Os cavalos, o carro mortuário, os portadores das tochas, vão todos vestidos de negro. O cocheiro leva dragonas portas sobre os ombros, e na cabeça, um 'chapeau de bras' com pluma ondulante. O número de tocheiros está sempre em relação com o das carruagens, ao lado das quais formam alas. Vão em geral montados, e os seus longos tocheiros negros, chamejando na escuridão, produzem efeito imponente. Quando o féretro chega à igreja, é transferido para um pedestal alto a que chamam mausoléu, coberto de panos pretos e cercado de círios acesos. Aí fica o morto enquanto celebram as cerimônias fúnebres. O corpo é depois enterrado sob uma das lages de mármore de que o piso da igreja está repleto, ou colocado em alguma catacumba aberta nas paredes laterais do edifício. O caixão usado no cortejo não é enterrado com o cadáver, mas conservado na igreja ou na sede da irmandade, que o aluga para tais ocasiões. Quando o corpo é colocado na catacumba, atiram cal virgem para acelerar o processo de decomposição; depois de mais ou menos um ano abrem novamente o túmulo e tiram os ossos para limpá-los. Os parentes do morto mandam então encerrar os restos mortais em uma urna que poderá ficar na igreja ou ser removida para a casa. Em geral, porém, as urnas ficam na igreja e as famílias levam as chaves; conta-se, porém, o caso de um homem que levou os ossos de sua mulher para o próprio dormitório. Tais urnas são de tamanho e formatos variados, mas têm aparência de féretro. Algumas são grandes como mausoléus; outras, pela sua ornamentação externa, dão ideia de caixa para roupa.

> O lugar e as circunstâncias parecem altamente impróprias para exibição de ornamentos, entretanto, algumas dessas urnas mortuárias são enfeitadas com brocados de ouro e prata aplicados sobre cetim e veludo, para admiração dos visitantes. Quão diferente do pomposo e magnificente cerimonial fúnebre dos abastados é o enterro do pobre escravo. Nem tocheiro, nem ataúde no diminuto cortejo. O corpo vai balançando numa rede cujas extremidades são atadas a um longo pau apoiado ao ombro de seus companheiros. Estes enterros saem pela manhã, num andar cadenciado, os negros em fila, a caminho da Misericórdia. O cemitério dessa instituição resume-se em um terreno acanhado fechado por muros, no qual se vê pintada de vez em quando a figura de uma cabeça de cadáver. Nesse recinto abrem diariamente uma cova de sete pés quadrados. Aí enterram em promiscuidade os corpos dos que morrem no hospital durante a noite e dos escravos e indigentes sepultados gratuitamente. Dessa forma, o terreno inteiro é escavado no decurso de um ano, mas, nos anos seguintes continuam o mesmo processo.

Não sem razão os colonos temiam morrer em pecado. O inferno barroco era espaço de todo o sofrimento físico possível. Nele, os homens ardiam em rios de lavas, tinham seus corpos invadidos por serpentes, sapos, vermes e todos os orifícios permitiam a entrada de animais repugnantes e rasteiros. Como se não bastasse, alimentavam-se, segundo o pregador Manuel Bernardes, "de um cálice de fezes". Do alto do púlpito, nas escuras igrejas, os sermões caíam como pedras nas cabeças dos fiéis: "O Senhor sopra a fornalha como se dentro dela correra um rio de enxofre." Os pecadores? Haviam de "torcer os olhos, lançar escumas, inchar as veias, denegrir-se a cara, levantar-se nos ares e refinar os gritos".

O medo do escuro, sinônimo de desconhecido, significava sensações: "e se sentirão rodeados de uma obscuridade tão basta que a podiam palpar com as mãos, e tão molesta que no lugar onde sobreveio a cada um até ficou sem poder bulir-se"; "e estando juntos em um feixe, e fechados naquelas masmorras subterrâneas, bem se entende quão pestilencial vapor lançarão de si aqueles corpos que mais são cadáveres do que corpos vivos". Não por acaso, o perfume de morte, o da putrefação de corpos, era um odor bastante familiar para ser invocado como imagem pelo pregador, pois tal "odor pestilencial" estava no interior da igreja, onde os mortos eram enterrados a sete palmos do chão.

"O corpo há de ir brevemente para a sepultura e ser manjar de bichos e horror da vista", dizia padre Afonso de Andrade: "Não sereis tratados como meninos tenros, mimosos e delicados, mas, deitados a ferver em pez, metal e enxofre derretido como carne dura, seca e maldita, que por toda a eternidade há de ferver na fornalha infernal, mexendo-a tiranamente com duríssimos garfos de ferro os cozinheiros do inferno, sem acabar nunca jamais de cozer-se nem se apartar do fogo."

Os nossos ancestrais aceitavam a morte por doença com resignação. Ela permitia a preparação do indivíduo para o desenlace, assim como tomar todas as providências e realizar todas as vontades. As mortes repentinas, traiçoeiras, inesperadas provocavam uma revolta silenciosa, um sentimento de não aceitação. Naufrágios, raios, picadas de cobras, ataques de índios e assassinatos não davam tempo aos rituais que pudessem garantir uma relativa tranquilidade no além. Enchiam as casas e famílias de temor da volta do defunto a cobrar providências ou transformado em fantasma.

O horror de morrer fora da religião era de tal ordem, que a família de Isabel Martins, moradora de Nazaré paulista, abriu processo contra o tribunal eclesiástico. Falecida de morte súbita, Isabel não tivera tempo de confessar-se, cumprindo sua obrigação de cristã, na época da Quaresma. Por esse motivo, seu corpo ficara "insepulto e olvidado de justiça". Seus parentes correram ao tribunal do bispo e explicaram que ela falecera dando "mostras e sinais de contrição e arrependimento e invocando o nome de Maria e José e se acharam em seu pescoço contas ou verônicas". Morrera, portanto, com as "sobreditas demonstrações de cristã".

Foi perdoada depois de morta e, após algumas noites do seu corpo envolto em mortalha ao pé da igreja, seus parentes puderam dar-lhe o condigno repouso. Crenças condenadas por heterodoxas, tais como a de portar consigo uma "hóstia consagrada, retirada da boca por ocasião da

Quaresma", tinham por escopo proteger no caso da chegada repentina da dama da foice: de mortes súbitas, de tiros, de maus sucessos, como morrer afogado e sem confissão.

Enquanto alguém morria, a casa se agitava, pois outros cuidavam do velório. Os parentes masculinos eram chamados para organizar o funeral. Quem podia contratava um "armador", para "armar a casa", o que significava decorá-la com uma gama variada de panos negros que anunciavam o luto. Cobria-se a porta de entrada. Fazia-se anunciar a morte pelo choro da carpideira ou por uma campainha que a irmandade a que pertencia o defunto mandava tocar pelas ruas. As famílias abastadas mandavam avisar os amigos por "carta convite" especialmente entregue pelos escravos.

O cortejo fúnebre iniciava-se na própria casa do defunto, cujo corpo era conduzido à igreja e daí à sepultura. Paragens no trajeto, como as que eram feitas diante da Santa Casa de Misericórdia, para cantar responsos ou rezar, contribuíam para sacralizar o espaço exterior, acentuando a dimensão pública do funeral. A saída do féretro constituía um momento especialmente celebrado. Em torno do corpo se reuniam familiares, amigos, vizinhos e todos aqueles cuja presença havia sido pedida pelo defunto, com o objetivo de intercederem por sua alma: pobres, doentes, clérigos eram pagos ou retribuídos por participarem nesses cortejos de acompanhamento à última morada.

Tendo saído o enterro, apagavam-se os rastros da morte em casa. As roupas do defunto e as de sua cama eram distribuídas ou queimadas, seu colchão ou rede, destruído ou jogado fora. Varria-se a casa com especial cuidado de jogar a poeira pela porta da frente, que ficaria semicerrada, impedindo o retorno da alma. Jogava-se a água do último banho e enterravam-se cabelo e unhas cortados em lugar previamente selecionado. Embaralhavam-se as pistas, para não o deixar voltar, indicando, ao mesmo tempo, que não havia mais lugar em casa.

Depois da morte, o nome do defunto deixava de ser pronunciado; guiada por são Miguel, aspirada pela lua, sua alma deveria passar à Via Láctea. Caso não tivesse recebido a absolvição dos pecados, ela continuava a perambular pela terra durante três dias. O morto poderia voltar? Na tradição portuguesa, sim. Em algumas festas – Natal, Dia de Reis, São João e Corpus Christi – eles partilhavam os restos das refeições que lhe eram deixadas nos cemitérios. O banquete ritual foi uma prática condenada pela igreja através do cânone LXXIX, do Concílio de Braga de 572: "Não era permitido levar alimentos ao túmulo dos defuntos nem oferecer sacrifícios em sua honra."

A viagem para o além podia ser atrapalhada por espíritos malignos capazes de estender ciladas aos mortos. Na tradição ibérica, as orações pediam proteção contra o Diabo, "potestas aéreas", "anjos aterrorizadores" e "príncipes das trevas" como seres perigosos e capazes de desviar a alma do bom caminho.

Na excursão, os bons iam para o céu, de onde traziam boas notícias e apareciam com mensagens de outros mortos. Os danados ardiam no inferno. Para o limbo, partiam as crianças que não receberam batismo. Lá não veriam Deus, nem podiam ter esperança de encontrá-Lo. As almas do purgatório apareciam em encruzilhadas, nas cruzes de estrada, nos ossuários e cemitérios. Vivos e mortos tinham contato alimentando o folclore com histórias: a da burrinha sem cabeça, o chimbira, o vira-roupas, que assustava lavadeiras, as visagens e visões. A crença na "luz trêmula" da vela como mensageira de outro mundo, recado autêntico das almas, se encontrava de norte a sul. Estalidos e o crepitar da chama exigiam imediato sinal da cruz de quem estivesse por perto. Muitos vivos mandavam recados aos seus mortos, aproximando-se do ouvido do morto e dirigindo-lhe a palavra como se fosse pessoa viva.

O morto seguia vivo no túmulo. Imóvel, mas consciente. A sepultura era apenas uma outra residência, cela do dormitório onde aguardaria o despertar no Dia do Juízo. Eis porque sua interferência no cotidiano era possível, sobretudo, quando se tratava de fazer justiça, arrancando línguas de maldizentes, realizando vinditas implacáveis, punindo mentiras. Ele voltava para punir pecados sociais, sentenciando e condenando. O morto como sombra ou fantasma podia manifestar-se aos vivos de forma perturbadora e terrível, sobretudo, quando por alguma razão, não pode beneficiar-se de sepultura e de rituais fúnebres, caso de muitos escravos, suicidas e náufragos. O morto podia também, pelo contrário, proteger invisivelmente os vivos, nomeadamente seus parentes. E amigos que recordassem piedosamente o seu nome, e por ele oferecessem preces, sacrifícios e até esmolas; o morto assegurava aos vivos prosperidade e fecundidade, protegendo-os dos perigos e inspirando-lhes suas decisões.

Quem sabe, razão pela qual uma tradição medieval portuguesa e recriada no Brasil pelos africanos teve extraordinária longevidade. Trata-se da Recomendação ou Encomendação das Almas, realizadas durante a Quaresma. Soturnos cortejos deixavam, orando, seus pequenos vilarejos e caminhavam contritos até o cemitério local, chegando sempre à meia-noite, horário em que, acreditava-se, os mortos vinham ao encontro dos vivos. Vinte e quatro horas antes, em alguns grupos se preparava a "guiné": bebida mágica à base de aguardente, alho, raízes da planta do mesmo nome e raspas de chifre de boi ou veado.

A poção "fechava o corpo" e protegia, pois, fora enterrada por um tempo no "mundo de baixo", onde os afrodescendentes acreditavam habitar seus mortos com quem compartilhariam forças. Depois de ingerida, de preferência numa encruzilhada, lugar simbólico de comunicação entre uns e outros, entoavam-se cantigas oferecidas a todos os tipos de almas: as do purgatório, as da comunidade, as dos necessitados, as dos ofendidos ou mortos de picadas de cobra, a dos pais e mães, a dos mortos por tiro, e assim por diante.

E os índios? Os viajantes europeus relataram as cerimônias fúnebres realizadas longe do homem branco. Em Minas Gerais, contam Spix e Martius, eram enterrados de cócoras dentro da cabana ou metidos dentro de um grande vaso. A cabana era abandonada, pois não se queria perturbar seu sono. Podiam ainda ser simplesmente metidos ao chão depois de embrulhados em embirra ou tecido velho de algodão. O chão era pisoteado, duas vezes ao dia, ao som de um lamento fúnebre. Por cima da cova, repousavam as armas, alimentos e caça do morto. As viúvas, segundo ouviram contar os mesmos viajantes, pintavam o corpo de preto e cortavam curtos os cabelos. Isto já passados mais de 200 anos de presença portuguesa.

# AS HISTÓRIAS CONTINUAM

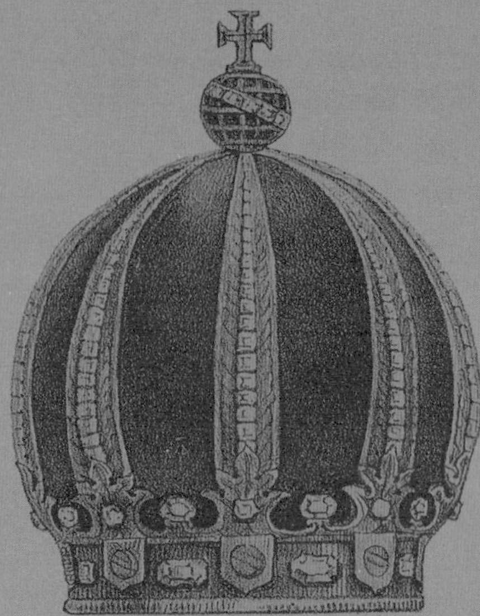

No próximo volume de *Histórias da gente brasileira* seguiremos acompanhando a ação do tempo e das transformações no cotidiano de nossos ancestrais. Império: quantas mudanças! E foram lentas ou aceleradas? Houve adesão ou rejeição? Ocuparam-se, lenta e trabalhosamente, as terras ao Centro e ao Norte do país. O trabalho era, agora, compartilhado com imigrantes livres e estrangeiros: *chins*, espanhóis, italianos, alemães e mais portugueses. A chegada de novas culturas e sua adaptação nos trópicos, a clivagem acentuada entre campo e cidade, as transformações urbanas graças à vinda da água, do *bond*, da eletricidade, tudo mudou paisagens e comportamentos. A transferência de capitais da escravaria e da terra ao comércio e depois à indústria incipiente trouxe tantas inovações! No consumo, nos instrumentos diários de trabalho, nas modas, na instalação da família burguesa, na casa com móveis ingleses e criados, na alimentação e adaptação das práticas culinárias, no sexo como tabu crescente e até na morte e no morrer se observaram lentas alterações.

O novo parecia ter substituído o velho. O penico deu lugar ao WC. O telefone e o telégrafo aceleraram as comunicações. A lenta tropa de mulas foi substituída pelo trem veloz. Surgiu o jogo do bicho, o iodofórmio, a emulsão de Scott, o sabonete Reuter. O presépio cedeu lugar ao Papai Noel. Os restaurantes adotaram cardápios franceses oferecendo *dîners et desserts*. A sesta de muitos era feita nos braços de *cocottes*, prostitutas francesas e polacas. Estilos e ritmos se aceleraram. Porém, o tempo era múltiplo e contraditório. Se por um lado havia pressa, por outro, a lentidão regia o tecido da vida social. Pois gestos e ritos, presentes desde os tempos da colônia, permaneceram vivos e eram repetidos, sobretudo na intimidade, onde seguia vigorando o patriarcalismo, a violência e as relações hierárquicas. As inércias? Muito profundas. Entre a vida pública e a privada, a correnteza da história seguiu arrastando os pequenos personagens, os atores anônimos, suas ações, sentidos e significações. Aqueles mesmos que há séculos fazem o tecido da gente brasileira.

# GLOSSÁRIO

**Akan:** Região e povo da região da atual Gana, na África.
**Alcatifas:** Tapete grande para revestir o chão.
**Alféola:** Bala feita com massa de açúcar ou melaço.
**Alguidares:** Vasos de barro ou metal, baixos, em forma de cone invertido.
**Almofarizes:** Recipiente em que se trituram e homogeneízam substâncias sólidas, o mesmo que pilão.
**Alvaiade:** Pigmento branco de carbonato básico de chumbo ou de óxido de zinco.
**Angelus:** Hora do Angelus, meio-dia.
**Aniagem:** Pano grosseiro, sem acabamento, de juta ou fibra vegetal análoga, usado para confecção de fardos.
**Aperos:** O conjunto das peças necessárias para encilhar o cavalo.
**Arcaz:** Grande arca com gavetões, usada em sacristias, para guardar vestes e objetos sagrados.
**Arraes:** Arrais, marítimo com conhecimentos práticos e locais de navegação.
**Atlântica:** Atlântida, uma lendária ilha ou continente mencionada por Platão.
**Augúrio:** prognóstico, presságio, auspício, agouro.
**Autóctones:** habitante primitivo de uma terra, aborígene.
**Bagualada:** Manada de baguais (potros).
**Balandrau:** Antiga vestimenta de capuz e mangas largas.
**Bandeiras:** Expedições particulares ao interior do Brasil durante o período colonial.
**Barriletes:** Pequeno barril.
**Beijus:** Bolo de massa de tapioca ou mandioca, de origem indígena.
**Belbutina:** Belbute fino, isto é, tecido de algodão aveludado.
**Belchiores:** Mercadores de objetos velhos e usados.
**Birotes:** Cocó. Penteado feminino que consiste em enrodilhar os cabelos no alto da cabeça; coque.
**Bordalês:** Bordelês. O natural ou habitante de Bordéus, França.

**Bruacas:** Saco ou mala de couro cru, para transporte de objetos e mercadorias sobre bestas.
**Bufarinheiros:** Vendedor ambulante de bufarinhas, ou seja, objetos pouco valiosos, bugigangas, quinquilharias.
**Bulha:** Gritaria, altercação, discussão, briga, desordem.
**Camboeiros:** Aquele que escolta ou guia comboio.
**Canastras:** Caixa revestida de couro, na qual se guardam roupas e outros objetos.
**Canedo:** Canavial.
**Cangalhas:** Armação de madeira ou de ferro em que se sustenta e equilibra a carga das bestas, metade para um lado, metade para o outro.
**Cantão:** Cidade na China.
**Carapinas:** Carpinteiros.
**Carrapateiras:** Que trata de carrapatos.
**Catafalco:** Estrado alto armado em igreja, casa mortuária etc., sobre o qual se coloca o féretro.
**Cepilhos:** Pequena plaina para alisar madeiras. Lima fina para polir metais.
**Charamelas:** Antigo instrumento de sopro, precursor da atual clarineta, de timbre estridente e áspero, da família da flauta, dotado de palheta simples que o ar fazia vibrar depois de percorrer um tubo cilíndrico, posto em cima do corpo sonoro do instrumento.
**Chinchas:** É uma cinta fina, em couro, usada em conjunto com o "travessão", que faz parte do conjunto de selaria de um cavalo. É colocada na barriga da montaria para ajudar a firmar o conjunto sobre o animal.
**Chiripá:** Vestimenta sem costura que consistia em 1,5m de fazenda que, passada por entre as pernas, era presa à cintura por uma tira de couro ou pelo tirador.
**Choças:** Habitação humilde, pobre.
**Cipango:** Um dos antigos nomes pelo qual o Japão era conhecido pelos europeus. Mencionado pela primeira vez nas descrições da viagem de Marco Polo.
**Coartação:** Ou quartamento, consistia em um acordo pelo qual o escravo pagava ao senhor uma determinada quantia pela sua libertação, em parcelas previamente estipuladas e dentro de um prazo definido. A partir desse acordo, o escravo assumia uma posição intermediária, mantendo os privilégios de livre, porém somente assumindo plenamente esta condição após a quitação da dívida com o seu senhor.

**Coivara:** técnica agrícola tradicional que consiste na plantação através da derrubada da mata nativa, seguida pela queima da vegetação.
**Colônia de Sacramento:** Antiga colônia portuguesa fortificada na margem direita do rio da Prata. Fundada em 1680, é atualmente uma cidade do Uruguai.
**Cometas:** Caixeiro viajante.
**Cono:** Conjunto das partes genitais femininas. Vulva.
**Córdula:** Coração
**Corsários:** Uma espécie de pirata que atacava os navios inimigos, sob as ordens de um rei.
**Coxilhas:** Campina com pequenas e contínuas elevações arredondadas, típica da planície sul-rio-grandense, em geral coberta de pastagem e onde se desenvolve a pecuária.
**Cunhãs:** Mulheres.
**Daomé:** Antigo reino africano localizado onde hoje se situa o Benim.
**Debruns:** Listras ou filetes circundantes; orla, barra, cercadura.
**Degredados:** Aquele que sofreu a pena de degredo; desterrado.
**Devassas:** Sindicâncias para apurar um ato criminoso.
**Dez Tribos Perdidas de Israel:** Se refere às tribos que formavam o reino de Israel e desapareceram dos relatos bíblicos depois da destruição deste reino, por volta de 720 a.C., pelos assírios. Acabaram por se tornar alvo de especulações sobre uma possível sobrevivência ou sobre o seu retorno futuro.
**Dobres:** Toques dos sinos.
**Elmina:** Cidade em Gana, no golfo da Guiné, na costa ocidental da África. Remonta a uma antiga feitoria estabelecida pelos portugueses.
**Eito:** Roça onde trabalhavam os escravos.
**Engonços:** Espécie de dobradiça; gonzos.
**Entrudo:** Folguedo carnavalesco antigo cuja principal característica era lançar uns aos outros água, farinha, tinta etc.
**Enxó:** Instrumento para desbastar tábuas ou pequenas peças de madeira.
**Equinocial:** Que se situa ou é relativo à zona do equador.
**Ermida:** Capela fora do povoado; pequena igreja.
**Escambo:** Troca, permuta, câmbio.
**Escarificações:** Técnica de modificação corporal que consiste em cortes superficiais na pele, produzindo cicatrizes mais ou menos pronunciadas.
**Escolopendras:** Lacraias.

**Espórtulas:** Esmolas.
**Ex-votos:** Quadro, imagem, inscrição ou órgão de cera, madeira etc. que se oferece e expõe numa igreja ou capela em comemoração de graça recebida, voto ou promessa cumpridos.
**Feitoria:** Grande estabelecimento comercial, geralmente das ex-colônias europeias.
**Fez (reino):** Antigo sultanato no Marrocos. A cidade de Fez foi fundada em 789 d.C. e está localizada no centro-norte do Marrocos.
**Fiacres:** Antigos carros de praça, puxados por cavalos.
**Forros:** Liberto, alforriado.
**Ganzás:** Espécie de maracás. Chocalhos feitos de um cilindro de metal que contém pedras ou sementes.
**Garlopa:** Instrumento de carpinteiro, semelhante à plaina, mas maior do que esta.
**Gentio:** Aquele que professa o paganismo; o indígena.
**Goivas:** Espécie de formão acanelado.
**Guascas:** Habitante do campo; caipira, roceiro. Gaúcho.
**Guedelha:** Cabelo desgrenhado, longo.
**Haragana:** Diz-se do cavalo que dificilmente se deixa agarrar.
**Hespéria:** Referência ao mito grego do Jardim das Hespérides ou Ilhas Hespérides, onde se supunha que viviam as ninfas Hespérides.
**Hortelãs:** mulheres que tratam de hortas.
**Hostes:** Exércitos, tropas.
**Ilharga:** Cada uma das partes laterais inferiores do baixo-ventre.
**Invernadeiro:** Invernador, aquele que se dedica à engorda de animais para o talho.
**Jarrete:** Nervo ou tendão da perna dos quadrúpedes.
**Jornal:** Pagamento. Salário por um dia de trabalho.
**Léguas:** Medida itinerária antiga cujo valor é variável segundo as épocas e os países. No interior paulista denominava-se légua a distância percorrida a pé (caminhada) por uma hora, aproximadamente 2 km. No Nordeste brasileiro já foi uma unidade de medida muito utilizada, que equivalia a 6km.
**Lemíste:** Pano preto de lã.
**Limões de cheiro:** Pequenas bolas de cera recheadas de águas perfumadas, características do Carnaval do Rio de Janeiro até o século XIX.

**Lógea:** Loja.
**Loros:** Correia por meio da qual se suspende o estribo do selim.
**Malacacheta:** Substância composta de lâminas finas, com brilho metálico, que constitui um dos elementos fundamentais do granito. Mica.
**Mamelucos:** Filhos de índios com brancos.
**Mancebas:** Moças, jovens.
**Maniçoba:** Planta euforbiácea de que se extrai borracha.
**Mantícora:** Criatura mitológica semelhante às quimeras.
**Marachões:** Aterro ou dique à borda de um rio destinado a impedir inundações.
**Marimba:** Instrumento de percussão de origem africana constituído por metade de uma cabaça presa a um arco de madeira, com um fio de arame retesado que é percutido com uma vara. Berimbau.
**Marrafa:** Pequeno pente ornamental usado pelas senhoras.
**Matalotagem:** Provimento de navio ou praça; víveres.
**Mazombos:** Indivíduos nascidos no Brasil filhos de europeus.
**Metastásio:** Poeta e escritor italiano considerado o mais respeitado e influente libretista do século XVIII.
**Missagras:** Peça, geralmente metálica, composta por duas partes que ligam ao mesmo eixo, permitindo movimento em portas, janelas, tampas, abas de mesa. Dobradiças.
**Monjolo:** Grupo africano escravizado e trazido para o Brasil. Máquina rudimentar, movida à água, usada para moer grãos.
**Morgado:** Propriedade vinculada ou conjunto de bens vinculados que não se podia alienar ou dividir, e que em geral, por morte do possuidor, passava para o filho mais velho.
**Mós:** Pedras pesadas e redondas para moinho ou lagar.
**Mugango:** Variedade de abóbora-menina. Moranga.
**Mungunzá:** Iguaria feita de grãos de milho (geralmente brancos) cozidos em caldo açucarado, algumas vezes com leite de coco ou de gado, a que se junta polvilho com canela. Canjica.
**Nédio:** Luzidio, brilhante.
**Nhengatu:** Língua indígena da família tupi-guarani modificada por influências europeias, foi durante algum tempo e até o século XIX a mais utilizada no Brasil, tanto pelos portugueses como pelos nativos.

**Nidificar:** Fazer o ninho.
**Óbolos:** Soma insignificante com que se contribui. Esmola, donativo.
**Obreias:** Pasta de massa de que é feita a hóstia e certos doces.
**Ofir:** Nome de uma região mencionada na Bíblia famosa por sua riqueza.
**Olho-d'água:** Nascente de água que rebenta no solo.
**Opilação:** Obstrução.
**Ouricuri:** Espécie de coqueiro.
**Palanquim:** Espécie de liteira transportada nos ombros.
**Pejadas:** Grávidas.
**Pelote:** Antigo vestuário de grandes abas.
**Pífaros:** Instrumento de sopro parecido com a flauta, porém menor e de som agudo.
**Preação:** Ato ou efeito de prear; prender, aprisionar.
**Prestamista:** Pessoa que empresta dinheiro a juros.
**Propiciatórios:** Vaso sagrado em que se oferecem sacrifícios a Deus.
**Púcaros:** Pequeno vaso com asa para beber água ou para extrair líquidos de outros vasos maiores.
**Recamadilho:** Bordado ou ornato em relevo, sobre tecido.
**Redingote:** Vestuário masculino largo e comprido com as peças da frente inteiriças; sobrecasaca.
**Reiúno:** Animal sem dono ou que pertence ao Estado.
**Rentistas:** Que ou quem vive de rendas.
**Reses:** Cabeças de gado.
**Salutífera:** Saudável.
**São Boaventura:** Foi um teólogo e filósofo escolástico medieval nascido na Itália no século XIII.
**São Tomás:** Tomás de Aquino, importante teólogo, filósofo e padre dominicano do século XIII. Foi declarado santo pelo papa João XXII em 18 de julho de 1323. É considerado um dos principais representantes da escolástica (linha filosófica medieval de base cristã). Foi o fundador da escola tomista de filosofia e teologia.
**Saragoça:** Tecido grosseiro de lã preta.
**Sirgueiros:** O mesmo que serigueiro. Pessoa que fabrica ou vende fios, tecidos ou obras de seda.
**Soca:** A segunda produção da cana, depois de cortada a primeira.

**Sodomitas:** Que ou quem pratica a sodomia; designação dada aos homossexuais.
**Somitígo:** Que ou quem é muito apegado ao dinheiro ou a bens materiais; Avarento.
**Sóror:** Tratamento que se dá às freiras.
**Sotainas:** Batinas de eclesiásticos.
**Súcubos e íncubos:** Demônios que assumem aparência feminina ou masculina, respectivamente, e que invadem o sonho dos homens e das mulheres a fim de ter uma relação sexual com eles para lhes roubar a energia vital.
**Tabardos:** Capote com capuz e mangas.
**Tabatinga:** Variedade de argila branca ou amarela.
**Tambuladeiras:** Pequenas taças sem pé, feitas normalmente em prata polida ou num metal claro como o estanho polido ou também, em algumas circunstâncias, em ouro.
**Tapuias:** Antiga designação dada pelos tupis aos gentios inimigos. Índios.
**Tigres:** Barril onde se transportavam, para despejo, matérias fecais. Também servia para designar os criados ou escravos que faziam esse transporte.
**Trapiches:** Armazéns onde se guardam mercadorias para embarque, junto ao cais. Também designa pequenos engenhos de cana-de-açúcar movidos por animais.
**Tresmalhos:** Rede de pesca de malha larga a que anda unida outra de malha miúda.
**Tutameia:** Quase nada; preço vil; pouco dinheiro.
**Urcas:** Embarcações portuguesas do século XVII de dois ou três mastros, de velas redondas ou latinas, com um grande porão para o transporte de carga e que passou, com o tempo, a se chamar charrua.
**Uxoricidas:** Aqueles que assassinam suas mulheres.
**Vêrga:** Vara flexível e delgada.
**Zungús:** Cortiços.

# REFERÊNCIAS BIBLIOGRÁFICAS

**ABREU, Capistrano.** *Ensaios e estudos*. Brasília: Editora Senado Federal, 2003.

_______. *O descobrimento do Brasil*. São Paulo: Martins Fontes, 1999.

**ALBUQUERQUE, Corsino Medeiros**. *Relações comerciais do Rio de Janeiro com Lisboa (1763-1808)*. Rio de Janeiro: Tempo Brasileiro, 1980.

**ALDEN, Dauril.** *O significado da produção de cacau na região amazônica no fim do período colonial*: Um ensaio de história econômica comparada. Belém: UFPA/NAEA/FIPAM, 1974.

**ALENCASTRO, Luis Felipe de**. *O trato dos viventes:* A formação do Brasil no Atlântico Sul. São Paulo: Companhia das Letras, 2000.

**ALGRANTI, Leila.** *O feitor ausente*: Estudos sobre a escravidão urbana no Rio de Janeiro, 1808-1822. Petrópolis: Vozes, 1988.

**ALMEIDA, Aluísio de**. *Vida e morte do tropeiro*. São Paulo: USP/Livraria Martins Editora, 1981.

**ALVES FILHO, Ivan** (org.). *História pré-colonial do Brasil*. Rio de Janeiro: Europa, 1993.

**AMARAL, J.R. do.** *Ephemérides maranhenses, datas e fatos mais notáveis da história do Maranhão (1499-1823)*. São Luís: Tipografia Teixeira, 1923.

**ANCHIETA, J.** *Sermão da 20ª Dominga depois de Pentecostes*. São Vicente, 10/1567. Manuscrito autógrafo existente no Archives Générales du Royaunne, em Bruxelas, seção Archives Jesuitiques, Province Flandro-Belge, pasta 1431-1437. (De acordo com BARBOSA, Maria de Fátima Medeiros. *As letras e a cruz*: Pedagogia da fé e estética religiosa na experiência missionária de José de Anchieta, S.J. (1534-1597). Roma: Editrice Pontificia Università Gregoriana, 2006.

**ANDRADE, Manuel Correia de**. A pecuária e a produção de alimentos no período colonial. In: SZMERECSÁNYI, Tamás (org.). *História econômica do período colonial*. São Paulo: Hucitec/Fapesp, 1996, p. 99 et passim.

**ANDRADE, Mário de**. *Namoros com a medicina*. Belo Horizonte/São Paulo: Itatiais/Martins, 1980.

**ANTONIL, André João.** *Cultura e opulência do Brasil (1711)*. São Paulo: Companhia Editora Nacional, 1967.

**ANZAI, Leny Castelly.** "Doenças e práticas de cura na capitania de Mato Grosso: o olhar de Alexandre Rodrigues Ferreira". Tese (doutorado em história). Brasília: UnB, 2004.

**ARAUJO, Emanuel.** *O teatro dos vícios*: Transgressão e transigência na sociedade urbana colonial. 3ª ed. Rio de Janeiro: José Olympio, 2008.

**ARRUDA, José Jobson de Andrade**. *O Brasil no comércio colonial*. São Paulo: Ática, 1980.

**ASSUNÇÃO, Paulo de**. "As exéquias de d. João V: O espetáculo da morte e a imortalidade do poder". Lúmen, volume 8, número 17, janeiro-abril de 2002, pp.139-158.

_________. *A terra dos brasis:* A natureza da América portuguesa vista pelos primeiros jesuítas (1549-1596). São Paulo: Annablume, 2001.

**AUDRIN, frei José M.O.P.** *Os sertanejos que eu conheci*. Rio de Janeiro: José Olympio, 1963.

**AVELAR, Lucas Endrigo Benzoni**. *A moderação em excesso*: Estudo sobre a história das bebidas na sociedade colonial. Tese (mestrado em história). São Paulo: DH/FFLC/USP, 2010.

**BACELLAR, Carlos de Almeida Prado**. *Viver e sobreviver em uma vila colonial*: Sorocaba, séculos XVIII e XIX. São Paulo: Annablume/Fapesp, 2001.

**BARLÉU, Gaspar.** *História dos feitos recentemente praticados durante oito anos no Brasil (1647)*. Belo Horizonte/São Paulo: Itatiaia/EDUSP, 1974.

**BARREIRO, José Carlos**. *Imaginário e viajantes no Brasil do século XIX*: Cultura e cotidiano, tradição e resistência. São Paulo: UNESP, 2002.

**BARROW, John.** *A Voyage to Conchinchina in the Years of 1792 and 1793.* Londres: T.Caldwell and W. Davies in the Strand, 1806.

**BELLUZO, Ana Maria.** *O Brasil dos viajantes.* Rio de Janeiro: Objetiva, 1999.

**BELMONTE.** *No tempo dos bandeirantes.* São Paulo: Melhoramentos, 1948.

**BETTENDORF, padre João Felipe.** *Compêndio da doutrina cristã na língua portuguesa brasílica.* Lisboa: Oficina de Simão Tadeu,1634.

**BEURDELEY, Michel.** *Porcelaine de la Compagnie des Indes.* Fribourg: Office Du Livre, 1974.

**BINZER, Ina von.** *Os meus romanos, alegrias e tristezas de uma educadora no Brasil.* Rio de Janeiro: Paz e Terra, 1980.

**BITTENCOURT, Anna Ribeiro de Góes.** *Longos serões no campo.* Rio de Janeiro: Nova Fronteira, 1992.

**BLAJ, Ilana.** A *trama das tensões, o processo de mercantilização de São Paulo colonial (1681-1721).* São Paulo: Humanitas/USP/Fapesp, 2002.

**BLUTEAU, Raphael.** *Vocabulario portugues e latino.* Vol. 8. Coimbra, Collegio das Artes da Companhia de Jesus, 1712-21.

**BOESCHE, Edouard T.** *Wechselbilder von Land- und Seereisen, Abentheuern, Begebenheiten, Staatsereignissen, Volks- und Sittenschilderungen während einer Fahrt nach Brasilien und eines zehnjährigen Aufenthalts daselbst, in den Jahren 1825 bis 1834.* Hamburgo: Hoffmann und Campe, 1836.

**BRAGA, Isabel M.R. Mendes Drummond.** *Do primeiro almoço à ceia*: Estudos de história da alimentação. Sintra: Colares Editora, s/d.

**BRANCANTE, Eldino da Fonseca.** *O Brasil e a louça da Ìndia.* São Paulo: Elvino Pocai, 1950.

**BRANDÃO, Ambrósio Fernandes.** Diálogos das grandezas do Brasil (1618). Recife: Fundação Joaquim Nabuco/ Editora Massangana, 1997.

**BRAUDEL, Fernand.** Civilização material e capitalismo. Lisboa: Cosmos, 1970.

*Breve instrução para ensinar a doutrina cristã, ler e escrever aos meninos e ao mesmo tempo, os princípios da língua portuguesa e sua ortografia.* AHU, Ministério do Ultramar. Portugal, s/d, caixa 49 referente a Pernambuco.

**BRUNO, Ernani da Silva.** *História e tradições da cidade de São Paulo.* vol.1 e 2. São Paulo: Hucitec, Prefeitura da Cidade de São Paulo, 1984.

_______. *O equipamento da casa bandeirista, segundo antigos inventários e testamentos.* São Paulo: Prefeitura do Município de São Paulo, Departamento do Patrimônio Histórico, 1977.

**BURTON, Richard.** *Viagens aos planaltos do Brasil (1868).* São Paulo: Companhia Editora Nacional, 1983.

**CALMON, Pedro.** *Espírito da sociedade colonial.* Rio de Janeiro: Companhia Editora Nacional, 1935.

**CÂMARA CASCUDO, Luís da.** *Dicionário do folclore brasileiro.* Belo Horizonte/São Paulo: Itatiaia/EDUSP, 1988.

_______. *História da alimentação no Brasil.* Belo Horizonte/São Paulo: Itatiaia/EDUSP, 1983.

_______. *Made in África.* São Paulo: Global, 2001.

_______. *Superstição no Brasil.* São Paulo: Global, 2001.

_______. *Tradição, ciência do povo.* São Paulo: Perspectiva, 1971.

**CAMPOS, Adalgisa Arantes.** "Notas sobre os rituais de morte na sociedade escravista." Revista do Departamento de História da UFMG, nº 6, p. 109-22, 1988.

**CANABRAVA, Alice.** *O algodão em São Paulo, 1861-1875.* São Paulo: TA Queiroz Editor, 1984.

**CANDIDO, Antônio.** *The Brazilian Family.* In: SMITH, Lynn; MERCHANT Alexander (ed. Brazil). Portrait of Half Continent. Nova York: The Driden Press, 1951.

**CANTI, Tilde.** *O móvel no Brasil*: Revolução e características. Lisboa: Fundação Ricardo Espírito Santo; Rio de Janeiro: Agir, 1999.

**CARNEIRO, Henrique.** *Comida e sociedade*: Uma história da alimentação. Rio de Janeiro: Campus, 2003.

**CARNEY, J.A.** *Black Rice:* The African Origins of Rice Cultivation in the Americas. Harvard: Harvard University Press, 2001.

**CARNEY, J.; MARIN, R.A.** "Aportes dos escravos na história do cultivo do arroz africano nas Américas". Estudos, sociedade e agricultura, nº 12, 1999, p. 1-24.

**Cartas de d. Francisco Inocêncio de Souza Coutinho**, governador de Angola, 12/031768. Coleção Lamego, IEB/USP, códice 83.34, A8.

**CATHARINO, José Martins.** *Trabalho índio em terras da Vera ou Santa Cruz e do Brasil*: Tentativa de resgate ergonológico. Rio de Janeiro: Salamandra, 1995.

**CAVALCANTI, Nireu.** *Crônicas históricas do Rio de Janeiro.* Rio de Janeiro: Faperj/Civilização Brasileira, 2004.

_______. *O Rio de Janeiro setecentista*: A vida e a construção da cidade da invasão francesa até a chegada da Corte. Rio de Janeiro: Zahar, 2004.

**CHERCHIARI, Candice Quinelato B.** "Fea, velha, sandia": Imagens da mulher nas cantigas de escárnio e maldizer galego-portuguesa. Tese (mestrado em história). São Paulo: DH/FFLCH, 2009.

**COARACY, Vivaldo.** *Memórias do Rio de Janeiro.* Belo Horizonte/São Paulo: Itatiaia/EDUSP, 1988.

**Constituições primeiras do Arcebispado da Bahia**, feitas e ordenadas pelo Ilustríssimo e Reverendíssimo Senhor dom Sebastião Monteiro da Vide. Coimbra: Real Colégio das Artes da Companhia de Jesus, 1720.

**CORRÊA, Pio.** *Dicionário das plantas úteis do Brasil e das plantas exóticas cultivadas.* Rio de Janeiro: INL, 1926.

**CORTEZ, Jeronymo.** *Lunario e prognostico perpetuo para todos os reinos e provincias.* Porto: Lello & Irmão Editores, s/d.

**COSTA E SILVA, Alberto da.** *A enxada e a lança:* A África antes dos portugueses. 2ª ed. Rio de Janeiro: Nova Fronteira, 1996.

_______. *A manilha e o libambo*: A África e a escravidão de 1500 a 1700. Rio de Janeiro: MINC/BN, Departamento Nacional do Livro, 2002.

_______. *Um rio chamado Atlântico*: A África no Brasil e o Brasil na África. Rio de Janeiro: Nova Fronteira/Ed. UFRJ, 2003.

**COSTA FILHO, Miguel.** *A cana-de-açúcar em Minas Gerais.* Rio de Janeiro: IAA, 1963.

**COSTA, Iraci del Nero da.** *Vila Rica*: População (1719-1826). São Paulo: IPE/USP, 1979.

**COSTA, João da.** *Dicionário rural do Brasil.* Rio de Janeiro: Campus, 2003.

**CUNHA JÚNIOR, Henrique.** *Tecnologia africana na formação brasileira.* Rio de Janeiro: Revista CEAP, Petrobrás, 2010.

**D'ABBEVILLE, Claude.** *História da missão dos padres capuchinhos na Ilha do Maranhão e terras circunvizinhas (1614).* São Paulo: Livraria Martins Editora, 1945.

**DEAN, Warren.** *A ferro e fogo*: A história e a devastação da mata atlântica brasileira. São Paulo: Companhia das Letras, 1996.

**DEBRET, Jean-Baptiste.** *Viagem pitoresca e histórica ao Brasil.* Belo Horizonte/São Paulo: EDUSP, 1978, vols. 1 e 2.

**DEL PRIORE, Mary.** *A serração da velha*: Charivari, morte e festa no mundo luso-brasileiro. In: JANCSÓ, István; KANTOR, Íris (org.). Festa: Cultura & sociabilidade na América Portuguesa. v. 1. São Paulo: Hucitec: Ed. da USP/FAPESP/Imprensa Oficial, 2001.

_______. *Ao sul do corpo, condição feminina, maternidades e mentalidades na colônia.* Rio de Janeiro/Brasília: José Olympio/EDUNB, 1993.

_______. *Esquecidos por Deus*: Monstros no mundo europeu e ibero-americano (sécs. XVI-XVIII). São Paulo: Companhia das Letras, 2000.

_______. *Festas e utopias no Brasil Colonial.* São Paulo: Brasiliense, 1994.

_______. (org.). *História da criança no Brasil.* São Paulo: Contexto, 1991.

_______. (org.). *História das mulheres no Brasil.* São Paulo: Contexto, 1999.

_______. *História do amor no Brasil.* São Paulo: Contexto, 2005.

_______. "Ritos da vida privada". In: MELLO E SOUZA, Laura de. *História da vida privada no Brasil.* Vol. 1. São Paulo: Companhia das Letras. 1987, pp.275-331.

**DEL PRIORE, Mary; VENÂNCIO Renato.** *Ancestrais*: Uma introdução à história da África Atlântica. Rio de Janeiro: Campus Elsevier, 2004.

_______. *O livro de ouro da história do Brasil.* Rio de Janeiro: Ediouro, 2000.

______. *Uma breve história do Brasil.* São Paulo: Planeta, 2010.

______. *Uma história da vida rural no Brasil.* Rio de Janeiro: Ediouro, 2006.

**DIAS, Manuel Nunes.** *Fomento e mercantilismo*: A companhia geral do Grão-Pará e Maranhão (1755-1778). Belém: UFPA, 1970.

**DIAS, Ondemar.** "A produção de vegetais no Brasil antes de Cabral". Boletim do Instituto de Arqueologia Brasileira. v. 11, 2001, p. 1-16.

**DIDONE, Daniela Ferreira.** Saúde, alimentação e alimentos na província de São Paulo. Tese (mestrado em história). São Paulo: DH/FFLCH, 2007.

"Documentos interessantes para a história e costumes de São Paulo", v. 94 e 95. São Paulo: UNESP/Secretaria do Estado da Cultura/Arquivo do Estado de São Paulo, 1985.

**DORNAS FILHO, João**. *Aspectos da economia colonial.* Rio de Janeiro: Biblioteca do Exército Editora, 1958.

**EBEL, Ernst.** *O Rio de Janeiro e seus arredores em 1824.* São Paulo: Companhia Editora Nacional, 1972.

**EDMUNDO, Luiz.** *Recordações do Rio Antigo.* Rio de Janeiros: A Noite, 1950.

**ELIAS, Norbert.** *La Civilization des moeurs.* Paris: Calman-Lévy, 1973.

**EL-KAREH, Almir.** *A vitória da feijoada.* Niterói: Ed. da UFF, 2012.

**FALCI, Miridan Britto Knox.** *Escravos do sertão.* Teresina: Fundação Cultural Monsenhor Chaves, 1995.

**FARIAS, Juliana Barreto et ali.** *Cidades negras, africanos, crioulos e espaços urbanos no Brasil escravista do século XIX.* São Paulo: Alameda, 2006.

**FAZENDA, José Vieira.** *Antiqualhas e memórias do Rio de Janeiro.* Rio de Janeiro: Imprensa Nacional, 1921.

**FERRÃO, José E.M.** *A aventura das plantas e os descobrimentos portugueses.* Lisboa: Fundação Berardo, 1992.

**FIGUEIREDO, Lucas.** *Boa ventura! A corrida do ouro no Brasil.* Rio de Janeiro: Record, 2011.

**FIGUEIREDO, Luciano Raposo de A.** *O avesso da memória:* Cotidiano e trabalho da mulher em Minas Gerais do século XVIII. Rio de Janeiro/Brasília: José Olympio/EDUNB, 1993.

______. (org.). *História do Brasil para ocupados.* Rio de Janeiro: Casa da Palavra, 2013.

**FILGUEIRAS, Tarcísio S.; PEIXOTO, Ariane Luna.** *Flora e vegetação do Brasil na Carta de Caminha.* Acta Botânica Brasílica, v. 16, nº 3, 2002.

**FLEXOR, Maria Helena Ochi.** *Mobiliário Brasileiro:* Bahia. São Paulo: Espade, 1978.

**FLORENTINO Manolo; GOÉS, José Roberto.** *A paz nas senzalas, famílias escravas e tráfico atlântico, Rio de Janeiro, c.1790-c.1850.* Rio de Janeiro: Civilização Brasileira, 1997.

**FLORENTINO, Manolo; MACHADO Cacilda.** *Ensaios sobre a escravidão.* Belo Horizonte: UFMG, 2003.

**FRAGOSO, João Luís.** *Homens de grossa aventura, acumulação e hierarquia na praça mercantil do Rio de Janeiro 1790-1830.* Rio de Janeiro: Civilização Brasileira, 1998.

**FRAGOSO PIRES, Fernando Tasso; GOMES, Geraldo.** *Antigos engenhos de açúcar no Brasil.* Rio de Janeiro: Nova Fronteira, 1994.

**FRANÇA, Jean Marcel Carvalho.** *A construção do Brasil na literatura de viagem dos séculos XVI, XVII e XVIII, antologia de textos, 1591-1808.* Rio de Janeiro: José Olympio/UNESP, 2002.

______. *Outras visões do Rio de Janeiro colonial, antologia de textos, 1582-1808.* Rio de Janeiro: José Olympio, 2000.

______. *Visões do Rio de Janeiro Colonial, antologia de textos, 1531-1800.* Rio de Janeiro: Ed. UERJ/José Olympio,1999.

______. *Visões do Rio de Janeiro, antologia de textos, 1591-1800.* Rio de Janeiro: José Olympio/UERJ, 1999.

**FRANCO, Maria Sílvia de Carvalho.** Homens livres na ordem escravocrata. São Paulo: IEB/USP, 1969.

**FRENCH, John, D.** "Riqueza, poder e mão de obra numa economia de subsistência. São Paulo, 1596-1625". Revista do Arquivo Municipal, ano 45, nº 195, jan.-dez. 1982, p.94.

**FREYRE, Gilberto.** *Açúcar:* Uma sociologia do doce. Rio de Janeiro: José Olympio, 1933.

______. "A arte de cavalgar no tempo dos flamengos". In: *Pessoas, coisas e animais.* Natal: MPM, 1979.

______. *Casa Grande & Senzala:* Formação da família brasileira sob o regime patriarcal. Rio de Janeiro/Brasília: INL/MEC,1980.

______. *Ingleses no Brasil*. Rio de Janeiro: Topbooks, 2000.

______. *Nordeste*. Rio de Janeiro: José Olympio/Fundarpe, 1937.

______. *O escravo nos anúncios de jornais brasileiros do século XIX*. São Paulo: Companhia Editora Nacional, 1979.

**FURTADO, Junia Ferreira.** "Pérolas negras, mulheres livres de cor no distrito diamantino". In: FURTADO, Júnia Ferreira (org.). *Diálogos oceânicos:* Minas Gerais e as novas abordagens para uma história do Império Ultramarino Português. Belo Horizonte: UFMG/Humanitas, 2001.

______. (org.). *Diálogos oceânicos:* Minas Gerais e as novas abordagens para uma história do Império Ultramarino Português. Belo Horizonte: UFMG, 2012.

______. *Cultura e sociedade no Brasil Colônia*. São Paulo: Atual, 2000.

______. "Transitoriedade da vida, eternidade da morte". In: JANCSÓ, István; KANTOR, Íris (org.). *Festa: cultura & sociabilidade na América Portuguesa*. Vol. 1. São Paulo: Hucitec/Ed. da USP/FAPESP/ Imprensa Oficial. 2001. pp.397-416

**Gama, padre Miguel do Sacramento Lopes.** *O Carapuceiro (1832-1842)*. Recife: Fundação de Cultura da Cidade do Recife, 1983.

**GÂNDAVO, Pero de Magalhães.** *Tratado da Terra do Brasil*: História da Província Santa Cruz. Belo Horizonte: Itatiaia, 1980.

**GERSON, Brasil.** *O ouro, o café e o Rio*. Rio de Janeiro: Livraria Brasiliana Editora, 1970.

**GIL, Juan.** *Mitos e utopias del descubrimiento*. Madri: Alianza Editorial, 1989.

**GIUCCI, Guillermo.** *Sem fé, lei ou rei Brasil – 1500-1532*. Rio de Janeiro: Rocco, 1993.

**GONÇALVES, Andrea Lisly.** *As margens da liberdade*: Estudo sobre a prática de alforrias em Minas colonial e provincial. 1ª ed. Vol. 1. Belo Horizonte: Fino Traço/FAPEMIG, 2011.

**GOULART, José Alípio.** *Tropas e tropeiros na formação do Brasil*. Rio de Janeiro: Conquista, 1961.

**GRAHAM, Maria.** *Diário de uma viagem ao Brasil*. São Paulo: Brasiliana/Editora S/A, 1956.

**GRINBERG, Keila.** "Nova língua interior: os judeus no Brasil". In:VAINFAS, R. (org). *Brasil:* 500 anos de povoamento. Rio de Janeiro: IBGE, 2000.

**GRUZINSKI, Serge.** *Histoire du Nouveau Monde*. Vol. 1 (1991) e 2 (1993). Paris: Fayard.

______. *L' Aigle et le Dragon, démesure europeenne et mondialisation au XVI^e. Siècle*. Paris: Fayard, 2012.

______. *Les Quatre parties du Monde, Histoire d'une mondialisation*. Paris: Editions de La Martinière, 2004.

**GUIMARÃES, Carlos Magno.** "Inconfidência, estrutura agrária e escravidão". Revista do Departamento de História FAFICH UFMG. Belo Horizonte, v. 9, p. 161-179, 1989.

**GUSMÃO, Alexandre de.** *A arte de criar bem os filhos na idade de puerícia*. Lisboa: Miguel Deslandes, 1685.

**HAHNER, June E.** *A mulher no Brasil*. Rio de Janeiro: Civilização Brasileira, 1976.

**HEISSER JR., Charles B.** *Sementes para a civilização*. São Paulo: EDUSP, 1977.

**HOLANDA, Sérgio Buarque de.** *Caminhos e fronteiras*. 2ª ed. Rio de Janeiro: José Olympio, 1975.

______. (org.). *História geral da civilização brasileira*. Vol. 1. São Paulo: Difel, 1977.

______. "Metais e pedras preciosas". In: *História da civilização brasileira*: A época colonial. Tomo 1, vol. 2. São Paulo: Difel.

______. *Visão do paraíso*: Os motivos edênicos no descobrimento e colonização do Brasil. 6ª ed. São Paulo: Brasiliense, 1994.

**JESUS, Nauk Maria de** (org.). *Dicionário de história do Mato Grosso*: Período colonial. Cuiabá: Carlini & Caniato, 2011, p. 79-80.

**KIDDER, Daniel.** *Reminiscências de viagens e permanências nas províncias do Norte do Brasil*. Belo Horizonte/ São Paulo: Itatiaia/EDUSP, 1980.

**KNIVET, Anthony.** *As incríveis aventuras e estranhos infortúnios de Anthony Knivet*. Rio de Janeiro: Zahar, 2007.

**LAMEGO, Alberto.** *A planície do solar e da senzala*. Rio de Janeiro: Arquivo Público do Estado, 1996.

______. *O homem e o brejo*. Rio de Janeiro: IBGE, 1945.

**LAPA, José Roberto do Amaral.** *A Bahia e a Carreira da Índia*. São Paulo: Companhia Editora Nacional, 1968.

**LARA, Sílvia Hunold.** *Campos da violência*. São Paulo: Paz e Terra, 1988.

**LAVRADIO, marquês do.** *Luiz de Almeida Soares Alarcão Eça e Melo*: Cartas da Bahia. Rio de Janeiro: Arquivo Nacional, 1972.

______. *Cartas do Rio de Janeiro (1769-1776).* Rio de Janeiro: INL, 1978.

**LEITE, Miriam Moreira.** *A condição feminina no Rio de Janeiro – século XIX.* Rio de Janeiro: Hucitec/Pró-Memória, INL, 1984.

**LEITE, Serafim.** *Cartas dos primeiros jesuítas do Brasil.* Vol. 4. São Paulo: Comissão do IV Centenário, 1954.

**LEITHOLD, Theodor; RANGO; Ludwig von.** *O Rio de Janeiro visto por dois prussianos em 1819.* São Paulo: Companhia Editora Nacional, 1966.

**LEONARDI, Victor.** *Entre árvores e esquecimentos*: História social nos sertões do Brasil. Brasília: Editora da UnB/ Paralelo 15 Editores, 1996.

**LÉRY, Jean de.** *Viagem à terra do Brasil (1558).* Belo Horizonte/São Paulo: Itatiaia/EDUSP, 1980.

**LEVI-STRAUSS, Claude.** "O uso das plantas silvestres da América do Sul tropical". In: RIBEIRO, Berta (coord.). *Suma etnológica brasileira.* Vol. 1. Petrópolis: Vozes/Finep, 1987, p. 29-46.

**LIMA, Carlos A.M.** *Artífices do Rio de Janeiro (1790-1808).* Rio de Janeiro: Apicuri, 2008.

**LINHARES, Maria Yeda; SILVA, Francisco Carlos Teixeira da.** *História da agricultura brasileira*: Combates e controvérsias. São Paulo: Brasiliense, 1981.

**LINS DO REGO, José.** *Menino de engenho.* Rio de Janeiro: José Olympio, 1957.

**LISBOA, frei Christovão de.** *História dos animaes e arvores do Maranhão.* Lisboa: Arquivo Histórico Ultramarino, 1624.

**LODY, Raul.** *Joias de axé*: Fios de contas e outros adornos do corpo, a joalheria afro-brasileira. Rio de Janeiro: Bertrand Brasil, 2001.

**LOPES, Nei.** *Enciclopédia brasileira da diáspora africana.* São Paulo: Selo Negro, 2004.

**LUCCOCK, John.** *Notas sobre o Rio de Janeiro e partes meridionais do Brasil.* Belo Horizonte/São Paulo: Itatiaia/ EDUSP, 1975.

**LUNA, Vidal.** *Minas Gerais*: Escravos e senhores. São Paulo: IPE/USP, 1981.

______**; COSTA, Iraci Del Nero.** *Minas Colonial*: Economia e sociedade. São Paulo: Fipe/Pioneira, 1982.

**MACHADO, Aires da Mata.** *O negro e o garimpo em Minas Gerais.* Rio de Janeiro: Civilização Brasileira, 1964.

**MALERBA, Jurandir.** *A Corte no exílio:* Civilização e poder no Brasil às vésperas da Independência. São Paulo: Companhia das Letras, 2000.

**MANCHESTER, Alan.** "A transferência da corte portuguesa para o Rio de Janeiro". Revista do IHGB, vol. 277, out-dez. 1967, pp.3-44.

**MARCÍLIO, Maria Luiza.** *Caiçaras*: Terra e população. São Paulo: Cedhal/Paulinas, 1986.

______. *Crescimento demográfico e evolução agrária paulista, 1700-1836.* São Paulo: Hucitec/EDUSP, 2000.

**MARTINS, José de Souza.** *A morte e os mortos na sociedade brasileira.* São Paulo: Hucitec, 1983.

**MATTOS, Hebe Maria.** *Das cores do silêncio.* Rio de Janeiro: Nova Fronteira, 1995.

**MATTOSO, José** (dir.). *O reino dos mortos na Idade Média Peninsular.* Lisboa: José da Costa, 1995.

**MATTOSO, Kátia de Queiróz.** *Ser escravo no Brasil.* São Paulo: Brasiliense, 1988.

**MAWE, John.** *Viagens ao interior do Brasil.* Belo Horizonte/São Paulo: Itatiaia/EDUSP, 1980.

**MELLO E SOUZA, Laura de.** *Desclassificados do ouro*: A pobreza mineira no século XVIII. Rio de Janeiro: Graal, 1982.

______. *O Diabo e a Terra de Santa Cruz.* São Paulo: Companhia das Letras, 1986.

**MELO FRANCO, Francisco de.** *Diálogo dos meninos da escola que hão de representar quatro figuras que são Florêncio, Roberto, Aurélio e Jeronimo.* Lisboa: Oficina de Miguel Menescal, 1758.

______. *Tratado para a educação física dos meninos para uso da nação portuguesa.* Lisboa: Academia Real de Ciências, 1790.

**MENDES, Chico; VERÍSSIMO, Chico; BITTAR, Willian.** *Arquitetura no Brasil de Cabral a Dom João VI.* Rio de Janeiro: Imperial Novo Milênio, 2007.

**MENDONÇA, Marcos Carneiro de.** *Rios Guaporé e Paraguai*: Primeiras fronteiras definitivas do Brasil. Rio de Janeiro: Biblioteca Reprográfica Xerox, 1985.

**MENESES, José Newton Coelho.** *O continente rústico*: Abastecimento alimentar nas Minas Gerais setecentistas. Diamantina: Maria Fumaça, 2000.

**METCALF, Alida C.** *Family and Frontier Incolonial Brazil*: Santana de Parnaíba, 1580-1822. Los Angeles: University of California Press, 1992.

**MONTEIRO, John.** *Negros da terra*: Índios e bandeirantes nas origens de São Paulo. São Paulo: Companhia das Letras, 1994.

**MORIN, Edgard.** *L'Homme et la mort.* Paris: Seuil, 1971.

**MOURA, Carlos Eugênio Marcondes de** (org). *Vida cotidiana em São Paulo no século XIX.* São Paulo: Ateliê Editorial/Unesp/Imprensa Oficial, 1998.

**NARDI, Jean Baptiste.** *O fumo brasileiro no período colonial*: Lavoura, comércio e administração. São Paulo: Brasiliense, 1996.

**NIEUHOF, Joan.** *Memorável viagem marítima e terrestre ao Brasil (1682).* Belo Horizonte: Itatiaia, 1981.

**NOVAIS, Fernando A.** (dir.). *História da vida privada.* São Paulo: Companhia das Letras, 1997, 1998, 1999, 2000 (coleção em 4 volumes).

**NOVINSKY, Anita.** *Cristãos novos na Bahia.* São Paulo: Perspectiva/EDUSP, 1972.

______. *Inquisição*: Prisioneiros do Brasil. Rio de Janeiro: Expressão e Cultura, 2002.

**OITEIRO, Madalena Antunes.** *Memórias de uma sinhá moça.* Natal: A.S. Editores, 2003.

**OLIVEIRA, Roberto Cardoso de.** "Problemas e hipóteses relativos à fricção interétnica: Sugestões para uma metodologia". Revista do Instituto de Ciências Sociais, v. 4, nº 1, 1967, p. 41-91.

**PAES, Gabriela Segarra Martins.** "A encomendação das Almas na comunidade remanescente do quilombo Pedro Cubas". Dissertação (mestrado em história). USP/FFLCH, 2007.

**PANEGOSSI, Rubens Leonardo.** "O mundo universal: alimentação, aproximações alimentares no Novo Mundo no século XVI". Tese (mestrado em história). São Paulo: DH/FFLCH, 2008.

**PASEY, Darrell A.** "Kayapó controla inseto com uso adequado de ambiente". Revista Atualidade Indígena, v. 14, 1979, p. 56.

**PEREIRA, Bernardo.** *Anacefaleósis médico, teológica, mágica, jurídica, moral e política.* Coimbra: Francisco de Oliveira, s/d.

**PEREIRA, José Almeida.** *Cultura do arroz no Brasil*: Subsídios para a sua história. Teresina: Embrapa, 2002.

**PEREIRA, Nuno Marques.** *Compêndio narrativo do peregrino da América.* Lisboa: Miguel Menescal, 1752.

**PETRONE, Maria Teresa Schorer.** *A lavoura canavieira em São Paulo.* São Paulo: Difusão Europeia do Livro, 1968.

**PIERONI, Geraldo.** *Os excluídos do reino.* Brasília: Editora da UNB, 2000.

______. *Vadios e ciganos, heréticos e bruxas.* Rio de Janeiro: Bertrand Brasil, 2000.

**PINHO, Wanderley.** *História de um engenho do Recôncavo.* São Paulo: Companhia Editora Nacional, 1982.

**PINTO, Olivério Mário de Oliveira.** "Explorações científicas". In: HOLANDA, Sérgio Buarque de (org.). *História geral da civilização brasileira.* Vol. 1. São Paulo: Difel, 1977, p. 231.

**PINTO E SILVA, Paula.** *Farinha, feijão e carne-seca*: Um tripé culinário no Brasil Colônia. São Paulo: SENAC, 2005.

**PISO, Guilherme.** *História natural e médica da Índia Ocidental em cinco livros (1648).* Rio de Janeiro: INL, 1967.

**POMPA, Cristina.** *Religião como tradução*: Missionários, Tupi e Tapuia, no Brasil Colonial. CNPQ/ANPOCS, EDUSC, ANPOCS, 2002.

**PRADO JR., Caio.** *Formação do Brasil contemporâneo.* São Paulo: Brasiliense, 1942.

**PRESTES, M.A.** A investigação da natureza no Brasil Colonial. São Paulo: Annablume, 2000.

"Primeira visitação do Santo Ofício às Partes do Brasil: denunciações e confissões de Pernambuco, 1593-1595". Recife: Governo de Pernambuco, Fundarpe, 1984. Coleção Pernambucana, vol. XIV.

**PROUS, André.** "Agricultores de Minas Gerais". In TENÓRIO, Maria Cristina (org.). *Pré-história da Terra Brasilis.* Rio de Janeiro: Ed. UFRJ, 1999, p. 345-358.

**PUDSEY, Cuthbert.** *Diário de uma estadia no Brasil (1629-1640).* Petrópolis: Index, 2000.

**PUNTONI, Pedro.** *A Guerra dos Bárbaros*: Povos indígenas e a colonização do sertão nordeste do Brasil, 1650-1720. São Paulo: Hucitec/EDUSP, 2002.

**QUERINO, Manuel.** *Costumes africanos no Brasil.* Recife: Fundação Joaquim Nabuco / Editora Massangana, 1988.

**RAMINELLI, Ronald.** *Imagens da colonização*: A representação do índio de Caminha a Vieira. São Paulo/Rio de Janeiro: EDUSP/FAPESP/Jorge Zahar, 1996.

**REIS, Arthur César Ferreira.** *A política de Portugal no vale amazônico.* Belém: Secretaria do Estado da Cultura, 1993.

**REIS, João José; GOMES, Flávio dos Santos.** *Liberdade por um fio*: História dos quilombos no Brasil. São Paulo: Companhia das Letras, 1996.

"Relação da viagem que fez o conde de Azambuja, d. Antônio Rolim, da cidade de São Paulo para a vila de Cuiabá em 1751". Revista do Instituto Histórico e Geográfico Brasileiro, v. 7, 1845.

**RESENDE, Maria Ifigenia Lage de; VILLALTA, Luiz Carlos** (orgs.). *História de Minas Gerais.* Belo Horizonte: Autêntica/Companhia do Tempo, 2007.

**RIBEIRO, Joaquim.** *Folclore do açúcar.* Rio de Janeiro: MEC/Dac/Funarte, 1977.

**RIZZINI, C.** *O livro, o jornal e a tipografia no Brasil (1500-1822).* Rio de Janeiro: Kosmos, 1946.

**ROCHA PITTA, Sebastião.** *História da América Portuguesa (1730).* Belo Horizonte/São Paulo: Itatiaia/EDUSP, 1976.

**RODRIGUES, Jaime.** "Cultura marítima: Marinheiros e escravos no tráfico negreiro para o Brasil (sécs. XVIII e XIX)". Revista *Brasileira de História.* São Paulo, v. 19, nº 38, 1999.

**RODRIGUES, José Washt.** *Documentário arquitetônico relativo à antiga construção civil no Brasil.* São Paulo: EDUSP/Belo Horizonte, Itatiaia, 1979.

**RODRIGUES, Nina.** *Os africanos no Brasil.* São Paulo: Companhia Editora Nacional, 1977.

**ROMEIRO, Adriana; BOTELHO, Angela Vianna.** *Dicionário histórico das Minas Gerais.* Belo Horizonte: Autêntica, 2003.

**RUSSEL-WOOD, A.J.R.** *Escravos e libertos no Brasil Colonial.* Rio de Janeiro: Civilização Brasileira, 2005.

**SAINT-HILAIRE, Auguste de.** *Viagem ao Espírito Santo e Rio Doce (1830).* Belo Horizonte/São Paulo: Itatiaia/EDUSP.

**SALLMANN, Jean-Michel.** *Le Grand désenclavement du monde (1200-1600).* Paris: Payot, 2011.

**SALVADOR, frei Vicente.** *História da América Portuguesa (1627).* Belo Horizonte/São Paulo: Itatiaia/EDUSP, 1976.

**SANTOS, Ana Lúcia Vieira dos.** "Habitação escrava nas propriedades rurais do Rio de Janeiro". Revista do Instituto Histórico e Geográfico do Rio de Janeiro. Rio de Janeiro: 2013, ano 12, nº 12, p. 95-116.

**SANTOS, Corcino Medeiros dos.** *Economia e sociedade do Rio Grande do Sul, século XVIII.* São Paulo: Editora Companhia Nacional, 1984.

**SANTOS, Eulália Moares dos.** "A compartimentalização da natureza e a modernidade". *GeoNotas,* 2000, v. 4, nº 4, p. 1.

**SANTOS, Juana Elbein dos.** *Os nagô e a morte.* Petrópolis, Vozes, 2002.

**SANTOS FILHO, Licurgo.** *História geral da medicina brasileira.* São Paulo: Hucite/EDUSP, 1991.

**SCHLICHTHORST, Carl.** *O Rio de Janeiro como ele é.* Brasília: Editora do Senado Federal, 2000.

**SCHMALKALDEN, Caspar.** *A viagem de Amsterdã para Pernambuco no Brasil (1642-1645).* Rio de Janeiro: Index, 1998.

**SCHWARCZ, Lilia M.** *O espetáculo das raças*: Cientistas, instituições e questão racial no Brasil (1870-1930). São Paulo: Companhia das Letras, 1995.

**SCHWARTZ, Stuart B.** *Escravos, roceiros e rebeldes.* São Paulo, EDUSC, 2001.

_______. *Segredos internos*: Engenhos e escravos na sociedade colonial. São Paulo: Companhia das Letras, 1985.

_______.; **LOCKHART, James.** *A América Latina na época colonial.* Rio de Janeiro: Civilização Brasileira, 2002.

**SEIDLER, Carl.** *Dez anos no Brasil.* Belo Horizonte/São Paulo: Itatiaia/EDUSP, 1980.

**SILVA, Francisco Carlos Teixeira da.** "Conquista e colonização da América portuguesa: O Brasil Colônia (1500/1750)". In: LINHARES, Maria Yedda (org.). *História geral do Brasil.* 5ª ed. Rio de Janeiro: Campus, 1990.

_______. "Pecuária, agricultura de alimentos e recursos naturais no Brasil Colônia". In: SZMERECSÁNYI, Tamás (org.). *História econômica do período colonial.* São Paulo: Hucitec/Fapesp, 1996, p. 123-159.

**SILVA, Maria Beatriz Nizza da** (org.). *Brasil, colonização e escravidão.* Rio de Janeiro: Nova Fronteira, 1999.

_______. *O império luso-brasileiro* 1500-1620. Lisboa: Estampa, 1986.

_______. *Vida privada e cotidiano no Brasil na época de d. Maria e d. João VI*. Lisboa: Editorial Estampa, 1993.

**SILVA. Henrique Ataíde da.** "Mandioca, a rainha do Brasil? Ascensão e queda da Manihot Suculenta em São Paulo". Tese (mestrado em história). São Paulo: DH/FFLCH, 2008.

**SLENES, Robert.** *Na senzala uma flor*: Esperanças e recordações na formação da família escrava. Rio de Janeiro: Nova Fronteira, 1999.

**SOUSA, Gabriel Soares de.** *Tratado descritivo do Brasil em 1587*. São Paulo: Editora Nacional do Livro, 1987.

**SZMERECSÁNYI, Tamás** (org). *História econômica do período colonial*. São Paulo: Hucitec/Fapesp, 1996.

**TAUNAY, Afonso de E.** *Relatos sertanistas*. Belo Horizonte/São Paulo: Itatiaia/EDUSP, 1981.

**TAVARES, Geórgia da Costa.** *A atuação dos marchantes do Rio de Janeiro colonial*: Estratégias de mercado e redes de sociabilidade no comércio de abastecimento de carne verde (1763-1808). Rio de Janeiro: Arquivo Geral da Cidade do Rio de Janeiro, 2012.

**TEIXEIRA LEITE, José Roberto.** *A China no Brasil*: Influências, marcas, ecos e sobrevivências na sociedade e na arte brasileira. Campinas: Editora da Unicamp, 1999.

**TELLES, Maria Laura Mariani da Silva.** *Ser tão antigo, fragmentos de uma história de família*. Rio de Janeiro: GF Design, 2003.

**TENÓRIO, Maria Cristina.** "Agricultura e coleta de vegetais na pré-história brasileira". In: ALVES FILHO, Ivan (org.). *História pré-colonial do Brasil*. Rio de Janeiro: Europa, 1993.

**THEVET, André.** As singularidades da França Antártica (1558). Belo Horizonte/São Paulo: Itatiaia/EDUSP, 1978.

**TRIGO, Luciano.** *Engenho e memória*: O nordeste do açúcar na ficção de José Lins do Rego. Rio de Janeiro: Topbooks, 2002.

**TRINDADE, Jaelson Bitran.** *Tropeiros*. São Paulo: Editoração, Publicações e Comunicações Ltda., 1992.

**TRONCOSO, Gonçalo Fernandes.** *Contos e histórias de proveito e exemplo (1575)*. Lisboa: Biblioteca Nacional, 1982.

**VAINFAS, Ronaldo** (org.). *Brasil, 500 Anos de Povoamento*. Rio de Janeiro, IBGE, 2000.

________. *Dicionário do Brasil Colonial (1500-1808)*. Rio de Janeiro: Objetiva, 2000.

**VALLADARES, Clarival do Prado.** *Nordeste histórico e monumental*. Salvador: Odebretch, 1932.

**VENÂNCIO, Renato; CARNEIRO, Henrique** (orgs.). *Álcool e drogas na história do Brasil*. Belo Horizonte: Editora PUC/MINAS e Alameda, 2005.

**VENÂNCIO, Renato Pinto.** "*A madrinha ausente*: Condição feminina no Rio de Janeiro (1750-1800)". In: COSTA, Iraci Del Nero da (org.). *Brasil:* História econômica e demográfica. São Paulo: Instituto de Pesquisas Econômicas, 1986, pp.95-102.

________. "Os aprendizes da guerra". In: DEL PRIORE, Mary (org.) *História das crianças no Brasil*. São Paulo: Contexto, 1999, pp.192-209.

**VILAR, Hermínia Vasconcelos.** "Rituais da morte em testamentos dos séculos XIV e XV". In: MATTOSO, José (dir.). *O reino dos mortos na Idade Média Peninsular*. Lisboa: José da Costa, 1995.

**VILHENA, Luís dos Santos.** *A Bahia do século XVIII*. Bahia: Itapuã, 1969, p. 181.

**VOVELLE, Michel.** *La Mort em Occident de 1303 à nos jours*. Paris: Gallimard, 1983.

**WESTPHALEN, Cecília Maria.** *Gilberto Freyre, historiador da vida material*: Os bichos, as cousas e as técnicas. Ciência & Trópico, v. 29, nº 2, p. 493-505, jul./dez. 2001.

**ZANETTINI, Paulo Eduardo.** "Maloqueiros e seus palácios de barro: O cotidiano doméstico na casa bandeirista". Tese (doutorado em história). São Paulo: MAE/USP, 2005.

**ZANINI, Walter** (coord). *História geral da arte no Brasil*. São Paulo: Instituto Walther Moreira Salles/Fundação Djalma Guimarães, 1983.

**Sites**

<www.horseonline.com.br> Acessado em 23/03/2005.

<www.interagro.com.br> Acessado em 02/10/2005.

*Este livro foi editado na cidade de São Sebastião do Rio de Janeiro no verão de 2016. Foram usadas fontes Didot e Trade Gothic.*